費爾南多·佩索亞 Fernando Pessoa

二十世紀葡萄牙代表詩人、散文作家，同時也撰寫文學評論及翻譯，一八八八年生於里斯本，但六歲便隨母親和繼父搬到南非，十七歲時才又隻身回到里斯本求學，自此直到他一九三五年辭世，佩索亞幾乎沒有再離開過這個城市，作品也多次以里斯本爲題。反觀南非的童年在他身上僅存的痕跡似乎只有他優異的英語能力，他的作品中從未出現關於南非的描述。

佩索亞沒有完成大學學業，中學後的文學底子全靠自己在圖書館內自修，英美文學對他影響很深，他翻譯過多位詩人的作品，包括愛倫坡和惠特曼，也評論過丁尼生和布朗寧等詩人的作品。而翻譯米爾頓和莎士比亞，則是他沒能完成的願望。

佩索亞平日靠爲貿易公司翻譯英文書信維生，白天過著上班族的日子，晚上就回家寫作，有段時間他還會收費幫人看星座命盤。持續寫作不輟的佩索亞生前雖然發表了逾四百篇詩文與評論，卻只有一本葡文書和兩、三冊薄薄的英文詩集得以正式出版。直到他過世之後，家人才在他房裡找到超過兩萬五千頁未出版或未完成的稿件，因此開啓了世人對佩索亞世界的挖掘與探索。

譯者｜劉勇軍

知名譯者，收藏過許多流離失所的文字。專長是成爲你身邊的文字守護者。譯有《自決之書》、《月亮與六便士》、《生命不息．歸來》、《日出酒店》、《遺失的時光》……等經典作品。

惶然錄

葡萄牙國寶作家佩索亞靈魂代表作

獻給惶惑世代的不安之書

費爾南多・佩索亞——著

劉勇軍——譯

Golden Age 23

惶然錄 The Book of Disquiet

葡萄牙國寶作家佩索亞靈魂代表作｜獻給惶惑世代的不安之書

作　　者　費爾南多・佩索亞 Fernando Pessoa
譯　　者　劉勇軍

社　　長　張瑩瑩
總 編 輯　蔡麗真
責任編輯　徐子涵
校　　對　魏秋綢
行銷企劃　林麗紅
封面設計　莊謹銘
內頁排版　洪素貞

出　　版　野人文化股份有限公司
發　　行　遠足文化事業股份有限公司(讀書共和國出版集團)
地址：231新北市新店區民權路108-2號9樓
電話：（02）2218-1417　傳真：（02）8667-1065
電子信箱：service@bookrep.com.tw
網址：www.bookrep.com.tw
郵撥帳號：19504465遠足文化事業股份有限公司
客服專線：0800-221-029
法律顧問　華洋法律事務所　蘇文生律師
印　　製　呈靖彩藝有限公司
初版首刷　2016年4月
二版首刷　2019年9月
三版首刷　2024年1月

歡迎團體訂購，另有優惠，請洽業務部（02）22181417分機1124

國家圖書館出版品預行編目資料

惶然錄：葡萄牙國寶作家佩索亞靈魂代表作
獻給惶惑世代的不安之書 / 費爾南多．佩索亞
(Fernando Pesoa) 著；劉勇軍譯．-- 三版．--
新北市：野人文化股份有限公司出版：遠足文
化事業股份有限公司發行，2024.01
　面；　公分．-- (Golden age；23)
譯自：The book of disquiet
ISBN 978-626-7428-04-7(精裝)

1.CST: 佩索亞 (Pessoa, Fernando, 1888-1935) 2.CST: 傳記

784.628　　112021930

野人文化官方網頁　野人文化讀者回函

惶然錄

線上讀者回函專用 QR CODE，你的寶貴意見，將是我們進步的最大動力。

一本現代主義的試金石……在一個崇尚名氣、成功、愚昧、便利和嘈雜的時代裡，這本書堪稱一帖完美的良藥，一首對沒沒無聞、失敗、智慧、難度和沉默的讚美詩。

——約翰．蘭徹斯特（John Lanchester）
《每日郵報》（*Daily Telegraph*）

《惶然錄》被放置在一個很可能永遠都不會被打開的箱子裡。謝天謝地，這個箱子被開啟了。我十分鍾愛這部虛幻的怪異作品，十分鍾愛寫出這部作品的沒沒無聞寫作人，他獨出心裁，嗜酒成癮，從不虛飾浮誇。

——保羅．貝利（Paul Bailey）
《獨立報》（*Independent*）

令人神魂顛倒，甚至扣人心弦……有些怪異，令人著迷，讀來樂趣無窮。

——凱文．傑克遜（Kevin Jackson）
《星期日泰晤士報》（*Sunday Times*）

必然是對現代歐洲文壇的作者發動的最高襲擊……一個迷失方向且瀕於崩潰靈魂的自我啟示，這更加引人注目，因為作者本人就是一個虛構人物……在後現代主義成為一項學術產業很久之前，佩索亞就已經生活在解構主義的觀點中了。

——約翰・格雷（John Gray）
《新政治家》（*New Statesman*）

葡萄牙最偉大的現代詩人……論述的是世界上唯一重要的問題，這個問題因為無從回答而變得非常重要：我是誰？

——安東尼・伯吉斯（Anthony Burgess）
《觀察家》（*Observer*）

佩索亞的散文節奏明快，瞬間便能抓住人心，充滿了令人不安的提示，始終縈繞心頭，往往令人吃驚，如同觸摸到了一條震動的弦，難以捉摸，久久難以忘懷，一如詩歌……他無人能及。

——W・S・默溫（W. S. Merwin）
《紐約書評》（*New York Review of Books*）

目錄

推薦序

書寫的極限

——佩索亞與散文藝術

他是如此空無，又是如此溫柔，文字像飄散的音符具體降落在眼前，或像一陣細雨飄落原野，或是不斷捲來的海浪，讓人如睹其人，既透明又玄妙……他的書寫沒有開始沒有結尾，亦沒有邊際，讓我們幾乎觸及書寫的極限。

——周芬伶

佩索亞雖被稱為詩人，然他最常被討論的卻是《惶然錄》（又名：《不安之書》），一種界於散文與詩的奇書。他常將自己稱為散文作者，並在書中談到散文的藝術，許多年來這本書是我的隨身書，並用毛筆抄寫過無數遍，常在抄寫時落淚，他是如此空無，又是如此溫柔，文字像飄散的音符具體降落在眼前，或像一陣細雨飄落原野，或是不斷捲來的海浪，讓人如睹其人，既透明又玄妙，他的心靈朝你開放層層展開，結合東西方哲思，介於紀伯倫與特拉克爾之間，與其說是神祕主義者，不如說具備先知氣質的創作者，他創造了一個多重分身的異名者，如百年後《駭客任務》中的電腦自由穿梭者與《全面啟動》的多重創傷者，或是同時擁有許多帳號與假名的現代人，他是他所描述的詩人的最高層級「具備罕見的智力能夠超越自身（depersonalise），同時又有足夠的想像力可以活出那些與他自身全然不同的心靈，使作品中有多元的聲音。」，他的書寫沒有開始沒有結尾，亦沒有邊際，讓我們幾乎觸及書寫的極限。

有關他的異名者書寫及思想已被討論太多，很少人論及他對散文的看法；「散文」這在西方文學中一直被忽視的文類，他卻一再提及散文的重要性與寫作方法，甚至細膩地談到文字的運用：

> 大致來說，我與自己寫下的散文幾乎一致……我使自己成為書裡的角色，過著人們從書裡看到的生活。我的一切所感都只是感覺（與我的意願背道而馳），以便我能記下我的所感。我的一切所思都立刻化為詞語，混入擾亂思想的意象，排成別樣完整的韻律。經過這麼多的自我修訂，我毀掉我自己。經過這麼多的獨立思考，我不再是我而是我的思

想。我探測自己的深度，並放棄這種探測。我終其一生想知道自己是否深刻，唯有用肉眼來探測——像井底幽暗而生動的倒影——映出我那張對自己的觀察進行觀察的臉。

（第一九三篇，一九三一年九月二日）

自己與散文一致，也就是忠實紀錄自己所思所感，並探測自我的深度。散文家是對自我探索有著狂熱欲望的人，他對自我是什麼，自我投射出的人事物特別敏感，是對任何小節都不放過的人，然散文家書寫的「我」與現實的我有著辯證關係，過去在「載道」傳統下書寫的我是神聖化的我；而在現代「獨抒性靈」的要求下出現的我是魔鬼性的我或異己者，散文作者已失去了神聖性，日趨低下，這時佩索亞提出深刻、空我、多次元的我，這已擴大了散文視野與可能性，「我們每一個人都是好幾個，是一些，是極大數量的自我。所以，那個鄙視環境的自我，不同於那個在環境中受苦或自得其樂的自我。我們的存在是一塊遼闊的殖民地，有不同種類的人以不同的方式思考和感知。」（第三九六篇），如此散文能書寫得更寬闊，它像是無限增生的黑洞或蟲洞，讓創作者向內探索，上天入地，並化入人群。

在文字使用上，他主張避開一般人會使用或過於正常的句子，用字必須準確地表達所感，如描寫一個男性化的女人，一般人會使用「這女孩的動作像個男孩。」、「這女孩是個男孩。」或者「那個男孩。」；他會使用「她是個男孩。」這樣的句子，因為這樣更是違常的，用字要說得更準確，更絕對，更直觀，超越常規、共識和平庸。他對文字的要求是讓語詞更具思想的明確性：

如果我想說我存在，我會說：「我是。」如果我想說我作為一個獨立的個體而存在，我會說：「我是我自己。」但如果我想說我作為自我演說、自我作用的個體而存在，行使自我創造的神聖功能，我會把存在變成及物動詞。如果要達到宏偉壯麗、超越語法的至高境界，我會說：「我存在。」我在這兩個詞裡闡釋了一種哲理。這難道不比那些滔滔不絕的空話更可取嗎？從哲學和措詞裡，我們還能有什麼更多的索求呢？

清晰的思考，必須有精確的文字作載體，才能產生力度，然文字的精確是在反覆推敲下的有層次且非凡的語言，如此它的穿透度更高，如在玉壺中的冰心，透出瑩徹的冷光。只要你進入他的文字，很快被感染，如此冷冽又溫柔的穿透力少有人及。

佩索亞的文章跟他居住的里斯本息息相關，如同卡繆的北非與波特萊爾的巴黎，想像那條朝著冰藍大海如對遠方傾倒的斜坡大街，似乎有股引力帶人到不可知的遠方，並在遠方魂飛魄散，自我太渺小，只能分化為幻影，而這城市如海市蜃樓，藝術與人生並置在同一條街上，或者天堂與地獄同在，沒有衝突，如山坡那頭行走於斜坡之頂紅色的電車，穿黑衣披黑頭巾的婦人撫琴唱著「法朵」，擁擠的或黃或白建築物與咖啡店，這是一個色彩明亮與黑暗交織的城市，詩人藏身於其中一個小房間，想像整個城市都是他，而他是空的舞臺，讓分身A、B、C、D……自由穿梭，不斷對著大海低語：「在我的內心中，有著何等的地獄、煉獄和天堂啊！可誰能看到，我所做的一切都與生活相悖——我，是如此平靜，如此安詳？」這樣一個用自身的全部來寫作的創作者，怎不動人肺腑?!

周芬伶／作家

英文版譯者序

佩索亞、異名者，與惶然錄

每次完成一篇作品，我都會覺得震驚，震驚且沮喪。我的完美主義天性妨礙我去完成它，甚至從一開始就在妨礙我寫作。然而，我竟然分了神，並開始寫作。我能完成並不是意志力起了作用，而是意志力在繳械投降。我動手去寫是因為沒有力量去想；我寫完是因為沒有勇氣去放棄。這本書代表著我的怯懦。（第一五二篇）

費爾南多・安多尼奧・諾蓋拉・佩索亞（一八八八～一九三五年）生於里斯本。成年後，佩索亞很少離開這座城市，直至去世。但他曾在英屬南非的德班城（Durban）度過九年的童年生活。他的繼父是葡萄牙派駐此地的外交官。佩索亞五歲時，他的生父死於肺結核。佩索亞長成一名羞澀、想像力極為豐富的男孩，也是一名才華橫溢的學生。過完十七歲生日不久，佩索亞回國進入里斯本大學。因為更喜歡在國家圖書館自學，佩索亞很快便輟學了。為了補充和擴展在南非所受的傳統英文教育，他有系統地在圖書館裡閱讀哲學、歷史、社會學、文學（特別是葡萄牙文）領域的主要作品。在這期間，他創作了大量的英文詩和散文；到一九一〇年前，他也大量地用葡萄牙文寫作。一九一二年，他發表了第一篇文學評論隨筆。一九一三年，他發表了第一篇富有創造力的散文（收錄在《惶然錄》）。一九一四年，他發表了第一組詩歌。

佩索亞有時住在親戚家，有時租房子住；他偶爾做些翻譯，為在海外經商的葡萄牙公司草擬英文和法文的書信，以此來維持生活。儘管他天性孤獨，生活中社交有限，幾乎沒有愛情，但他仍然是一九一〇年代葡萄牙現代主義運動的活躍領袖。他創立了自己的文學路線，例如受立體主義啟發的「交叉主義」以及尖銳的、類似未來主義的「感覺主義」。儘管佩索亞不是眾人矚目的中心，但他透過作品、與知名作家對話來發揮影響。他是里斯本受人尊敬的知識分子和詩人，定期在一些雜誌發表作品，幾本雜誌還因他的幫助而得以經營下去，但他的文學天才在他去世前並不廣為人知。然而，佩索亞深信自己的天賦，他為寫作而活。儘管不急於出版，但他有著出版葡萄牙文和英文版本全集的宏大計畫，他最大程度地堅持他的寫作。

佩索亞的遺稿包括一大箱詩歌、散文、戲劇、哲學、文學評論、翻譯作品、語言理論、政治評論、占星術，以及混雜的其他文章，以葡萄牙文、英文和法文打字、手寫或晦澀難懂的塗鴉之作。他的作品寫在筆記本上、活頁紙上、信封的背面、廣告和傳單上、他工作的公司行號以及經常光顧的咖啡館信箋上、信封上、碎紙屑上，以及早期課本的空白處。為調和這種混亂，他用了許多筆名，這種習慣——或者是強迫症——從他童年就開始了。他把最重要的人物角色稱作「異名者」，他們有自己的傳記、體格、個性、政治觀點、宗教態度和文學追求（見附錄四〈異名表〉）。

佩索亞的葡萄牙文作品中，最著名的作品主要出自三位異名者詩人——阿爾伯特·卡埃羅（Ablerto Caeiro）、里卡多·雷斯（Ricardo Reis）和阿爾瓦羅·德·坎普斯（Álvaro de Campos）——以及「半異名者」貝爾納多·索亞雷斯（Bernardo Soares）之手；他的大量英文詩和英文散文主要由亞歷山大·舍奇（Alexander Search）和查爾斯·羅伯特·安儂（Charles Robert Anon）這兩位異名者所寫；他的法文作品的作者則是孤獨的尚·瑟爾（Jean Seul）。他還有其他人格，包括翻譯、短篇小說作家、英國文學評論家、占星家、哲學家和自殺的憂鬱貴族。他的眾多異名中，甚至還包括一個女性身分：飽受相思之苦、駝背無助的瑪麗亞·若澤（Maria José）。儘管經過了世紀交替，在佩索亞去世八十二年後，研究者們仍然沒能完全釐清他的浩瀚文字世界，他的很多重要作品仍然有待出版。

「嚴格來說，費爾南多·佩索亞並不存在。」阿爾瓦羅·德·坎普斯這樣說道，佩索亞為了避免為現實生活帶來麻煩，虛構了坎普斯這號人物。為了避免在整理和出版他的大部分散文時出現麻煩，佩索亞也虛構了《惶然錄》，它從來就不存在，嚴格地說，永遠也不會存在。我們在此讀到的不是這本書，而是對它的顛覆和否定：一本書的素材隨著食譜不斷變化；一本書的胚芽突變，長出奇怪的繁茂分枝；建造一本書，就像有房間和窗戶，卻沒有平面圖和地板；一本綱要，裡面許多書可能存在，也可能已被毀壞。這些紙頁裡記載的是一種反文學，一種原創，一個痛苦靈魂的文字掃描。

早在解構主義者開始猛烈抨擊概念的複雜體系（它庇護我們信奉的笛卡兒哲學「人格同一性之感」）時，佩索亞就已自我解構了，並且沒有任何抨擊。佩索亞從不打算毀滅自我或毀滅任何事物。他不像德希達[1]一樣，抨擊語言具有解釋力的假設，也沒有像傅柯[2]一樣，打破歷史和我們的思維系統。他只是對鏡自視，去看我們所有人：

> 我們每一個人都是好幾個，是一些，是極大數量的自我。所以，那個鄙視環境的自我，不同於那個在環境中受苦或自得其樂的自我。我們的存在是一塊遼闊的殖民地，由不同種類的人以不同的方式思考和感知。（第三九六篇）

對於佩索亞而言，「我思故我在」的問題並非出在哲學原理上，而出在語法的主語上。「我思考了什麼？我不過是想起了如此多的事物！」「異名者」阿爾瓦羅·德·坎普斯在〈菸草店〉這樣喊道。那些數不清的想法和各種潛在的自我並沒有暗示一個一元化的我。異名不僅僅是一種文學手法，更是佩索亞——在缺乏穩定和中心的自我裡——存在的方式。實際上，「我思故我在」也正是佩索亞所說的。即使這種自我肯定的方式也變化不定，因為在滿懷疑問和客觀超然的時刻，佩索亞內省時不無驚恐地默念：「他們思，故他們在。」

疑惑和猶豫是一對荒謬的雙重能量，支配著佩索亞的內心世界，為《惶然錄》提供了素材，是它的零碎地圖。佩索亞在一九一四年十一月十九日寫給詩人朋友阿爾曼多·科爾特斯——羅德里格斯（Armando Cortes-Rodrigues）的一封信裡，解釋了他和他的書中存在的問題：「我的精神狀態迫使我在違背意願的情況下奮力寫作《惶然錄》。可全都是些片段，片段，片段。」而他在之前的一個月寫給那位詩人的另一封信裡提到，「深切而平靜的憂愁」使他只能寫一些「不值一提的文章」和「《惶然錄》支離破碎、並不連貫的文章」。就這一點來說，由於總是寫些片段，作者和他的書永遠忠實於他們的法則。如果佩索亞將自己分裂成無數文學角色，這些角色互相矛盾，甚至自相矛盾，那麼《惶然錄》同樣是一本無限裂變下去的書，先是這本書，後又變成那本書，先是被這個聲音講述，後又被那個聲音講述，然後是另一個聲音、其他聲音，一切紛亂繁雜、變幻無常，就像佩索亞坐在咖啡館或窗邊觀看生活的流逝時，指間升起的香菸煙霧。

佩索亞的三個主要「異名者」——被澤尼斯稱作牧羊人的阿爾伯特・卡埃羅，古典學者里卡多・雷斯和旅行者阿爾瓦羅・德・坎普斯——一九一四年突然同時出現在佩索亞的人生舞臺上。《惶然錄》寫於一九一三年，當時佩索亞發表了第一篇創造性作品〈在隔離的森林裡〉，在這篇作品中，「半醒半睡」的敘述者停滯在「一種清醒的、沉重的無形麻木中，在一個僅僅是夢影的夢裡」，講述帶著雙重柔弱虛幻的想像中的漫步：

> 多麼新鮮及愉快的驚訝，那裡什麼人也沒有！甚至在那裡漫步的我們也不在那

1 德希達（Jacques Derrida，一九三〇～二〇〇四年），當代法國哲學家、符號學家、文藝理論家和美學家，解構主義思潮創始人。

2 傅柯（Michel Foucault，一九二六～一九八四年），法國哲學家和思想系統的歷史學家。他對文學評論及其理論、哲學（尤其在法語國家中）、批判理論、歷史學、科學史（尤其醫學史）、批判教育學和知識社會學有很大的影響。他被認為是一個後現代主義者和後結構主義者。

裡……因為我們什麼人也不是。我們根本就什麼也不是……我們沒有生命可供死神擄去。我們太過纖細及脆弱，風都能將我們吹倒。時間的流動愛撫著我們，就像微風拂過棕櫚樹頂。

他以自己的名義寫下了這篇慵懶的長篇散文，作為籌畫中的《惶然錄》摘要發表在一本文學刊物上。佩索亞餘生都致力於這本書的寫作，但他「準備」得越多，就越難完成它。未完成也無法完成。沒有情節，沒有計畫，正如寫一部文學作品所應擔心的，這本書的界限愈發變得模糊不清，它作為一本書的存在也變得不那麼可行——就像費爾南多・佩索亞作為世界上的公民的存在。

二十世紀二〇年代早期，這本失去方向的書似乎不知不覺地陷入一種停滯狀態，但到了二〇年代末——當人們幾乎聽不到阿爾伯特・卡埃羅（或者他的鬼魂，因為據說這個牧羊人一九一五年死於肺結核）的聲音，也完全沒有了里卡多・雷斯（他扮演著葡萄牙的「希臘詩人賀拉斯」角色）的消息時——佩索亞創造了貝爾納多・索亞雷斯這個新生命，也就是《惶然錄》的最後一個虛構作者，來完成這本書的撰寫工作。在《惶然錄》中，超過一半的篇幅寫於佩索亞去世前的六年間，而索亞雷斯這個異名者爭奪著他的注意力，甚至是感情。阿爾瓦羅・德・坎普斯對佩索亞來說無法取代，這個詩人角色和佩索亞相伴到老，在他這個創造者的心目中占有一席之地。助理會計索亞雷斯和造船工程師坎普斯在佩索亞的異名角色扮演遊戲中則從未謀面，他們常常互相競爭，但這兩個作家人物是精神上的兄弟，即使他們在現實中的職業相去甚遠。坎普斯寫散文和詩歌，很多都像是出自，可以這麼說，出自索亞雷斯之手。佩索亞在寫作時常常不確定是誰在寫作，令人好奇的是，在里斯本國家圖書館佩索亞檔案館的二萬五千篇文章中，第一篇的標題就是A.de.C（阿爾瓦羅．德．坎普斯的縮寫？）或者B. of D.（《惶然錄》縮寫）（或者別的名字）。

貝爾納多．索亞雷斯與佩索亞如此接近——比坎普斯要更接近佩索亞——以至於不能將他看作是獨立的異名。「他是一個半異名，」佩索亞在生命的最後一年裡寫道，「因為他的個性，儘管不屬於我，但和我並無不同，不過是我的個性的殘缺版本。」索亞雷斯很多美學的和存在主義的反思無疑地成為佩索亞自傳的一部分，儘管被他寫下來，但我們不應當混淆了創造物和其創造者。索亞雷斯不是佩索亞的複製品，甚至也不是縮影，而是殘缺的佩索亞，遺漏了某些部分。索亞雷斯愛諷刺，但幽默感不強；佩索亞則天生具有雙重性格。儘管羞怯孤僻，佩索亞不會說他感到像「一塊清潔房屋的濕抹布，被人放到窗上晾乾，卻遺忘了它，抹布掉到窗臺上，揉成一團，慢慢地在窗臺上留下一片汙漬。」（第二九篇）就像他的「半異名者」，佩索亞是一名辦公室職員，在里斯本舊商業區的貝克薩街區上班，他有段時間經常去道拉多雷斯大街的一家餐館吃飯，而那裡正是索亞雷斯的租屋和他的老闆維斯奎茲的公司所在地。然而，索亞雷斯做著將價格和布料貨品數量計入帳簿這類苦差事時，佩索亞有一份相對體面的工作，也就是用英文和法文為在海外做生意的公司書寫商業信件。他來去相當自由，從來不用按時上班。

至於他們各自的內心生活，索亞雷斯視自己的原初為雛形：「我在內心創造了各種不同的個性……我在內心具體化自我，我在獲得外化時才存在。我是一個空空的舞臺，等著各種演員登臺做各種演出。」（第二九九篇）從索亞雷斯的角度來看，這是一種奇怪的宣言。我們是否應該去相信，那個助理會計，也就是在佩索亞的生活舞臺上演戲的演員，是否也有自己的異名？如果是這樣，我們是否應該進一步設想，這些子異名下面還有子異名？將異名無限推演下去的想法或許給佩索亞帶來了愉快，但他變化人格的目的是為了解釋和表達自己，或許也是為了給自己提供一個沉思的友伴。文章裡引用的索亞雷斯，被佩索亞描述成戲劇性手法的殘存。無論索亞雷斯怎麼描述自己，在寫於一九三〇年的那篇文章（第二三五篇）開頭那句「我曾真正被人愛過一次」，他顯然是代表佩索亞說話，因為當時佩索亞和他一生唯一的情人奧菲利亞．凱蘿絲（Qphelia Queiroz）分手了。在「文學是忽略生活的最佳方法」（第一一六篇）這句中，這裡的索亞雷斯無疑就是佩索亞，無論他是否相信，或是否希望相信。但他有一天碰巧在看鄰居的窗戶時，看見窗簾布的褶皺一模一樣，這難道不是佩索亞嗎？

索亞雷斯沒有自己的內心生活，完全的異名者很難有更多的內心生活。小說家的角色常常以朋友或家庭成員為基礎，但是，佩索亞的所有人物角色都是從他的靈魂中剝離出來的——正是他自己（比如索亞雷斯）或者他渴望自己成為的角色（比如早期愛冒險的坎普斯）——他們只是他的冰山一角。當我們讀到索亞雷斯或坎普斯時，我們迷失在他們的世界裡，忘了他們的作者，但他們是佩索亞，或是佩索亞的一部分，佩索亞把自己縮小至虛無，以便能成為一切事與一切人。佩索亞是第一個忘記佩索亞的人。

如果貝爾納多．索亞雷斯和佩索亞不完全一樣，那麼他的反思和夢想都不能構成《惶然錄》的全部內容，因為他終究是個遲來的人。那個記帳員帶來他感情直接的精美散文前，《惶然錄》的文章被反覆排列調整，隨著時間的過去，甚至「不安」這詞都改變了含義。

《惶然錄》起初那段時間，被認為是佩索亞自己所作，大部分後期象徵主義的文章都帶有〈在隔離的森林裡〉那樣的純化色彩，通常沒有精彩的結尾，部分文字根本就沒有結尾。這並未影響它們的美感，但對它們的作者來說，是一種可以理解的挫折。「片段，片段，片段，」佩索亞在寫給朋友科爾特斯—羅德里格斯的信裡說道，因為某些文章充滿空白間隔，等著過後將詞語、短語或整段話補完（但從未做到），而有些「文章」只是草擬了一個開頭，或者做了一個記號，從來就沒有成形。《惶然錄》總是保持一種——就好像這是它存在的條件——等待被完成的作品狀態，還需要寫大量的補充，部分需要重寫，進行調整，使它前後連貫，或者整本書都需要重新思考一番？佩索亞對此也從來不確定。

《惶然錄》最初的設想是一本每篇都有標題的書，他留下各種列表[3]。有些標題，像《悲傷的間奏》和《雨景》成為某類文章的命名，應用到有共同主題或氛圍但保持獨立的各類文章裡。而有些標題，像《我們的靜默夫人》記下有待醞釀發展的雄心，由寫於不同時期的短文組成，各篇長短不一，有的是幾句塗鴉，有的是填滿了小字母的幾張紙。還有些只有標題沒有正文，或許從來就沒有寫出來過。（佩索亞的檔案裡包含了許多標題列表，這些標題屬於不存在的詩歌、故事、論文和整本書。他的所有寫作計畫哪怕完成了一半，那些書都能將一個不小的圖書館裝滿。《惶然錄》，不存在之圖書館的不存在之書，象徵了反覆無常的作者所遭遇的困境。）這些早期作品試圖透過刻意使用哥德式和浪漫情懷的古體手法，闡明一種精神狀態或心境。對宮廷生活、無性女性、古怪天氣和虛構風景的大量描寫占了主導。這種潛在精神屬於佩索亞，但從他身上剝離出來。這部作品不帶個人色彩，敘述的聲音虛無縹緲，那些事物和給事物命名的文字就好像盤旋在微黃的空間裡。「不安」這詞指的不是人類存在的煩惱，而是無處不在的不安寧和不確定性，由誇張的敘述者提煉。但是，不安的其他形式開始影響著作品，帶來了意想不到的轉變。

或許，理論和說教出現在書裡也在預料之中，因為佩索亞的作品中幾乎隨處可見這種內

3《惶然錄》中譯本中的標題，有些是保留佩索亞原有的標題，而其他無標題的文章則由譯者下標。

容。《惶然錄》中關於夢的文章變成了說明文（提出了作夢的原因和方法），也是自然的事情，甚至是一種必然。比如標題為〈有效作夢的技巧〉的四篇文章，構成了名副其實的手冊，針對從初級到高級各個層次的作夢者而寫。〈情感教育〉以大致一樣的方式充當了許多「感覺論者」的初級讀本。

本著同樣的說教精神，佩索亞所寫的〈對不幸的已婚婦女的忠告〉帶來了更匪夷所思的結果。他告誡失落的妻子透過「在與B男交歡的同時想像與A男的性高潮」來對丈夫不忠，透過「做這些事情的最佳時間是在生理期前的那些日子」來實踐。

按照佩索亞自己的說法，他的禁欲（他去世時可能是處男，儘管沒有得到證實）是有意識的選擇，他顯然設法為《惶然錄》解釋。他在文章裡堅稱，我們不可能占有別人的身體，在二維空間裡的愛具有優越性（為棲居在畫裡、彩繪玻璃和中國茶杯上的情侶所喜），他還鼓吹放棄和禁欲主義美德。誠然，這本書裡充滿著宗教詞彙，儘管佩索亞宣揚神祕主義，也許除了信奉自己，他什麼神也不信奉。（他在《形而上心靈有效的作夢技巧》一文中得出結論：「我就是上帝。」）

但最重要的是，這是一種針對一般層面和個人層面的存在主義關懷，它顛覆了《惶然錄》的最初計畫。在一般層面上，由於《惶然錄》的作者「屬於這樣一代人，繼承了對基督教的不信仰，從而也不信仰其他宗教」。因此「我們離開了，每個人對他自己而言，在孤寂中感覺到自己還活著」，這一代人的迷惘感很快就轉變成對身分和意義的個人追求（第三〇六篇）。佩索亞的內心生活——記錄在〈自傳的片段〉、〈世界末日的感覺〉和有標題或沒標題的類似文章裡——占了不少篇幅，這本書一開始就是一本與眾不同的書。佩索亞發現，這個計畫從他手中滑落（即使他事實上緊緊抓住了它），因為在另一封寫給科爾特斯—羅德里格斯的書信中，他寫道，《惶然錄》這本「病態的著作」會「複雜而迂迴地寫下去」，這似乎符合書的本意。

因此，佩索亞繼續寫下去，在各類文章的開頭隨手加上「惶然錄」的標記，有時把它當作事後的想法，或者添加一個問號以表示疑惑。《惶然錄》——永遠處在踟躕、不確定和過渡中——是罕見的作品之一，它的版面和字體彼此映照。佩索亞總是打算將各類手稿和列印的書稿潤色定稿，卻從來沒有勇氣或耐心去做這個工作，佩索亞不斷加添內容，文稿已達到一定數量，使他難以掌控。除了後期象徵主義的天馬行空和日記體的感言，佩索亞將格言、社會學觀察、美學信條、神學反思和文化分析加入到書中。他甚至在給母親的書信副本上也加上「惶然錄」的標記（見〈附錄二〉）。

儘管佩索亞有很多寫作出版計畫，他生前只出版了一部作品《音訊》（O Marinheiro）（他自己出版過幾部英文詩集）。佩索亞如此沉迷於寫作和制定計畫——這些計畫包括希望渺茫的商業冒險和作品的出版——以致他沒有時間和精力將這些作品整理成書出版。或許因為太過煩悶，以致他不能思考。沒有什麼比《惶然錄》——佩索亞作品世界裡大混亂中的小混亂——更能闡明問題之所在。但是，正是這種至高的無序賦予這本書獨特的偉大。就像一座寶石未打磨和雕琢的寶庫，這本書能夠在無限重組中排列和重新排序，恰恰要感謝這種沒有預設的秩序。

沒有什麼作品像佩索亞的作品一樣如此緊密地互相作用。如果貝爾納多·索亞雷斯說他的「心靈之水漏盡，像一個壞掉的水桶」（第一五四篇），或者他的精神生活像「被掀翻的桶子」（第四四二篇），那麼阿爾瓦羅·德·坎普斯則宣稱「我的心靈是往外倒水的桶」（在〈菸草店〉裡），並把他的思想比作「傾覆的桶」（寫於一九三四年八月十六日的一首詩裡）。如果索亞雷斯認為「沒有什麼比他人的愛更令人痛苦」（第三四八篇），那麼里卡多·雷斯的頌歌（寫於一九三〇年十一月一日）則堅稱「愛我們的愛，同樣用欲求壓迫我們。」當那個助理會計渴望「能以初見的方式注意到所有事物，不是對生活玄祕的預示，而是現實的直接表現」，我們不由得會想起阿爾伯特・卡埃羅，他頻頻寫詩讚美事物的直觀景象。

我們可以快速翻閱《惶然錄》，就像翻閱一本透過不同異名展現自己的藝術家終身素描本。或者，我們可以把它看作一本旅行札記，一本「關於隨機印象的書籍」（第四四二篇），貫穿佩索亞文學史詩始終的忠實友伴從未離開過里斯本。或者，我們可以把它看作某個人終其一生不生活的「沒有根據的自傳」（第一二篇），他「像培養溫室的花朵一樣培養仇恨的行為」（第一〇三篇）。

《惶然錄》有不同的寫作形式，也有不同的作者。起初只有一本書時，它包含了後期象徵主義的有標題文章，而它對外公布的作者是費爾南多・佩索亞，但是，當它突變以適應日記體手記時，就必然變得更私密，也透露了更多的真實情感。佩索亞習慣將自己隱藏在其他名字之後，最初選用的名字是文森特・格德斯。事實上，只有最初的那些日記是以格德斯的名義寫的，它們也為《惶然錄》的寫作風格鋪展了道路。據佩索亞一篇當作序文的短文描述，格德斯這本「措詞溫和的書」中，「自傳的主人公從不曾存在」，這在另一篇日記中也有所提及，就好像這是它的真實書名。按照佩索亞的出版計畫，他開始引用文森特・格德斯作為《惶然錄》的虛構作者，這意味著這本書和「溫和」的日記是同一本書。另一方面，檔案還包含摘自寫於一九一四年八月二十二日的〈文森特・格德斯日記〉的片段，這則片段是嘲諷一位二流的葡萄牙作家，這當然不屬於《惶然錄》的內容。日記通常都寫有日期，但是，一九二九年以前，《惶然錄》幾乎沒有將注明日期的文章收錄進去，當時文森特・格德斯這個身分已被棄用。不管佩索亞出於什麼樣的目的，他絕不會將《惶然錄》歸結為一本日記，儘管書中收錄了〈雜亂無章的日記〉和〈清醒的日記〉——或者以日記命名的簡單紀錄——還有〈自傳的片段〉的引用，這些文章都寫於一九一五至一九二〇年期間（根據手稿和體裁上的跡象可推知），當時正是格德斯的活躍時期。

一九一〇年代，文森特·格德斯是佩索亞筆下最繁忙、最有才華的夥伴。除了寫日記，格德斯還翻譯，或者被認為翻譯了類似埃斯庫羅斯[4]、雪萊[5]和拜倫[6]這類詩人的戲劇和詩歌，以及亞歷山大·舍奇（佩索亞最多產的英文異名者）的怪誕小說〈一頓十分奇特的午餐〉。儘管格德斯推掉他的翻譯職務，但他「的確」寫了一些詩歌、若干短篇小說和幾篇神話故事。其中一則故事〈禁欲者〉，標題那位角色告訴他的對話者，「天堂和涅槃是『幻覺中的幻覺』。如果你夢見你在作夢，你夢見的夢是不是沒有你在夢裡夢見的夢真實呢？」這類沉思令人隱約聯想起《惶然錄》的誕生階段，這便是為什麼佩索亞決定委託格德斯完成的原因，後者的博學多識使他有潛力成為這部恢宏巨作傑出的作者，或者說，管理者。

文森特·格德斯作為《日記》的作者，他的手稿還被認為是《惶然錄》的早期部分，包括一篇題為〈紙牌遊戲〉的短文（第三五一篇），敘述者像一個孩子一樣，與他的老伯母在鄉村住宅度過夜晚。這篇短文前面被標記上：

4 埃斯庫羅斯（Aeschylus，前五二五～前四五六年），古希臘悲劇詩人，是古希臘最偉大的悲劇作家之一。
5 雪萊（Percy Bysshe Shelly，一七九二～一八二二年），英國文學史上最有才華的抒情詩人之一，更被譽為詩人中的詩人。
6 拜倫（George Gordon Byron，一七八八～一八二四年），是英國十九世紀初期偉大的浪漫主義詩人。其代表作品有《恰爾德·哈羅德遊記》、《唐璜》等。

《惶然錄》章節標題：〈紙牌遊戲〉（是否包括〈在隔離的森林裡〉？）

就語言和語氣來說，〈在隔離的森林裡〉和那篇短文（關於老伯母玩單人紙牌遊戲時，昏昏欲睡的女僕在泡茶）毫無相同之處。或許這篇短文不過是被當作某個章節的一個開頭，和這個章節有著一樣的標題，〈紙牌遊戲〉和〈在隔離的森林裡〉這樣的白日夢散文一樣，成為一種練習，佩索亞寫它們和我們玩紙牌有著同樣的理由：打發時間。無論是哪種情況，這本書都遇到了麻煩。佩索亞不知道如何處理這些在迷霧籠罩的古怪森林裡飄蕩的早期作品，他或許打算把它們都剔除。它們在日記中何以能安身？或許，除了日記呢？

十幾年以後，貝爾納多·索亞雷斯再次修訂了〈紙牌遊戲〉（第一二篇）：

我將我的所感繪成風景，我用感覺創造出假日……我那上了年紀的伯母用單人紙牌度過漫長的夜晚。我這些自我感覺的自白便是我的單人紙牌。我不會像那些用紙牌占卜未來的人一樣去解讀它們。我不去研究它們，因為單人紙牌裡沒有蘊含任何特殊的意義。

在同一篇文章裡，索亞雷斯把它的心理活動和文學活動比作另一種家庭消遣：鉤織，正如阿爾瓦羅·德·坎普斯在一九三四年八月九日的一首詩裡寫道：

我也在鉤織

在我開始思考時
一針一針勾出沒有完整的完整……
一件衣服，我不知道是為鉤織衣服還是什麼也不為
一個靈魂，我不知道是為感覺還是生活

這個助理會計鉤織的最大意義是，「象牙鉤針一勾一挑間，被施魔法的王子們漫步於花園裡」。若不是針對那些王室夢想和遐思（它們在早期的《惶然錄》中占有大量篇幅），這種觀察似乎有些不尋常，或者十分荒誕。在索亞雷斯筆下，正如我們將看到的，佩索亞設法在早期《惶然錄》中華麗的皇室夢想和二十世紀卑微小職員之間做出某種調和（儘管不甚滿意）。文森特．格德斯也是一名助理會計，他似乎更勝任調和角色。儘管格德斯寫過幾篇神話故事，但他在日記中表現得太過冷酷理性，使人難以相信他是撰寫縹緲作品的後期象徵主義作家，佩索亞從未直接點名把他當成作者。但是，格德斯擔任《惶然錄》的總作者至少有五年，甚至可能長達十年時間，不管怎樣這都是值得的，因為手稿證據顯示，二十世紀二〇年代的大部分時間裡（如前文所述），《惶然錄》處在休耕期。

大概在一九二八年，戴著貝爾納多．索亞雷斯面具的佩索亞，回到《惶然錄》的撰寫，這本書完全變成一本日記，帶有尖銳的個人色彩，同時也具有客觀性——就好像日記作者的外在世界和內心世界重合成一部影片，他心無旁騖地凝視著它，偶爾傾聽，但從未受感動。許多文章都有寫日期，儘管這種慣例不成體系，似乎只是漸漸被人接受。奇怪的是，寫於這段時期（一九二九年三月二十二日）的第一篇文章帶有後期象徵主義的風味，有鼓聲，號角聲，還有「其他人夢境裡的公主們」，但沒有提及那位助理會計，他的虛構或許太過朦朧，有待

被具體化。到了一九三〇年，佩索亞才開始給為《惶然錄》而寫的大量文章標注日期，並最終把地點鎖定在道拉多雷斯大街，索亞雷斯在那裡的一間辦公室裡上班，住在簡陋的租屋裡，用寫作來打發時間。而索亞雷斯說：「藝術與生活在同一條街上駐留，但不在同一個地方。……是的，對我而言，道拉多雷斯大街包含了一切事物的意義，還有一切謎語的謎底，除了謎語本身存在的理由——這永遠沒有謎底。（第九篇）」

貝爾納多·索亞雷斯在搬到道拉多雷斯大街前，我們對他一無所知。佩索亞的一本記事本裡，有十篇小說是以索亞雷斯的名字所寫，在那裡，我們還能找到更宏偉的出版計畫（出版佩索亞的作品），索亞雷斯僅僅被當作一個短篇小說作家。被列在同一個出版計畫的《惶然錄》還沒有任何作者。文森特·格德斯已被棄用了嗎？或許還沒有。但是，一旦索亞雷斯獲得作者身分，他或多或少還是承接了舊作者的傳記撰寫工作。更確切地說，早逝的文森特·格德斯（佩索亞打算將書出版，並且把他的手稿呈獻給公眾），顯然投胎到貝爾納多·索亞雷斯身上（只是街名變了），而索亞雷斯是一個很積極的日記作者。通過他的老伯母玩紙牌打發漫長的夜晚可以判斷，索亞雷斯甚至繼承了格德斯的童年。

儘管和格德斯不同，索亞雷斯取代他，由於佩索亞可以前後調整他的兵卒，這種替換能夠帶來反響。一九二九年到一九三四年間發表在雜誌上的《惶然錄》十一篇摘錄，自然被認為是貝爾納多·索亞雷斯寫的，但是，佩索亞還將先前發表過的一篇摘錄（早在索亞雷斯被虛構出來以前，此文就已發表，即〈在隔離的森林裡〉）當作索亞雷斯所作，並記錄在索亞雷斯文學創作的詳細目錄上。從一九三〇年代開始，佩索亞在注釋和大量信件裡詳細討論異名的創立，絕少提及格德斯，《惶然錄》中的十幾篇短文裡，提到佩索亞的那三篇被遺落在一個大信封裡，佩索亞在去世前的一段時間裡將它們收在一起，以備出版之用。那個信封還裝有一篇打字的〈說明〉（見〈附錄三〉），解釋早期文章需要修訂，以便使它們符合貝爾納多・索亞雷斯的「真實心理」。有人可能認為，由於佩索亞從未真正將這種修訂付諸實踐，他的早期作品保持著文森特・格德斯的風格和口吻——和索亞雷斯相比，分析性更強，情感表達更少一些——從而保持著他的作者身分。但是，後來發生的事情超過了佩索亞的控制。事實上到底發生了什麼呢？敘述者——無論他的名字是格德斯還是索亞雷斯——年齡是富有創造力和鼓舞精神的年齡，與佩索亞相同；而聲音自然有所改變，但不如阿爾瓦羅・德・坎普斯的聲音引人注目，後者寫於一九三〇年代的憂鬱短詩和一九一〇年代的頌歌〈感覺論者〉大為不同。

另一個不安人物特伊夫男爵多少可能和《惶然錄》有點關係，他不是該書的作者，而是它的投稿者。佩索亞在一九二八年創造了特伊夫男爵。大概也是在同年，貝爾納多・索亞雷斯從一個次要的短篇小說家變成佩索亞主要散文作品的作者。和索亞雷斯一樣，特伊夫也過著煩悶的生活（煩悶這個詞在書中一再出現），也發現生活無聊乏味，毫無意義，對不歸路和無救贖的觀點也心存懷疑。他寫於自殺前的「唯一手稿」《禁欲主義者的教育》在旅館抽屜裡被人發現，據推測作者是佩索亞，後者在一篇序言片段中對男爵和那個會計有所比較（見〈附錄三〉）。佩索亞寫道，他們的葡萄牙語相當，然而，男爵「思路清晰，文筆明快，能控制情感，儘管不能控制他的感覺；記帳員既不能控制情感也不能控制感覺，他的思考依賴於他的感覺。」對於這種微妙差異，佩索亞自己也並不總是有把握，因為他將一篇短文（第二〇七篇）標上〈惶然錄〉（或特伊夫？），還有少量其他短文明確標著特伊夫的名字，隨後將它們放進裝有《惶然錄》素材的大信封裡。難道他要奪走男爵的「唯一手稿」部分內容讓貝爾納多・索亞雷斯使用嗎？很可能是這樣，因為特伊夫的作品和它「唯一」指定的暗示相反，是一堆相互沒有關聯的片段拼接成的大雜燴，佩索亞或許已經沒有信心將它們整理出來，《惶然錄》內容更廣，更無序，但佩索亞因太過熱衷清晰而放棄了整理。

除了威脅到男爵的著作成果，外表謙遜的記帳員索亞雷斯還借用了大量署名為佩索亞的詩歌。上面提到的貝爾納多．索亞雷斯的文學作品詳細目錄不僅包括早期的詩散文，還包括〈斜雨〉（寫於一九一四年，發表於一九一五年）、〈十字路口的車站〉（寫於一九一四至一九一五年間，發表於一九一六年）和其他佩索亞的詩歌，它們基於「極端感覺主義的體驗」而寫。這些詩歌幾乎和〈在隔離的森林裡〉寫於同一個時期，共飲後期象徵主義之水，因此，佩索亞有段時間認為不妨將它們拉到同一個屋簷下，也就是詳細目錄開頭引用的道拉多雷斯大街。事實上，這個詳細目錄可能既是索亞雷斯的摘要資訊，又是《惶然錄》的目錄。在那一頁的底下，我們發現這樣一句奇怪的觀察：「索亞雷斯不是一個詩人。他的詩歌不符合標準，它不像散文那樣持久。他的詩歌是對散文的一種牴觸，是他一流作品中的敗筆。」

一九二〇年代後期，佩索亞對過去十五年裡以自己的名義寫作的「交叉主義」和「極端感覺主義」詩歌產生一種矛盾感。將它們重新納入到《惶然錄》，不僅能把佩索亞的名字從一時的尷尬中解救出來（他因作為這些文章的作者而感到尷尬），還能透過對上下文語境的強化來補救它們。但這只是一時之念。在和詳細目錄一樣被打出來的增補注釋中（見〈附錄三〉），我們讀到：

後來，對於我曾經誤認為應收在《惶然錄》的多首詩作，已另外編撰成書；這本詩集應該選取一個合適的書名，從而說明該詩集收錄了如同廢物一般的詩作，或應該加上旁注——一些可以使人聯想到超然的文字。

佩索亞總是和他的「半異名者」一樣猶豫不決，他又回歸到自己的原計畫：一部用優雅甚至詩意的葡萄牙語撰寫的散文，但仍然且始終是散文。是什麼使他產生了將詩歌融進去的想法呢？

《惶然錄》成為佩索亞鍾愛的計畫，即使有些不恰當，他竭力試圖將迥然不同的各個部分聚集在一起。編入《惶然錄》的散文如此多樣，以致聚合它們的新作者貝爾納多．索亞雷斯的職責要遠遠大於一個日記作者。為了把索亞雷斯打造成一個可信的多面作者，佩索亞決定徹底拓寬他的文學領域，使他甚至成為一個詩人。如果從根本上說，阿爾瓦羅．德．坎普斯和里卡多．雷斯這樣的詩人也寫散文，為什麼貝爾納多．索亞雷斯就不能寫詩呢？但是不：這只會把事情變複雜。佩索亞意識到這一點，於是放棄了之前的想法，重新收回放在索亞雷斯名下的詩作。從一封寫於一九三五年的書信中，我們可以推知這一點，信裡援引〈斜雨〉作為「本名」作品（屬於佩索亞自己的作品）。然而，索亞雷斯保留了已繼承的詩式散文，他透過自己的實踐使這種繼承合理化，在寫於一九三二年十一月二十八日的那段節選（第三八六篇）中大顯身手，那篇文章顯然是〈在隔離的森林裡〉的續篇。在另一篇文章裡（第四二〇篇），索亞雷斯巧妙地將〈巴伐利亞國王路德維希二世的喪禮進行曲〉帶到了道拉多雷斯大街。對抗自己的創造性和理智上不可救藥的混亂傾向時，佩索亞至少為《惶然錄》找到了一種相對統一，「但不要放棄其深刻表達方式所具有的夢幻狀態，和邏輯上支離破碎的特點」（見〈附錄三〉的《惶然錄》說明）。

至於貝爾納多．索亞雷斯——這個寫詩的散文家，思考的夢想家，沒有信仰的神祕主義者，不沉迷的頹廢者——佩索亞創造出的最合適作者（索亞雷斯正是佩索亞自己的殘缺複製品）

為這本書提供了一種統一性，就其性質而言，它無法成為一本書。被稱作索亞雷斯的半虛構人物使這本紛雜散亂的書變得更正當合理，或者說，他的出現也是最好的解決方法。對於那些難以適應現實、常態和日常生活的人而言，他是一個暗示的典型。在這個世界生存下去的唯一辦法就是繼續作夢，由於夢的實現永遠也達不到我們的想像，我們永遠也無法使夢實現——這是佩索亞留給我們的、最接近啟示的東西，他透過貝爾納多．索亞雷斯告訴我們怎麼做到這一點。

怎麼做到這一點？透過無為、透過堅持作夢、透過履行日常職責的同時也活在想像中。在心靈的版圖自由漫步。像凱薩一樣去征服，沉浸在幻想的響亮號角聲裡。在幻想的隱祕處體驗激情性愛的愉悅。以一切方式感受一切，用想像而不是總會疲勞的身體去感受。

比方說，夢見自己同時、分別而又各自成為在河邊散步的一男一女，看見自己同時以同一種方式、同樣精準而又互不重疊、相等而又彼此分開地融入兩個事物——比如南太平洋的一艘意識之船和一本舊書裡的一頁。這似乎是多麼的荒謬！然而，一切皆荒謬，唯有作夢不荒謬。（第一五七篇）

讓我們夢見自己的生活，在夢裡生活，我們對夢想和生活的感受如此強烈，使得兩者之間的差別變得毫無意義——這個信條幾乎貫穿佩索亞世界的每一個角落，但索亞雷斯是最好的實例。當其他「異名者」談論一切夢和感覺時，貝爾納多．索亞雷斯對他在道拉多雷斯大街日常生活的點點滴滴真正產生了絢麗多彩的夢和感覺。後期象徵主義文章中，霧氣繚繞的森林、湖泊、國王和宮殿至關重要，因為它們是虛構的物質，索亞雷斯將他的奇異夢境用語言表達出來。不同的〈雨景〉對雷雨極盡描述，是我們真正感受天氣，以及引伸出感受一切自然和周圍生活的圖解。

佩索亞敏銳地意識到「自然是沒有整體的部分」（摘自卡埃羅《牧羊人》，XLVII），統一的概念總是一種幻覺。很好，但並不絕對。一種相對、暫時、轉瞬即逝的統一，一種沒有假裝流暢和絕對、或者甚至單意義的單一統一，圍繞一個幻想物、一篇小說、一種寫作手段而建立——這就是費爾南多．佩索亞在貝爾納多．索亞雷斯身上就統一打的賭。他贏了。《惶然錄》的最終目標是反映棲居在人身上參差不齊的思想和支離破碎的情感，實現這種適度但真實的統一。在二十世紀，或許沒有一本書像這本書一樣坦誠，可以說幾乎絕無僅有。

坦誠。它直至今天才被提起。坦誠是《惶然錄》最突出的特點。把坦誠說成一個偉大作家的優秀美德，這樣說可能並不為過，因為對他們而言，透過真相的煉金術，最私人的東西變成共通的東西。奇怪或不奇怪，恰恰是他的掩飾，他的自我他者化——一種深度的個體過程——佩索亞對自己表現出令人吃驚的真實和坦誠。他先是他自己，再來是特別的葡萄牙人，他成功地變成最外化、最具有普遍性的作家。「我的母語是葡萄牙語，」他透過貝爾納多．索亞雷斯（第二五九篇）宣布，但他還說：「我不是用葡萄牙文寫作。我用我自身的全部來寫作。」這句話的前面，他喊著：「在我的內心中，有著何等的地獄、煉獄和天堂啊！可誰能看到，我所做的一切都與生活相悖——我，是如此平靜，如此安詳？（第四四三篇）」

貝爾納多．索亞雷斯的散文清晰明快，在他的散文中，佩索亞寫他自己，寫他的世紀，寫我們——下到地獄和庇佑我們的天堂，即使我們像佩索亞一樣，也是無信仰者。佩索亞把這本不真實的書稱作他的「自白」，但那些自白和宗教或文學多樣性毫無關係。在這些書頁裡，我們看不到寬恕或拯救的希望或者甚至欲念。書裡也沒有自憐自艾，以及嘗試美化敘述者無可救藥的人類處境。貝爾納多．索亞雷斯沒有自白，在某種意義上說，這是一種「承認」，而他「承認」的對象並不重要。他描述他自己，因為那裡的風景離他最近、最真實，他才能夠描述自己。血肉豐滿的人物躍然紙上。這裡是這位助理會計的自白：

大致來說，我與自己寫下的散文幾乎一致……我使自己成為書裡的角色，過著人們從書裡看到的生活。我的一切所感都只是感覺（與我的意願背道而馳），以便我能記下我的所感。我的一切所思都立刻化為詞語，混入擾亂思想的意象，排成別樣完整的韻律。經過這麼多的自我修訂，我毀掉我自己。經過這麼多的獨立思考，我不再是我而是我的思想。我探測自己的深度，並放棄這種探測。我終其一生想知道自己是否深刻，唯有用肉眼來探測——像井底幽暗而生動的倒影——映出我那張對自己的觀察進行觀察的臉。

（第一九三篇，一九三一年九月二日）

沒有一個作家能如此直接地將自我化作筆下的文字。《惶然錄》是世上最奇特的畫像，由文字畫成，文字也是唯一能用來捕捉靈魂深處外露部分的物質。

理查．澤尼斯（Richard Zenith）

《惶然錄》英文版譯者

自序[7]

7　佩索亞為《惶然錄》撰寫了多篇序文，此處收錄了其中兩篇。這兩篇序文無疑都寫於一九一〇年代，不過第二篇序文描寫了一個虛構的作者，他住在兩間租屋內，而不是一間，而且此人似乎比其他文章裡描述的會計助理更為成功。在《惶然錄》的前期部分，作者／敘述者被稱為文森特．格德斯（詳見〈英文版譯者序〉），或許此人在佩索亞的心裡依舊是個模糊的形象，不過在一篇第一人稱的文章裡，格德斯不僅提到了他四樓的租屋（一個房間），還說起他的職業是會計助理。另外兩篇提到格德斯名字的序文收錄在〈附錄一〉中，而其他幾篇序文——從講述者的角度寫成，而不是從佩索亞的角度來寫——均被收錄進了〈沒有根據的自傳〉章節。

序文（一）

里斯本有一定數量的餐館是這種型態的：在某一家外觀體面的酒樓上，有一間標準的餐廳，它有著鐵路不通的小鎮餐館特有的堅實感和家常風味。這些二樓餐廳，除了星期天，顧客寥寥無幾，你總能遇到一些相貌平平的怪人，那些生活舞臺的配角。

有一段時間，我手頭拮据，又想圖個清靜，便成了某家這類二樓餐廳的常客。每當我在七點左右去那裡用餐時，幾乎總能看到這樣一個人，起初他並未引起我的注意，後來我才開始對他產生興趣。

他個頭很高，身材相當瘦，大約三十歲。他坐著時背駝得厲害，但站著時沒那麼明顯。他衣著隨便，但不完全算是不修邊幅。他那蒼白無趣的臉上，露出一種飽受磨難的表情，看不到任何趣味，也很難說那種表情暗示著什麼樣的磨難。它似乎暗示著各種磨難：艱難困苦、焦慮煩惱，以及飽經滄桑後的波瀾不驚。

他總是吃得很少，飯後抽一枝自己捲成的紙菸。他大膽觀察著他顧客，談不上有什麼疑惑，而只是出於超乎尋常的興趣。他並未細細打量他們，似乎只是興致使然，無意要分析他們的外在行為或記住他們的外貌體態。正是這點特徵使我對他感興趣。

我開始更密切地觀察他。我注意到，某種才氣以某種模糊的方式使他的容貌變得生動起來。但沮喪——冷淡苦楚的鬱積——始終籠罩在他的臉上，所以很難再從他臉上看到什麼其他特徵。

我偶然從餐館的一個服務生那裡得知，他在附近一家公司工作。

有一天，樓下的街上發生了一件小事——兩個人在互相毆打。二樓餐廳的每個人都跑到窗邊觀看，包括我和眼下正描述的這個人。我隨口和他說了幾句話，他也同樣附和了幾句。他的聲音遲疑不決、平淡無奇，彷彿因完全沒有指望而變得萬念俱灰。然而，我這樣看待我的晚餐同伴，或許是荒謬的。

不知道為什麼，從那以後，我們就互相打招呼了。後來有一天，或許因為可笑的巧合，我們都遲至九點半才去吃晚餐，竟因此而隨便聊了起來。在某個適當的時刻，他問我是否寫作，我說是的。我提到了最近剛出版的文學評論雜誌《奧菲歐》[8]。他不僅稱讚，而且是高度讚賞，這令我大為吃驚。我告訴他，我很吃驚，因為這本雜誌的撰稿者只對少數人說話。他說，或許他就屬於少數人之一。此外，他補充道，這種藝術對他來說並不完全新奇。他羞怯地說，由於沒有地方可去、沒有事情可做、沒有朋友可拜訪，也沒有興趣讀書，他晚上通常就待在家裡，在他的租屋裡，寫點東西來打發時間。

序文（二）

他的兩個房間放置著表面奢華的家具，無疑地，不能不為此犧牲某些基本物件。他頗費心思地挑選有著柔軟舒適坐墊的座椅。他同樣精選了窗簾和地毯。他解釋說，這樣的室內設

8《奧菲沃》（Orpheu）是一九一五年費爾南多．佩索亞、馬里奧．德．薩——卡內羅（Mário de Sá-Carneiro）和路易士．德．蒙塔爾（Luís de Montalvor）沃創立的刊物。雖然這本刊物只出版了兩期，但其中的評論文章對於二十世紀葡萄牙文學的發展有至關重要的影響。

計使他能夠「為單調生活保留尊嚴」。在現代風格裝飾的屋子裡，單調生活變成一種令人不安的東西，一種身體不舒服的感覺。

沒有什麼東西驅使他去做任何事情。他獨自度過自己的童年，從未參加任何團體，也沒有修什麼課程，從不屬於任何群體。他的生活環境有一種奇怪但又普遍的現象——事實上，或許所有人的生活環境都是如此——按照他的惰性和逃避傾向，被剪裁成本能的畫面和相似物。

他從來不必面對社會或國家的需要。他甚至逃避自己本能的需要。他從來沒有動力去交朋友或談戀愛。在某種意義上，我算是他唯一的知己。但即使我總是假設自己與他有什麼關係，他也未必真正把我當成朋友，從一開始我就知道，他需要託付一個人來保存他留下來的這本書。

起初，我覺得很難做到，但我現在很高興能夠從心理學者的觀點來看問題，盡可能將自己當作他的朋友，致力於完成他將我拉進來的目標——出版這本書。

在這方面，客觀環境看來竟然對他有利，因為有我這種性格、對他有用的人，出現在他的身邊。

沒有根據的自傳

在這些隨意的印象中，除了隨意，沒有欲求，我冷漠地敘述我沒有根據的自傳，我無趣的歷史。這是我的自白，如果我什麼也沒說，那是因為我沒有什麼可說的。

——第一二篇

001 信仰的背離

在我出生的那個時代，大多數年輕人不再信仰上帝，而且和他們的前輩信仰上帝一樣，都是出於未知的原因。由於人類精神生來傾向於憑感覺而非以理性來判斷，大多數年輕人選擇以人類取代上帝。然而，我屬於這類人，總是處在所屬群體的邊緣，不僅看到了自己所屬的群體，而且還看到了群體周圍那片廣闊的空間。這便是為何我不像他們那樣徹底放棄信仰上帝，但也絕不接受人類的原因。我相信，上帝雖然未必可信，但也可能存在，在某種情況下應當被崇拜。然而，人類只是一個生物學概念，僅僅指明了我們所屬的動物物種，和其他動物物種一樣不值得被崇拜。宣揚人類是自由與平等的狂熱分子，在我看來就像古代一些異教的復活，他們的神長得與獸類無異，或有著獸類的頭。

同樣，因為不知道如何信仰上帝，也無法去信仰諸獸，我和其他邊緣人一樣，對一切事物保持著距離，這種距離通常被稱作「頹廢」。「頹廢」是作為生命基礎的無意識全面缺失。「頹廢」一旦思考，心臟就會停止跳動。

對於像我這樣活著卻不懂得如何去生活的少數人來說，除了將「放棄」作為生活方式以及將「觀照」當成命中注定，還能做些什麼？既然我們不知道也無法知道宗教生活是什麼樣子，因為信仰無法透過理性思考而獲得，又不能相信、乃至反對「人性」這個抽象概念，我們只能用審美觀照生活，以此表明我們擁有靈魂。我們對任何乃至整個世界的嚴肅事物漠不關心，對神靈毫無興趣，對人類滿不在乎，徒勞之下，我們向毫無意義的感覺繳械投降，這種感覺經過享樂主義的提煉和教化，適合我們的腦神經。

我們僅從科學中獲得基本定律——即萬物皆遵從於宿命論，我們無法任意反應，因為宿命論限制了所有反應——鑑於這項基本定律與更為古老的萬物宿命論一致，我們放棄一切努力，就像身體虛弱者放棄體能訓練。我們埋頭閱讀關於感覺的書籍，就像謹小慎微、鑽研感覺的學者一樣。

我們無法嚴肅對待事物，我們視感覺為唯一確鑿的真實，我們躲避在感覺裡，探索感覺，就像探索一片遼闊而陌生的國度。倘若我們不僅孜孜不倦地以審美觀照，還對美學研究方法和研究結果尋求表達方式，那是因為我們所寫的詩歌和散文——並無意改變任何人的意願，或禁錮任何人的理解——就像一位讀者，大聲朗讀僅僅是為了將閱讀的主觀愉悅完全地客觀化而已。

我們清楚知道，一切創作都是不完美的；我們寫下來的，正是最令我們難以把握的審美觀照。然而一切皆不完美。沒有一次日落能美得不能再美，沒有一次微風能讓我們安穩得不能再安穩於是入睡。因此，雕像與高山的觀照者不無二致，無不從書籍和流逝的歲月中汲取樂趣，作著各式各樣的夢，以便將它們轉化為我們的實質感受。我們還將描述和分析寫下來，完成這一切後，它們便成為可供我們欣賞的外在之物，就好像它們是某一天突然發生的事情一樣。

像維尼[9]這樣的悲觀主義者並非抱持這樣的觀點，在維尼眼中，生活是一座監獄，他置

9 維尼（Alfred de Vigny，一七九七～一八六三年），法國作家，作品類型包括詩歌、散文、戲劇和小說。他因為看破紅塵之愛、不成功的政治活動，以及法國學界對他的冷評，因而退出社交，作品多悲觀，認為禁欲的放棄是對我們苦難人生的唯一高貴回應。

身其中，編織稻草來打發時間和忘卻自我。悲觀主義者帶著悲觀的視角看待一切，這種姿態既有些過頭又令人不舒服。誠然，我們所寫下的文章並無任何價值，我們寫作也不過是為了打發時間，但與靠結草來打發時間、忘記命運的囚徒不同；我們就像為打發時間而在枕頭上繡花的女孩一樣。

我將生活看成一間路邊客棧，我不得不待在那裡，直到馬車從深淵開來。我不知道它將把我帶向何處，因為我對一切都一無所知。我可以將這間客棧看成一座監獄，因為我不得不在此靜候；我也可以將它看成一處社交中心，因為我在這裡與其他人相遇。但我既非缺乏耐心，也不與人交往。我既遠離那些閉門躺在床上、徹夜無眠等待的人們，也遠離那些在大廳高談闊論、歡歌笑語飄然入耳的人們。我坐在門邊，耳目盡享聲色景致，輕聲吟唱——只有我自己能聽見——創作於漫長等待之中的縹緲歌曲。

夜幕即將降臨，馬車也即將來到。我享受著為我而吹的微風，感受著為享受微風而被給予的靈魂。我不再有疑問或索求。我寫在旅行日誌上的東西，有朝一日若被人讀到，並能替他們的旅途帶來愉悅，那自然很好。但倘若他們不讀，或者沒有帶來愉悅，那也無妨。

002／作夢或行動

我不得不去選擇，哪怕兩者這都是我憎惡的——選擇我的智慧憎惡的作夢，或是我的感覺厭煩的行動；無論是我並非生而為之的行動，或者是沒有人生而為之的作夢，亦不例外。

我憎惡兩者，因此我都不選擇。不過，既然我不得不偶爾作夢或行動，我便將兩者混在一起。

003 黃昏的倦怠

我喜歡初夏黃昏籠罩下的鬧市那份寂靜，尤其是在白日的喧囂對比之下，更添幾分安寧。阿爾塞納爾大街，阿爾範德加大街，幽暗的街道從阿爾範德加的盡頭向東延伸，沿著靜靜的碼頭伸展開來——這些傍晚的日子裡，我走進它們的孤寂之中，它們用憂傷將我撫慰。我彷彿遠離現在，回到遙遠的過去，那個更早的時代。我樂於想像自己是當代的西薩里奧．韋爾德[10]，在我心中流淌的不是他的詩句，而是與他詩句不無二致的本質。

漫步於這些街道，直到夜幕降臨，我的生活與它們並沒有什麼差別。白天這裡充斥著毫無意義的活動；夜晚沒了活動，也並未使它們變得有意義。白天我什麼都不是，晚上我回到自我。我和這些街道並沒有什麼差別，除了它們是街道，我則有一具人類的靈魂。然而，當我們看到事物的本質時，這一點或許便顯得無關緊要。人與物同樣擁有一個抽象的命運：在世界之謎的代數學裡，同樣成為一個中性值。

但還有一些其他的東西……在這些倦怠而空虛的日子裡，一股憂傷從我的靈魂油然而生，傳至我的大腦，遍布整個自我——一種萬物始於感覺，卻又外在於感覺，不為我所左右

10 西薩里奧．韋爾德（Cesário Verde，一八五五～一八八六年），公認為葡萄牙現代詩歌之父。他的詩經常描寫里斯本生動的形象和洋溢的熱情，佩索亞的異名者阿爾瓦羅．德．坎普斯的詩是對其詩的迴響。

的苦澀之感。啊，夢境曾多少次變成實物出現在我面前，它們並非要取代現實，而只是宣稱它們和現實一樣，只要我表示輕蔑，它們便脫離我而存在，就像電車在街道盡頭轉彎，抑或傍晚街頭的叫賣聲，儘管我不知道他們在叫賣什麼，但是一種聲音——一首突如其來的阿拉伯歌曲——卻打破了黃昏的單調！

新婚夫婦走了過去。女裁縫們聊著天走了過去。年輕小夥子們找著樂子匆匆走過。歸隱退居的人像往常一樣抽著菸漫步而過。這家店或那家店的某個老闆像無所事事的流浪漢一樣站著，對周圍的事情毫不留神。一些新兵——有的身強力壯，有的弱不禁風——組成一支嘈雜或更糟的隊伍緩緩走過。偶爾也會有一般人走過。這個時間過往車輛稀少，車聲悅耳。在我心裡，有一個寧靜的苦痛，而我的平靜是由順從所構築。

這些走過的人和我毫不相干。他們和我的命運乃至整個世界的命運毫無關聯。這只是偶然投出的石子，發出未知的聲響，做了一種無意識的抗議詛咒——詛咒一個充斥著紛繁嘈雜的人生。

004 落差

……我從壯麗的夢境，回到里斯本市的助理會計身上。

但這種落差並沒有擊倒我，反而使我解脫。它的諷刺滲進我的血液裡。我理應感到羞辱的東西，卻成了我揚起的旗幟，而我應當用於自嘲的聲音，卻成了我吹響的號角，用來宣告——和創造——即將來臨的黎明。

一無是處的偉大是暗夜裡的榮光！不為人知的陰鬱威嚴顯赫……而我突然體驗到一種荒野僧侶或幽居隱士的崇高感，對遠離塵世的沙漠上和洞穴裡基督徒的實體有了某種認識。

在這個荒誕的房間裡，我這個卑微的無名小職員，在桌前寫著似乎是靈魂救贖的字句。我用遠處的崇山峻嶺那頭不存在的日落將自己鍍成金色，用放棄生命中的歡樂換來的雕像裝飾自己，用我強烈鄙夷的俗世珍飾——守戒的念珠戒指，將自己修飾。

005／記帳

我面前這張舊書桌有些傾斜的桌面上，放著一本帳簿，我疲憊的雙眼從兩頁大紙上抬起來，靈魂更是疲憊不堪。除了無關緊要的帳簿，倉庫裡是清一色的架子、清一色的職員，人類秩序和毫無風浪的平庸——這一切延伸至臨近道拉多雷斯大街的那面牆上。透過窗戶傳來的，是另一種現實到來的聲音，平淡無奇，就像籠罩著架子的平靜氛圍。

我目光低垂，重新回到那兩頁白紙上，那裡是我小心翼翼記錄下來的公司業績。我自嘲之餘，想起我的生活包含了這些記錄著原料的種類、價格和銷量、空格、字母和橫線，還包含了偉大的航海家和聖人、每個時代的詩人，沒有一個人被載入史冊——他們是被那些決定世界價值的人放逐的後裔。

正當我記錄了一個不大熟悉的布料名稱，印度河和撒馬爾罕的大門豁然打開，波斯詩歌（那裡的詩歌也是從別處發展過來的）的四行詩（第三行不押韻）是停泊我的不安的遙遠錨點。但毫無疑問：我在寫，添加著記錄，一名職員像往常一樣在這間辦公室裡記帳。

006 我用憂傷去寫作

我對生活要求很少，而連這點微薄的要求都無法實現。一片鄰近的曠野，一道陽光，一點點寧靜，外加一小片麵包，不被自己的存在感壓抑，不向人索取，也不被人索取什麼——連這一點要求也無法實現，就像我們拒絕施捨乞丐零錢，並不是因為我們吝嗇，而是因為懶於解開我們外套的鈕釦。

我在寂靜的房間裡憂傷地寫作，曾經是這樣孤身一人，將來也是。我在想，我那顯然微不足道的聲音裡，是否包含成千上萬個聲音的本質，那成千上萬個生命對自我表現的渴望，那成千上萬個靈魂像我一樣安於對日常命運的堅忍，以及他們失落的夢想和無望的希望。在這樣的時刻，我的心跳因意識到這一切而加速。我因為站在高處而活得更充實。我的內心湧起一股宗教的力量，一種祈禱，一種發自公眾的呼聲。但理智迅速將我拉回到我本來的位置……我才想起我身處道拉多雷斯大街一幢房子的四樓，我似夢非夢地審視自我。我的視線從這張未完成的紙上移開，瞥向那毫無意義又缺乏美感的生活，瞥向那枝馬上要被我掐滅的廉價香菸，菸灰缸在破損不堪的吸墨紙上，我將要把那枝香菸掐滅在那只菸灰缸裡。我在這間位於四樓的房間裡拷問生活！敘述靈魂的感覺！像天才或著名作家一樣寫散文！我，在這裡，一個天才！……

007 被上帝剝削

今天，在我那些毫無意義而又缺乏價值的白日夢裡（我生命中很大一部分是由這些白日夢構築），我在其中的一個白日夢裡，想像自己永遠擺脫了道拉多雷斯大街，擺脫了我的老闆維斯奎茲先生，擺脫了會計主任莫雷拉，擺脫了所有職員，擺脫了送報生，擺脫了年輕的工友和那隻貓。在夢裡，我所體驗到的自由，就像南太平洋賜予我一些風景奇特的島嶼，等著我去探索和發現。自由意味著休眠，意味著藝術成果，意味著我的智慧實踐。

然而，儘管我在小餐館裡用這個短暫的午休時間想像這些事情，一種不悅感侵襲了我的夢：我意識到我應當感到悲傷。是的，我這樣說，就好像真實境遇是如此：我應當感到悲傷。我的老闆維斯奎茲、會計主任莫雷拉、出納員柏格斯、所有的年輕人、那個將信送到郵局的快樂小夥子、那個送報生、還有那隻溫順的貓——所有這一切都成為我生活的一部分。我無法做到在離開這一切時不哭泣、毫無感覺——不管我是否願意——我的某一部分將與這一切共存，與他們分離將意味著我局部的死亡。

此外，如果明天我向他們道別，脫下我這身道拉多雷斯的套裝，那麼我終將做些什麼事呢（因為我總得做些什麼事）？或者我終將穿上什麼套裝（因為我總得穿上某種套裝）？

我們都有老闆——有的老闆看得見，有的老闆無影無形。我的老闆維斯奎茲有名有姓，他身強體壯，和藹可親，偶爾脾氣暴躁，但絕不兩面三刀。他自私，但整體上公道、有正義感，而這正是許多偉大天才、人文奇才以及左翼和右翼分子缺乏的。其他人被虛榮、財富、榮譽和永垂不朽控制。我情願讓維斯奎茲這樣的人做我的老闆，在某些困難時刻，他比這個世界上任何其他抽象的老闆更容易打交道。

我一位朋友認為我的薪水太少，他是一家經營成功、與政府有很多生意往來的公司的合夥人。有一天，他對我說：「索亞雷斯，你被剝削了。」我進而想起的確如此。但在生活中，我們人人都被剝削。我在想，被維斯奎茲和他的紡織公司剝削，是否會比被虛榮、榮譽、憤恨、嫉妒或無望剝削要來得更糟糕呢？

先知和聖徒行走於虛無的世界，他們被上帝剝削。

我用和其他人一樣的回家方式回到這個不是我家的地方：道拉多雷斯大街上的那間大辦公室。我回到我的辦公桌，就像回到抵禦生活的堡壘。我的內心一陣痛楚，痛楚到想要哭泣——為我那用來記帳的帳本、為我那用過的舊墨水瓶、為我附近駝著背寫提貨單的塞爾吉奧的背影。我愛這一切，或許因為我沒有什麼東西可以去愛，或許，即使沒有什麼東西值得人類的靈魂去愛，我仍然——不得不給予我的愛——不論它渺小如區區一個墨水瓶，或巨大如冷漠星空。

008 象徵

維斯奎茲——我的老闆。有時，我會不可思議地被維斯奎茲先生催眠。這個人除了偶爾是個障礙，還主宰著我的時間，主宰著我白天的日子，他對於我到底意味著什麼？他待我不錯，對我說話時很客氣，除了發脾氣的那些日子，當時他因某事而煩躁，對每個人都不客氣。但為什麼他能占據我的思想？他是一個象徵嗎？還是一個理由？他到底是什麼？

維斯奎茲——我的老闆。我已經在未來帶著某種懷舊之情回憶他，我知道我必將會有這樣的感覺。我將平靜安坐在某個郊區的小屋裡，享受這份寧靜，不去寫如今也沒有寫出的作品。為了逃避自我，我在未來堅持不寫作的理由要比現在的還要更勝一籌。我將待在貧民窟裡，為我徹底的失敗而高興，與冒充天才的烏合之眾廝混在一起，他們充其量不過是擁有夢想的乞丐。我被扔進一群無名之輩中，他們既無力取勝，又無法徹底放棄不靠競爭而取勝。無論我走到哪裡，我都會懷念維斯奎茲先生和道拉多雷斯大街的這間辦公室，以及我千篇一律的日常生活，就像懷念從未遇到過的愛情回憶和從不屬於我的勝利一樣。

維斯奎茲——我的老闆。今天我在未來看到的他和我在此時看到的他並無二致：他中等身材，健壯結實，有點粗魯但重感情，性格直率，通情達理，和藹可親。不僅僅在處理金錢上，單從他慢條斯理的手勢、青筋暴起而多毛的手上、粗壯但不肥胖的脖子，以及鬍鬚總是刮得很乾淨的、結實紅潤的臉頰，就能看出他是一個老闆。我看著他，看著他精力充沛地做著從容的手勢，他的眼裡折射著洞察世事的神情。當我莫名其妙讓他不高興時，我也會不高興，他咧嘴笑時，富有人情味的笑容像正在鼓掌的人群，使我的靈魂也感到歡欣。

或許，在我周圍的世界裡，缺乏更與眾不同的人物，這便是為什麼維斯奎茲先生，這個普通甚至有些粗俗的人，有時占據了我的思想，使我忘記了自己。我相信，這裡有一種象徵。我相信，或者說幾乎相信，在遙遠生活的某個地方，這個人對我的重要性，要勝過今天的他對我的重要性。

009 藝術與生活

啊，我總算恍然大悟！我的老闆維斯奎茲就是生活——單調而必不可少，威嚴而不可知的生活。這個平庸的人代表著生活的平庸。表面說來，他對我而言意味著一切，因為表面看來，生活似乎就是我的一切。

如果道拉多雷斯大街的那間辦公室對我而言代表了生活，那麼在同一條街上我所居住的那間四樓房間[11]對我而言則代表了藝術。是的，藝術與生活在同一條街上駐留，但不在同一個地方。為生活減壓的藝術並沒有為生活減少任何東西，它和生活一樣單調，只是以不同的方式表現出來。是的，對我而言，道拉多雷斯大街包含了一切事物的意義，還有一切謎語的謎底，除了謎語本身存在的理由——這永遠沒有謎底。

010 兩個自我

無用而敏感，我可以很暴力，也會有強烈的衝動——好壞都有，時而高貴時而卑賤——可從沒有一種情緒能夠持久，從沒有一種情感能歷久不衰，能夠融入我的靈魂。我的內心變成了另外一個樣子。我的靈魂對自身很不耐煩，彷彿和一個討人厭的孩子在一起；靈魂越來越不安寧，且永無安寧。我對一切興致盎然，卻不會受到任何控制。我留心萬物，始終懷揣夢想。與我交談之人，我會注意到他最細微的臉部動作，也會記錄他說話時語調的抑揚變化；我在聽，卻沒有聽進去。我心中在思索其他，而談話時所談內容的意義乃是我最不為所動之處，無論這話出自我還是他。因此，我總在重複已經重複多次的話，問出那人早已回答的問題。但我可以用四個詞，描述他說出那些我不曾記憶的話語時的臉部肌肉變化，就如同為他拍了照一般，或者準確地講出他雙眼圓睜、聽我講那些我不記得告訴過他的話語時的樣子。我有兩個自我，兩個自我距離遙遠——如同一對從不依戀彼此的雙胞胎。

011

禱文

我們從不知自我實現是何種情景。

我們是兩個深淵——一座在天空中閃爍的深井。

012

紙牌遊戲（一）

我嫉妒——但不確定我是否真的嫉妒——那些可以讓人寫進傳記或自己寫自傳的人。在這些隨意的印象中，除了隨意，沒有欲求，我冷漠地敘述我沒有根據的自傳，我無趣的歷史。這是我的自白，如果我什麼也沒說，那是因為我沒有什麼可說的。

11 原始版本是「二樓」，但應該是筆誤，因為索亞雷斯在其他出處都寫他的租屋在四樓。

有哪些有價值或有用的東西是值得坦白的呢？有些發生在我們身上的事情會發生在所有人身上，或只發生在我們身上；如果是發生在所有人身上，便無新奇之處，但如果只發生在我們身上，便不被人理解。如果我寫我所感，便是為感覺的熱度降溫。我所坦白的無關緊要，因為一切都無關緊要。我將我的所感繪成風景，我用感覺創造出假日。我很容易理解那些用刺繡忘掉悲傷、或用鉤織打發生活的婦女。我那上了年紀的伯母用單人紙牌度過漫長的夜晚。我這些自我感覺的自白便是我的單人紙牌。我不會像那些用紙牌占卜未來的人一樣去解讀它們。我不去研究它們，因為單人紙牌裡沒有蘊含任何特殊的意義。我解開自我，就像多彩的毛線，或者自己玩翻繩戲，就像勾在伸直指頭上的翻繩圖案，從一個孩子手上傳到另一個孩子手上。我所關心的只是我的拇指不要從線圈裡滑出來，我手指一翻，圖案改變了，然後我重新開始。

生活按照既定的圖案鉤織。當我們鉤織時，思緒自由自在，象牙鉤針一勾一挑間，被施魔法的王子們漫步於花園裡。鉤織品……間歇……無關緊要……

除此之外，我還能指望自己怎麼樣呢？我的感覺敏感地可怕，我的意識如此地深刻……我的敏銳思想將我毀滅，一種不同尋常的作夢能力使我快樂……一種死亡般的意志，以及如同活生生的嬰孩般支撐這個意志的影子……是的，鉤織……

013／夢境

我淒慘的境況絲毫不受那些文句影響，那些我一點一點、偶爾寫成的沉思之書。我那毫無價值的自我生活在每一種表達方式的最底端，如同位於玻璃杯底部那牢不可破的居所，只有水可供飲用。我寫下我的文學創作，彷彿是在記帳——小心翼翼且滿不在乎。比起布滿星辰的巨大夜空和那神祕莫測的諸多靈魂，夜晚的巨大深淵和混沌虛無合乎情理——相較於這一切，我所記下的帳目和我在這篇文章裡寫下的內容所述說的是，我的靈魂只能在道拉多雷斯大街裡遊蕩，在浩瀚無際的宇宙面前，我只是一粒微塵，渺小又可悲。

所有這一切乃是夢境，乃是千變萬化的幻境，記帳的夢境或精心寫成散文的夢境則無關緊要。夢到了公主比夢到了通往辦公室的前門有更大的意義嗎？我們所知的都是我們的印象，都是外在印象，在那一齣通俗劇中，我們是有自知之明的演員，同時也是我們自己的旁觀者，我們自己的神祇，而這一切都得到了市政府某個部門的允許。

014 成為自己

我們或許明白，將工作繼續拖延下去是件糟糕的事情。然而，更糟的是，我們永遠也不去做。完成了的工作，至少它已經被完成了。儘管做得不好，但至少做了，就像將可憐的種子種進隔壁那個跛子的孤獨花盆裡。種子是她的幸福，有時甚至也是我的幸福。我所寫下的東西，儘管寫得很糟糕，但它帶給受傷或悲淒的靈魂一些足以從更糟事物分心的時刻。這對我來說就已足夠，或者說，儘管不夠，但它也有一些作用，而這就是生活的全部。

一種比預期更煩悶的煩悶；一種很快就感覺到的遺憾，一種我今天就已經感覺到明天將感覺到的遺憾——一種無邊的混亂，沒有意義，沒有真理，無邊的混亂……

……我蜷縮在火車站的長凳上，沮喪地裹著披風，滿懷鄙夷地打著瞌睡……
……夢中的世界是我的知識和生活的總和……
關注當下對我來說並不是一種偉大或持久的關心。我渴望時光能夠為我停留，我想毫無保留地成為我自己。

015 裂變

我一寸一寸地征服了與生俱來的精神領域。我一點一點地開墾著將我困住的沼澤。我無窮無盡地裂變自己，但我不得不用鑷子把我從自我中夾出來。

016 往返途中

我在卡斯凱斯[12]和里斯本之間的路上作著白日夢。我去卡斯凱斯替我的老闆維斯奎茲先生為他在埃斯托里爾的房產繳稅。我對這趟來回各花一個小時的旅途滿懷欣喜，期待見到那條總是改變面貌的寬闊河流及其流入大西洋的入海口。但實際上我在去卡斯凱斯的途中沉溺於抽象觀照，對於眼前那些我一直神往的河上風景並未認真欣賞。而回來的路上我又沉溺於理清這些感覺。我無法描述旅途中最微不足道的細節以及那些沿途所見最微不足道的小片段。我所寫下的這些頁面便是我自相矛盾和遺忘的產物。我不知道這一切的對立面是否會更好或更糟，我也不知道它的對立面是什麼。

火車緩緩地進站了，我們到達索迪拉車站[13]，我回到里斯本，但那不是我的終點。

017 自省

或許終於到了該努力的時候了：好好回顧一下我的生活。我看見自己身處一片廣袤的沙漠中央。我告訴自己，從文學上來說昨天的我是什麼，我想向自己解釋，我是如何到這裡來的。

018 夢想與現實

帶著靈魂中僅有的一種微笑，我消極思忖著自己明顯受限的生活，我被局限在道拉多雷斯大街的這間辦公室裡，被這些人包圍。我的收入只夠餬口，有安身之處，也有足夠的閒暇作夢、寫作和睡覺——我還能對上帝和命運奢求什麼呢？

我有偉大的抱負和無盡的夢想，然而那個送貨員[14]和女裁縫同樣也有，因為每個人都有

---

12 卡斯凱斯（Cascais）和下文的埃斯托里爾（Estoril）是里斯本西南邊的海濱城市。

13 索迪拉車站（Cais do Sodré）位於里斯本的碼頭和火車站，通往卡斯凱斯線。

夢想。是我們實現夢想的能力或夢想被實現的命運將我們區分開來。

在夢裡，我和送貨員、女裁縫並無區別。唯一能將我們區分開來的，就是我知道如何去寫作。是的，寫作是一種行為，是我的個人情況，將我和他們區分開來。但在我心裡，我和他們一樣。

我發現，在南海有一些島嶼，有宏偉的世界主義激情，讓人四海為家的巨大誘惑……如果世界在我手裡，我敢肯定我會把它換成一張返回道拉多雷斯大街的車票。

或許我的命運就是永遠當一名記帳員，而詩歌或文學只是一隻落在我頭上的蝴蝶，用牠的美麗來襯托我的可笑。

我會想念莫雷拉，但那怎麼能和升遷相比呢？

我知道，如果某一天我成為維斯奎茲公司的會計主任，那將是我人生中最偉大的日子之一。我預先體會到苦澀和嘲諷，憑著無庸置疑的智力優勢明白了這一點。

019 海灘漫步

在海邊的小灣裡，在海灘前面的樹林和草叢之間，變幻無常的欲火從飽含不確定性的虛無深淵裡裊裊升起。選擇麥子和選擇很多其他東西並無區別，道路沿著柏樹叢向前延伸開來。

文字的魔力在於，無論單獨使用，或在發音的基礎上連起來使用，即使這些詞彙集在一起，都有它們內在的餘韻和各不相同的含義，某些措詞的內涵混入其他措詞的光輝、殘餘的毒性、樹林的希望，以及我玩耍的童年時代那農莊池塘的絕對寧靜……此外，在荒謬的厚顏無恥這座高大圍牆裡，在那一列列的樹叢裡，在凋零的驚恐慌亂裡，除我之外會有人聽到悲傷的嘴脣裡發出的懺悔，匆匆忙忙的同伴是無法聽到的。即使騎士們從牆頭上那條看得見的大路上返回，「末日靈魂的城堡」也永遠無法重現和平了。那些看不見的庭園裡曾閃現著刀光劍影。那條大路的這一邊，沒有人能再記起他們的名字，只有鬼魂的幽幽哭泣，如同民間傳說中的摩爾女人[15]，為那失去生命、死於異象的孩子而哭。

草地的低窪處，傳來最後幾個迷途者的腳步聲，聲音如此輕微，彷彿來自未來的遙遠記憶。他們慢吞吞的步伐在無邊無際的草地上空洞萬分。回來的只有老人，年輕人永遠不會回來了。鑼鼓在路邊隆隆作響，號角毫無用處地垂在筋疲力盡的手臂上，似乎要落下來的樣子，彷彿他們還有力氣扔下。

幻覺過去後，死亡的喧鬧聲又響起。喪家犬在林蔭小路上不安地徘徊。一切皆如此荒謬，就像哀悼亡者，而其他人夢境裡的公主們自由自在、漫無目的地散著步。

14 在佩索亞的年代，里斯本鬧區街頭經常有一些送貨員（Delivery boy），這些自雇者提供大小物品的運送服務，以及跑腿工作。

15 自從伊比利亞半島被摩爾人征服後，在葡萄牙和西班牙的民間傳說裡，常出現被施了魔法的摩爾女人。民間傳說裡出現的摩爾女人有迷人的美貌，心地善良，而且往往是一位公主，有時則是在地下室或井裡出沒的自然生物。

020 窒息

當我試著使自己的生活從持續不斷壓迫它的各種環境中解脫出來，我就立刻被其他同等的環境包圍，就好像造物主的神祕之網無可挽回地和我過不去。我用力拉開扼住我脖子的一隻手，然而當我想把陌生人的手從脖子上拉開時，卻看見自己的手被脖子上的絞索套住。當我小心翼翼地解開絞索時，它與我的雙手幾乎要把我勒死。

021 上帝之奴

不管神是否存在，我們都是祂們的奴隸。

022 鏡子裡的我

我在鏡中所見到的形象和我與靈魂相擁的形象沒什麼兩樣。我永遠都是虛弱無力、身形佝僂，甚至於我的思想也是如此。

與我有關的一切，屬於浮誇的王子圖像貼紙，帶著印花，收藏在一個死於多年前的小男孩的舊相冊。

自戀便是自憐。或許有一天，在未來的盡頭，某人寫了一首關於我的詩歌，然後我開始統治我的王國。

我們活著，而且不只是活著，這便是上帝的真相。

023 荒謬

讓我們像人面獅身獸一樣，直到我們忘記自己是誰，儘管這樣做並不真實。事實上，因為我們是虛假的人面獅身獸，我們不知道在現實中的我們是什麼。認同生活的唯一方法就是否定自己。荒謬即神聖。

讓我們研究理論，帶著孜孜不倦、求真務實的態度理清思緒，以便能夠馬上用行動將它們否定——我們否定，然後用新的對立理論為我們的否定行為辯護。讓我們為生活開闢新路，然後立刻沿著這條新路往回走。讓我們選擇這樣的姿態手勢，它們既不將屬於我們，也非我們所願，甚至不希望人們認為它們是屬於我們的。

讓我們買書，如此才能不去讀它們；讓我們參加音樂會，卻對音樂充耳不聞，或不關注那裡有誰；讓我們花時間散步，因為我們討厭散步；讓我們整日待在鄉下，僅僅因為那裡的生活令人感到沉悶。

024 莫可名狀的憂慮

今天，日久年深的憂慮偶然湧上心頭，我感到像是生病了。在我維持生命的那間酒樓的二樓餐廳裡，我比平時吃得少。我正要離開時，服務生注意到那瓶酒還剩一半，轉身對我說：「再見，索亞雷斯先生，希望你的心情能好一點。」

像一陣狂風驅散了天空的陰霾，這句簡短的話語就像一聲號角撫慰著我的靈魂。我發現一些自己從未想過的東西：有了這些咖啡館和餐廳服務生，有了理髮師和街頭的送貨員，我享受一種自然的、自動產生的默契，我不能說我恐怕還能有比這親切的東西。

友情有它的微妙之處。

一些人統治世界，而另一些組成世界。美國百萬富翁、凱薩或拿破崙、列寧或一個小鎮的社會主義領導人，他們之間只有量的差別，沒有質的不同。在他們之下的就是被忽略的我們：天馬行空的劇作家威廉·莎士比亞、教育家約翰·米爾頓、流浪者但丁·阿利吉耶里、昨天還替我跑腿的送貨員、講笑話給我聽的理髮師，以及那個此刻注意到我只喝了一半酒，便出於友情對我表達良好祝願的服務生。

025 畫中的眼睛

這是一幅絕望的版畫。我凝視著它，不知道自己是否看見了它。它和櫥窗裡的其他畫混在一起——擺在臺階下的櫥窗中間。

她把報春花握在胸前，用哀怨的目光凝視著我。她的笑容因畫紙的光澤而顯得燦爛，面頰紅紅的。她身後的天空是畫布的淺藍色。她有著一張精雕細琢的小嘴，帶著明信片上常有的表情，而嘴唇上方，那雙眼睛飽含著極大的哀愁注視著我。她握著花束的手臂讓我想起其他人的手臂。她的連衣裙或襯衫的領口開得很低，露出半邊肩膀。她的雙眼流露出真正的哀傷：從畫面中帶著某種真相的現實深處向我凝望。她來自春天。她的雙眼並不是因為大而顯得憂傷。我猛地加快腳步，勉強使自己離開櫥窗。穿過街道後，帶著無力的憤慨我又走了回來。她仍然握著別人給她的報春花，眼裡的悲傷像我在生活中錯失的一切東西。遠遠望去，那幅畫顯得更生動鮮明。一條粉色絲帶將畫中人的頭髮高高束起，我之前並未注意到這些。在人的眼中，甚至在畫中人的眼裡，有一些驚人的東西：那是意識不可避免的警醒，一種靜靜的吶喊，提醒著一個靈魂的存在。我竭力將自己從沉湎其中的夢幻拉回來，像一隻努力抖掉黑霧的狗。在我們從遠處看到抽象版畫中，那些表現出生活裡所有憂傷的眼睛並不在意我的離開，反而像是告別一般的凝視著我，就好像我對上帝有所瞭解一樣。那幅畫的底下有一張日曆，畫是由上下兩條直直的倒弧角黑線框住。在這上下兩條界線之間，在一九二九年以及必然是一月一日的老式裝飾字體上方，那雙憂傷的眼睛不無諷刺地朝著我笑。

有趣的是，我知道畫中人從何而來。辦公室後面的角落裡，有一本完全相同的日曆，我曾無數次看到。然而，出於某些平版印刷的神祕性，或某些我自身的神祕性，辦公室裡的畫中人眼裡並沒有哀愁。就只是一幅版畫。（印在光滑的紙上，在阿爾維斯這個左撇子的頭上，用睡眼打發被壓抑的生活。）

這一切使我想笑，但我感到一種深刻的憂慮。我的靈魂深處有一種急性發病的戰慄感。

我沒有力量避開這種荒謬。我在對抗自己的意志時，站在什麼樣的視窗，俯瞰到上帝的什麼奧祕？樓下的窗口要將我帶向何處？是什麼樣的眼睛從畫裡向我凝望？我幾乎就要顫抖了。我抬眼向辦公室角落裡那幅現實中的版畫看去。我一次又一次抬眼向角落望去。

026 個性與心靈

給每一種情感賦予一種個性，讓每一種心境擁有一顆心靈！

女孩們成群結隊地溜達過來，她們邊走邊唱，歌聲裡充滿著歡樂氣氛。我不知道她們是誰，也不知道她們是做什麼的。我站在遠處聆聽片刻，我聽到一種悲傷，不為我，而為她們，這種悲傷打動我的心靈。

為她們的未來？為她們的無意識？

或許，並非直接為了她們，終究，只是為我自己。

027 寫作是什麼

文學——是藝術與思想的結合，是未被現實玷汙的領悟，對我而言，是人類傾其所能想要達到的目標，如果這些努力出自真正的人性，而非我們的獸性流露。人的表達意味著保留善而剔除惡。人類筆下的田野，比現實中的田野更碧綠青翠。我們在瀰漫著想像的空氣中定義、耗費筆墨刻畫的花朵，有著任何細胞生物都沒有的、歷久不衰的色彩。

是什麼讓生命延續？什麼是堅忍？任何事物都比有關它的美麗描寫來得真實。目光短淺的評論家評論某一首詩，讚揚它的持久韻味，最終無非是說：這真是美好的一天。但是，說出「這真是美好的一天」並非易事，因為美好的一天已經過去。這需要我們將這美好的一天保存在冗長而華美的記憶之中，用嶄新的鮮花和群星去點綴空曠的田野和天空，在外在世界自由馳騁。

萬物取決於我們，對於處在不同時代的後來者而言，萬物取決於我們是如何熱情洋溢地想像——我們使想像具體化，從而使世界成為這個樣子。對我而言，宏偉而受到玷汙的通史記載，不過是一種動態的解說，一些目擊實錄不可靠的雜亂共識。我們每一個人都是小說家，我們敘述我們的見聞，因為見聞像萬事萬物一樣複雜難解。

此刻，我有如此多的基礎思想，有如此多真正抽象的事物去敘說，而我突然感到疲憊，我決定不再寫下去，不再思考下去。我要用寫作的狂熱催我入眠，然後閉上雙眼，抹去一切我原本打算寫下來的東西，就像撫摸一隻貓一樣。

028 無法思考

一段樂曲，一場夢境，一些事物，令我依稀有所感覺。置身其中，我無法思考。

029 假期隨筆（二）

屋頂上最後的雨水開始更為緩慢地落下，石街上的藍天面積越來越大，跟著汽車吟唱出了一曲不一樣的歡歌，聲音漸大，愈發快樂，你能聽到家家戶戶打開窗戶，面對那不再健忘的太陽。下一個街區盡頭的狹窄街道中，第一個兜售彩券的人在大聲吆喝，吆喝聲清晰可聞，而商店裡，人們把釘子釘在板箱上，平靜的空間裡迴盪著嘈雜的聲響。

這是一個含糊不清的假期，雖是官方規定，卻並無人嚴格遵守。工作與休息並存，而我則無事可做。早早起床，花了很長時間準備讓自己存在，從屋子一端踱步到另一端，憑空想像那語無倫次的大聲喧嘩和毫無可能的事物：我忘記去做的事、偶然間得以實現的無望野心、流暢且活潑的對話、曾經的舊容顏，依然是今後的新面貌。我幻想著，一不莊嚴，二不平靜，我虛度光陰，毫無希望，毫無止境，在這個無拘無束的早晨我來回踱步，我在低聲吶喊，我的話在我那可恥的與世隔絕的隱居地裡層疊累加，不住迴旋。

從外面看，我的身形可笑至極，就像所有人私下的狀態一樣。我放棄了睡眠，在睡衣外面加了一件舊外套，這些日子以來，清晨無眠，我習慣了這樣的穿著。我的舊拖鞋都壞了，特別是左腳那隻。我把手插進我那破舊外套的口袋裡，邁著堅定的大步，在我小屋裡的「大道」上散步，把我那無用的幻想進行到底，而我的夢幻與他人的並無差別。

我把唯一的窗戶打開，冷風迅速吹了進來，依然能聽到屋頂上殘餘的雨水大滴大滴地落下來。下雨了，天氣依舊潮濕與陰冷。然而，天空湛藍無比，雨要麼是被打敗了，要麼是筋疲力盡，而雨後殘餘的烏雲撤退到了城堡後面，向藍天投降了，這才是它們正確的選擇。

快樂偶爾有之。可有什麼東西重壓在我身上，那是一份神祕莫測的渴望，這嚮往難以描述，甚至非常高貴。或許我要花很長時間才能感到自己活著。當我將身體探出我那高高的窗戶，看向底下的大街，卻對街上的景象視而不見，電光火石間，我感到，一塊清潔房屋的濕抹布，被人放到窗上晾乾，卻遺忘了它，抹布掉到窗臺上，揉成一團，慢慢地在窗臺上留下一片汙漬。

030
我的父母

令人遺憾的是（或許也並非如此），我認識到，我有一具乾涸的靈魂。我對一個形容詞的關注，甚至要超過對人類靈魂的真切哀悼。我的導師維艾拉[16]……

但我偶爾也會有所不同。有時候，我會像那些沒有母親或從來不曾有過母親的人一樣熱淚盈眶。我的雙眼、我的內心，都充滿著流盡的眼淚。

我對我的母親沒有記憶。我一歲時她便離開人世。我的惆悵和冷酷無情歸咎於溫暖的匱乏，以及對我已無法再憶起的親吻的無望期待。我是不自然的。我總是依偎在陌生的胸膛醒過來，它們就好像替代了母親的擁抱。

啊，我對自己可能成為那樣子的渴望感到惆悵不已，痛苦萬分！如果我收到來自子宮的

16 維艾拉是指為維艾拉神父（Father António Vieira，一六〇八～一六九七年），在巴西度過一生的耶穌會會士，也是一位偉大的葡萄牙語散文作家。他的豐富作品包括兩百篇布道文和五百篇以上的書信。

慈愛，嬰兒的小臉被親吻，我會成為什麼樣子呢？

或許我的冷漠無情，很大部分來自於自己從來不曾當過一個兒子的遺憾。當我還是孩子時，抱我的人只是將我貼近她的臉，而不是貼近她的心。唯一能夠做到這一點的人卻在遙遠的墳墓裡——她本應當屬於我，卻接受了命運之神的安排。

後來他們告訴我，我的母親很漂亮，他們是那樣說的，當他們告訴我時，我什麼也沒說。我的身心業已定型，但我的情感麻木了，人們的話就像來自難以想像的書頁，對我而言不再新鮮。

我的父親住在離我很遠的地方，我三歲時他便結束了自己的生命。因此，我從未見過他。我仍然不知道為什麼他要住得那麼遠。我從未想去找出原因。我記得在得知噩耗後吃的第一頓飯時籠罩著的那種靜默氣氛。我記得其他人時不時地看著我。然後我不解地回頭看他們。我更聚精會神地吃飯，沒注意到他們可能仍然在看著我。

這便是我，在命中注定的情感裡那混沌不堪的深處，不管我是否喜歡。

031 無眠之夜的憂傷

空寂的房後（人們正在酣睡），緩緩傳來凌晨四時的清晰鐘聲。我仍無法入睡，也不打算入睡。並非有什麼心事讓我徹夜難眠，也不是有什麼身體上的疼痛讓我無法放鬆。我陌生的身體帶著沉悶的寂靜躺在黑暗之中，在街燈和微弱月光下更顯落寞。我困倦到無法思考，夜不成寐，無法感覺。

周圍的一切是赤裸裸、抽象難解的宇宙，包含著夜的否定。在困倦和無眠之間，我接觸到——我的身體覺察到——玄祕事物的抽象知識。有時候我的靈魂變得虛弱，接著日常生活中那些雜亂無章的細節浮上意識的表層。我發現我進入那些細節，在失眠中掙扎。有時我從即將入睡的半夢之中醒來，帶著詩情畫意、變幻莫測色彩的模糊畫面悄無聲息地展現在我漫不經心的腦海裡。我的雙眼並未完全闔上。我微弱的視線可見遙遠的光暈；那是一盞來自樓下寂寥街邊的路燈。

停下來，去睡覺，用更美好、更憂傷的事情來取代這斷斷續續的意識，和陌生人說著悄悄話！……停下來，像潮水在一望無際的大海上此起彼伏，沿著真實的海岸線緩緩流淌，一個人只有在這樣的夜裡才能真正入睡！……停下來，成為沒沒無聞的外界之物，成為遠遠一排樹叢中隨風擺動的樹枝，成為悄無聲息、飄然落下的樹葉，成為遙遠的噴泉濺起的無數水珠，成為夜間公園裡的一切未知數，迷失在無休無止的混亂之中，迷失在黑暗中的天然迷宮裡！……停下來，歸於終結，但以另一種形式存在：就像書本翻過去的一頁，像一簇散亂的頭髮，像一株緊挨著半開窗戶蔓生植物的瑟瑟顫抖，像一條曲徑小道上踏著沙礫、漫無目的的腳步，像即將入眠的村莊升起的最後一縷青煙，還有清晨路邊車夫的揮鞭聲……荒誕、混亂、湮沒——不屬於生活的這一切……

我以我自己的方式入睡，我並未沉睡，也並未休眠，這種充滿想像的植物般的生活方式，和落寞街燈的遙遠懷想，就像漂浮在暗淡海面的寂靜泡沫，在我不安的眼皮底下徘徊。

我睡著了，我亦無法入睡。

在我身後，房子的寂靜在我所躺之地的另一邊無限延伸。我聽見時間一滴一滴地落下，但我聽不見每一滴落下的聲音。在生理上，我的心臟受到壓迫，這種壓迫來自幾乎被遺忘的、關於一切或關於我的記憶。我感到我的頭被枕頭強有力地支撐著，枕頭上壓出一個窩。我的肌膚緊貼著枕頭套，就像兩個人在黑暗中親密接觸。甚至我落在枕頭上的耳朵精準地貼著我的腦袋。我疲憊地眨著眼睛，眼睫毛觸碰到斜著的枕頭上潔白的毛氈上，發出極其微弱、幾乎聽不見的聲音。我呼吸著，嘆息著，我的呼吸——已不屬於我。我受到不能感覺和思考的痛苦。這座房子裡的時鐘，被放在無限空間的正中央，它敲響四點半，鐘聲乾枯而空洞。一切是如此豐富而又深刻，如此黑暗而又寒冷啊！

我消磨著時間，消磨著寂靜；虛無縹緲的世界從我身邊流逝。

突然，一隻公雞像神祕之子開始啼叫，並未意識到現在還是夜間。我能夠入睡了，因為在我心裡已是早晨。我感覺到自己嘴角的笑容，輕輕地將頭埋向枕頭的柔軟褶皺裡。我可以向生活繳械，我可以入睡，我可以忘記自我……就像黑夜最初的睏意將我包裹，我想起啼曉的公雞，牠或許會再次啼叫。

032 無盡夜裡的交響樂

萬物都睡著了，彷彿宇宙是一個錯誤。從四面八方吹來的風是一面無形的旗幟，在過去不存在的軍隊裡迎風飄蕩。強大、猛烈的瘋狂撕扯一切，無一倖免，窗櫺搖晃不已，發出嘎吱聲響。在萬物之下，這寂靜的夜是上帝的墳地（我的靈魂為上帝感到難過）。

突然地，在城市活動的整個事物又有了新的秩序，風暫時平息，成為一陣低語，天上有無數騷動的沉睡意識。籠罩的夜幕，就像一扇活動天窗，巨大的平靜讓我希望我早已入眠。

033／黑夜與命運

剛入秋那些日子，夜幕突然降臨，彷彿時間提前了，就好像我們要花更多時間去做白天的工作。當我仍在工作時，黑暗中不用工作的想法令我感到歡欣，因為黑暗意味著夜晚，夜晚意味著睡覺、回家以及自由。當燈光亮起，將黑暗從偌大的辦公室驅走，我們在夜幕低垂時繼續做著白天的工作，我感到一種荒誕的寬慰，像一種屬於別人的回憶，我平靜地記著帳，彷彿睡前讀書一樣。

我們都是外在環境的奴隸。一個晴天就能將我們從窄巷路邊的咖啡館裡帶到一片開闊的曠野；而鄉村的陰天使我們緊閉自我，盡可能地躲在沒有自我之門的房間裡尋求庇護。即使在做著白天的工作時，夜幕低垂使我們越來越意識到——像緩緩展開的扇子——應當去休息了。

然而，工作並沒有慢下來，而是變得更有活力了。我們不再繼續工作；我們只是做著我們該做的勞動，以此排遣。突然，我的會計天命裡的巨大表格上，出現了我年邁伯母與世隔絕的舊房子、十點喝茶休息的避難所，失去的童年煤油燈，在鋪著亞麻桌布的桌子上微微閃光，使我看不清昏暗燈光下離我無限遙遠的莫雷拉。那個上茶的女傭，甚至比我的伯母更老，她有著資深傭人的慵懶姿態，以及親切耐心之下的嘮叨抱怨。在對毫無生氣的往昔回憶過後，我繼續逐條記帳，沒出一個差錯。在未被責任和世界、神祕及未來汙染的遙遠之夜，我回到自我，迷失自我，忘記自我。

如此輕柔的感覺使我從債務人和債權人的帳目中解脫出來，如果碰巧有人問起，我會用柔和的聲音回答，彷彿我已空洞無物，彷彿我只是一臺我隨身攜帶的打字機——它方便攜帶，已開啟而就緒了。如果我的夢被打斷，我也不會感到難過。往日的喝茶時間已經結束，辦公室就要關門……我緩緩闔上帳本，抬起眼睛，眼裡含著酸楚的淚水，但沒有流出來。我心裡五味雜陳，我接受，因為不得不接受辦公室即將關門、我的夢也即將結束的事實。我的手在闔上帳本那一刻，也蓋上了我回不到的過去。我將躺在生活之床，沒有睏意，沒有同伴，沒有安寧，陷入困惑意識的潮漲潮落，像黑夜的潮水起伏，那裡是懷舊命運和孤寂的匯合處。

034 我不會離開

有時候，我認為我將永遠不會離開道拉多雷斯大街。一旦寫下這句話，對我而言就成為永恆。

沒有歡樂，沒有榮譽，沒有權力……自由，只有自由。

從信仰的幻影跨進理性的幽靈，不過就像換一所監獄。如果藝術使我們從陳腐的抽象偶像中解脫出來，它同樣可以使我們從高尚的理念和社會關懷中解脫出來，而它們和偶像並無二致。

透過迷失，尋找我們的個性——信仰本身賦予了我們這樣的命運。

035 我厭惡努力

……深刻而疲倦的鄙夷獻給所有為人類而工作的人，獻給所有為國家而戰的人，他們獻出了生命，以便人類的文明得以延續……

……充滿了厭惡的鄙夷獻給那些人，他們並沒有意識到每個人的靈魂才是唯一的本真，而其他——這個外在世界和其他人——僅是缺乏美感的噩夢，如同在夢幻之中，精神上的消化不良帶來的惡果一樣。

我厭惡努力，在所有形式的強烈努力面前，演變成了幾乎令人痛苦的驚駭。戰爭，精力充沛且高效的勞動，幫助他人——所有這一切令我感覺如同魯莽的產物……

鑑於我的靈魂真實無比，相較於我最初那些經常出現的既純粹又無上榮光的夢境，一切有用且外在的事物全都顯得微不足道。對我而言，這些更為真實。

036 某種遺忘

既不是因為我租的房子那面有很多裂痕的牆壁，也不是因為我工作的辦公室裡那破舊的桌子，更不是因為那一成不變的破落舊城區街道，我來來回回無數次穿越其間，街道似乎靜止了——所有這些都不是我時時痛恨悲慘的日常生活的原因。經常出現在我身邊的人才是原因所在，這些靈魂透過對話與日常接觸認識我，卻並不瞭解我——他們造成了生理上的厭惡，導致唾液在我的喉嚨裡積聚成結。他們的生活中充滿了悲慘的單調，表面上這與我的生活一模一樣，同時他們還認為我是他們的同類——正是這兩點讓我穿上了罪犯的囚衣，將我置於監牢之中，使我變得可疑與愚笨。

有時候，日常生活中的每一個細節都吸引我，我對萬物都懷揣喜愛之情，因為我可以非常清晰地讀懂它們。接著我看到——如同維艾拉對蘇薩[17]的描述那樣——普通事物存在奇特性，而我則擁有詩意的靈魂，正是這樣的靈魂讓希臘人開始了文化與詩歌的時代。然而，也有很多時候，比如我受到壓迫的此刻，這時我對自我的感覺遠遠超過我對外在事物的感覺，萬物轉化成為一夜的風雨與泥濘，我孤身迷失在偏僻的車站裡，漫無止境地等待著下一趟列車以及屬於我的三等車廂。

是的，我擁有特殊的美德，那就是我往往非常客觀，因此我不再總想著自我，承受著肯定消逝之苦，如同所有的美德，甚至所有的邪惡之行。我開始想弄清楚，我要如何繼續下去，我如何敢在那群人中表現出懦弱，和他們一模一樣，與他們那卑劣的幻覺真正一致。彷彿遠方燈塔閃爍的光芒一樣，我看到了想像的女性一面提出的所有方法：飛行、自殺、放棄、我們挑剔的自我覺察的浮誇行為，虛張聲勢的小說。

然而，在最有可能的現實中，理想的茱麗葉關閉了那扇高高的窗戶，也就不再可能在文學上與我血液中的羅密歐相遇。她對她的父親唯命是從；他也對他的父親同樣唯命是從。坎普萊特和蒙塔古兩個家族的世仇還在愈演愈烈，事情尚未發生就已經落下了帷幕，我回家了——回到我租來的那間屋子裡，我討厭的那個女房東不在家，而我也幾乎沒有看到過她的孩子們，我明天才會見到辦公室的同事——職員模仿詩人，把外套的領子向上捲起，而我的靴子（總是在同一家店裡購買）不由自主地避免踩到冰冷雨水積聚成的水窪，帶著混雜的關心，我又一次忘記了我的雨傘以及我那高貴的靈魂。

037 悲傷的間奏（一）

我是一件被扔進角落的物體、一塊落在街上的碎布，我卑微地活著，在世人面前裝模作樣。

038 我羨慕所有人

我羨慕所有人，因為我不是他們。由於在一切不可能中，這是最不可能的事情，也成為我日日企盼之事，我為之每時每刻傷心絕望。

烈日灼灼，煩悶的熱浪灼傷我的視覺。樹叢的暗綠中泛起一抹炙熱的黃。倦怠……

17 蘇薩（Frei Luís de Sousa，一五五五~一六三二年），一位葡萄牙裔的道明會修士，宗教人物的傳記裡稱讚其流暢優美的散文。

039 我看見記憶中的我

突然，彷彿命運之手對我長久以來的失明做了直接、有效的手術，我從毫無特徵的生活抬起頭，以便能看清自己是怎麼生活的。我看到自己的一切所為、所想或所有是一種幻覺或瘋狂。曾經沒看到的東西令我吃驚。我驚嘆於自己的過去種種，而如今看來那不是我。

我回望自己的昔日時光，彷彿站在刺破雲層的太陽照亮的田野。帶著抽象的驚愕，我發現，我最深思熟慮的行為、最清晰明朗的想法和最合乎邏輯的打算，終究不過是天生的醉態、與生俱來的癲狂和巨大的無知。我甚至什麼也沒表演。我只是被扮演的角色。我最多不過是演員的那些動作。

我曾經的一切所為、所想或所有是一連串的屈服，既是對我以為屬於我的虛假自我（因為我透過它向外界表達自我）屈服，又是對一定分量的周圍環境屈服（我認為這是我呼吸的空氣）。在這個恢復視覺的時刻，我突然發現自己很孤立，被驅逐出境，我曾一直以為我是那裡的公民。在我的思想深處，我不是我。

生活以不無諷刺的驚駭使我惶惑，一種消沉意志使我茫然，這種消沉超過了我有意識的存在界限。我發現，我的一切不過是錯誤和背離，我從未活過，我只是存在於充斥著意識和思想的時間範圍之中。此時，我感到自己像是大夢初醒的人，剛剛作了很多真實的夢。我又像是眼睛習慣了監獄裡微弱光線的人，在一次地震中獲得解脫。

我突然意識到真實的我，這個我常常在夢裡遊走於我的所感和所見之間，像一道未被透露、等待執行的判決壓在我的心頭。

當我感到自己真正存在時，並且知道我的靈魂是一個我不知道什麼樣的人類語言可以界定的真正實體，這樣的感覺實在難以描述。我不知道，我是否像自己感覺的那樣在發燒，或者說，是否已在生活的睡眠中退燒。是的，我再重申一遍，我就像一個旅行者，突然發現自己在一個陌生的小鎮，不知道自己怎麼去到那裡。這使我想起那些失憶的人，他們很長一段時間不再是他們自己，而是別人。我在很長一段時間也是別人——自從出生到記事起——我在橋中央突然覺醒過來，俯身望著河水，我知道，我比活到現在的那個我更為真實。但那個城市對我來說很陌生，那些街道都是新的，我的困惑無法解開。我在橋上憑欄而立，等待著真相的離去，讓我回到那個虛構而不存在、有智慧而自然的存在裡。

這只是一個短暫的時刻，並且已經過去。我再次看到周圍的家具，舊壁紙上的花紋，以及穿過落滿塵埃的窗櫺的陽光。那一刻我看到了真相，有了偉大人物終其一生才會產生的意識。我想起他們的言語和行為，我不知道現實之神是否也會順利地誘騙他們。對自己無知意味著生活。對自己徹底瞭解意味著思考。對自己的短暫瞭解，正如我在那一刻的所為，意味著掌握了單原子元素的短暫概念，以及靈魂的咒語。然而，突然的光亮燒焦了一切，也毀滅了一切。它剝去我們的外衣，使我們裸露地只剩下我們自己。

我僅僅在這短暫時刻看見了我自己。我甚至無法再去說，我曾經是什麼。此刻，我已入睡，因為我認為——我也不知道為什麼——這一切的意義就是去睡覺。

040 死亡預告

不知道為什麼，有時候我感受到一種死亡預告……或許這源自一種不明的疾病，因為它並未表現出具體的疼痛，而是傾向於化作精神的虛無，進而化為烏有。或許，這種倦怠需要更深層次的休眠來化解，而睡眠是無法化解的。我只知道，我感到自己像一個身體每況愈下的病人，直到最後，平靜而無憾地鬆開一直抓住床單的虛弱無力雙手。

那麼，我想知道被稱作死亡的東西究竟是什麼。我說的並不是我無法理解的死亡之謎，而是生命終結時人的身體感受。人類懼怕死亡，但也並非絕對如此。正常人在戰場上可以是個好士兵。正常人在老病時，面對虛無的地獄也很少感到害怕，儘管他也承認地獄的虛無。這是因為他缺乏想像力。最沒有意義的事情就是一個思想者將死亡看作一種休眠。既然死亡和睡眠不同，為什麼要看作休眠？對於睡眠，事實就是我們睡過之後還會醒來，但我們死後大概不會再醒來。倘若死亡就像睡覺，那麼我們可以假設我們死後會醒來。但這並不是正常人想像的樣子。一個正常人會將死亡想像成再也不會醒來的休眠，這便意味著虛無。我說，死亡和休眠不同，因為休眠的人是睡著了的活人。我不知道死亡到底像什麼，因為我們沒有這樣的體驗，也沒什麼可供對比的東西。

每當我看見一具死屍，我都覺得死亡是一種離別。死屍看起來像是一件被遺棄的衣服。衣服的主人已經離去，不再需要他唯一的那件衣服。

041　雨季，不安的回憶

雨聲滲出靜寂，一種灰色的單調在我凝視的狹窄街道逐漸蔓延開來。我半醒半睡，倚窗而站，像倚著一切。垂落的雨線隱隱發亮，從建築物汙濁的牆面，尤其是敞開的窗外傾斜下來。我看著雨，搜尋自己的感覺。我不知道自己有什麼感覺，或者想有什麼感覺。我不知道去想什麼，也不知道自己是什麼。

生活中鬱結的苦悶，在我毫無感覺的眼前褪去包裹著日常瑣碎事物的愉快外衣。我發現，儘管自己常常表現得開朗快樂，其實我總是很悲傷。發現到這一點的另一個我站在我身後，似乎也彎腰斜靠著窗戶，用一種更親切的目光，從我肩頭甚至頭上向窗外凝望，此時的雨緩緩落下，用波紋裝飾著灰暗而寒冷的空氣。

讓我們擺脫一切責任，那些甚至不屬於我們的責任。讓我們拋棄一切家庭，那些甚至不屬於我們的家庭。讓我們身穿癲狂的奢華紫袍，頭戴配有假冒飾帶的虛幻皇冠，靠著那些殘留物和不清不楚的東西活著……讓我們變成別的什麼東西，既感覺不到窗外沉重的雨，又感覺不到內心空虛的痛苦……讓我們不帶著思想和靈魂去漫步，沿著山路，穿過峭壁間蜿蜒曲折的峽谷，走向沒有盡頭的遠方——讓我們消失在如畫的風景裡……畫面的背景是五顏六色的虛幻物……

一絲我在窗邊感覺不到的微風拂過，將平靜的雨攪成一團無序的空氣。看不見的一小片天空開始放晴。我注意到這一點，是因為透過對面那家不算乾淨的玻璃窗，我看見了牆上的日曆。

我遺忘。我不看。我不想。

雨停了，細如碎鑽的粉塵在空氣中懸浮了片刻，猶如麵包屑從高處的巨大藍色桌布上抖落下來。我可以感覺到天空的一角已經放晴。透過對面那家玻璃窗我可以更清楚地看見那幅日曆。上面有一張女人的臉孔，其他的東西不難猜到，因為我記得，那牙膏的牌子人人皆知。

然而，在我看得入迷前，我在想什麼呢？我不知道。努力？意志？人生？突如其來的巨大光亮將已完全變藍的天空呈現出來。但是，我的心底沒有安寧——且永遠不會有安寧！在農莊角落裡已被變賣的一口老井，在別人屋子裡的閣樓上有著我塵封的童年回憶。我沒有安寧，甚至——哎！——不想有安寧……

042 與死亡簽約

僅僅由於缺乏個人衛生習慣，我便能夠理解為什麼我沉湎於這種平淡無奇、永不改變的生活，從未改變的那些事物表層都蒙上灰塵或汙垢。

我們應該像洗澡一樣清洗我們的命運，像改變衣裝一樣改變我們的生活——並非像吃飯睡覺那樣僅僅為了維持生命，而是出於一種對自我的客觀尊重，這和個人衛生習慣沒什麼兩樣。

許多人缺乏個人衛生習慣並非出自本意，而是一種滿不在乎的心智表現。許多人過著枯燥乏味、千篇一律的生活，那並非他們所願，也並非別無選擇的結局，而只是他們自我意識的一種鈍化，對思維一種無意識的嘲諷。

儘管豬也厭惡自己的骯髒，但牠們無法使自己遠離骯髒，因為這種厭惡太過強烈，以致強烈到麻痺的地步，就像一個驚恐至極的人，不是馬上逃離危險，而是嚇得呆若木雞。豬和我一樣，沉湎於自己的命運，無法從每天的乏味生活中逃離，因為牠們被自己的軟弱無力囚困。牠們就像鳥兒被蛇的思想所蠱惑，就像在樹枝間飛來飛去的昆蟲，對周圍的一切毫無察覺，直到落進變色龍伸來帶著黏性的長舌裡。

我意識裡的無意識，以同樣的方式沿著尋常的樹枝伸展開來。我的命運向前發展，儘管我沒有去任何地方，我的時間向前推移，儘管我仍留在原處。唯一能讓我的生活不那麼單調的事情，便是我所做關於這一切的簡短評注。我感到高興的是，在我的牢獄欄杆後面有一扇窗戶，在那蒙上塵土的窗格旁，我用大寫寫上我的名字，在與死亡的契約上簽上我的名字。

與死亡簽約嗎？不，這不僅僅是與死亡簽約。任何一個像我這樣的人都不會死去：他的生命終止、衰竭、不再生長。沒有他的存在，他生活的地方仍在那裡；沒有他的蹤跡，他走過的街道仍在那裡；他不住了，他的房子便由其他人居住。僅此而已，我們稱之為虛無。然而，這個否定性的悲劇甚至不能肯定會得到喝彩，因為我們甚至不能肯定這是虛無。我們在玻璃窗的內外都塗上這些真理和生命的植物性特徵，當我們的父親卡俄斯[18]死後，變成寡婦的暗夜之神嫁給了命運之孫，即上帝的繼子。

18 卡俄斯（Choas）是混沌之神。宇宙之初，只有卡俄斯，祂是一個無邊無際、一無所有的空間。隨後祂以無性繁殖從自身內部誕生了大地之神蓋亞（Gaia）、地獄之神塔耳塔洛斯（Tartarus）、黑暗之神俄瑞波斯（Erebus）、黑夜女神尼克斯（Nyx）和愛神厄洛斯（Eros），世界由此開始。

離開道拉多雷斯大街，走向不存在的地方……離開我的書桌，走向未知之地……但這場旅途與理性交叉——聖書告訴我們說我們存在。

043 抽象的智力活動

抽象的智力活動使人疲憊，這是一切疲憊都不能比擬的疲憊。它不像肉體疲憊那樣重壓著我們，也不像情感體驗帶來的疲憊使我們心神慌亂。它是我們在認知世界時產生的重負，一種靈魂的侷促呼吸。

然後，它們像被風吹散的雲彩，我們對生活的一切想法，以及基於我們對未來的希望所產生的一切抱負和計畫，像塵霧一樣散去，就像從不曾存在且永遠不再存在的碎片。在這災難性的潰敗過後，陰鬱而無法撫平的孤寂出現在落寞的星空。

生命之謎以各種方式困擾我們，使我們害怕。有時，它像縹緲無形的鬼魅突然出現，靈魂因極度恐懼而戰慄——那是對不存在的惡魔化身的恐懼。有時，它跟隨我們，只有在我們不回頭望時才看得見，這種恐懼的深刻之處在於我們永遠無法知道真相。

然而，今天正在毀滅我的恐懼不那麼高貴，但更有侵蝕性。這是一種擺脫思想欲望的渴望，一種希望自己什麼也不是的渴望，一種身體和靈魂的每個細胞都能感覺到的絕望。被囚禁在無限大的牢獄，這種感覺突如其來。如果牢獄就是一切，我們還能逃向何處？

然後，我感到一種強烈而又荒謬的渴望，這是一種在撒旦面前的撒旦崇拜，我渴望有一天——沒有時間或物質的一天——能找到擺脫上帝的方法，讓我們最深刻的自我以某種方式不再參與存在與非存在。

044 無法解釋的睏意

在我有意識的注意力裡潛藏著某種我無法解釋的睏意，如果這種朦朦朧朧的感覺可以稱為侵襲，那麼它屢次向我侵襲。我漫步街頭時感覺自己像坐著，儘管我的注意力對一切保持著警醒，我倦怠的身體卻處於完全的休眠狀態。我無法刻意避開迎面走來的路人。假如一個碰巧和我一起過馬路的陌生人問我問題，我無法用言語回答他，甚至連腦筋都不願動。我亦無法擁有一個心願、或任何東西可以表現我的一般意願或者更甚——如果可以這樣說——表現屬於我身體每一部分的局部意願的一個動作。我無法思考、感覺或企盼。我行走，漫遊，繼續行走。我的動作（我注意到這一點，而其他人並未注意到）絲毫沒有將我停滯不前的狀態顯露出來。這種無精打采的狀態對於一個躺著或倚著什麼休息的人來說是很自然的事情，十分舒服，但對於一個行走在大街上的人而言，則極為不舒服，甚至十分痛苦。

這感覺就像被倦怠灌醉，卻絲毫體會不到飲酒或醉酒的愉悅。這是一種復甦希望渺茫的病態，一種活著的死亡。

045 精神的高貴

讓我們在充滿思想、閱讀、夢想和寫作構思的開明氛圍中，過著平心靜氣、有教養的生活——這種生活節奏緩慢，常常幾近於單調，然而，引人深思，從不覺其平庸。讓我們遠離情感和思想而生活，僅僅活在情感的思想中和思想的情感中。讓我們在金色陽光下稍作停留，像鮮花簇擁的幽暗池塘。讓我們在這庇蔭處求得一份精神的高貴，對生活無欲無求。讓我們像旋轉世界的花間塵土，在午後的空中迎著未知的風輕快地飄過，飄落在慵懶的黃昏，無論飄落何處，消失在蒼茫塵世中。像這樣生活，瞭解自己為何如此生活，既不快樂也不憂傷，對太陽的光輝和星辰的遙遠心懷感恩。不再成為什麼，不再擁有什麼，不再期盼什麼……是飢腸轆轆的乞丐的音樂，是盲人的歌聲，是沒沒無聞的旅人走過的廢墟，是沙漠裡既無重擔亦無目的地的駱駝留下的足跡……

046 卡埃羅的詩句

卡埃羅[19]寫過兩行樸實無華的詩句，描述了他對家鄉小村莊的本能看法。他說，儘管村子很小，但他見到的東西比城市裡的還要多，所以他的村子比城市大……

因為我是我所見的大小！

而非我身材的大小。

無論作者是誰，這樣的詩句似乎是發自肺腑，而我機械地為生活貼上的抽象標籤也被去除。讀完後，我走到窗前，眺望著狹窄的街道。我凝視著遼闊的天空和數不清的星星，感到自由自在，華美光輝羽翼晃動，一股戰慄襲遍全身。

「我是我所見的大小！」每當我認真思考這句話時，就越發覺得注定要重新設計整個宇宙星系。「我是我所見的大小！」心靈的財富是多麼大啊！從深邃的情感之井到遙不可及的星辰，井水映照著星光，在某種意義上，星星就在井裡面！

而現在，我知道我可以看見，我將整個無垠天空的客觀玄祕看作一種必然，這使我想唱著歌死去。「我是我所見的大小！」完全屬於我的朦朧月光，逐漸被藍黑色的朦朧地平線攪亂。

我想高舉雙臂，大聲呼喊胡言亂語，講述崇高而神祕的事物，為空洞事物無邊無際的廣袤賦予一種嶄新的浩瀚品性。

但我控制住自己，平靜下來。「我是我所見的大小！」這句話變成我的整個靈魂，我將自己的全部情感寄託於它。冷硬的月光開始照亮垂下的夜幕，將一種難以捉摸的寧靜灑在我的內心上空，猶如灑在心外的城市上空。

---

19 卡埃羅（Alberto Caeiro），佩索亞的一個異名者詩人，可能住在鄉下。引述的這首詩出自《牧羊人》第七首。

047 情感的地景

……我的情感迷亂在一片憂傷的無序中……

一種倦怠和假意拋棄交織成的薄暮惆悵，一種萬物皆單調的感覺，一種哽咽的啜泣或揭開真相的苦楚……一幅放棄的地景在我健忘的心靈中鋪展開來：道路兩旁是恣意無禮的手勢，沉浸在美夢中的高處花壇甚至再也無法安心作夢，雜亂無章的樹籬將荒蕪的小道與外界阻隔開，翩翩的浮想就像破舊的池塘，它的噴泉早已毀壞。這一切捲入我憂傷無序的情感中，迷亂地若隱若現。

048 理解與毀滅

為了理解，我毀滅自己。理解就是忘記愛。我想不出還有比達文西的話更虛偽卻有著更深刻意義的話來。他說，我們只有在理解一個事物時，才會對它感到愛或者恨。

孤獨摧毀我，陪伴壓抑我。另一個人的存在打亂我的思想；我帶著一種奇特的茫然想像別人的存在，我做再多的分析研究也無法解釋這種方式。

049 我的孤獨是一張無法擺脫的網

孤獨將它的影像和樣子刻在我身上。另一個人的存在——無論這個人是誰——馬上就會拖慢我的思想。對於一個正常人來說，與他人的接觸是一種對口語表達和智慧的刺激，然而，對於我來說，這種接觸是一種「反刺激」，如果語言學允許使用這個複合詞。當我獨自一人時，我的腦海裡妙語連珠，無人能敵，沒人與我說話，我卻有著詼諧靈活的社交能力。但是，當我親自面對別人時，這一切就消失了：我喪失了才智，再也說不出話，只過了半小時就感到疲憊不堪。是的，與人交談使我想睡覺。唯有影子般的、想像中的朋友，唯有我在夢中與人的談話，才是真的，才是真實，與他們交談時，我的才智就像照在鏡子裡的影像。

僅僅是與人交往的想法就令我緊張不安。朋友簡單的晚餐邀約就使我感到難以言表的苦惱。任何社交義務的念頭——參加葬禮、與人討論工作事務、去火車站接一個我認識或不認識的人——僅僅是這樣的念頭都會困擾我一整天。有時候，我甚至前天晚上就開始擔心了，以致無法安睡。當事情發生時，可怕的會面完全變得微不足道，我的任何不安都是多慮，但下一次又是如此：我永遠都學不會。

「我習慣孤獨，不習慣與人相處。」我不知道這是盧梭[20]還是瑟南古[21]的話。但這也是我這類人的思想，但是說我也是這種類型，或許又有些過頭。

20 盧梭（Jean-Jacques Rousseau，一七一二～一七七八年），啟蒙時代的瑞士裔法國思想家。
21 瑟南古（Senancour，一七七〇～一八四六年），法國哲學家和作家。

050 對文明的懷想

一隻螢火蟲忽明忽暗地飛著。在我周圍，黑暗的郊野沉入無盡的死寂中，幾乎透著一股令人愉悅的氣息。這一切的寧靜令人痛苦和壓抑，一種無形的單調使我感到窒息。

我很少去鄉下，幾乎沒在那裡待上一整天或過夜。然而，由於我無法拒絕那個朋友的邀請（我現在住在他家裡），今天我來到這裡，感到十分困窘，像一個害羞的人參加一次盛大的宴會。我來了之後，精神很好，享受著清新的空氣和開闊的風景，午餐和晚餐都吃得很好。而此時夜已深，我待在沒有開燈的房間裡，周圍那些令人捉摸不定的事物使我內心充滿不安。

我的臥室窗戶正對著一片開闊的田野，對著一片無邊無際的田野，對著一片廣袤而朦朧的繁星之夜，在那裡，我聽不見微風，只能感覺得到。坐在窗前，我帶著感覺去凝視外界一般生活的虛無。此時此刻，一種令人不安的和諧，從窗外看不見的萬物向白色窗臺有些粗糙的木框延伸，我的左手側靠在那裡，它的舊油漆已有些脫落。

我曾多少次滿含渴望地想像這樣的寧靜，而此時，如果我可以輕而易舉卻不失優雅地逃走，我幾乎就要這麼做了！在家裡，在那些高樓大廈和狹窄的街道之間，我曾多少次假想寧靜、散文和明確的現實應該在這些自然事物之間，而不是在那裡，文明的桌布使我們已忘記它覆蓋了那些已被油漆刷過的松木！此時此地，感受著健康和美好的一天過後產生的疲憊，我卻不安起來，我感到困惑，竟有些想家了。

我不知道，透過文明，是否只有我，還是所有人都會獲得新生。但對我而言，或許對其他像我一樣的人而言，人造物似乎變成了自然物，而自然物此時卻變得奇怪。更確切地說，並非人造物變成了自然物；簡單來說，是自然物發生了改變。我不騎摩托車，不用科技產品——比如電話或電報——這些東西方便了生活。我也不用稀奇的副產品——比如留聲機或收音機——這些東西給那些從中取樂的人創造了有趣的生活。

我對這些東西毫無興趣，它們並不吸引我。但我熱愛塔古斯河，因為河的沿岸是這座偉大的城市。天空使我快樂，因為我能從鬧市街道的四樓窗戶裡看到它。比起從格拉薩或阿爾坎塔拉的聖佩特羅堡[22]看到的這座寧靜月光之城，任何自然或鄉村風光都黯然失色。對我來說，陽光下的里斯本燦爛斑駁，比任何鮮花都好看。

只有穿上文明衣裝的人，才會欣賞裸體的美麗。對於感官感受，節制很重要，就像對於能量，電阻很重要。

使用人造物是人們享受自然物的最佳方法。在這片曠野裡，無論我享受著什麼，我享受是因為我並不在這裡生活。從未被約束過的人不知道什麼是自由。

文明的本質是一種教育。人造物是鑑賞自然物的途徑。然而，我們應當永遠不要將人造物看作自然物。

自然物和人造物之間的協調構成了高等人類靈魂的自然狀態。

22 格拉薩（Graças）或阿爾坎塔拉的聖佩特羅堡（São Pedro de Alcântara）：里斯本鬧區不同方向的瞭望臺。

051 塔古斯河的寒冷

海鷗撲著白色翅膀不安地飛來飛去，與之相較，塔古斯河南面黑壓壓的天空越發黑得可怕。但暴風雨已經過去，預示著下雨的大團黑色已移到河岸那一邊。市區下著毛毛細雨，仍然顯得濕漉漉，從地面到天空（天空的北面開始白裡泛起湛藍）綻開了笑容。春天的涼爽天氣幾乎讓人感到有點寒意。

在這些空虛和捉摸不透的時刻，我喜歡沉醉在自己的冥想中。雖然這種冥想空洞無物，但在它空虛的透明中，我可以從雨後孤寂的寒冷和黑暗的天空背景中捕捉到一些東西，捕捉到某種直覺——就像海鷗——在黑暗的掩映下襯托出一切事物的神祕。

然而，與我的文學意圖相反，南方天空的黑暗深處——一些或真或假的回憶——突然讓我想起了或許另一段生活中能見到的另一片天空，在小河流過的北方某處，那裡淒涼的蘆荻四處生長，沒有城市。一幅野鴨編織的風景，不知道如何就在我的想像中鋪展開來。而一場奇異的夢，以它的清晰畫面，讓我覺得自己就身處在那樣的景色中。

掠食者和焦慮編織的風景裡，蘆荻沿河生長，參差不齊的河岸有很多汙濁的小岬角，伸進鉛黃的河水，又迂迴到只能容納玩具小船的泥濘河灣裡。濕地深處閃著泥漿的光澤，長滿暗綠色的蘆荻莖，濃密到無法涉足……

死氣沉沉的灰色天空一片荒涼，處處褶皺成灰裡泛黑的雲層。我感覺不到風，儘管風在那裡。河對岸原來是一個長長的小島，小島後面——是一條大而無用的河！——可以瞥見真正的河岸，在無盡的遠方延伸。

那裡沒有人，也不曾有人去過。即使時空可以倒流，我逃離這個世界，回到那片景色裡，也沒有人與我同在。我徒勞地等待，自己也不知道在等待著什麼，等待的盡頭除了緩緩垂下的夜幕，什麼也不會有。整個空間逐漸變成最黑暗的雲彩色，又一點一點消失在泯滅的天空中。

突然，我在這裡感受到那裡的寒冷。這是一種從骨子裡滲出的涼意，使我的肌肉隨之顫抖。我喘著氣醒過來。證券交易所的拱廊下，迎面走過的一個人警覺地凝視著我，他也不知道為什麼這樣看我。黑暗的天空向河的南岸沉沉地壓了下去。

052 風

起風了……一開始，像吸塵器的聲音，像空間被吸入洞中，像沉靜的空氣缺了一塊。然後是一聲啜泣，發自地球深處的啜泣。窗櫺被吹得咯咯作響，這是真真切切的風聲。進而，聲音越來越大，演變成震耳欲聾的怒嚎，夜深前空洞的低吟，刺耳的尖嘯，碎片墜地的聲響，一種世界末日的爆破聲。

然後，似乎……

053 浪漫主義的病態

當基督教精神像肆虐一夜的暴風雨席捲人們的靈魂，這場浩劫造成的混亂還尚未讓人感覺到，但只有在浩劫過後，它造成的實際毀損才變清楚。有些人認為，這些毀損起因於基督教的背離，然而，這種背離只是揭露而非導致了它的毀損。

同樣，我們人類的靈魂遭受了有形的毀損和顯而易見的苦難，沒有一絲虛情假意可用來遮掩它。我們的靈魂暴露出本來的面目。

時下，我們的靈魂萎縮成一種被稱作浪漫主義的病態，它是剝離幻想和神話的基督教精神，只剩下業已枯萎和病態的本質部分。

浪漫主義最根本的錯誤就在於混淆了我們的需求和欲求。我們都需要維持和延續生命的基本物質；我們都欲求完美生活、極度快樂和夢想的實現等等……

人類就是這樣，想要需要的東西，更對我們不需要卻渴望的東西有欲求。當我們對需要的東西和渴望的東西有著同樣強烈的欲求，就會感到不舒服。就會好像缺少麵包似的，感受到一種完美的缺失。浪漫主義的弊病在於想要得到月亮，就好像實際上可以得到它一樣。

「魚與熊掌不可兼得。」

無論是在政治的基礎領域或是每個人類靈魂的隱祕避難所，這種弊病都同樣存在。

在現實世界中，異教徒不知道事物這種病態的側面，也不瞭解自己。作為人類，他對不可能實現的東西也有欲求，但他並非強烈渴望得到它。他的信仰……只是隱藏在內心深處的神祕之中，僅僅是一個開端。他遠不同於一般人的地方……就在於被賦予了宗教先驗事物的知識，這些先驗事物用世界的虛無充斥著他的靈魂。

054 一無所有

有時我在夢裡試著變成一個舉世無雙、威風凜凜的人，浪漫主義者常常這樣設想自己。一想到這裡，我總是哈哈大笑。這種終極形象會出現在所有一般人的夢中，浪漫主義者不過是將我們常常深藏於心的帝國展現出來而已。幾乎所有人在心底都會夢見自己的強大帝國：所有男女都臣服於他，人們都向他頂禮膜拜——成為一切時代最尊貴的作夢者。很少有人像我一樣致力於作這種清醒的夢，在夢裡清醒到足以去嘲笑那些這樣夢見自己的人，嘲笑這種審美上的可能性。

對浪漫主義最嚴厲的指責尚未出現：它將人類本性中的內在真實釋放出來。它的無節制，它的荒謬，它對人心的誘惑力和感動力都在於，它是一種內心最深處的外在表現——一種具體可見的表現，如果人類的可能性由某些命運之外的東西決定，那麼它甚至可能是真實的。

哪怕是我，儘管嘲笑這些誘惑思想的東西，發現自己常常在想出名是多麼美好，被人愛戴是多麼令人愉快，成功又是多麼有趣啊！但我在假想自己這些崇高角色時，另一個我總是站在附近的鬧市街頭忍俊不禁。我看見自己出名了？我看見的是一個出名的書記員。我感到自己登上聲望的寶座？它發生在道拉多雷斯大街的這間辦公室裡，我的同事們毀掉了這種場景。我聽見人群在向我喝彩？喝彩聲在四樓的這間租屋裡響起，和這些破舊不堪的家具形成反差，我從廚房到夢裡都被這種平庸羞辱。我甚至不作白日夢，像一切幻想中的西班牙貴族。我的城堡由骯髒的舊撲克牌建造而成，這些不完整的撲克牌從來都沒辦法玩：它們還沒掉下來就被老女傭不耐煩的手掃到了一邊，她要把堆在一旁的桌布鋪開來，因為就像中了命運的詛咒，又到了喝茶時間。但是，甚至這樣的幻想都有缺陷，因為在鄉下的我既沒有房子也沒有老伯母，我無法在她的桌旁和一家人悠閒地喝著下午茶。我的夢甚至缺少隱喻和敘述。我的帝國甚至不在這些舊撲克牌裡。我的凱旋隊伍甚至沒有一只茶壺或一隻老貓走得遠。我活著時就要死去，在這些郊外的垃圾堆中，在一堆廢品中被人按重量秤賣。

面對這蘊含在一切深淵中的無邊可能性，我至少可以舉起幻滅的榮耀，就像它是一個偉大的夢想，舉起沒有信仰的顯赫，就像是一面戰敗者的旗幟：一面被孱弱的雙手舉起的旗幟，但它仍然不過是一面在泥濘和弱者的鮮血裡拖曳前行的旗幟，我們被流沙吞沒，沒人知道它被高高舉起的原因——是反抗，還是挑戰，或者僅僅是絕望。沒人知道原因，因為人們什麼也不知道，流沙吞沒了那些旗幟，也吞沒了一切。流沙覆蓋了一切：我的生活，我的散文，我的永恆。

我帶著挫敗的意識，就像舉起一面勝者的旗幟。

055 閱讀與解脫

無論我的靈魂是如何的師從於浪漫主義，然而除了閱讀古典派作家的作品外，我都無法找到內心的寧靜。古典主義的思想清晰地表達出來，以其特有的精煉，用某種奇特的方式撫慰著我。透過閱讀，我獲得一種生命寬廣的愉悅感，我凝視著一片廣袤開闊的空間，雖然我實際上從未到過那些地方。甚至異教的眾神也能在那未知之地稍作憩息。

我們對自己的感覺（有時候只是一些想像的感覺）所做的執著分析，我們的內心對風景的辨識，我們的勇氣一覽無遺的暴露，用欲望替換決心，以渴望取代思想——我對所有這一切再熟悉不過，以致失去興趣，或者說當它們被其他人表達出來，亦無法帶給我平靜。當我感受到它們，恰恰是因為我感受到它們時，我寧願我感受到的是其他東西。當我閱讀一部古典著作時，我獲得了一些其他的東西。

我大言不慚地坦言：沒有一篇夏多布里昂[23]的文章或一首拉馬丁[24]的詩歌——他的文章似乎常常是個人思想的聲音，而他的詩歌似乎常常是為瞭解自己而寫——能夠像維艾拉的散文一樣令我欣喜若狂，令我精神振奮，或者像為數不多的古典派作家寫下的某本頌歌集那樣，真正追隨賀拉斯[25]的步伐。

我閱讀，我解脫。我獲得客觀的現實。我不再成為我自己，我變得如此凌亂。我所閱讀的東西，不再像是偶爾壓抑我的、幾乎無影無形的套裝，而是對外在世界驚人又不同尋常的清晰寫照。太陽照射著每一個人，月亮向寂靜的地面投下暗影，廣袤無垠的蒼天消逝在海的

23 夏多布里昂（François-René de Chateaubriand，一七六八～一八四八年），子爵，法國作家，出生於不列塔尼，著有小說《阿拉達》、《勒內》、《基督教真諦》，長篇自傳《墓畔回憶錄》等，是法國早期浪漫主義的代表作家。

24 拉馬丁（Alphonse Marie Louise Prat de Lamartine，一七九〇～一八六九年），法國著名浪漫主義詩人、作家和政治家，以半自傳式詩歌《湖》著名。

25 賀拉斯（Quintus Horatius Horace，西元前六五～前八年），羅馬帝國奧古斯都統治時期的詩人、批評家，著有《頌歌集》（Odes）。

盡頭，幽深而參天的大樹枝葉橫生，鬱鬱蔥蔥，農莊的池塘永遠那麼寧靜，斜坡上梯田整整齊齊，田間小徑上爬滿葡萄藤。

我像退位的君王一樣閱讀。當即將退位的君王將皇冠和長袍放在地面上，它們看起來有著前所未有的高貴。我放下所有乏味的戰利品，在前廳的瓷磚地板上作起美夢，然後帶著一覽天下的貴氣登上樓梯。

我像匆匆走過的行人一樣閱讀。這是一位古典主義作家，帶著一種心平氣和的精神，即使遭受苦難，也隱忍不語。我感到自己像一個虔誠的過客，一個被塗抹聖油的朝聖者，一個無理由、無目的的沉思者，被放逐的王子，臨行前憂傷地完成對乞丐的最後一次施捨。

056 一張合影

公司的一位大股東，常年受怪病困擾，在沒生病的間隔突然一時興起，想要一張公司全體員工的合影。於是，前天，開朗的攝影師讓我們站成一排，背對著骯髒的白色隔板，那塊隔板由薄木製成，將大辦公室和維斯奎茲先生的私人辦公室分隔開來。站在中間的是維斯奎茲先生；在他旁邊，其他人先是站定下來，後來又換來換去，這些朝夕相處的人分門別類地站好，成為一個主體，去完成這個小任務，上帝才知道它的最終目標是什麼。

今天，我到辦公室時有點晚了，已經完全忘了被攝影師兩度捕捉的靜態事件。我發現，莫雷拉（他比平時來得早）和一個業務員偷偷地彎著身子看一些黑白的東西，我吃驚地發現，那是兩張照片中的第一張。事實上，兩張照片是同時拍下的，其中一張拍得更好。

當然，我首先會看自己的臉，我看到的那個我令我感到痛苦。我從不認為自己有討人喜歡的外表，但我也從來沒有想到，站在每天與之相處的那一排人之中，緊挨著同事們那一張張熟悉的臉孔，我的臉會顯得如此渺小。我看起來像一個不倫不類的耶穌會信徒。我的臉很枯瘦，表情裡既沒有顯出智慧，也沒有顯出力度或任何能夠使我從許多死氣沉沉的臉孔裡脫穎而出的東西。那些臉孔也並非都是死氣沉沉的。照片裡也有一些善於表現的臉孔。維斯奎茲先生和他在生活中看起來的一樣——堅實而開朗的寬臉，目光堅定，臉上是堅硬的小鬍鬚。這個人的精明能幹——在全世界成千上萬人的身上可以找到，顯得過於平庸——但這一切被印在相片上，就像印在心理護照上。那兩個旅行業務員看起來很精神，那個地方業務代表看上去也不錯，儘管他的半邊臉被莫雷拉的肩膀擋住了。還有莫雷拉！我的頂頭上司莫雷拉，乏味單調和一成不變的化身，竟然比我顯得更有生氣！甚至那個年輕工友（在這裡我無法壓抑自己的感覺，儘管我告訴自己這種感覺不是嫉妒）也露出直率的表情，像是在對我的面無表情一笑置之，而我的表情令人聯想到文具店裡的人面獅身像紙鎮。

這意味著什麼？膠捲從來不會出錯嗎？冷冰冰的鏡頭記錄下的是什麼樣的事實？我是誰？為什麼看起來會是這個樣子？不管怎麼樣……這是一種侮辱嗎？

「你看起來好極了，」莫雷拉突然說，然後，他轉向那個業務代表：「簡直拍得和他一模一樣，你不覺得嗎？」那個業務代表快樂地隨聲附和，幾句話便將我扔進了垃圾箱。

057 動物

今天，當想到我的生活是什麼樣子時，我感到自己就像某種動物，被放進一個籃子，某個人的胳膊提著這個籃子，往返於兩座市郊的火車站。這樣一幅畫面顯得愚蠢，但它所展現的生活更加愚蠢至極。這些籃子通常有兩個蓋子，呈半橢圓形，一端半開著，另一端底下放著扭動著的動物。但是，提著籃子的胳膊將中間的鉸鏈壓得嚴實，裡面那個弱小的東西除了徒勞無益地將蓋子微微頂起，什麼也做不了，像一隻翅膀已飛累的蝴蝶。

我忘了我是在描述自己在籃子裡的情形。我清楚地看到那隻粗壯、曬得黝黑的胳膊，它屬於那個提著籃子的婦人。除了她的胳膊和寒毛，關於那個婦人我什麼也看不到。我感到渾身不舒服，除非——一陣微微的涼風突然吹來，從籃子白色藤條的縫隙裡吹進來，吹進我扭動的籃子。一種動物的直覺告訴我，這是在一個車站到另一個車站的路上。我似乎被擱在一個長椅上。我聽見籃子外面的人在交談。一切歸於寧靜，於是我睡著了。醒來時，我被拎起來，再次帶到車站。

058 萬物無靈

環境是萬事萬物的靈魂。每一事物都有屬於它自己的表達方式，而這種表達來自於該事物之外。每一事物都是三條線的交集點，而這三條線均由一個事物而起：具有某種數量的物質、我們瞭解這一事物的方式，以及它所處的環境。我伏案寫作的桌子是一塊木頭，那是一張桌子，是這個房間內眾多家具中的一件。我對這張桌子的印象（如果我願意將之謄寫下來的話）是由一些概念組成的：包括桌子是用木頭做成、包括我稱之為桌子，並且利用它來做一些事情、包括它接納一些事物，反映一些事物、它因為置於它之上的物體而有所變化，在各個並列的物體中，桌子便有了外在的靈魂。它的色彩，即將消逝的色彩，它的斑點和裂縫——所有這些均來自它之外的世界，而這（它不僅僅是一個木質的存在）則給予了它靈魂。那個靈魂的核心，即它作為桌子這一存在，也都來自於外界，而這正是它的個性。

我覺得，既不是因為人，也不是因為文學誤差，才讓我們稱之為無生命的物體擁有靈魂。成為一件物體，就要成為承載的對象。或許說樹有感覺、河在奔騰、落日陷入悲傷，或大海（海的蔚藍色來自於它不曾擁有的天空）微微含笑（來自於它之外的太陽）並不正確。然而認為事物具有美同樣錯誤無比。而且說事物具有顏色、形狀，或說它們存在也同樣是個謬誤。那大海不過是一灘鹹水。那落日不過是在特別的經緯度上開始消失的陽光。這個在我身邊玩耍的小男孩也只是一大群擁有智慧的細胞而已——更確切地說，他是一個次原子[26]運動的發條裝置，一個奇怪的電子聚集物，小小的形體內擁有百萬個太陽能系統。

萬事萬物都來自於外界，人類靈魂本身或許不過是陽光的光線，這光線從土壤中閃耀、分離，而這土壤只是由肉體構成的一堆糞便而已。

對於某些有能力得出結論的人而言，在這些考慮之中，或許會產生完整的哲學思想。我絕不屬於這些人之列。明晰卻又模糊的想法，邏輯上的可能性，全都鑽進我的腦海，然而，

26 比原子還小的粒子。例如：中子、質子、電子。

在一縷陽光的幻象下，這想法和可能性全都模模糊糊，而那抹陽光給一堆糞便鍍上金色，在石牆邊幾乎是黑色的土地上，那堆糞便就像潮濕且壓扁的深色麥稈一般。

我就是如此。當我想要思考之際，我就會看。當我想要沉降至我的靈魂中，站在長長的螺旋樓梯頂端時，我便會突然間變得僵硬，忘卻所有，在太陽下透過上排的窗戶看出去，只見那陽光籠罩著不規則的寬闊屋頂，正在進行一番黃褐色的告別。

059 憑窗懷想

當我受夢想影響的雄心壯志凌駕於日常生活之上，以至於那一刻自己似乎就要飛起來時，我就像一個在邋鞦韆的孩子，我總是——像那個孩子一樣——不得不回到公園裡，面對我的挫敗，我沒有在戰爭中揮動的旗幟，亦沒有足夠的力量拔劍出鞘。

我在想，街上大多數偶爾擦肩而過的路人也會感覺到這一點——我從他們默默嚅動的雙唇和朦朦朧朧不確定的眼中，抑或喃喃私語中偶爾提高的聲調中注意到了這一點——這就像一支沒有揚旗的軍隊打一場希望渺茫的戰爭。並且，他們大概——我回過頭，看見他們的肩膀下垂，一副喪氣的模樣——和我有著同樣的、推銷員才會有的卑微感，不會比落荒而逃，躲在蘆葦地和泥地裡的敗將殘兵好到哪裡去，河岸邊沒有月光，沼澤地裡也沒有詩情。

他們和我一樣有著高尚而憂傷的心。我認識他們所有人。有些人是店員，有些人是辦公室職員，還有些人是小商人。此外，還有些人是酒吧和咖啡館的征服者，他們以自我為中心，忘我地侃侃而談，不經意間透露著崇高，或滿足於以自我為中心的沉默，亦沒有必要為自己的緘默不語作辯護。但是，他們都是詩人和可憐人，吸引著我的視線，就像我吸引了他們的視線，我們用同樣遺憾的目光看著彼此同樣的不協調。他們和我一樣，把未來遺留在過去。

此時此刻，因為大家都去吃午飯了，我無所事事，獨自一人待在辦公室裡。透過骯髒的窗戶，我凝視著一位老人，他緩慢而步履蹣跚地穿過街道走到對面去。他沒有喝酒，他在作夢。他全神貫注地思考並不存在的東西。或許他仍在希望，如果諸神的不公正裡還殘存著些許公正，那麼祂們應當讓我們繼續作夢，即使這些夢不可能實現；希望我們的夢可以是快樂的，即使這些夢微不足道。今天，由於仍然年輕，我可以夢見南太平洋諸島和無法企及的印度。明天，或許諸神一如往常地讓我夢見自己擁有一家小小的菸草店，或在郊區的一幢房子裡安度餘生。每一個夢並無區別，因為它們終究都只是夢。但願諸神能改變我的夢，而非改變我作夢的稟賦。

當我陷入這種凝思時，我忘記了那位老人。此刻我已看不到他，我打開窗戶，以便能看得更清楚，但他已不在那裡。他走了。對我而言，他有著作為象徵符號的視覺性使命，他已完成他的使命，拐進街角。如果有人告訴我，他已完全拐進街角，不會再出現，我會無動於衷地接受這個事實，關上窗戶，該做什麼還是繼續做什麼。

在那之後？……

那些像推銷員一樣可憐的英雄人物用偉大而崇高的言詞和思想征服他們的帝國，但卻不得不為食物和房租籌錢！他們像一支解散的軍隊，他們的指揮官曾經有過崇高的夢想，而他們——此時在沼澤地的浮渣裡步履艱難地行走——只剩下關於崇高的模糊概念、從屬於一支軍隊的自我意識，以及甚至不知道他們從未見過的指揮官曾做過什麼的虛無感覺。

在那一刻，他們每個人都想像自己是拋棄了後衛部隊的指揮官，在泥濘的沼澤地裡，每一個人都在為勝利歡呼，然而沒有人打贏，沾滿油漬的桌布上只剩下麵包屑，沒有人記得是誰抖落的。

他們充斥著日常事務的每一個隙縫，就像塵土充斥著積塵甚厚的家具每一個隙縫。在普通而又平凡的白日裡，他們像灰色蛀蟲噬咬著泛紅的紅木家具。只須薄薄的指甲便可輕而易舉將他們拭去，但人們不屑於做這樣的事情。

我的那些不幸的同類有他們的崇高夢想——我是多麼嫉妒而又鄙視他們啊！我和他們一樣，我和那些甚至更不幸的人一樣，無人傾訴，唯有對自己傾訴自己的夢想，展示這些落筆即可成為詩歌的夢想。我和那些可憐的懶鬼一樣，沒有書本來展現自己，除了靈魂，沒有留下文學作品。我和那些窒息而死的人一樣，他們窒息是因為他們沒有接受神祕和先驗的測試就存在了，而通過那些測試的人才有資格生存下去。

有些人是昨日剛在街頭打倒五個人的英雄。有些人是騙子，甚至不存在的女人都會向他們屈服。當他們向女人講述什麼，他們自己也相信這些東西，又或者他們向女人講述只是為了使自己去相信。還有些人……對他們來說，世界的征服者不管是誰，也不過是平凡的人。

有些人像養在木盆裡的鱔魚，蜿蜒滑行，互相纏繞，卻從未離開過木盆。他們偶爾在報紙上露面。他們之中有些人出現得相當頻繁，卻從未成名。

這些人是快樂的，因為他們被賦予施了魔法的糊塗夢。但另一些人，譬如我，卻被賦予了沒有幻覺的夢……

060 悲傷的間奏（二）

如果你問我，我是否快樂；我會說，我不。

061 夢的廢墟

羞怯是一種高貴，不付諸行動是一種卓越，生活的無能是一種崇高。

單調是一種退縮，而藝術，是一種輕蔑，它們裹著自我滿足的外衣……

我們日漸腐化的生命裡釋放出來的磷火，至少是一盞黑暗中的明燈。

唯有憂愁催人奮進，並且，唯有源自憂愁的單調，像古代英雄後人傳承下來的紋章。

我擁有各種姿態，儘管它們在我心裡不留一絲痕跡；我有滿腔話語，卻從未說出口；我有好多夢，最終卻忘記實現。

我是一堆建築物的廢墟，我永遠只是一片廢墟，而它們的建造者在施工半途時，突然厭倦了思考自己的所建之物。

讓我們不忘去憎恨那些享受的人，因為他們會享受；不忘去鄙視那些快樂的人，因為我們不知道如何像他們一樣快樂。這種錯誤的鄙視和虛弱無力的憎恨，僅僅是我們的底座——立於粗糙而骯髒的土壤裡——其上則是唯我獨尊、傲慢自大的乏味雕像，有著鬱鬱寡歡的外形，它神祕莫測的微笑使它的臉籠罩著一層朦朦朧朧的神祕光環。

不把自己的生命交付給任何人的人才是幸福的。

062 人類的平庸

人類的迂腐平庸令我感到反胃，這是它的唯一特點。有時候我刻意去加重這種反胃，就像人們透過催吐來減輕嘔吐感。

我鍾情於一種漫步方式：清晨，由於我像害怕監獄一樣，恐懼即將到來的一天太過索然無味，我緩緩走過還未開門的商店，聆聽成群結隊的青年男女、或婦女對男人說起的閒言碎語，他們的無意交談像某種諷刺的施捨——闖入我漫天冥想的無形意識流中。

這些語句的銜接總是採用一些陳腔濫調……「然後她說……」語氣中暗示著接下來要說的話。「如果不是他，那就是你……」然後回答的聲音裡透著一股惱怒的抗議，已超出了我的聽力範圍。「你說的，好的，先生，我聽到了……」女裁縫用尖銳的嗓門宣布「我媽媽說她不感興趣……」「我？」她同伴（那人帶了用白紙包起的午餐）的驚訝並未說服我，大概也沒有說服那個說話輕佻的金髮女郎。「事實上應該是……」那四個女孩中的其中三個咯咯笑了起來，笑聲將汙言穢語淹沒……「然後我直接走向那個傢伙，站到他面前，我是說，正好與他面對面，喬斯，你想想……」然而那個可憐的人在說謊，因為辦公室主任——我可以肯定地說，另一個競爭對手將被考慮升為辦公室主任——他才不會在那些辦公桌圍成的競技場上接受那個草包鬥士的挑戰。「然後我就離開了，去廁所抽了根菸……」那個褲子上打了個深色補丁的小夥子笑了起來。

其他單獨或結伴而來的人沒有說話，或者他們說了什麼而我沒聽見，但我能聽出他們的聲音，對我敏銳的直覺而言，那些聲音是誰的都顯而易見。我不敢把從他們下意識流露的卑劣和汙穢的狡詐裡偶然看到的東西說出去——或甚至不敢寫下來，即使我可以馬上把寫下來的東西撕掉。我不敢說出去，因為催吐之後，吐一次就足夠了。

「那個傢伙喝得醉醺醺，甚至沒看到樓梯。」我抬起頭。至少這個年輕人是這麼描述的。這些人描述時更能讓人接受，這時他們忘記了自我，他們在描述時忘記了自我。我的反胃得到緩解。我看見那個傢伙。我清楚地看見他。甚至那些並無惡意的髒話都令我振奮。愉快的微風掠過我的前額——那個醉醺醺的傢伙甚至看不清樓梯的臺階——或許樓梯是人類跌倒、摸索和推擠出的一條通往褶皺幻影的路，它只是一面牆，將建築物後方陡然下降的陡峭阻隔開來。

要些小伎倆、說三道四、大聲吹噓不敢做的事情、每個可憐造物的心滿意足（他的靈魂帶著無意識的意識）、揮汗如雨與散發臭味的性事、像猴子互相抓撓一樣地開著玩笑、對自己徹頭徹尾的微不足道毫無所知……所有這一切留給我一個產生於混亂夢境的、荒謬而卑劣的、像動物一樣的印象，來自於欲望濕淋淋的外殼，來自於情感咀嚼過的殘渣。

063 我們活在陰影裡

人類靈魂的一生不過是在陰影裡的活動。我們生活在意識的朦朧狀態中，永遠無法與我們的身分或假設的身分一致。每個人都懷著某種虛榮心，我們還存在一些無法界定程度的錯誤。我們是在表演的幕間休息時繼續工作的人。有時，透過某些門，我們瞥見的或許不過是舞臺布景。世界是一場大混亂，像夜裡的嘈雜聲。

我剛剛重讀了這些帶著清醒意識寫下的紙頁，這種清醒只能在紙上留存。我拷問自己：這是什麼？這有什麼用處？當我感覺時，我是誰？當我活著時，內心的什麼死去了？

像某個人站在山上，試圖看清楚山谷裡的人，我站在高處俯瞰自己，我與其他一切構成朦朧而混沌的風景。

此時，當我的靈魂裂開一道深淵，最微不足道的細節都像一封訣別書般令我悲痛。我感到，自己彷彿總在覺醒的邊緣。將我包裹的那個自我使我壓抑，結局使我窒息。如果我的聲音能傳出去，我想大聲呼喊。但在我的一些感覺和其他感覺之間，只有沉沉的睡眠在移動，像飄過的浮雲，使無邊原野上半明半暗的草地呈現出交織著光和綠的各種色彩。

我像一個胡亂尋找的搜尋者，既不知道在找什麼，也不知道要找的東西藏在哪裡。我們和自己捉迷藏。在這一切裡，有一種超然的把戲，我們只能聽到神性的流動。

是的，我重讀了這些紙頁，它們代表著毫無意義的時光，短暫的幻想或片刻的安寧，流入風景裡的偉大希望，像關上門的悲傷，某些聲音，一種無限倦怠，不成文的福音書。

我們都有虛榮心，這種虛榮心是一種方式，使我們忘記別人也擁有像我們一樣的靈魂。我的虛榮包含幾頁文字、幾篇短文和一些疑惑……

我重讀了這些紙頁？撒謊！我不敢重讀。我也不能重讀。重讀有什麼好處呢？文字裡寫的是另一個人。我已經什麼也無法理解了……

064 我為不完美的書頁哭泣

我為自己不完美的書頁哭泣，但如果後人讀到它們，我的哭泣一定比我可能達到的完美更令他們感動。因為完美不會讓我哭泣，所以也不會讓我去寫作。我們無法實現完美。聖徒是人，會哭。而上帝會沉默。這就是為什麼我們可以愛聖徒，但不能愛上帝。

065 財寶和王權

高貴而神聖的怯懦守衛著……靈魂的財寶和王權……

如果我將某種毒藥、擔憂或不安傳染給一個靈魂該會如何！這樣多少能撫慰我緩慢衰竭的行動能力。我生活的目的就是敗壞世界。然而，我的話語對任何人的靈魂有迴響嗎？除了我之外，有誰聽見我的話？

066 聳聳肩

我們通常用已知的觀念來粉飾未知的概念。如果我們把死亡稱作安息，那是因為從外表上看起來，死亡與安息無異。如果我們把死亡稱作新生，那是因為死亡看上去與生活有所不同。我們帶著一些對現實的誤解去編織希望和信仰，我們靠被稱作蛋糕的麵包皮生活，就像那些假裝快樂的窮孩子。

然而，這就是生活的全部，或者，至少是通常被稱作文明的獨特生活體系。文明在於賦予某種事物不屬於它的名稱，然後以作夢結束。這個虛假的名字和真實的夢並未創造新的現實。這個客體變成別的東西，因為我們使它有所改變。我們製造現實。現實的原料保持不變，但我們透過藝術賦予它形態，使它看起來有所不同。一張松木桌既是松木也是桌子。我們坐在桌子旁邊，而不是松木旁邊。儘管愛是一種性本能，我們並不是出於這種性本能去戀愛，而是出於對其他情感的臆測。而這種臆測本身就是其他情感。

當我漫步街頭時，我不知道是什麼樣的微妙影響，這種影響來自光線或模糊的聲音，或者記憶中的一縷芳香或一段旋律，透過不可思議的外部影響表現出來，使我產生這些離奇的想法。而此時，我坐在咖啡館裡，悠閒而混亂地記下來。我不知道我的思想將伴我走向何處，也不知道要去哪裡。今天的霧很淡，溫暖而潮濕，有些陰鬱，但不嚇人，透著無緣無故的煩悶。我有種說不清的哀愁感覺。我缺乏合適的論據，我也不知道那是什麼樣的論據。我的神經過敏又缺乏意志力。在意識深處，我是悲傷的。我胡亂寫下這些文字，並非想要說這些，或者說其他，而只是想讓自己在心煩意亂時做點什麼。我握著用鈍了的鉛筆（我沒有心情去削它），用柔軟的筆觸在咖啡館給我的三明治白色包裝紙上寫著，這張紙再適合不過，它還是白紙時和其他紙一樣。我感到心滿意足，向後靠了靠。黃昏來臨，毫無變化，沒有下雨，光線中透著模糊而沮喪的色調。我因為停止寫作而停止寫作。

067 公園

我常常被表象和幻影捕獲，我是它們的獵物，我感到自己像個人。然後，我對自己存在於這個世界感到快樂，我的生活變得透明。我飄了起來。我樂於獲得支票並踏上回家之路。我不需要看就能感受到天氣。一些肉體的感受令我愉悅。我沉思，但我並未思考。這些天我格外喜歡那些公園。

當我並未完全清醒地覺察自己時，只是真實感到公園裡的一些獨特物質有些奇特和淒美。公園是文明的一個縮影——是對大自然的匿名修飾。那裡有植物，還有道路——是的，道路。綠樹叢生，樹蔭底下是一條條長凳。寬闊的道路四面被城市環繞，長凳又寬又大，上面總是坐滿人。

我並不介意花叢整齊有序，但我憎惡它們成為公共物品。倘若那一排排花叢生長在封閉的公園裡，倘若樹蔭遮住那片領地的隱居處，倘若長凳上空無一人，那麼我在公園裡毫無用處的沉思還能對我有所撫慰。但是城市裡的公園，有用且有序，對我而言如同牢籠一般，那些五顏六色的花草樹木，僅僅有足夠的空間生存，卻沒有空間逃離，它們只擁有美麗，卻不擁有美麗的生命。

有一些日子，這樣的美景屬於我，我像一齣悲喜劇裡的演員走進這片風景。這些天我錯亂了，但至少在某種程度上我變得更快樂。當我心煩意亂時，我開始想像我有房子或有家可回。當我忘記這些時，我就變回正常人，出於某些目的而緘默不語。我撣掉另一件套裝上的灰塵，開始將報紙從頭到尾讀一遍。

然而，幻影永遠不會長久存在，部分原因是因為它無法持久，另一部分原因是因為黑夜降臨。花兒的顏色、樹叢的庇蔭、道路的幾何結構和花壇——一切都黯淡下去，越縮越小。除了我錯誤地感受到像個人，星辰的布景突然出現在這片寬闊的舞臺上，彷彿白晝是一塊遮住它的帷幕。然後，我的雙眼忘記了無形的觀眾，我像個看馬戲團的小孩一樣，興致勃勃地等待著第一場演出。

我解脫了，迷失了。

我感受。我因發燒而發抖。我還是我。

068 幻覺過後的厭倦

一切幻覺及其後果造成了厭倦——我們失去幻覺，我們的擁有毫無價值，擁有幻覺是為了失去的厭倦，曾經擁有過幻覺的遺憾，理智上知道即使終將成為一場空也想擁有幻覺的懊惱。

生活的無意識裡顯露出的意識，是向智力徵收最古老的稅。智力的諸多無意識形式——靈光一閃、理解力的起伏不定、推理與哲理——它們像身體的條件反射，像肝臟或腎臟自動產生分泌物一樣。

069 雨

雨下得很大，越來越大，越來越大……彷彿外面的黑暗中，有什麼要坍塌……起伏不平、群山環繞的城市，今天看起來像一片平原，一片被雨水覆蓋的平原。舉目四望，周圍的一切都是雨水的淡黑色。

我滿腦子古怪感覺，這些感覺全都是冷冰冰的。對我而言，此時的風景似乎都蒙上一層霧，而那些建築物就是遮住風景的霧。

一種源自我不再是我時會變成什麼的精神病前兆揪住我的肉體和靈魂。一種對未來死亡的荒謬回憶使我的脊椎一陣戰慄。在直覺的迷霧中，我感到自己像是雨中墜落的死物，呼嘯的風在為我哀悼。未來再也感覺不到的寒意吞噬著我現在的心。

070 我的長處

如果我別無所長，至少我永遠保持著自由的、無拘無束的新奇感。

今天，我漫步在阿爾馬達新街上，偶然注意到前面那個男人的背影。這是一個一般人的普通背影，一個衣著普通、偶然走過的路人。他的左臂夾著一個舊公事包，右手握著一把雨傘的彎鉤手柄，配合著走路的節奏輕輕敲打著地面。

對於這個人，一種溫情在我心裡油然而生。帶著這種溫情，我有感於凡人的庸碌，為了養家活口而每天奔波勞累，為了他們卑微而快樂的家，為了他們生活中不可或缺的苦與樂，為了不做分析的單純生活，也為了外套底下覆蓋著的動物本能。

我的目光再次回到那個人的背影，那個讓我產生這些想法的窗口。

當我看到某個人在睡覺時，會有同樣的感覺。我們睡著以後，都會變回孩子。這或許是因為在睡眠狀態下，我們不會犯錯，也無法感知生活。靠著自然魔法，最凶惡的罪犯和最自私的利己主義者，一旦睡著以後，就變聖潔了。在我看來，殺死一個孩子和殺死一個熟睡的人並無明顯不同。

那個人的背影已經沉睡了。他以完全一樣的速度走在我面前，整個人都已沉睡。他無意識地走著，無意識地活著。他睡了，因為我們都睡了。生活的一切不過是一場夢。沒人知道自己的所為、所願和所知。我們活在睡眠中，永遠是命運的孩子。這便是為什麼當這種感覺占據我的思想時，我感到一種莫大的溫情，一種將整個人類的童稚、整個沉睡的社會以及每個人和每件事都納入其中的溫情。

這是一種瞬間滋生的人道主義情懷，沒有目的，沒有結論，瞬間將我包圍。我感到一種溫情，彷彿借上帝之眼俯瞰芸芸眾生。我看著每個人，彷彿世界唯一有知覺者以慈悲打動我。可憐的人，可憐的人類！他們都在這裡做什麼呢？

生活的一切活動和目標，從單純的肺部呼吸到城市建設，再到帝國的劃定，在我看來都是一種困倦狀態，是一種現實和另一種現實之間，絕對性的一天和另一天之間的無意識夢境或短暫憩息。夜裡，像一個抽象的母親，我照看好孩子和壞孩子，他們睡著之後都是平等的。

我將視線從前面那個男人的背影移開，轉向走在街上的其他每個人。那個並未意識到我走在他後面的男人帶給我溫情，我以同樣冷漠而荒謬的溫情與他們中的每一個人擁抱，他們跟他一樣：邊聊邊向工廠走去的女孩們，邊開著玩笑邊走向辦公室的年輕小夥子們，採購一大堆東西後趕著回去的大胸脯女傭，送第一批貨的送貨員——所有這些人，儘管有著不同的臉孔和姿勢，卻同樣沒有意識，像被一隻看不見的手用同樣的手指操控活動的提線木偶。他們以自己的方式，用各種姿態手勢表達意識，而他們什麼也意識不到，因為他們並未意識到自己的意識。無論是聰明還是愚蠢，他們都同樣愚蠢。無論是老是少，他們都是同樣的年紀。無論是男是女，他們都同屬一種不存在的性別。

071

用思考去感覺

我認為，我深深覺得自己與別人格格不入的原因在於，大多數人用感覺去思考，而我用思考去感覺。

對一般人而言，感覺就是生活，思考就是學會如何去生活。對我而言，思考就是生活，感覺不過是思考的食糧。

奇怪的是，我僅有的一點熱情被那些與我性情迥異的人喚起。我最崇拜的文學家當屬那些與我有著極少相似之處的古典作家。如果不得不在夏多布里昂和維艾拉之間選擇，我會毫不猶豫地選擇維艾拉。

越是與我不同的人，看起來就越真實，因為他不像我那樣依賴自己的主觀性。這便是為什麼我不斷靠近研究的客體，恰恰就是我憎惡且避之不及的人類。我愛它是因為我恨它。我喜歡去凝視它，是因為我不願去感覺它。風景如畫一般美好，卻絕少能做成一張舒適的床。

072 風景是什麼

亞米哀[27]說，風景是一種情感狀態，但這句話是一塊有瑕疵的寶石，出自於一個虛弱的作夢者。一旦風景成為風景，它就不再是一種情感狀態。使事物具體化就是創造事物。沒人會說，一首已完成的詩是一種關於寫詩的思考狀態。觀賞或許是一種作夢的形式，但是，如果我們稱之為觀賞而非作夢，我們便可將這兩者區分開來。

然而，這些推測如果應用於語言心理學會有什麼好處呢？青草的生長與我無關，它在雨水的滋潤下生長，陽光灑落在已生長或將要生長的草地上；那些小山已有些年紀，大風颳過，和當年即使並不存在的荷馬[28]聽到的風聲並無二致。如果說一種情感狀態就是一處風景，這樣或許會更好。因為這句話包含的不是理論的謊言，而是隱喻的真理。

在普照大地的陽光下，我從阿爾坎塔拉的聖佩特羅堡瞭望臺上鳥瞰了這座城市的全貌，便胡亂寫下這些偶感而發的語句。每當我觀照一片開闊全景時，便忘了我的肉身，那五呎六吋的身高和一百三十五磅的體重。我對著這些將作夢視為夢的人發出崇高而玄祕的微笑，我熱愛那些有著至高無上純淨的理解力的、絕對外在的真理。

背景裡的塔古斯河是一個藍色的湖泊，在水一方的山那頭便是地勢平坦的瑞士。一艘小型輪船——一艘黑色的貨輪——遠離波蘇杜比什普[29]，朝著我看不到的河口駛去。願諸神（直到我生命的終結）將這客觀現實中明朗而燦爛的風景、我微不足道的本能意識、渺小存在的舒適和能夠想像自己快樂的慰藉，全部為我保留。

073 人生的高地

到達天然高地的孤獨頂峰時，我們體驗到一種獲得特權的感覺：加上自己的身高，我們比這座頂峰還要高。至少在那裡，自然之巔被踩在我們的雙腳下。我們所處之地使我們覺得自己是現實世界的國王。周圍的一切相形見絀：生活是逐級漸緩的斜坡，或毗鄰高地的低窪平原，或我們所達到的巔峰。

我們的一切源於機遇和自欺欺人，我們所吹噓的高度不屬於我們；在那處頂峰，我們並不比自己的正常身高更高。我們腳下的山峰將我們抬高，是腳下的山高使我們變得更高。

富人能更輕鬆地呼吸，名人能活得更自由，貴族頭銜本身就是一座小山。一切都是虛假的，甚至這種自欺欺人也不是我們的。我們登上小山，或者被帶到那裡，或者出生在山上的一座房子裡。

然而，偉大的人意識到，從山谷到天空，和從山頂到天空，它們的距離並無差別。如果水位升高，我們在山頂會更好一些。然而，當天神發起詛咒，譬如朱比特的閃電雷鳴劃過天

27 亞米哀（Henri Frédéric Amiel，一八二一～一八八一年），瑞士美學家和哲學家，以《亞米哀日記》（The Journal Intime）聞名後世，這本書在某些方面類似於《惶然錄》。
28 荷馬（Homer，約前九世紀～前八世紀），為古希臘的遊吟詩人。
29 波蘇杜比什普（Poço Do Bispo），里斯本東北的一處碼頭區。

地，或埃俄羅斯的狂烈疾風呼嘯而過，那麼，最好的掩蔽便是躲在山谷，而最好的防禦便是蟄伏。

明智的人，儘管身強力壯，有潛力爬到山巔，卻在意識裡放棄了這種攀登。憑藉著凝望，他的心中便擁有一切山峰。立於所處之地，周圍一切都是山谷。相對於那些站在山頂忍受強光的人，陽光照耀頂峰，對他來說更顯絢麗。相對於那些被囚禁在屋子裡、已將其遺忘的人，谷底之人看見森林裡高高聳立的宮殿，會顯得更華麗奪目。

儘管生活無法令我寬慰，我從這些反思中得到慰藉。這些象徵符號與現實融為一體，作為一個在通往塔古斯河低窪街道上匆匆路過的靈魂與肉體，我看見城市裡明亮的高地閃耀著光芒，像來自彼岸的榮光，折射著已經下山的五顏六色太陽光。

074 雷雨

在靜靜的雲彩間，湛藍的天空被染上一層透明的白。

辦公室後面，那個小夥子將永遠纏繞包裹的繩子在手裡停留了片刻。

「我想起了另一次，也像這樣。」他的話像是在統計。

一陣冰冷的寂靜。街上的聲音像是被一把刀子切斷。然後，整個世界沉入一陣長時間的屏息，一種波及一切的恐懼。整個宇宙陷入死寂之中。一分一秒，一分一秒，一分一秒……寂靜使黑暗變得更黑。

突然，噹啷噹啷……

電車發出的金屬聲多麼富有人味啊！雨簡簡單單地湧向從深淵裡復甦的街道，這是何等歡快的景象！

啊，里斯本，我的家！

075 我討厭危險

我不需要透過飛車或特快列車去感受速度帶來的快樂和恐懼。我只需要一輛電車以及我將事物抽象化的天賦，我將這種能力發展到一種令人吃驚的程度。

坐在一輛開動的電車上，透過持續不斷的短暫分析，我能夠將電車的概念和速度的概念區分開來，我能夠徹底地分清楚，它們在現實中是完全不同的兩種的事物。然後，我能夠感覺到自己不是乘著電車，而是乘著速度前進。如果我感到厭倦，渴望急速前行，我可以將自己的觀念轉換到純粹的類比速度上，任意增減速度，比火車可能開到的最快速度還要快。

我討厭真實的危險，但這不是因為我害怕太過緊繃的感覺，而是因為它會破壞我對感覺的完美聚焦，這使我惱怒，使我失去了自我感。

我從來不去冒險。我害怕危險帶來的乏味感。

太陽下山是一種理智現象。

076 分裂自我的形而上思考

有時，我喜歡（用一種分裂的方式）思索一種可能性，它關乎我們自我意識的未來圖形。我相信在未來，有關自我感覺的歷史學家或許能夠用一種對待科學的嚴謹態度去對待他的自我意識。我們仍處在這門艱難藝術的開端——此時，它僅僅是一門藝術：迄今為止，這感覺的化學還在煉金術的階段。未來的科學家將更加注重他的內心生活，透過一種在他身上創建的精密儀器分析這種內心生活。在我看來，從思想中提煉出鐵或銅，製造用於自我分析的精密儀器並沒有天生的障礙。我的意思是說，這些鐵和銅是真正的鐵和銅，只是由思想冶煉而成。或許這是唯一的製作方法。或許我們有必要擬定製作這種精密儀器的計畫，使它具體到視覺化的程度，以便能進行嚴謹的內心分析。的確，我們還需要削減思想中的某些實物，以便為這種精密儀器挪出空間。所有這一切取決於我們的內在感覺是否精煉到極致，如果我們的感覺做到了，它們無疑將為我們展現或創造一片空間，這片空間和放置物質的空間一樣真實，儘管回頭想想，它並不真實。

我只知道，這種內部空間可能是其他空間的新維度。或許，科學研究最終將發現，一切事物都處在同一空間（這種空間既不是物質的，也不是精神的）的不同維度裡。因此，我們的肉體生活在一種維度裡，而靈魂生活在另一種維度裡。我們所生活的其他空間或許還存在其他維度，有著同樣真實的我們的另一面。有時，我樂於迷失在這種無用的冥想中，看看這種研究最終可能會將我們帶向何處。

或許，還會發現被我們稱作上帝的東西，祂顯然處在一個超越邏輯和時空現實的平面上。這是我們的一種存在方式，一種來自另一個存在維度的自我感覺。對我來言，完全有這種可能。或許夢是我們生活的另一個維度，又或許，它們是兩個維度的交叉點。我們的身體生活在長、寬、高的空間時，我們的夢或許也存在於理想、自我和空間——有形物質表現在空間裡，非物質表現在理想中，只屬於我們的個人維度則表現在自我中。自我，就其本身，是我們每個人的「我」，它或許是一種神性維度。這一切錯綜複雜，無疑都取決於事物所處的時代。今天的夢想家或許未來會成為終極科學的偉大先驅者。當然，我不相信未來的終極科學，但這無關緊要。

偶爾，我會像真正研究科學的人集中精力去做這樣的形而上思考。我可能已真正開始研究這門科學。我必須小心謹慎，不能太過驕傲，因為驕傲會破壞科學客觀性的公正嚴謹。

077 別人眼中的自己

沒有什麼消遣像科學的應用一樣，或者，由於帶著點徒然無果的味道，我常常心無旁騖地研究自己在別人眼中的精神，以此打發時間。這種沒有結果的研究帶來時而悲傷、時而痛苦的快樂。

我仔細研究著我對別人的整體印象，然後提出結論。我是一個大多數人都喜歡的傢伙，他們甚至對我有一種模糊而好奇的尊重。但我得不到熱烈的感情。我沒有摯友。這就是為什麼這麼多人尊重我的原因。

078／如夢似幻

某種感覺像睡眠，如同迷霧般瀰漫在我們的思想裡，使我們不能思考，不能行動，不能真切而簡單地成為我們自己。我們彷彿並未入睡，夢想之外的夢想在我們眼前徘徊，初升的太陽懶洋洋地溫暖了我們停滯不前的意識表層。我們迷醉於自己什麼都不是，我們的意志像院子裡的一桶水，被路人無精打采的腳步踢翻。

我們投出目光卻什麼也沒看見。長長的街道擠滿披著衣服的動物，像一塊平坦的布告板，上面的字母毫無意義地繞來繞去。房子僅僅是房子。無論我們看得多麼清楚，我們也無法對所見之物賦予意義。

近在咫尺的木箱店傳來一陣陣捶擊聲，聽起來恍若遠在天邊。每一擊明顯與下一擊隔開，伴隨著回音，聲音平淡乏味。在暴風雨肆虐的日子裡，貨車照例嘎吱嘎吱地駛過。人聲從空氣中浮現，而不是發自人們的喉嚨。作為背景的河水也疲憊不堪。

這不是我們感受到的煩悶，這一切也不痛苦。我們只是帶著另一個人的個性睡意綿綿，因加薪而能夠忘記一切不快。我們什麼也感覺不到。或許唯有自動化行為，使我們的雙腿在不由自主地走路時，鞋裡的腳掌能好好得拍擊地面。或許我們連這些都感覺不到。有些東西在蒙住我們的雙眼時也擠壓著我們的頭，就好像用手指堵住我們的耳朵一樣。

這就像靈魂的一次感冒。而這種患病的文學形象使我們期望生活是一段康復期，我們不得不停住我們的腳步。而康復的想法令我們渴望待在市郊的房子裡——並非是因為房子周圍的花園，而是舒適的房子深處，遠離了馬路和車輪聲。不，我們什麼也感覺不到。我們意識到穿過一道不得不穿過的門，而這個事實足以讓我們入睡。我們穿過一切地方。小熊站在那裡，你的鈴鼓在哪裡呢？

079 自我滿足

像剛剛開始一樣微弱，退潮氣味飄過塔古斯河，在臨海的街區散發腐臭，極為令人作嘔，帶著冷漠大海的那種冷冰冰的麻木。我在胃裡感受到生活，我的嗅覺轉到眼後。高空稀疏的雲團懸掛在虛無裡，它們的灰瓦解成某種虛假的白。怯懦的天空彷彿是用某種聽不見的雷聲，恫嚇著大氣層，那裡除了空氣什麼也沒有。

甚至飛翔的海鷗也停下來，輕盈勝過空氣，彷彿被什麼人定格在那裡。壓迫並不存在。黃昏的不安是我自己的感覺。涼爽的微風斷斷續續地吹著。

我注定要落空的希望，緣起於我不得不去過的生活！就像此時的空氣，是一陣沒有霧氣的霧，是一場露出真面目的虛假風暴。我想要吶喊，結束這種景觀和我的冥想。但是，大海的惡臭滲入我的意志，內心的退潮在遠處的某個地方擱淺，露出黑色淤泥，儘管我唯有憑嗅覺才能感受到。

一切愚昧無知的堅持不過是一種自我滿足！一切憤世嫉俗的意識不過是一種虛假情感！我的靈魂與這些情感、我的思想與空氣和河流的糾葛——一切只說明氣味不佳的生活損傷了我的意識。一切都因不懂得說出那句出自《約伯記》簡單而又放諸四海皆準的雋語：我的靈魂厭倦了我的生命！

080 悲傷的間奏（三）

我厭倦一切，包括那些並不使我厭倦的東西。我的快樂像我的痛苦一樣痛。

但願我是個孩子，在農莊的水池裡放紙船，頭上是縱橫交錯的葡萄藤搭成的屋舍頂篷，陽光透過葡萄藤，在閃著暗光的淺水表面投射下格子圖案和綠色陰影。

我和生活之間隔著一層薄玻璃。無論我多麼清楚地看見和瞭解生活，就是觸不到它。

合理化我的悲傷？如果合理化需要付出努力，那要如何才能做到呢？悲傷的人是無法付出努力的。

我甚至無法摒棄那些我痛恨至極的庸俗行為。摒棄也要付出努力，而我又無法做任何努力。

我經常為了沒有當一個汽車司機或馬車夫而感到懊惱！或者過著想像中其他人的平庸生活也行，因為這種生活不屬於我，它使我產生強烈渴望，用它的別樣風味填滿我的內心！如果我成為他們中的一分子，我不會再把生活當成一件可怕的事情，也不會被對生活的整體思考粉碎我思想的肩膀。

我的夢是愚蠢的避難所，就像用雨傘遮擋雷電。

我感到如此倦怠，如此愁苦，如此缺乏姿態和行動。

無論我怎麼去探究自我，所有夢想之路都通往焦慮的空曠之地。

有時候，甚至連夢都避開我這個執迷不悟的作夢者，於是我看清了事物生動形象的枝微末節。讓我躲藏的霧已散去。我靈魂的肌膚被每一條看得見的邊緣劃破。我的器官在發現它們的粗糙時，被每一件看得見的粗糙物刺痛。我的靈魂被每一個物件的可見重量沉沉壓住。
我的生活彷彿就是被生活鞭打。

081 倦意

小貨車在街上緩緩駛過，獨特的車聲與我的倦意有著某種表面的相似。已經到了午餐時間，我仍然待在辦公室裡。今天的天氣很暖和，天色有些陰沉。出於某些原因，車聲，或許是我的倦意，和這天氣如此相像。

082 外在感覺

傍晚，一陣陣微風拂過我的前額，撩起我的領悟力，帶來一絲說不清的朦朧撫慰（或者談不上是撫慰，它太過輕柔）。我只知道，心頭的煩悶有所變化，我得到片刻的安慰，就像一小片衣角不再摩擦我的痛處。

這空氣的細微移動為我的多愁善感帶來僅有的一點寧靜！但是，人類的感覺也是如此，我懷疑，意外之財或意想不到的微笑對於別人的意義，比不上一縷清風對於我的意義。

我想睡覺，想作夢。我更清楚地看見客觀存在的一切。生活的外在感覺令我感到更舒服。一切都因為我走近街角時，微風起了細微變化，觸到我的肌膚表面，令我心曠神怡。

我們愛或失去的一切——事物、人類、價值——摩挲著我們的皮膚，從而觸到了我們的靈魂，在上帝眼中，不過是這微風，除了想像中的撫慰，適當的時刻，對一切美好的失去，什麼也沒帶給我。

083／生活的陰影

在生命流動的徒勞中，打轉，迴旋！在這鬧區的大廣場裡，穿著樸素的路人在各色流動中，改變路線，聚積成池，劃為溪流，匯聚成河。雖然我的雙眼心不在焉地看著，我心中形成的這些水影比任何其他意象（部分是因為我認為下雨了）更適合這些隨機的移動。

當我寫完最後一個句子，對我來說正確的意思是，我以為或許可以把這句子放在我那本終於要出版的書的結尾，有幾個「非錯字」就在「錯字」之後，我標記著：「把這句『這些隨機的移動』和其他這樣的句子，改成複數名詞和單數指示詞的形式。」但是這樣做和我想的東西有何關聯？無關緊要，這是我為什麼讓自己想它的原因。

圍繞廣場的電車發出轟隆聲和叮噹聲。它們看起來像是一個移動的巨大黃色火柴盒，裡頭一個孩子卡在一根當旗竿用的舊火柴上。當電車猛然一動，它們發出大聲尖銳的聲音。廣場中央的雕像四周，鴿子就像黑色碎屑似的輕快飛過，彷彿牠們正被風吹散了。這些肥胖的生物用牠們細小的腳踩著每一小步。

而它們是陰影，陰影……

靠近地看，人們有各種不同的單調。維艾拉說，蘇薩是「以奇特點來寫普通的事情」。

相較於《大主教生活》的風格，這些人都和一般人不同。它似乎是給我的一點憐憫，雖然我以為我與他人並不同。我在這裡沒有理由地結束了，就像生活的任何事情一樣。

面向東方，只有部分景色可見，這座城市幾乎是直立的升起，用無言的方式攻擊著城堡。原本隱藏在突然露出的房子視線外的暗淡陽光，現在讓房子沐浴在模糊的光暈裡了。天空是清澈無雲的藍色。也許這是昨日雨水返回今日的一種溫和版本。風似乎向東吹，也許因為它聞起來說不清是成熟或青澀的味道，就像鄰近的市集。廣場東區比西區有更多的城外居民。伴隨一陣像是四輪馬車油門加速前進的吵鬧聲，捲起來的金屬百葉窗往下拉開；我也不知道為什麼，但這是聲音使我聯想起的動作——也許是因為平常拉下來時會製造出這樣的聲音，但現在突然升高了。任何事都有解釋。

突然間我覺得我在這世上很孤獨。我看見所有這些在精神屋頂上的頂峰。我在這世上很孤獨，要看見就要站得夠遠，要看得清楚就要停下來，要分析就要與之無關。沒有任何經過的人碰得到我，在我周圍只有空氣。我完全被隔離，以至於我仍能感覺到自己和我外套的距離。我是個穿著睡衣的小孩，帶著蠟燭在昏暗空曠的房子裡穿梭。生活的陰影包圍著我——只有陰影，從冰冷的家具和我攜帶的蠟燭所產生的陰影。這裡有陽光圍繞，但圍繞著我的只有人們。

084 我的寫作風格

今天，在感覺的間隙裡，我反省了自己的散文風格。我究竟是如何寫作的？和很多其他人一樣，我有一種不合乎常理的欲望，妄想採用一套體系或準則。固然，我總是在採用這些準則或體系之前就寫下了，但是，任何人都是如此。

在這個午後的自我分析中，我發現我的風格體系基於兩個原則，在承襲了最優秀的古典作家的風格後，我直接將其中的兩個原則當作一切寫作風格的一般基礎：首先，所言必須準確地表達所感——如果事情清楚，就把事情說清楚；如果事情模糊，就把事情說模糊；如果事情混亂，就把事情說混亂。其次，明白語法是工具而非法則。

假如眼前是一個舉止男性化的女孩。一般人會說：「這女孩的動作像個男孩。」另一些注重說話表達性的一般人會說：「這女孩是個男孩。」而另一些同樣注重言詞要達意、但出於簡潔用詞偏好（這是一種思想上的愉悅感）的一般人會說：「那個男孩。」而我會說：「她是個男孩。」我的說法已違背了一條基本的語法規則——人稱代詞和它指代的名詞在性別和數目上要一致。我會把它說得更準確，更絕對，更直觀，超越常規、共識和平庸，我不是在說話，而是在講述。

按照既定的用法，語法將句子分成有效和無效兩種。例如，它將動詞分成及物動詞和不及物動詞。

然而，一個知道如何去表達的人，偶爾也必須將及物動詞當作不及物動詞來使用，以便更清楚地表達他的感覺，而不是像大多數人一樣含糊其詞。如果我想說我存在，我會說：「我是。」如果我想說我作為一個獨立的個體而存在，我會說：「我是我自己。」但如果我想說我作為自我演說、自我作用的個體而存在，行使自我創造的神聖功能，我會把存在變成及物動詞。如果要達到宏偉壯麗、超越語法的至高境界，我會說：「我存在。」我在這兩個詞裡闡釋了一種哲理。這難道不比那些滔滔不絕的空話更可取嗎？從哲學和措詞裡，我們還能有什麼更多的索求呢？

讓語法來約束那些不知道如何思考所感的人。讓語法來為那些在表達自己時能夠主導自己的人服務。曾經有一個關於羅馬王西吉斯蒙德[30]的故事。在一次演講中，當有人指出西吉斯蒙德犯下的一個語法錯誤時，他回答道：「我是羅馬皇帝，我高於語法。」西吉斯蒙德便以高於語法而被載入史冊。多麼不可思議的象徵！每一個知道如何用自己的方式去表達所想的人都是羅馬皇帝。這個高貴的頭銜，它存在的理由在於它的至高無上性。

085／我嫉妒完整的作品

當我思考所有我知道或聽聞的那些多產作家，或至少把冗長文章寫完的人之時，我就會感覺到一種充滿矛盾的妒忌，一種帶有藐視的欽佩，各種情緒交織在一起，毫無條理可言。

事物被徹底而完整地創造出來，不管是好還是壞——如果不是一流的話，往往倒也壞不到哪裡去——是的，被徹底創造出來的事物在我心裡不停地激盪著，尤其是那嫉妒的感覺。完整的事物就像個孩子；雖然如同人類一樣都不完美，可那屬於我們，就好像是我們的孩子一樣。

而我那自我批評的精神僅僅允許我看到我的失誤與缺陷，我只敢寫些片段以及一些並不存在的摘錄而已，我自己——在我所寫的隻字片語中——也是不完美的。

30 西吉斯蒙德（Sigismund）是神聖羅馬帝國的皇帝，在位期間是一三八七至一四三七年。

完整的作品，即使水準低下，也堪稱一部作品，或是缺字的作品，那死一般沉寂的靈魂缺少行動的能力。

086 沉迷

或許生命中的一切事物都是其他事物蛻變而成。或許一切存在始終都是近似的——基督降臨或周圍的環境。

正如基督教是品質惡劣的新柏拉圖主義在預言性方面轉變而成、希臘文化是經由猶太文明而羅馬化一樣，我們的年齡——衰老且易患癌症——由所有偉大目標之間的多重偏差匯聚而成，和諧一致或互相矛盾，年齡的潰敗促成了我們肯定自我時所用的全部否定。

我們生活在樂隊音樂的間歇之中。

然而，在四樓的這間房間裡，我該拿這些社會學問題怎麼辦？它們對我來說都是夢幻，就和巴比倫公主似的，而讓我自己心裡充滿人文科學完全是一件徒勞的事——彷彿對當下進行考古。

作為一切生命的異類，作為一個從夢幻海洋裡分離出來的人類島嶼，作為一個漂浮在萬物表面上的無用船隻，我將消失在迷霧之中。

087 上帝或諸神

形而上學總是作為一種長期的潛在瘋狂而使我驚訝。如果我們知道真相，就會明白這一點。一切事物都是體系和近似值，宇宙的不可知就足以讓我們思索。由於作為人類應當認識到宇宙的不可知，所以只有非人類才能真正瞭解宇宙。

我獲得信仰，它像一個封好的包裝箱，放在古怪的托盤上，他們希望我接受它，但不能打開它。我獲得科學，它像一把放在盤子裡的餐刀，我用它切開空白的書頁。我獲得疑惑之心，它像盒子裡的灰塵——但既然盒子裡全是灰塵，為什麼還要給我？

我寫作，因為我無知。在某種特定情感的要求下，我在文章裡堆砌一切關於真理的抽象華麗詞藻。如果我的情感果斷明瞭，那麼我自然會論及諸神，然後將它建構在世界多元化的意識裡。如果我的情感悠遠深刻，那麼我自然會論及上帝，然後將它放置在一元化的意識裡。如果情感是一種思想，我自然會論及命運，然後使它碰壁。

有時，純粹出於韻律考慮，一句話需要用到「上帝」而不是「諸神」。而有時，「諸神」這兩個音節必不可少，使我從言詞上改變了宇宙。還有的時候，中間韻、韻律的移位或情感爆發也很重要，而這時多神論或一神論就占了上風。諸神的使用應文風而改變。

088 重回童年

上帝在何處，即使上帝其實從未存在？我想要祈禱，想要哭泣，想要為自己沒有犯下的罪行而悔改，想要享受寬恕的感覺，那感覺比慈母的愛撫還要舒服。

有那麼一個膝頭是適於趴在上方哭泣的，這個膝頭巨大，而且沒有邊際，廣闊得如同夏日的夜晚，舒適愜意，溫暖宜人，嬌柔曼妙，旁邊還有一個壁爐……如果能在這個膝頭上哭泣，我便能將不可思議的事情拋開，我將忘卻失敗，令人痛苦的事物將不復存在，對於無法理解的未來，我抱著令人顫抖的巨大疑惑……

一個次等的童年，一位曾經撫育我的老保母，一張我伴隨著探險故事沉沉睡去的小床，我那委靡不振的注意力從來不能集中在故事上——這些故事曾經穿透嬰兒那如小麥一樣的金髮……所有這一切都巨大而不朽，保證恆久並且擁有上帝的崇高，這一切存在於萬物終極現實深處，那裡既悲傷又毫無生氣……

一個膝頭，一根蠟燭，或者摟抱著我脖子的溫暖手臂……那輕柔歌唱的聲音似乎要把我弄哭……壁爐邊一叢火苗劈啪作響……冬日裡的溫暖……我的意識百無聊賴地遊蕩……跟著一個平和而寂靜的夢出現在巨大的空間裡，如同月亮在星辰之間旋轉……

我收拾我所有的玩具、詞彙、圖像和短語，深情地將它們安排在角落裡，它們是如此親愛，我感覺自己在親吻它們，它們跟著我變得十分渺小，十分無聊，孤零零地待在一間如此巨大又充滿悲傷的房間裡，那份悲傷是如此深刻！

在我不玩耍的時候，我到底是誰？我只是一個可憐的孤兒，被丟棄在冰冷的感覺中，在現實的街角裡瑟瑟發抖，無可奈何地只能在悲傷的臺階上入睡，被迫吃下幻想供給的麵包。我被告知，我那從未謀面的父親名叫上帝，可這個名字對我絲毫沒有意義。有時候，在夜裡，當我感覺孤單之際，我就會流著淚大聲呼喊祂，在心中描繪祂的映像，讓自己愛戴祂。然而，接下來我會突然想到，我根本就不認識祂，或許祂和我想像中的樣子天差地別，或許那個形象從來都不是我的靈魂之父……

這一切何時才會結束——我拖著苦難走過的街頭，我忍受著嚴寒蜷縮過的臺階，夜晚用它的手掌撫過我破爛衣衫的感覺？要是有一天上帝到來，把我帶進祂的房子，給我溫暖與愛，那該有多好……有時候想著這情形，就因為我可以如此這樣想像，便會快樂地哭泣。然而狂風吹著街道，樹葉紛紛落到路上。我抬起雙眼，看著星辰，那滿天繁星此時毫無意義可言。那一切造成的後果便是，沒有人願意收養我這個被人遺棄的可憐孩子，給予我關愛，沒有人把我當成玩伴，給予我友誼。

遭人遺棄，我感覺如此冰冷，如此疲倦。啊，風，去尋找我的母親吧。帶著我乘著夜色去到那棟我從不曾見過的房子裡。啊，無邊的死寂，讓我重回保母的懷抱，把曾經哄我入睡的嬰兒床與搖籃曲還給我。

089 無為

唯一能配得上君子的姿態就是，堅持去做一件他認為毫無用處的事情，去遵守他明瞭有多麼枯燥乏味的紀律，去使用他認為完全不合邏輯的哲學和形而上思想的規範。

090 沉思

將現實視作幻覺的形式，和將幻覺視作現實的形式一樣重要，一樣徒勞無用。沉思的生活，若要完全存在，必須將現實生活的林林總總視作各種零零散散的前提，導致一個不可企及的結局。但是，我們還應當認為，在某種程度上，各種各樣的夢值得我們去關注，因為正是這種關注使我們陷入沉思。

奇蹟或障礙，一切或虛無，途徑或問題，任何一切事物都取決於一個人對它的看法。不斷採用新方法去看問題，就是一種重建和增添。這就是為什麼愛沉思的人即使從不離開村莊，也能將整個宇宙了然於心的原因。細胞中蘊含著無限小，沙漠中包含了無窮大。一個背靠岩石而眠的人，那裡就是整個宇宙。

但是，有的時候，我們陷入沉思時——一切沉思者都是如此——一切事物突然變得破舊，看得見或重現，即使我們沒有看見。因為不管我們如何思考，透過沉思去轉化，無論轉化成什麼，終究只是想像中的物質。某種意義上來說，對生活的渴望和缺乏知識的求知欲將我們淹沒，我們只帶著感覺去沉思，憑藉觸覺或感官的方式思考，存在於思想的內在客體中，就像它是一塊海綿，而我們是水。同樣，我們也有黑夜，感覺帶來的深度疲倦甚至變得更強烈，因為在這種情況下，這些感覺來自我們的思想。但是，沒有月亮或星辰的無眠之夜，這樣的夜晚，彷彿一切都朝外翻了個遍——內化的無邊無際，隨時會爆發，白晝變成了陌生套裝的黑邊。

是的，成為人類中的蛞蝓，愛我們不瞭解的東西，成為水蛭，對自己的討厭之處一無所知，這是最好的方法。無視是為了生活！感覺是為了遺忘！啊，一切事物消失在古老帆船留下的綠白色餘波裡，像高高的船舵（它是古老船艙眼底下的鼻子）濺起冰冷的水花。

091 自我高貴

站在市郊的石牆邊，我只要瞥一眼開闊的原野，便能帶給我比別人一次完整旅行還要多的自由。每一個視角都是倒金字塔的頂點，它的根基是不確定的。

過去某個時期會惹怒我的某些事情，如今我已能嗤之一笑。其中一件事，我幾乎每天都想起，就是有些人在日常生活中，熱衷於對詩人和藝術家微笑。正如為報紙供稿的知識分子所猜想，那些人並不總是帶著優越感這麼做，而是常常帶有鍾情的意味。但是，他們就像喜歡一個孩子，而這個孩子對生活的必然和精確還一無所知。

這常常惹怒我，因為我天真地以為，這種外顯的微笑是針對作夢以及自我表達，發自內心地確信自己更為優越。但事實上，它只是對不同事物的反應。我曾經把這種微笑當成一種侮辱，因為它似乎隱含著居高臨下的態度。但如今，我把它看作一種無意識的懷疑跡象。就像大人常常在孩子身上發現他們不具備的機靈，當我們專注於作夢和表達時，微笑者同樣在我們身上發現了令他們疑心的不同之處，正因為不熟悉，所以他們只能微笑。我喜歡這樣想像這些微笑者：他們之中最聰明的人偶爾會發現我們的優秀，然後故作神氣地發笑，來掩蓋我們比他們優越的事實。

但是，我們的優秀和很多作夢者想像的不一樣。作夢者高於行動者的原因不在於作夢高於現實。由於作夢比生活更實用，作夢者比行動者從生活中獲得的愉悅更多、更豐富，所以作夢者具有優越性。簡單地說，作夢者是真正的行動者。

生活從根本上來說是一種精神狀態，我們的所思所為，我們認為它們有效，它們就有效，有無效用取決於我們。作夢者是發行鈔票的中央銀行，他發行的紙幣在他觀念中的城市流通，就像真實的紙幣在外在世界流通一樣。如果虛構的煉金術煉不出黃金，靈魂的貨幣永遠也不能換成黃金，為什麼我要去在意呢？在我們之後一切氾濫成災，但只在我們之後。那些更好和更快樂的人認清了一切都是虛構的，在描寫他們的小說尚未寫成之前，他們就先寫下了，就像馬基維利[31]那樣，穿上宮廷式的衣服祕密寫作。

092 虛幻世界

除了作夢，我沒有成就過任何事。這就是我生活的全部意義。我唯一真正在乎的便是我的內心世界。我打開那扇通往夢想街道的窗戶，看到那裡的景象，便忘記了自我，這時候，我最深切的悲傷就消失得無影無蹤了。

我唯一的渴望便是當一個夢想家。那些與我談論現實的人從來得不到我的關注。一直以來，我都屬於那個我不屬於的世界，屬於那個我永遠也無法成為的人。不論我不曾擁有的是什麼，且不論那有多麼卑微，都是為我寫成的詩歌。我唯一的愛便是什麼都不愛。我唯一的渴望便是什麼都不渴望。我對生活唯一的要求便是請生活繼續，但不要讓我感覺到生活。我對愛唯一的請求便是讓遠方的夢境永不結束。在我的內心風景裡，所有這一切都是虛幻的，我始終受到遠方的吸引，而那朦朧的溝渠，相較於我內心風景的其他地方，它在我的夢想風景裡幾乎超出了我的視野，擁有夢幻般的甜蜜，而那甜蜜如此醉人，我不禁深深愛之。

我至今仍心心念念，要創造一個虛幻世界，這份癡迷至死方休。如今，我並不會在我的箱籠裡，扮家家酒般排列好線軸和西洋棋的卒子（間或穿插著主教或騎士），可我很遺憾我沒有這樣做，在我的想像之中，我會把角色安排好——他們是如此鮮活，如此可靠！——這些角色占據著我的內心生活，令我感覺愜意，如同冬日裡坐在溫暖的火邊一樣。在我的內心中有一個世界，住在裡面的都是我的好友，他們過著他們自己真正、獨特且不完美的生活。

有些人問題不斷，有些人則過著波希米亞人那卑賤且美好的生活。還有人成了旅行業務員。（把自己想像成一個旅行業務員向來是我最大的志向之一——唉，這是可望而不可即啊！）有些人住在我心中那個葡萄牙的鄉鎮裡；他們到里斯本來，有時候我會在那裡碰到他們，便會飽含激情地向他們張開我那寬闊的雙臂。當我在房間裡踱步時夢想著這樣的情形，就會大聲講出來，還會指手畫腳——當我夢想著這樣的情形，想像自己遇到他們，接著我便會高興不已，心滿意足，跳上跳下，淚流滿面，張開我的雙臂，去感覺那份真正的巨大快樂。

啊，鄉愁再令人感傷，也抵不過懷念從不存在的事物帶來的痛苦！當我懷念現實中的過往之際，當我為我童年生活的屍體哭泣之際，我感到一種渴望——而這渴望根本無可比擬：當我在我設想的世界裡轉彎時，抑或當我在同一個夢境裡來回穿梭，穿過街道上的某個門口時，我會因為夢境之中那些卑微角色從不曾存在而流淚，會因懷念曾在我的虛幻世界中見到的那些微不足道的人而哭泣，這時感受到的那份顫抖的悲傷會給我帶來的熱情。

31 馬基維利（Niccolò di Bernardo dei Machiavelli，一四六九～一五二七年），義大利哲學家和政治家，著有《君主論》。

當我想起我的夢境之中的朋友們——我和他們在虛幻世界中有很多共同的經歷，我和他們一起興奮莫名、促膝長談，待在想像中的咖啡館裡——他們從未擁有屬於他們自己的空間，讓他們可以真實存在，獨立於我把他們創造出來的意識之外！這時候，我的鄉愁無力復甦，因而產生的苦澀轉化為對上帝的哀怨，正是上帝創造了那麼多的不可能。

啊，那死氣沉沉的過往在我內心中倖存下來，從不曾在任何地方、只在我心中存在！那小小鄉間別墅花園裡的花朵只在我心中存在！那農場中的松林、果園和菜園只是我的夢境！我想像自己去田園之中遠足，這種幻想從未真正存在過！路邊的樹木、小徑、石頭、路過的村民——所有這一切都只是夢境，只在我的記憶中留存，在我的記憶裡留下了傷害，而我曾花費如此多的時日在夢中想像著這些事與人，現在則花費無數的時間讓自己牢記曾在夢中想像過這些事與人，這便是我感受到的真正的鄉愁，這便是我為之悲傷的真實過往，這便是我注視著的真實生活的屍體，那屍體就莊嚴地躺在棺材裡。

有些風景與生命並非只是我內心的想像。某些沒有多大藝術價值的畫作，某些我每天都會看到的牆上圖片，都已經成為了我心中的現實。看到這些事物之時我的感覺極為不同——更加難過，更加深刻。不論那些情形是否真實，我都因為自己不能置身其中而覺得悲傷。曾經我在一間房間裡睡覺，看到牆上掛著一幅小圖，我甚至無法成為圖中那座被月光籠罩森林邊一個毫不起眼的人物——這件事就發生在我的童年剛剛結束之際！這叫我如何不悲傷。我無法想像自己隱藏在那裡，隱藏在河邊的森林裡，沐浴在永恆的（這樣描述真糟）月光之下，看著一個人划著船從柳枝下漂浮而過，這叫我如何不悲傷。在這些情形之下，我因為自己無力做到完全想像而悲傷不已。我的鄉愁顯出其他的特點。我絕望的姿態是不同的。這種讓我倍受折磨的不可能造成了另一種焦慮。啊，要是所有這一切對上帝來說哪怕至少存在一點意義該有多好，這一點意義若能實現，便與我的欲望一致；在我不知道的地點，在垂直的時間內，這一點意義若能實現，便與我的鄉愁和幻想不謀而合！要是這一切能夠組成天堂，即使是只為了我一個人也是好的！如果我能與我想像出來的朋友相遇該有多好，一起在我創造出來的街道上散步，清晨在我描繪的鄉間別墅裡醒來，周圍全是公雞和母雞——所有這一切都比上帝的安排還要完美，按照正確的秩序存在，按照我需要的形式存在，這一切即使是在我的夢境裡也無法實現，因為我的內心之中雖然隱藏著這些不幸的現實，卻總有一角缺失了。

我從正在書寫的紙上抬起頭……時間還早呢。今天是星期日，此時中午剛過。我已經有所察覺，生活的基本弊病從我的身體開始蔓延，我為此感覺倉皇不安。沒有任何島嶼容我們這些心神不寧之人前往，沒有古老的花園小徑留給我們這些退避到夢境中的人流連。必須活下去，必須行動，但力度卻十分微小；因為有其他人存在，因此不得不有身體上的接觸，這些人與生活中真實的人完全一樣！我由音樂組成，四處擴散，所以不得不待在這裡寫下這些文字，這是我靈魂上的需要，不可能一直作夢，無法不用文字去表達夢境，甚至不能沒有感覺。只要我感覺像是在表達自我，淚水就會盈滿我的眼眶，我將流動著，如同一條被施了魔法的河，從我身上的緩坡流過，流向遠處延伸到潛意識之中，甚至更遠，而盡頭便是上帝。

093 我的不同身分

我的感覺的強度總是比不上對這種感覺的意識強度。折磨我的意識要比感覺帶給我更多的痛苦。

我的情感生活很早便轉移到思想，我對生活的情感體驗幾乎完全在那裡產生。而作為情感避難所的思想，與情感相較，對我開始賴以生存的意識機制有著更高的要求。而這種意識機制使我的感覺變得更現實、更物質、更令人興奮。過多的思考使我變成回音和深淵。我深入自己的內心，裂變成無數個自我。最微不足道的插曲——光線的一點變化，一片枯葉的飄落，褪色的花瓣從花枝凋零，石牆那邊的交談聲，說話的人與聽者腳步聲緊挨著，古老的農莊半掩著大門，月光下簇擁而立的房屋和庭院的拱廊——儘管這一切不屬於我，卻用渴望之鏈和情感共鳴鎖住了我的感官注意力。在每一種感覺裡，我都是另一個人，在每一個模糊的印象中痛苦地重建自我。

我依靠不屬於自己的印象活著。我是一個放棄一切的揮霍者，是以另一個人的身分存在的我。

094 生活是什麼

生活就是成為另一個人。一個人不可能在今天感受昨天感受過的東西，因為那不是感受——而是在今天回憶昨天感受過的東西，成為昨天曾經活著和迷失的行屍走肉。

讓我們從石板上擦去每一天的一切，讓我們迎接嶄新的清晨，永遠處在原生情感的重現狀態——如果我們總要成為不完美的我們，或擁有不完美的東西，那麼這一點，也只有這一點值得我們去實現或擁有。

這樣的破曉在世上前所未有。這樣的粉白泛起暖白的黃，顏色如此淡薄，朝向西邊的建築物臉龐上，作為眼睛的玻璃窗凝視著漸漸變亮的天空帶來的沉寂。這樣的時刻，這樣的光亮，這樣的我，從未有過。明天的一切都將不一樣，我將用新生的雙眼看世界，一切都充滿全新的景觀。

城市的崇山峻嶺啊！高大的建築物拔地而起，直上雲霄，櫛比鱗次的樓房與忽明忽暗的日光交織在一起——你就是今天，你就是我，因為我看見了你，你就是明天的我。我愛你，就像倚靠著甲板欄杆看兩條船擦肩而過，面對著它們的離去，有一種莫名的渴望和惆悵。

095 傾聽夜的聲音

夜晚，我漫步在孤獨的海岸邊，度過一段奇異的時光，那是一連串支離破碎的瞬間。在我漫步海邊的沉思中，一切人類賴以生存的思想和他們消逝的情感在我的腦子裡閃過，像歷史的黑暗縮影。

每一個時代的渴望和世代流淌的不安，伴隨我走近低語呢喃的海邊，我的內在和我一起經歷了這一切。人們意欲實現而未實現的事物、為實現而毀滅的生靈，以及所有靈魂深處的東西——這一切填滿我漫步海邊的靈魂感受。情侶在他們戀愛的日子裡發現一些不同尋常的東西、妻子從未透露給丈夫的祕密、母親想像著關於兒子她所不知道的事情、僅僅只是個形式的笑容或機遇、一個不合時宜的時刻，或一段缺失的情感——所有這一切伴隨我湧向海邊，又將我送回，嘩嘩的巨浪催我入眠。

我們不是我們自己，而生命短暫且悲傷。夜濤是夜晚的聲響，有多少人用靈魂去傾聽，那無邊的希望和海水濺起的遙遠泡沫，是如何幻滅在黑暗之中的？那些成功者和失敗者又會流出怎樣的眼淚？我沿著海邊漫步，這一切就像夜和地獄向我吐露的祕密。到底有多少個我們？到底有多少個我們將我們愚弄？在生命的暗夜裡，沿著海灘，我們就像被情感淹沒。向我們湧來的是怎樣的大海？我們失去這一切，找尋這一切，無意中得到和實現這一切。我們狂戀然後失去，失去之後又愛上失去的感覺，接著意識到我們從未愛過這一切。我們在感覺時以為我們在思考這一切，我們視之為情感的這一切記憶。還有那喧鬧而冰冷的整個大海，在我夜間漫步海灘之時，從茫茫黑夜的深邃層層湧向沙灘……

誰能知曉自己的所思或所願？誰能明白自己對於自己的意義？夜濤暗示了多少我們慶幸永遠不會發生的事情；夜色又能喚起多少我們為之哭泣，但其實從來不存在的回憶！漫長而寂靜的海岸線，湧起的波濤拍打著海邊，發出一片聲響，然後歸於寧靜，此起彼伏的波濤聲仍在看不見的海岸邊響起。

如果想要感知一切，我必須付出多少代價？如果在我們生活的暗夜裡，在漫步海邊的永恆之夜裡，我繼續緩步前行，無形體卻保有人性，懷有一顆如海岸般寧靜的心，任由萬物之海拍打海岸，發出響亮而嘲諷的喧鬧，然後歸於平靜，這樣的我是否有著太多感觸？

096 夢裡的風景

我看夢裡的風景，和現實中的風景一樣清晰。倘若我從夢裡探身出來，就等於我從什麼東西中探身出來。如果我看見生活擦肩而過，我的夢也是如此。

有人在談論另一個人時說，他在夢裡見到的這個人和在現實中有著一樣的身形和本質。儘管我知道為什麼有人也會這樣說我，但我不能苟同。就我而言，夢裡夢外的兩個我並不相同，他們是彼此平行的。每一種生命——夢裡的和現實的——各有其真實性，且各自正確，卻彼此不同。就像兩個距離接近的事物因對立而彼此相隔遙遠。夢裡的我離我很近，卻……

097
現實的盔甲

真正的智者可以做到不被外在事物改變自己。為了做到這一點，他會給自己披上一件現實的盔甲，這件現實做成的盔甲要比這世上的事實與他更加接近，透過現實的盔甲，相應地改造事實，這之後，智者便可接觸到事實。

098
清晨

今天我一早便醒來。這個開始有些突然，有些混亂，我慢慢地從床上爬起來，因為費解的煩悶而感覺窒息。並非因為夢境而出現這種情形，沒有現實能夠創造出這種情形。這是徹底而絕對的煩悶，不過這煩悶是建立在某些事物的基礎之上。我的靈魂之中存在著模糊的深淵，那裡曾是戰場，無名軍隊於無形中發動了戰爭，我為這正隱祕的戰鬥而顫抖不已。醒來的那一刻我感覺非常噁心，這噁心是因生活所致。恐懼感與我一同起床。萬物看似極為煩悶，我突然有種感覺，無論那問題是什麼，都沒有解決方法可言，這想法令我不寒而慄。一股極端的緊張不安令我在做最微小的手勢時都在顫抖。我害怕自己會發瘋——並非精神錯亂，而是因為身處當下變得瘋狂。我的身體隱隱地吶喊，我的心怦怦直跳，彷彿它在竊竊私語。

我邁著大步，步履凌亂，想要走出不一樣的步伐，到頭來只是白忙一場，我赤足走過小房間，斜穿過空蕩蕩的內室，通往門廳的門在內室一角。我搖搖晃晃地走著，一下子撞到了碗櫥上的刷子，撞歪了椅子，而我那來回擺動的手還碰到了我那英式床鋪的堅硬鐵柱子。我點上一根菸，開始下意識地抽起來，當我看到菸灰落在床頭板時——如果我沒有倚著床頭板，怎麼能看得到？——我才瞭解到，我被迷惑了，抑或類似的感覺，事實上我還瞭解到，我正常的、日常的自我意識，已經與那深淵不可名狀地交纏到了一起。

我收到了早晨發來的通知——冰冷且微弱的光線把一道朦朧的發白藍光投射到了漸漸露出來的地平線上——彷佛宇宙給予的親吻。因為這道光，這真正的一天，讓我得到了解脫——讓我擺脫了那未知的限制。它助我一臂之力，讓我瞭解我那尚無從瞭解的暮年，擁抱我那謬誤百出的童年，幫助我那過度緊張的情感尋找睡眠，而這睡眠正是我急切渴望之物。

啊，這是一個怎樣的早晨，讓我醒來面對生活的愚蠢，面對生活那偉大的柔情！當底下那條狹窄破舊的街道映入眼簾之際，我的眼淚幾乎奪眶而出，街角雜貨店的骯髒棕色百葉窗在逐漸明亮的天色中越來越明顯之際，我的心變得平靜無比，彷彿經由一則現實生活的童話，我的心開始從自身的無感得到了保障。

這是一個多麼憂傷的早晨啊！什麼樣的影子在撤退？什麼樣的奧祕正在發生？什麼都沒有。只有第一班電車傳出的聲響在飄蕩，如同火柴照亮了黑暗的靈魂，除此之外，我邁出了這一天的頭幾步還發出了響亮的腳步聲，而這些聲音便是具體的現實，用友善的聲音讓我知道，別再這樣下去了。

099 寫作是為了證明我活著

有些時候，我們會對萬物感到厭煩，其中有些是往往會帶給我們寧靜感覺的事物。乏味的事物顯然令我們感到厭煩，寧靜的事物之所以令我們厭煩，是因為得到這些事物時產生了令人厭煩的思想。靈魂的沮喪超越了所有焦慮、所有痛苦；我相信這樣的沮喪只有逃避人類痛苦和焦慮的人才能知曉，而且這些人手段高明，避免產生單調與乏味的感覺。如此一來，他們便淪為某種穿上盔甲，抵禦這個世界的存在，難怪某些時刻，在他們的自我意識中，這整套盔甲應該會突然讓他們感到苦惱，而生活也變成了另外一種焦慮，一種無法承受的痛苦。

我就處於這樣一個時刻，我寫下這些文字，彷彿證明我此刻至少還活著。一整天我都在半睡半醒的狀態下工作，用處於夢境中的方式計算，麻木地從左寫到右。一整天我都感到生活把它的重量壓在我的眼睛上，牴觸著我的太陽穴——睡意從眼中萌生，壓力從太陽穴內傳出，這一切的意識積聚在我的胃裡，噁心，消沉。

活下去，如同一個抽象的錯誤，一個無所作為的失誤，打擊著我。在這一天，我拒絕觀察，從而找出什麼事物能令我分心，什麼事物可以在此刻被記錄之際，倒滿我那毫無所求的自我這個空杯子。在這一天，我拒絕觀察，肩膀向前佝僂著，根本不在乎陽光有沒有照射到我主觀印象裡的那條悲傷街道上，在這條荒蕪的街道上，人們製造出的各種聲音來回飄蕩。我不在乎任何事，我的胸膛疼痛難耐。我停止工作，並不覺得這是在妥協。我看著這沾滿汙垢的白色吸墨紙，把邊角固定住，在這張桌面傾斜的老桌子上攤開，檢查那些在精神集中和渙散之際寫下又被劃掉的的文字。我的簽名各有不同，顛三倒四，前後錯亂。這裡有幾個數字，那裡有幾個數字，到處都是。上面還有一些混亂的草圖，是我在出神之際胡亂畫下的。我看著這些，彷彿我從沒見過吸墨紙似的，就好像一個神魂顛倒的土包子看到了新奇事物一樣，這個時候，我的整個大腦無所事事地躺在控制視覺的大腦中央之後。

我感覺到內心更加疲憊不堪了，這早已超出了我能負荷的。我無所欲求，無所偏好，無處可逃。

100 我沒有過去和未來

我永遠生活在現在，不瞭解未來，也不再擁有過去。未來以各種可能壓抑著我，過去以虛無的現實壓抑著我。我既無企盼，亦不懷舊。既然已知過往的生活是什麼樣子——往往不如我所願——未來的生活除了不同於我的假設和期望，甚至透過我的意志發生身外之事，我還能有什麼樣的假設？過去沒有一件事情能喚起我重來一遍的徒勞幻想。我不過是我自己的殘餘或幻影。我的過去是我未能實現的一切。我甚至絲毫不懷念回到過去的感覺，因為感覺存在於當下——時間一過，就像書本翻過一頁，縱使故事仍在繼續，但內容已完全不同。

鬧區樹木的剪影，水落幽潭的輕聲，修剪整齊的碧綠草坪——這是入夜前的公園：在這一刻，你就是我的整個宇宙，因為你將全部情感注入我的意識。我對生活的要求，不過是想感受到它的消逝，消逝在這些意料之外的黃昏，消逝在幽暗的街心花園裡陌生孩童的嬉戲遊玩聲中。而上面，高高的樹枝之外，群星又再度在古老蒼穹閃亮了。

101 寧靜的不安之夜

如果我們的生活就是永遠站在窗前，如果我們可以永遠待在那裡，像飄浮的煙和同一時刻的黃昏，永遠描畫了群山的弧度……如果我們可以永遠待在那裡該多好！至少，在不可能的這一邊，我們可以繼續下去，不必動，不必用蒼白的嘴玷汙另一個世界！

看，天色漸漸暗下來！……絕對的寂靜令我滿腔憤怒，將苦澀注入我呼吸的空氣中。我心生痛楚……一縷煙裊裊升起，在遠處消散……不安的煩悶令我不再想你……

我們和世界，以及我們的奧祕，這一切是如此多餘！

102 生活的樣子

我們把生活想像成什麼樣子，它就是什麼樣子。對農夫而言，田地就是一切，就是他的帝國。對凱薩而言，他的帝國仍然太小，只是一塊田地。渺小者擁有一個帝國，偉大者只有一塊田地。我們真正擁有的只有我們的感覺；一切存在於感覺中，卻不被他們感知，我們不得不以生活現實為基礎。

這和所有一切都無關。

我作過很多夢，我已厭倦作夢，但並不厭倦夢。沒有人會厭倦夢，因為夢意味著遺忘，遺忘無關緊要；遺忘是清醒時無夢的睡眠。我在夢裡做了所有的事。我也曾醒來，但那又如何？我曾多少次成為凱薩啊！這個偉大的歷史人物——又是何等的心胸狹窄！一個仁慈的海盜放了凱薩一條生路後，凱薩下令搜尋他，並處以絞刑。拿破崙在聖赫勒拿島上寫下的遺願裡，是將遺產留給一個曾試圖行刺威靈頓[32]的普通犯人。如此偉大的靈魂，並不比斜眼看人的鄰家婦人好到哪裡去！如此偉大的人，並不比另一個世界的廚師好到哪裡去！我曾多少次當過凱薩，並將在夢裡繼續下去。

我曾多少次當過凱薩，但不是真正的凱薩。在夢裡我才是真正的帝王，這便是為何我從來什麼都不是。我的軍隊打了敗戰，但這場敗仗空空洞洞，毫無傷亡。我的王旗並未倒下。我的夢從未走出軍隊，我的王旗從未出現在我夢中的視野裡。在這裡，道拉多雷斯大街上，我曾多少次當過凱薩。成為凱薩的我活在我的想像力裡；但真正的凱薩們早已入土，現實就是，道拉多雷斯大街早已不認識他們。

透過沒有陽臺的高窗，我將一個空火柴盒從窗臺拋向樓下的街頭。我坐在椅子上開始聆聽。顯然，猶如意味著什麼，空火柴盒掉在街上發出的迴響向我透露著街頭的荒寂。除了整個城市的聲音，聽不見其他聲響。是的，在這漫長的週末，城市的聲音——如此多，如此雜亂無章，各行其是。

想要完成一場完美的鏡花水月，現實世界能夠提供的素材何其少：午餐吃得稍晚，火柴用完了，親手將空火柴盒投下窗外，未按時吃飯引來身體不適，象徵好日子結束的週日夕陽，我在這個世界的渺小，以及所有形而上的東西。

但是，我曾多少次當過凱薩！

103

培養仇恨

我像培養溫室的花朵一樣，培養著仇恨的行為。我無法和生活保持一致，但我為生活感到驕傲。

104

兩面性

一個聰明的主意，若是沒有和愚蠢混在一起，是得不到普遍接受的。集體主義思想之所以愚蠢，就在於它是集體主義。不離開自己的邊界，任何事物都無法進入集體主義領域——就像一種通行稅——它包含了大部分的智力。

在青少年時期，我們具有兩面性。我們過人的先天智力和缺乏經驗的愚蠢共同存在，形成一種不那麼出眾的第二智力。而後，這兩種智力連結起來。這就是為什麼年輕人總是犯錯

32 威靈頓（Arthur Wellesley，一七六九～一八五二年），別名鐵公爵，拿破崙戰爭時期的英軍將領，第二十一位英國首相。在一八一五年打敗拿破崙的滑鐵盧戰役中獲得勝利。

的原因——不是因為缺乏經驗，而是因為兩種智力沒有連結起來。

如今，一個智力出眾的人唯一要做的事情就是放棄。

105 遜位的美學

遵守意味著服從，征服意味著使被征服者遵守。因此，每一次凱旋都是一種貶損。征服者不可避免地失去了所有美德，這些美德源自一種受挫的現狀，而他沒有受挫，卻在戰鬥中獲得凱旋。他感到滿意，只有那些順從者——他們缺乏征服者的心態——才會感到滿意。只有從未實現目標的人才會去征服。只有永遠氣餒的人才是強者。最好的、最有王者風範的做法就是遜位。至高無上的帝國屬於放棄他人和所有普通生活的帝王，因為王權的存續不會像珠寶一樣重壓於他。

106 我們在追逐什麼

有時候，我從帳本上抬起眩暈的頭（我的帳本裡記錄著其他人的帳目，以及我可稱之為我自己缺失的人生），或許更多是由於伏案過久，而非那些帳目和我的幻滅所致，我感到一種不適。我發現，生活令人不快，像一劑無效的藥。當我稍有所感時，如果我真有意志力去做，我可以清晰地描繪出煩悶是多麼容易被擺脫。

我們靠行動生活——根據欲望行事。我們之中那些不知道如何去追求的人——天才或乞丐——和無能有關。如果我充其量不過是個助理會計，我憑哪點自稱天才呢？當西薩里奧．韋爾德對醫生宣布他是詩人西薩里奧．韋爾德，而非辦公室職員韋爾德時，他用的不過是妄自尊大、散發著迂腐氣味的措詞。他終究不過是可憐的辦公室職員韋爾德。詩人誕生於死後，因為只有到那時，他才會被當作一個詩人欣賞。

行動——是真正的智慧。我可以成為我想成為的人，但我不得不去追求，無論對象是什麼。成功只包含既定的成功，並不將潛在的成功納入其中。任何一塊土地都有可能被建成宮殿，但沒建成之前，宮殿在哪裡呢？

盲人向我的傲慢投來石子，乞丐將我的幻滅踐踏。

「我需要你，只是為了夢見你。」他們用從未曾說出的詩句告訴心愛的女人——他們實際上不敢對她們說任何東西。這句「我需要你，只是為了夢見你」是我一篇舊詩裡的一行。我含笑地記錄這個回憶，甚至未對微笑做任何評注。

107 我與世界同在

我是這樣的一種靈魂：女人們總說她們喜愛，可當她們遇到這些靈魂之際卻根本沒能認出來——我便是這樣的一種靈魂。她們永遠無法認出這些靈魂，雖然她們與我們是舊識。我帶著蔑視的態度，忍受著我那敏感的感覺。我擁有浪漫主義詩人稱頌的所有特質，而如果一個人缺乏這些特質，便會成為一位真正的浪漫主義詩人。我發現，我自己在某種程度上被小說用各種情節描寫成了主角，然而我的生活和靈魂的精髓絕無可能成為主角。

我不瞭解自己，我甚至是一種缺乏自我觀念的人。在我的自我意識中，我就是一個流浪者。我內心中的大量財富在初相見時便已化為烏有。

唯一的悲劇並非是把我們自身設想為悲劇。我始終清楚地知道，我與這個世界同在。我從未清晰地感覺到，我需要與這個世界同在。這就是我始終不曾正常的原因所在。

採取行動，便是要靜止不動。

所有問題都無法解決。問題之所以成為問題，核心在於根本沒有方法去化解問題。尋找事實，也就意味著這事實根本不存在。思考，就是不知道該如何行動。

有時候，我在河邊的宮殿廣場[33]一待就是好幾個小時，枉自沉思。我內心的急躁一直力圖讓我遠離安靜，而我的惰性又讓我留在原地。肉體的麻木由此可見，風的沙沙聲使得各種聲音復甦，而感官享受亦需要得到召喚，在這樣的呆滯狀態下，我沉思著我那模糊的渴望永遠溝壑難平，而我那不可能實現的欲望始終變化無常。我可以承受痛苦，而我的痛苦主要來源於此。我與我並不真正需要的事物擦身而過，我痛苦是因為這並非真正的痛苦。

那個碼頭，這個下午，還有那大海的氣味，全都匯聚在我的焦慮之中。虛幻中的牧羊人手執長笛，而此時此刻，因為沒有長笛而令我想起長笛，幻影牧羊人的長笛並不比我回想中的長笛更加甜蜜。這一刻，我內心中波瀾不驚，河岸邊遙遠的田園風光令我哀傷不已……

你有可能認為生活就像得了胃病，一個人的靈魂存在就好似肌肉痠痛。精神上荒蕪一片，當這種感覺產生之際，身體裡遠處的潮水被攪動了，精神在那裡透過代理遭受痛苦。有一天，我擁有了意識，隨後意識到自己所產生的痛苦，如同詩人[34]所說：

疲乏、噁心，
以及那痛苦的欲望。

109 暴風雨

黑暗的死寂如潮水般襲來。一輛馬車飛速疾馳，偶爾發出吱嘎吱嘎聲，附近有一輛卡車發出了震耳欲聾的轟鳴聲——在不遠處天空發出荒謬的機械迴響，掩蓋了馬車的聲音。毫無徵兆地，磁光再一次向前迸發，忽隱忽現。我的心怦怦直跳，有些喘不過氣來。高處的玻璃穹頂碎成大片。無情的大雨向地面潑灑，大地上的聲音頓時被淹滅。

（維斯奎茲先生）他那蒼白的臉呈現出一種爛醉後的不自然綠色。我看著他吃力地呼吸

33 宮殿廣場（Terreiro do Paço）的名稱是因為那裡是十六至十八世紀時的皇宮所在地，一七五五年毀於地震，重建為優美的大廣場，並命名為宮殿廣場。

34 詩人是指埃斯普龍塞達（José de Espronceda，一八〇八～一八四二年），西班牙浪漫主義詩人，著有長詩《薩拉曼加的學生》（El Estudiante de Salamanca），這裡引用的兩句詩出於此詩作。佩索亞曾以他的異名者查爾斯·詹姆斯·舍奇將這首詩譯為英文。

著，心裡很清楚，我與他其實沒什麼不同。

110／夢使我迷醉

做完各種夢之後，我睜大眼睛走到大街上去，夢的光環和舒緩之感仍然籠罩著我。我為自己的自動行為驚訝不已，它使我免於被人真正瞭解。我在過日常生活時，仍然可以與我精神世界的夫人攜手共度；我的腳步與夢中複雜難解的設計保持著完美的協調。我朝著正確的方向走去；並未踟躕不前；我準確地反應；我存在著。

然而，在這夢境裡，我不必看路以避開車輛或迎面走來的行人，我不必和任何人說話或跨進眼前的門，接著，我像一艘紙船，再一次漂向夢中的海洋。然後，我再次回到這漸漸退去的幻覺，它曾將我清晨的朦朧意識包裹，此刻正融入運菜貨車的聲音中。

那麼，在混沌的生活之中，我的夢變成一部不可思議的電影。我沿著幻想中的市區街道走去。並不存在的生命，以它的真實，用一道虛偽記憶製成的白眼罩親切地蒙上我的眼。我是一個航海家，在陌生的自我航行。我戰勝了一切不曾戰勝的事物。我漫步在這種困倦裡，朝著一切不可能勇往直前，恍若沐浴一抹清風。

每個人都有讓他迷醉的事物。存在足以讓我迷醉。我漫步下去，一直往前走。倘若到了上班時間，我像其他人一樣出現在辦公室。倘若不是上班時間，我像其他人一樣去河邊看風景。我並非與眾不同。而在這之外，我暗暗地將群星撒遍我的天空，在那裡創造我的無限。

111 解救幻滅

如今的人，除非有人在道德高度上是個矮子，智力水準又很低下，否則在陷入愛情時，每個人都會帶著浪漫愛去愛人。好幾個世紀以來，在基督教的影響下，浪漫的愛早已變得可遇而不可求。浪漫的愛可比作一套由靈魂或想像裁剪而成的套裝，在人們恰巧出現之際，便被自認合身的人穿在身上，由此，可把關於浪漫的愛的本質和發展都解釋成無知。

然而每件衣服都不可能永恆存在，都擁有一定的壽命；很快地，這件理想衣裳磨損了，衣服下的人體暴露在外。

浪漫的愛因此便成了一條通往幻滅的路，除非人們從一開始便接受這幻滅，並一心要不停地改變理想，不停地在靈魂的工廠裡縫製新的衣裳，以便能夠不停地更新穿衣之人的外表。

112 我們愛過誰

我們從未愛過什麼人。我們的所愛不過是某人在我們思想裡的觀念。我們愛的是我們自己的觀念——也就是我們的自我。

這一點適用於愛的全部範圍。在性愛中，我們透過另一個人的身體，尋找自己的愉悅。在非性愛中，我們透過自己的觀念，尋找自己的愉悅。手淫者或許是卑劣的，但事實上，從邏輯上來說，他是愛的完美表達者。他是唯一不會偽裝和欺騙自己的人。

靈魂與靈魂之間的關係是一個不可靠的複合體，透過交流語言和打手勢這類充滿不確定和複雜多變的事物來表達。素昧平生的我們透過這種方式認識彼此。兩個人在說「我愛你」時，或雙方都這麼認為也這麼感覺時，卻各自有著不同的想法、不同的生活，甚至可能在全部抽象印象裡有著不同的色彩或芳香，這種抽象印象構成了靈魂的活動。

今天的我是透明的，彷彿並不存在。我的思緒如骷髏般裸露，沒有表達幻想的血肉之軀。這些我起先構思然後放棄的懷想，並非出自什麼——至少並非出自我意識裡的潛意識。這些懷想或許是關於哪個業務員對他女友失望，或許是我讀到的一句話，出自一些浪漫故事，故事印在本地報紙上，是從外國報紙翻譯過來的。或許只是一種含糊的不舒服，並非是某種身體不舒服。

給維吉爾[35]作注解的注釋者錯了。理解是最令我們厭倦的事情。生活意味著不要思考。

113 觀察悲劇

愛情開始後的兩三天……

對於唯美主義者而言，相戀之初的價值在於其製造出來的感覺。更進一步，便會進入嫉妒、痛苦與焦慮的領域。這間情感接待室裡充滿了愛情的甜蜜——愉悅的暗示，激情的氣息——然而毫無深度。如果這意味著放棄愛情悲劇的壯烈，我們必須記住，對唯美主義者來說，觀察悲劇是一件有趣的事，但體驗起來就毫無樂趣可言了。在生活中耕耘，便會阻礙想像的延伸。這一切便是由那無情且非凡的統治者主導。

無疑的，如果我能說服自己這一切皆並非本來面目，這種理論便能使我滿意：嘰哩咕嚕的話語，紛繁複雜，充斥在我滿是智慧的耳邊，讓我幾乎忘記，我在內心裡是個膽小鬼，對生活沒有一點天分。

114 人造美學

生活阻礙了對生活的表達。即使我真正經歷過一場偉大的愛情，我也永遠無法描述它。

我甚至不知道，這些不著邊際的紙頁展現給你的我是否就真的存在，抑或只是我為自己創造出的美學假象。是的，的確如此。從美學上說，我作為另一個人而存在。我用不屬於我的材料，像雕刻一尊雕像一樣雕出我的生活。我用一種如此純粹的藝術方式運用自我意識，使我徹底成為自己的陌生人，以致有時候我不再認識我自己。在這不真實的背後，我究竟是誰？我不得而知。我一定是某個人。如果我逃避生活、逃避行動、逃避感覺，那麼相信我，我只是不想破壞我為自己虛構的個性輪廓。我想與自己想像的樣子分毫不差，但事與願違。如果我不得不屈服於生活，那便是對我的毀滅。我想成為藝術品，儘管肉體無能為力，至少靈魂應當如此。這便是為什麼我在寂靜的孤獨中雕刻自己，然後放進溫室，與新鮮空氣和直

35 維吉爾（Vigil，西元前七〇～前十九年），古羅馬詩人，著有長詩《牧歌》、《愛奈特》，史詩《埃涅阿斯紀》。

射光線隔絕——在這裡，人造自我的荒謬之花才能靜靜地綻放它的美麗。

有時我默想，如果我能將所有的夢串成一段連續的生活，整天有想像的同伴和我創造的人作伴，我可以在這段虛假的生活裡經歷苦樂，那該有多好！不幸偶爾會降臨，但我也會經歷極大的歡愉。關於我的一切都是假的，但都符合最高邏輯；一切都隨著虛假感官的脈搏跳動，發生在我以靈魂建造的城市裡，一路延伸至一列停駛火車旁的月臺那裡，對我而言遙不可及——這一切是如此生動和不可避免，就像在外在生活裡，卻有一種落日的美感。

115 模糊的個體

讓我們按照一種別人看來神祕莫測的方式安排我們的生活，這樣，那些離我們最近的人，即使他們再靠近一步，也無法瞭解我們。這就是我塑造生活的方式，我幾乎沒有經過思考，而是憑著許多本能的藝術做到這一點，我變成一個完全模糊的個體，甚至對我自己而言也是如此。

116 寫作就是遺忘

寫作就是遺忘。文學是忽略生活的最佳方法。音樂使人平靜，視覺藝術使人快樂，表演藝術（比如戲劇和舞蹈）給人歡愉。然而，文學從生活淡出，轉入一種睡眠狀態。其他藝術則不會如此——因為有些藝術需要使用視覺和必不可少的公式，有些藝術則本身就與人類生活隔絕。

文學則不是如此。文學模仿生活。小說是從未發生過的故事，而戲劇是缺乏敘述的小說。詩歌是用從未使用的語言來表達思想或感覺，因為沒有人用詩語交談。

117 學會表達

大多數人苦於不能表達他們的所見或所思。他們說，沒有什麼比用語言定義「螺旋」更困難了。他們要求用手來比劃，這樣顯得比較自然，手平穩快速地向上轉動，這樣人們就能理解鋼絲彈簧和某種樓梯內的抽象圖形。不過，如果我們記住，表達就是重建，那麼我們就不難定義螺旋：螺旋是一種不斷上升的圓圈。我發現，大多數人永遠也不敢用這種方式去定義它，因為他們認為，下定義就是用別人期望的方式去表達，而不是用定義本身要求的方式。更準確地說：螺旋是一種潛在的圓圈，它旋轉上升，是一個永遠也畫不完整的圓。不過，這個定義仍然抽象。我要採用具體的概念，一切就都會變得清晰：螺旋是朝向虛無攀升的無蛇之蛇。

所有的文學作品都試圖使生活變得真實，眾所周知，即使我們對自己的所知無動於衷，生活仍然透過一種直接真實的形式表現出絕對的不真實；鄉村、城市和我們的觀念不過是完全虛構的事物，是複雜的自我感覺產物。我們的觀感不可言傳，除非賦予它們文學性。孩子們尤其富有文學性，因為他們說出的是自己的感受，而不是別人教給他們的感受。有一次，我聽見一個孩子說他的眼淚就要流出來了，他沒有說「我覺得想哭」，大人，也就是傻瓜才會這麼說，而這個孩子卻說「我覺得有眼淚」。這句話——多麼有文采，它似乎能影響一個著名的詩人，如果這個詩人能想出這句話——它明確表明了溫熱的眼淚幾乎就要奪眶而出，我們能體會到這種液體的酸澀感。「我覺得有眼淚」！那個孩子恰到好處地定義了他的螺旋。

去表達！學會如何去表達！學會如何透過書面表達和語境而存在！這就是生活中最重要的東西；剩下的就是男女，想像中的愛情和矯飾浮華，領悟和疏忽的伎倆，蠕動的人類——就像搬起岩石——壓在毫無意義的藍天這塊抽象巨石下的蠕蟲。

118 我的作品

我為什麼要擔心沒有人讀我的作品？我寫作是為了遺忘生活，而我將作品出版不過是遵循其中一條遊戲規則。如果明天我的作品全部不見了，我會覺得難過，但我懷疑，我不會像人們預想的那樣，難過至極，甚至到發狂的地步，因為我的作品是我傾其一生所作。我可能會像一位失去兒子的母親，幾個月後就會恢復正常。關懷山川的大地，會用不那麼母性的方式關懷我所寫下的紙頁。一切無關緊要，我相信，生活中的有些人倘若期望獲得孩子入睡後的平靜，就會對不肯睡的孩子失去耐心。

119 意識的意識

讀亞米哀日記中的引喻總是令我失望，因為他的日記已經出版成書。這就是他的失敗之處。如果他不出版該多好！

亞米哀的日記總使我顧影自憐。在他的日記裡，當我讀到謝里[36]所說的那段話，也就是，把思考的結果看成是「意識的意識」，我覺得這句話可以作為對我靈魂的一個直接引注。

120 消極抵抗

當人們遭遇了其他人的痛苦與不適，模糊且幾乎無法稱量的怨恨就會讓每一顆人類的心感到快樂。而這怨恨早已轉化成了我的痛苦，深深扎根在我心裡，以便我可以在感覺到荒謬和可鄙時真正得到愉悅，彷彿別人到了我的地盤上。因為感情發生了奇異與荒誕的轉變，所以當我面對其他人的痛苦和尷尬時，並沒有感覺到惡毒的快樂與人性的歡愉。在其他人陷入

36 埃蒙德．謝里（Edmond Scherer，一八一五～一八八九年），著名的法國文學評論家，他是亞米哀的朋友，曾為後者死後出版的《內心日記片段》作序。對於這段話的含義，佩索亞的記憶並不準確。據這篇日記記載，謝里在一段對話中說過：「智識是一種意識。」事實上，「智識是一種意識」這句話是亞米哀說的。

困境之際，我並沒有感到悲傷，而是一種審美上的不適和一種錯綜複雜的惱怒。這並非出於同情，而是因為任何看上去很可笑的人在他人眼中都是如此，並非只有我一人這樣覺得，當有些人被其他人嘲笑時，我就會非常憤怒；在人類沒有權利以犧牲他人為代價而取笑他人之時卻這樣做了，我就會苦惱不已。我不在乎其他人是不是會嘲笑我，因為我有一個優勢，那便是對外在世界始終懷著一種穿盔戴甲的蔑視態度。

我把我的生命花園用高高的鐵柵圍繞起來——比任何石牆都要更威風——如此一來，我就能十分清晰地看到其他人，同時還可以把他們關在外面，讓他們和別人一樣留在自己的地盤上。

探索方法卻不去行動，便是我生活中最在乎的事情。

我拒絕向國家或人類屈服；我消極地抵抗著。這個國家只需要我採取某種行動。只要我做到無為，它便不能從我這裡得到好處。自從死刑廢除後，它能採取的最厲害手段無非就是讓我痛苦；當它的報復來臨之際，我必將給我的靈魂穿上更堅實的盔甲，更深層地生活在我的夢境之中。然而那報復從未來臨。這個國家從未給我一點麻煩。這似乎是命運對我格外垂青。

121 我嚮往安定

如同每個人都被賦予了精神上的巨大流動性，我對安定有著一份無可改變的、發自內心的愛。我痛恨全新的生活方式以及陌生的地方。

122 為什麼要去旅行

去旅行的想法令我反胃。

我已見過我從未見過的東西。

我已見過我將要見到的東西。

永遠新奇的單調，發現的單調——表面看似不同的事物和思想背後——卻有著驚人的相同之處。完全一樣的清真寺、廟宇和教堂，完全一樣的小屋和城堡，身穿華服的國王有著完全一樣的肉身和赤裸裸的暴虐本性，生活與其本身的永恆協調，我賴以生存之物的停滯不前，所有這一切同樣受到無法改變的詛咒……

風景與風景互相重複。在一列簡陋的火車上，我徒勞無益、焦躁不安地游離在風景和書的心不在焉。如果換做別人，這些書或許能打發時間。生活讓我感到隱隱的反胃，而任何活動都會加重這種反胃。

唯有不存在的風景和從未讀過的書才不那麼煩悶。生活對我而言，是一種從未侵襲大腦的睡意。我是自由的，以至於我能夠感到悲傷。

啊，讓那些不存在的事物去旅行吧！對那些什麼都不是的人們來說，生活像河流一樣，永不休止的前行。但對於那些時刻警覺，可想可感的人，火車、汽車和輪船的隆隆聲使他無法入睡或醒來。

任何一次旅行，哪怕是一次簡短的旅行結束，我都彷彿從夢境繽紛的睡眠中醒來——我處在紛繁迷亂的恍惚中，各種感覺紛沓而至，我迷醉於我的所見之中。

我無法休息，因為我的靈魂不夠健康。我無法活動，因為我的肉體和靈魂之間缺乏了什麼。我缺乏的不是活動力，而恰恰是活動的欲望。

我常常想跨過那條河流——從宮殿廣場到凱西利亞什[37]不過十分鐘路程。我常常被如此多的人、被我自己、被我的意圖嚇到。我偶爾一兩次去旅行，一路上緊張不安，唯有回來後，我的雙腳才踏實地落在乾涸的地面上。

當人的精神過於緊繃時，塔古斯河就是無邊無際的大西洋，凱西利亞什就是另一個大陸，或甚至是另一個宇宙。

123 解脫和力量

放棄是一種解脫。無欲是一種力量。

中國還能給予什麼我的靈魂未曾給予過的呢？如果我的靈魂都無法給予我，那麼中國又如何能給予我呢？我要帶著靈魂去見中國，如果我能見到的話。我可以前往東方，去追求財富，而不是追求靈魂的豐饒，因為我就是我靈魂的豐饒，無論有沒有東方，我都在我所在的地方。

旅行是那些不懂得感受的人所做的事情。這便是為什麼遊記總是和見聞札記一樣不能令人滿意。遊記的作者有多大想像力，他的作品就有多大價值。有了想像力，他便可以輕而易舉地用詳細而逼真的描述——他用盡他所能想像出來的、風景裡五顏六色的小三角旗——吸引我們，但他必然無法用詳盡的描述記載自認為看到的風景。除了內心，我們都是大近視。

只有我們用來作夢的眼睛才能真正去看見。

從根本上說，我們的世俗經驗只包含兩種特性：普遍性和特殊性。描述普遍性就是描述一切人類靈魂和人類體驗的共同性——白晝與黑夜在廣闊的天空交替呈現；一切奔流不息的大河都有著同樣清澈和純淨的河水；碧波萬頃的大海神祕深處有著某種至高無上的威嚴；那些田野、四季、房屋、臉孔、身姿；服飾與微笑；愛情與戰爭；有限與無限的諸神；虛無縹緲的夜，世界之源的母親；命運，智慧過人的巨獸，這一切……在描述這樣或那樣的普遍性時，我的靈魂是用一種原初的、神性的語言說話，那是每個人都知道的亞當之語。然而，我如何用支離破碎的巴別塔[38]語言，去描述聖胡斯塔電梯[39]、蘭斯大教堂[40]、佐阿夫兵[41]的馬褲或葡萄牙語中的蒙特斯[42]方言呢？地面存在著差異，我們可以透過行走，卻無法透過抽象感覺去感受地面的高低不平。聖胡斯塔電梯呈現出來的普遍性是使生活變得更方便的機械技術。蘭斯大教堂表現的真理既不是蘭斯也不是大教堂，而是建築物的宗教光輝，致力於瞭解人類靈魂的深處。佐阿夫士兵的馬褲展現的永恆是華麗鮮豔的服飾。對於一種人類語言，從

37 凱西利亞什（Cacilhas）之前是漁村，從里斯本可以從很多地點搭渡輪前往，也有多部公車可以抵達附近鄉鎮。

38 巴別塔（也譯作巴比倫塔），巴別在希伯來語中有「變亂」之意。據《聖經．創世記》第十一章記載，是當時人類聯合興建，希望塔頂通天能傳揚己名的高塔。為了阻止人類的計畫，上帝讓人類說不同的語言，使人類相互之間不能溝通，計畫因此失敗，人類自此各散東西。

39 聖胡斯塔電梯（Santa Justa Lift），一九〇二年完工，連結里斯本市中心較低和較高的地方。

40 蘭斯大教堂（Reims Cathedral）是一座從西元十三世紀便開始修建的教堂。在其三段式構造的教堂正面，高高矗立著三座左右對稱的尖塔。蘭斯大教堂在法國歷史上的地位舉足輕重，其重要程度絕不亞於巴黎聖母院。

41 佐阿夫兵（Zouaves），法國輕步兵，原由阿爾及利亞人組成，身著華麗的阿拉伯式服裝。

42 蒙特斯（Trás-os-Montes），位於葡萄牙北部。

某種意義上說，它的社會性單純在於它是一種嶄新的暴露。地方口音的普遍性在於人類自動產生的家常語調、群體中表現出來的多樣性、多采多姿的列隊習俗、人和人之間的差異，以及國家之間巨大的多樣性。

在我們的永恆旅途中，除了我們沒有別的風景。什麼也不屬於我們，甚至我們自己也不屬於我們。我們什麼也沒有，因為我們什麼也不是。我將什麼樣的手，伸向什麼樣的宇宙呢？宇宙不屬於我：因為宇宙就是我。

124 遠航就已足夠

每一個有價值的靈魂都曾渴望活出極致。只滿足於自己所得的是奴隸。有無限渴望的是孩童。有無限征服欲的是狂人，因為每一次征服都是……

活出極致意味著最大限度地活出自己的生命，那麼，可以透過三種方式實現，選擇其中的哪一種取決於該傑出的靈魂。第一種方式是最大程度地支配生活，透過一切體驗感受，一切形式的外化能量去進行尤利西斯的旅行。然而，在世界的任何時代，很少人能夠帶著疲倦的總和閉上眼，完全地擁有一切。

的確，很少人能讓生活完全屈服於他們，肉體與靈魂皆是，這使他們對愛情深信不疑，以致相信嫉妒的想法是不存在的。但這毫無疑問是所有傑出且意志堅強的靈魂渴望的。然而，當這個靈魂意識到，他缺乏征服這個整體每一個部分的力量，因此永遠不可能實現這樣的壯舉，那麼，他還有其他兩條途徑可以走。其中一條途徑就是完全放棄，正式地、徹底地棄權，藉此轉入感覺的領域，不管在活動和能量的領域是否能夠完全擁有。與其像那些可有可無的泛泛之輩一樣有始無終、未臻完美或徒勞一場，還不如保持高貴的無為姿態。另一條途徑就是達到完美的平衡，尋找達到絕對均衡的界限，憑藉從意志轉變成對極致的渴望，以及情感轉變成的智力，人的整個雄心壯志不是去經歷或感受一切生活，而是去組織一切生活，達到智力的協調與平衡。

高貴的靈魂通常是渴望理解而不是行動，而這種渴望屬於感覺的領域。用智力取代能量，打破意志和情感的連繫，剝去物質生活中任何有益的姿態——如果這些得到實現，比生活本身更有價值，對生活而言，獲得一切何其困難，而僅僅獲得部分又何其令人傷心。

阿爾戈[43]說，生活並不重要，僅僅去揚帆遠航就已足夠。作為病態感的阿爾戈，我們說，生活並不重要，僅僅去感覺就已足夠。

125 冒險家的締造者

在這本如同災難一般的書中，我在心裡開始了一次航海之旅。上帝啊，你的眾多船隻從不曾有過比之更偉大的航行。那些船繞行的海岬，看到的遠方海灘——超越了所有勇敢之人的勇氣，也不是任何心靈曾經的夢想——無法堪比我用想像力繞行的海岬，以及用我的……

43 佩索亞通常用「阿爾戈」（argonauts）一詞意指希臘神話中的阿爾戈船員。他們伴隨伊阿宋乘阿爾戈號到科爾基斯去尋找金羊毛。

所登陸的海灘。

上帝啊，感謝你的積極，因此這個真實的世界才得以呈現於人前。而思想的世界得以發現，則要歸功於我。

阿爾戈努力克服邪魔鬼怪和驚懼恐怖。在我的思想航行中，我也需要對付我的邪魔鬼怪和驚懼恐怖。在通往萬物深處那抽象深淵的路上，有很多世人無法想像的恐怖之物，還要忍受人類經驗不得而知的恐懼。在普通大海的海岬另一邊，是一片神祕境地，或許，那裡沒有人類，唯有一條通向塵世虛無的抽象祕徑。

離開了原生之地，從通往家園的小徑被驅逐出去，永恆遠離同化的寧靜生活，你的密使終於到來了，此時此刻，你的生命已然結束，置身於塵世如海洋般浩瀚的盡頭。他們真真正正地看到了全新的天空，全新的大地。

我遠離了通往自我的道路，我盲目到看不見我所熱愛的生活幻象……我終於也到達了萬事萬物的空虛盡頭，到達了天地萬物不可估量的邊緣，到達了這塵世抽象深淵的虛無港灣。

上帝啊，我已經進入了那個避難港。上帝啊，我在那片大海之上到處飄蕩。上帝啊，我看到了那片無影無形的深淵。

我把這篇關於至高無上發現之旅的文章獻給你，以紀念你的葡語名字，冒險家的締造者。

我經歷著非常停滯的時期。我並非和其他人一樣，日復一日地寫明信片回應收到的急信。我也並非和他人有什麼不同，可以無限期地延遲容易做到且有用的事情，或者有用且令人愉悅的事情。我的自我矛盾要比這些更為微妙。我的整個靈魂都停滯了。我的意志、情感和思想停止功能，而這種暫停持續了數日；我唯有用靈魂的植物性生命——語言、姿態和習慣——向別人表達自己，以及向自己表達。

在這些虛無的日子裡，我不能思想、感受或願望。我除了數字和塗鴉什麼也寫不出來。我不能感覺，而我所愛之人的死亡對我而言就像是用外語發生的事情。我無能為力，就像我已入睡，我的姿態、語言和從容舉動不過是一種外在呼吸，一些有機體的規律本能。

於是，日子一天天地流逝，如果我將它們全部加起來，誰知道我的生命會有多少個日子？有時候，當我脫掉這件停滯狀態的外衣時，或許我並不像我預想的赤裸，或許還有一些無形的外衣，掩蓋了我真正靈魂的永恆缺席。我突然想到，在一個我更熟悉的思想和更多的感覺開始時，在我的願望遺失在自己的迷宮裡時，我的思想、感受和願望也會處於停滯。

無論真理如何，我都會聽其安排。而無論上帝或諸神是否存在，我都會做回原來的我，聽任運氣或機會的安排，忠實於已被遺忘的誓言。

127 我沒有抱怨

我不會憤世嫉俗，因為憤世嫉俗屬於強者；我不會逆來順受，因為逆來順受屬於高貴的人；我不會緘默不語，因為緘默不語屬於偉人。我不強大、不高貴、不偉大。我受難，我作夢。我因弱小而抱怨。既然我是藝術家，我就使我的抱怨變得悅耳，去做我認為美麗的夢，藉此消遣自己。

我遺憾自己不是孩子，否則我便可以相信夢。我遺憾自己不是瘋子，否則我便可以阻止周圍的人接近我的靈魂……

把夢看作現實，又過於認真地活在夢裡，使我這夢裡生活的虛幻玫瑰長出了刺：因為我看見了夢的缺陷，於是，連作夢也無法讓我高興了。

即使把窗子漆成彩色，也無法擋住窗外生活的嘈雜聲，而窗外人並不知道我的觀察。悲觀主義的創立者是幸福的！除了從已實現的事物裡得到安慰，他們可以從一般的苦難中找到快樂，並將自己納入其中。

我不抱怨世界。我不以全人類的名義抗議。我不是一個悲觀主義者。我受難，我抱怨。但我不知道受苦是否屬於正常，也不知道是否人類都要受苦。我何必要知道呢？

我不知道我受的苦，是否為我所應受（被追獵的鹿）。

我不是一個悲觀主義者。我悲哀。

128 不被理解的好處

我總是拒絕被人理解。被理解無異於賣淫。我寧可被人們嚴重誤解，以使自己不被人瞭解，保持著自然的本性和應有的尊重。

沒有什麼事情比讓辦公室的同事們發現我的怪異更讓我惱怒了。他們根本沒有發現我的怪異，我陶醉在這樣的諷刺裡。我喜歡他們視我為同類這樣的懲罰。我喜歡他們不再視我為異類這樣的懲罰。比起那些有記載的聖徒和隱士的殉難，還有更微不足道的殉難。我們的精神意識所受的苦難和肉體及其欲望所受的苦難並無什麼不同。前者和後者一樣，都存在一種官能性……

129 一道閃電

年輕工友正在昏暗、冷清、空寂的辦公室裡捆紮一天的包裹。「好亮的閃電！」那個暴虐的惡棍用說著「早安！」時一樣大聲的音量，自言自語道。我的心再次跳了一下。驚雷過後，是一陣暫緩的喘息。

帶著某種寬慰——一道閃電，一陣停頓，一聲驚雷——這些時遠時近的雷聲撫慰了我們。上蒼停止咆哮。我的肺沉重地呼吸。我意識到辦公室裡太過沉悶。我注意到除了那個年輕工友之外，辦公室裡還有其他人。他們都沉默不語。我聽見一聲震顫的脆響：正在查帳的莫雷拉突然翻過帳簿寬大而厚重的一頁。

130 想像我的命運

我經常在想，如果我在財富的庇護下免受命運之風的侵襲，如果我從未被叔叔出於責任之手帶到里斯本這間辦公室，如果我沒有被升到其他辦公室，最終升遷到合格的助理會計這樣一個卑微的職位——這份工作就像讓我能勉強活下去的午休和工資一樣——那麼我會變成什麼樣的人呢？

我知道，如果這些想像中的過去存在，此刻我便不能寫下這些紙頁，比起那些在更好的環境下我只會在夢裡寫下的所有紙頁，這些紙頁至少會好得多。因為平庸是智慧的表現形式，而現實——特別是當現實是乏味和未經加工的時候——它便成為一種對靈魂的自然填補。

我之所以能夠思考和感覺，很大一部分得益於記帳員這份工作，因為它是對內容完全相同的工作的一種否定和逃避。

如果我不得不在一份問卷的空白處填寫對我的智力發展有文學影響的主要人物，我會直接寫上西薩里奧・韋爾德的名字，但我還會寫上維斯奎茲先生、會計主任莫雷拉、地方業務維艾拉和年輕工友安東尼奧的名字。而在他們的重要地址欄，我會用大寫字母寫上：里斯本。

事實上，不僅僅是韋爾德，我的同事們也成為我世界觀的相關係數。我認為工程師應用於數學的「相關係數」（對於它的標準定義我明顯不知）同樣可被應用於生活中。如果這個詞是這個意思，那麼生活就是這個樣子，如果這個詞不是這個意思，那麼就讓我們把它想像成蹩腳的暗喻吧。

當我盡我所能地透徹思考我的生活到底是什麼，我將生活看作是五顏六色的瑣碎物品——一張巧克力包裝紙或一枚雪茄標籤——等著清潔婦將它們從骯髒的桌布上熟練地掃入畚斗（聲音清澈入耳），混入現實的麵包屑和麵包皮當中。我的生活和這些在畚斗裡的瑣碎物品有著同樣的命運。在清潔婦洗刷物品的上空，諸神繼續著高談闊論，對世間奴僕的瑣碎事毫不關心。

是的，如果我富有、受到庇護以及衣冠楚楚，我將從來不會見到漂亮紙片混入麵包屑的那一刻。我將幸運地留在托盤之中──「這不是我想要的，謝謝你」──然後，被送回到餐具櫃，直到變老變舊。一旦我的有用部分被吃完後，我將與那些基督遺留下來的碎屑一起被拋進垃圾桶，我無法想像緊接著會在什麼樣的星光下發生什麼事情，但有些事情──不可避免地──會發生。

131 便箋

由於我無事可做，且沒有想做的事情，我準備在這頁紙上寫下我的理想──

〈筆記〉

用維艾拉的風格表達馬拉美[44]的情感；用賀拉斯的身體作著魏倫[45]的夢；當月色裡的荷馬。

44 馬拉美（Stephane Mallarme，一八四二～一八九八年），法國象徵派詩人，著有《牧神的午後》。
45 魏倫（Paul-Marie Verlaine，一八四四～一八九六年），法國象徵主義詩人。

用一切方式去感受一切；學會用感情去思考，用思想去感受；除了透過想像，不要有太多的欲求；帶著高傲的態度去受難；仔細觀察以便寫得準確、透過交際手段和掩飾瞭解別人；把自己馴化為不同的人，並擁有所有必要的證件；簡而言之，用盡一切內在的感知能力，層層剝開直至發現上帝，然後再重新將一切包起來放進櫥窗，就像我此刻看見那個推銷員擺弄一小盒新鞋油一樣。

這些理想，可能或不可能，到此為止。現在我面對的現實甚至不是推銷員（我看不見他），而只是他的手，一個有家庭有宿命的靈魂的可笑觸手，像沒有織網的蜘蛛一樣扭動著，將鞋油盒子放進櫥窗。

一個盒子落在地上，就像我們所有人的命運。

132 虛假與現實

我對世界的奇觀和事物千變萬化的狀態觀照越多，就越發對萬物與生俱來的虛假和現實所展現出來的虛偽價值深信不疑。在這樣的觀照下（一切有思想的人類都會時不時地做這樣的觀照），豐富多彩的閱兵傳統和風格，複雜多樣的文明與進步之路，帝國及其文化的大暴動——所有這一切像神話和小說一樣打動著我，在陰影和廢墟裡似幻似真。但我不確定，灰飛煙滅的最高解脫——即使被實現也已灰飛煙滅——是否依存於佛陀的他世超脫。佛陀深諳四大皆空之理，他心無雜念地說：「我已知應知。」抑或，如塞維魯皇帝[46]的厭世冷漠之說：「曾經一切皆是空——我就是一切，不必為一切煩惱。」

133 一無所求

……這個世界——就是本能力量的糞堆，雖然如此，卻可在陽光下閃閃發亮，那深深淺淺的金色帶著蒼白的光影。

這就是我眼中的這個世界，瘟疫、暴風和戰爭都是這股莽撞力量的產物，時而透過無意識的微生物作怪，時而透過無意識的水與雷電搞鬼，時而透過無意識的人類興風作浪。對我而言，地震和大屠殺之間的區別，就是用刀殺人和用匕首殺人之間的區別，並無二致。萬物體內都住著一個怪物，因其自身的善良與邪惡，同時這顯然與其自身又毫無關聯，山頂上一塊石頭的位置變化，或者人心中攪動著嫉妒或貪婪的漩渦，都會產生影響。石頭滾落下來，砸死了人；貪婪或嫉妒促使人們揚起手臂，殺了人。這個世界就是這個樣子——一座本能力量的糞堆，雖然如此，卻可在陽光下閃閃發亮，那深深淺淺的金色帶著蒼白的光影。

神祕主義者發現，反對構成萬物本質的殘酷冷漠，最好的方法就是放棄。拒絕這個世界，轉身背對這個世界，彷彿我們突然發現自己站在沼澤邊時轉身一樣。像佛陀一樣，拒絕這個世界的絕對現實；像基督一樣，拒絕這個世界的相對現實；拒絕……

我對生活的唯一要求便是請它不要對我有所求。在那棟我從不曾擁有的度假小屋的門口，我坐在那從未照射的陽光下，享受著現實中那未來才會到來的老年時光（真高興我現在還

46 塞維魯皇帝（emperor Severus，一四五～二一一年），羅馬皇帝。凱旋門就是為了紀念塞維魯皇帝和他的兩個兒子兩次戰勝波斯而建。

年輕）。還活著，便是對生活之中的可憐人莫大的獎賞，因為這意味著希望……

……只在我沒有作夢之際才會對夢境感到滿意，只在我夢想遠離這個世界的時候才會對這個世界感到滿意。一個鐘擺前後擺動，永不停歇，沒有目的地，它始終位於正中央，而且無法停止那毫無價值的運動，永恆受控於這雙重宿命。

134 同一性

我尋找自我，而不會發現自我。我這一生宛若菊花，整齊地排列在花盆裡。上帝把我的靈魂創造成一個裝飾物。

我不知道是什麼過於自負和精挑細選的細節定義了我的性情。如果我愛那觀賞植物，那必定是因為我感覺它與我的靈魂本質具有同一性。

135 神聖的哀悼

最簡單的事，那些真正最簡單的事，沒有什麼能讓它變得稍為複雜，在我這裡就變複雜了。我有時候甚至不敢對人說聲早安。我的聲音卡在喉嚨裡，在大聲說出這些語句時，聲音裡透著一種怪異的魯莽。這是一種關乎存在的神經質——我對此無能為力！

對感覺的不停分析，創造了一種新的感覺方式。這種方式對那些透過智力而非依感覺分析的人來說，似乎有些不真實。

我的生活充斥著形而上的膚淺，我認真對待插科打諢。我從未認真做過什麼事情，不管我有多麼想認真去做。充滿惡作劇的命運與我同樂。

讓我們擁有由印花棉布、絲綢或錦緞織成的感覺！讓我們擁有能夠像這樣被描述出來的感覺！讓我們擁有可被描述的感覺！

我的內心對一切有一種神聖的哀悼，一種對夢的責怪產生的惱怒交織著啜泣的悲痛，只因夢被人夢想出來。我懷著沒有憎恨的怨恨，去怨恨所有寫詩的詩人，所有見證自己的理想成形的理想主義者，和所有得到自己所欲的人。

我偶然漫步在寂靜的街頭，一直走到身心俱疲，悲傷的程度幾乎要想起舊時常常遭遇的那些不幸，我自怨自艾，帶著一種不可名狀、可用來譜曲的母性的慈悲。

睡覺！去睡覺！平靜下來！成為一種抽象意識，這種意識裡只有靜靜的呼吸聲，沒有世界，沒有蒼天，沒有靈魂——只有一片情感的死海，看不到一顆星辰！

136 負擔

感覺，給我徒增負擔！不得不去感覺，也給我徒增負擔！

137 虛假情感

我的感覺過於敏感，或許僅僅是它們的表達問題，又或許更準確地說，是介於前者和後者之間的理解力，先是我的表達意願，進而是有待表達的虛假情感。（或許這只是我身上一個機器，用來揭露非真實的我。）

138 感覺的學問

有一種學問是後天獲得的知識，這種學問是狹義的概念。也有一種建立在理解上的學問，我們稱之為「文化」。然而，還有一種關於感覺的學問。

這種學問與人的生活經驗毫無關係。生活經驗就像歷史，不能教會我們。真正的生活經驗來自我們限制自己對現實的接觸，以及增加對這種接觸的分析。用這種方式，我們的感受變得更開闊、更深刻，因為一切都在我們裡面——我們需要做的就是把這一切找出來以及知道如何去找。

什麼是旅行？旅行有何益處？任何落日都只是落日；一個人不需要去君士坦丁堡看落日。旅行能帶來自由感？我可以從里斯本往本菲卡[47]獲得自由感，而這種自由感甚至要多過人們從里斯本去中國。因為如果心中沒有自由感，無論去何處都沒有用。「任何一條道路，」卡萊爾[48]說，「通向恩特富爾市的任何一條道路，都可以把你引向世界的終點。」但是通向恩特富爾市的道路，如果直接通向世界的終點，同樣可以引導我們返回恩特富爾市。這就意味著，作為我們起點的恩特富爾市，也是我們打算去尋找的世界終點。

孔狄亞克[49]在一本著作中，一開始就寫道：「無論我們爬得多高或跌得多深，都逃不出自己的感覺。」我們無法脫離自己而去。我們無法成為其他人，除非我們積極地、生動地想像自己是其他人。我們是真實景觀的創造者和諸神。無論如何，它們在我們眼中的真實模樣，就是我們所創造的模樣。世界上四大洋的任何地方，我既沒興趣去看，也不曾真正去看過。我遊歷在屬於我的第五大洋。

有些人環遊四大洋，卻走不出自己的煩悶。我的航程比任何人都要遠。我見過的高山多於世上已有的高山。我經過的城市多於已存的城市。放眼望去，我渡過的壯麗河水在不存在的世界裡奔流不息。如果真去旅行，我只能找到一些蹩腳的複製品，是對我無須旅行就已看見的東西的複製。

其他旅行者像無名的外國人一樣拜訪那些國家。而我在拜訪那些國家時，不僅能感受到那些無名旅行者才會有的祕密愉悅，而且我會是統治那裡的國王，是生活在那裡的人民和他們的習俗，是那個國家及其鄰國的全部歷史。我所見到的每一處景觀和每一幢房屋，都是上帝用我想像的材料創造出來的，它們就是我。

47 本菲卡（Benfica）曾是偏遠郊區，現已完全整合為里斯本的相鄰城市。
48 卡萊爾（Thomas Carlyle，一七九五～一八八一年），蘇格蘭評論、諷刺作家、歷史學家，著有《衣服哲學》（Sator Resaruts: The Life and Opinions of Herr Teufelsdröckh）。這段話即出自《衣服哲學》。
49 孔狄亞克（Etienne de Condillac，一七一五～一七八〇年），法國哲學家。

139 我已久未動筆

我已久未動筆。幾個月過去了，我彷彿並不存在，在辦公室和精神世界之間經歷著思想和感覺的內部停滯。不幸的是，由於這種思想在腐朽中發酵，甚至這樣的狀態也並不安寧。

我已久未動筆，甚至連我都不存在。我甚至似乎很難作夢。街道對我來說僅僅是街道。我只是帶著意識去處理事務，但我不能說我沒有走神：在我的意識深處，我在睡覺而不是沉思（而我通常都是在沉思），但我在工作時仍然保持著一個不同的存在體。

我已久不存在。我徹底地平靜下來。沒人能將我和真正的我區分開來。我只是感受到自己在呼吸，就好像我做了什麼新鮮事情，或者晚點會去做。我開始清醒地意識到自己是清醒的。或許明天我就恢復自我意識，我的生活歷程也重新開始。我不知道這樣做是否會使我變得更快樂，還是不快樂。我一無所知。站在城堡的高地上，我抬起自己缺乏想像力的腦袋，看見映照在無數玻璃窗上的夕陽正熊熊燃燒，冰冷的火焰發出崇高的光芒。我至少能夠感受到悲傷，能夠意識到我的悲傷一閃而過，我用耳朵去傾聽——突然駛過的電車聲，年輕人漫不經心的說話聲，以及活著的城市被遺忘的喃喃抱怨。

我已很久不再是我自己。

140 倦怠

有時候，我的情感被一種幾乎是突如其來的極度生活倦怠壓倒，我甚至想不出什麼方法可以減輕它。自殺似乎是一種不大可靠的補救，而自然死亡——即使可以假定這種方法能使人失去意識——也是遠遠不夠的。這種倦怠讓我渴望的東西，遠非結束自己的生命（而這或許可能，或許不可能）所能實現的，我渴望的東西更可怕、更深刻：我從來不曾存在過，而這當然是不可能的。

有時候，從印度人普遍混亂的思索中，我似乎能察覺，這種渴望中的有些東西比不存在還要更消極。但是，他們要麼是缺乏交流他們所想的敏銳感，要麼是缺乏感受他們所感的敏捷度。事實上，我無法真正將我從他們那裡看到的東西看清楚。更進一步說，我是第一個將這種不可救藥的感覺及其難以揣測的荒謬訴諸文字的人。

我寫下這種倦怠，用以治癒它們。是的，諷刺的是，每一種真正深刻的憂傷（它並非來自純粹的感覺，還混入一些智性成分），都可透過我們的寫作來獲得解救。若說文學沒有什麼用處，至少這就是它的用處，儘管只有少數人才會用到。

不幸的是，感覺比智識帶給我們更多的傷痛，而同樣不幸的是，肉體比感覺帶給我們更多的傷痛。我稱其為「不幸」，是因為人類的尊嚴使他們需要對立物。沒有什麼心理痛苦（比如愛情、嫉妒或懷舊）比未知之物更令我們痛苦，它們像劇烈的生理恐懼將我們壓倒，或者說讓我們變得怒氣沖沖或野心勃勃。但是，沒有哪種痛苦像真正的疼痛一樣使人撕心裂肺的痛，比如牙痛、胃痛或分娩的陣痛（我想像如此）。

我們以這樣一種方式，賦予同樣的智識以某種情感或知覺，將它們抬高到高過其他事物，當智識將其分析延伸至它們之間做比較，我們又貶低它們。

我像睡覺一樣寫作，我的整個生活就像一張等待簽字的收據。

公雞在籠子裡等著被宰殺，而牠居然啼唱著自由讚歌，只因主人給牠兩條棲木。

141 雨景

每一滴雨，都是我失落的人生在自然裡哭泣。天空飄落綿綿細雨，之後下起傾盆大雨，又變回綿綿細雨，再轉為傾盆大雨，雨中寄託著我的憂思，將整日的哀愁徒然地向大地傾瀉。

雨下了又下。雨聲浸透我的靈魂。雨水這麼多……我的肌肉滲出水來，流遍我的全身。一股痛楚的寒意用冰冷的手攫住我可憐的心。灰色時光變得更漫長，在時間裡被拉開來；時光緩緩地流淌。

這麼多的雨水！

水溝裡湧出小急流。惱人的雨聲流遍我的意識，形成排水管。雨呻吟著，無精打采地敲打著玻璃窗。

一隻冰冷的手扼住我的喉嚨，使我無法呼吸。

在我的內心，一切都將死去，甚至包括我作夢的智慧！我無法獲得身體上的舒適。我倚靠的每一個柔軟的東西都用尖銳的邊緣刺傷我的靈魂。我看到的每一雙眼睛在耗盡的白日裡黑得可怕，為了死得沒有痛苦而閃現慈悲的光芒。

142 令人鄙夷的夢

夢最令人鄙夷的地方就在於人人都擁有它。那個在送貨過程中倚著路燈柱打瞌睡的送貨員，在他的朦朧意識裡大概在思索著什麼。我知道他在想什麼：他所想的和落在我身上的一樣，在單調夏日的寂靜辦公室裡抄寫一本又一本帳本。

143 不存在的風景

我同情這些人，他們對可能之物、合理之物、易得到之物懷有夢想，而不同情那些幻想非凡、遙遠的事物的人。那些有著宏偉夢想的人，既是一群對自己的夢想深信不疑的瘋子，又是一群快樂的人。或者說，他們只是一群空想家，他們的幻想像靈魂的音樂將他們撫慰，什麼意義也沒有。然而，那些可能實現心願的人，卻極有可能遭遇真正的幻滅。我對不能成為羅馬皇帝毫不感到失望，但我對於哪怕一次不能和每天早上九點在右轉那個街角出現的女裁縫說句話而感到極大的遺憾。不可能實現的夢想從一開始就阻止我們去接近這個夢想，然而，可能實現的夢想擾亂了我們的正常生活，使我們依賴它的實現。一種夢想獨立存在，而另一種夢想依照可能或不可能發生的事情而定。

這便是為什麼我喜歡不存在的風景和從未見過的、遼闊而空曠的無垠大地。過去的歷史時代完全是一種奇蹟，因為我從一開始就知道，我不能成為他們的一分子。當我夢見不存在之物時，我沉睡；當我夢見可能存在之物時，我甦醒。

正午時分，在空寂的辦公室裡，我斜倚著陽臺的一扇窗戶，眺望著樓下的街道。我的眼睛注意到那些行人的來來往往，我散亂的思緒知道來來往往的行人映在我的眼中，但卻在冥想中太過沉迷，以至於看不到他們。我的手肘費力地扶著（靠著）欄杆，我趴在手肘上昏昏欲睡，強烈感覺到自己一無所知。帶著精神的超然，我看著倉促的行人匆匆壓過街道，寫下了這些細節：貨車上堆著板條箱，倉庫門前放著麻布袋，街角雜貨店最遠的那扇櫥窗邊，葡萄酒瓶閃耀的光芒，我猜想，沒有人能買得起。我的精神放棄了物質層面。我用我的想像力調查。街上匆匆走過的行人總是和片刻之前走過的行人毫無差別，那裡一群浮動的人流，支離破碎的動作，變幻無常的聲音，逝去的事物，彷彿從未發生過。

寫下來，不是用感覺，而是用感覺裡的意識……其他事物的可能性……突然，在我身後，傳來一種抽象的聲音，那個年輕工友突然來了。我有種想殺死他的感覺，因為他闖入我不用思考的世界。我回過頭看著他，沉默中充滿憎恨，潛藏著殺氣，我的心裡已經聽到了他要告訴我這或那的聲音。他在房間那頭對著我笑，用很大的聲音說著「午安」。我像恨這個宇宙一樣恨他……我的雙眼因想像而感到悲痛。

144 對彌撒的回憶

雨下了數日，廣袤無垠的天空重現蔚藍。街上的水坑像鄉村的池塘一樣沉睡，空氣中飄浮著晴朗而涼爽的喜悅，與汙濁的街道形成一種對比，使冬天的沉悶空氣有了春日的氣息。

今天是星期日，我無事可做。今天的天氣如此美好，使我甚至不想作夢。我傾盡所有的真實感覺去享受它，我的智力也屈從了。我像一個自由的店員漫步街頭。我想像自己已經老去，以便能夠找到重返青春的喜悅。

在星期日，寬廣的廣場呈現一派莊嚴氣氛，儼然另一個世界。人們從聖多明我教堂的彌撒走出來，而另一場彌撒即將開始。我看著那些正在離開的人，還有那些還沒走進去的人，因為他們在等還沒到的人，觀察走出來的人。

這一切都不重要。他們和塵世萬物一樣，只是一種蟄伏的神祕和靜止狀態的牆垛，我像一個剛剛抵達的信使，凝視著冥想的開闊天地。

當我還是個孩子時，我常常做這種彌撒，或許那是另一種彌撒，但我想應該就是這種。出於尊重，我穿上僅有的一件好衣服，高興地度過每一分鐘，哪怕沒有什麼特別值得我高興的事情。我活在外在世界，衣服乾淨而簇新。一個即將死去卻一無所知的人，若是被母親牽著手，那麼他還有什麼別的渴望呢？

我曾經享受這一切，但如今我才發現，我有多麼享受它。我像走進一個偉大的奧祕一樣走進做彌撒的人群，最終像進入一片空地似的從裡面走出來。我曾經如此，如今還是如此。這是那個不再有信仰、如今已長大成人的我，我的靈魂在懷念、在哭泣——只不過這個自我是虛構的、迷茫的、痛苦的，並已經死去了。

是的，倘若我想不起自己曾經是什麼樣，這是多麼令人難以容忍。這些陌生人群將要離開彌撒，而另外一些人將要來到。這些將要離開彌撒的陌生人和另一些要做下一場彌撒的人，就像我在岸邊小屋敞開的窗下，在緩緩流淌的河水中漂過的小船。

回憶，星期天，彌撒，曾經存在的快樂和時間停留的奇蹟，而只因它們是我的回憶，將永遠不會被我忘懷……正常感覺的荒謬對角線，廣場四周破舊馬車突然駛過的聲音，嘎吱作響的車輪聲在馬車喧鬧的寂靜中響起，在這母親般矛盾的時光裡，延續到此刻，在此處，在我和我的所失之間，在我身後凝視著的那個我……

145 百萬富翁與小職員

人爬得越高，需要放棄的也就越多。世界的巔峰除了他自己，容不下其他東西。他越完美，放棄的就越徹底；而放棄的越徹底，擁有的就越少。

我讀完一篇報紙上的文章後，產生了這些想法。那篇文章講述了一個名人——一位擁有一切的美國百萬富豪——偉大而多面的人生。他得到了一切渴望得到的東西——金錢、愛情、友情、讚譽、旅行和收藏品。金錢並不能買到一切，但個人魅力使一個人能獲得很多金錢，當然，還有大多數事物。

當我把報紙鋪在餐館的桌上時，我已經在構思一篇類似的文章。文章的焦點縮小到一間公司的業務員。他或多或少算是我的熟人，此刻正像往常一樣，在後面那個角落的餐桌上吃午飯。那個百萬富豪所擁有的——在較小的程度上，那個業務員也擁有，的確，雖然較少，但以他的水準來說也很豐足。他們兩人都同樣成功，名望也沒有一絲差別，此時我必定要在特定的環境下去看待每一個人。在這個世界上，沒有人不知道那個美國百萬富翁的名字，然而，在里斯本的鬧區，沒有人不知道在角落裡吃午飯的那個人的名字。

這些人在他們手臂能夠伸到的範圍內盡可能地獲取一切東西。他們的不同之處就在於手臂的長短，而在其他方面完全相同。我從未能夠嫉妒這類人。我總是感到，美德是在於人的手臂範圍以外的東西、活在人所處之地以外的地方、死後比生前更聲名遠揚、實現不可能之事、一些荒誕不經的事情、就像戰勝一個困難般戰勝世界的一切現實。

如果有人指出，歷久不衰的快樂在人的生命停止之時將歸於零，那麼我首先會說我不確定是否如此，因為我對人類生存的真理無從知曉。其次，未來的名聲帶來的愉悅是一種現世的愉悅——而這種名聲發生在未來。這是一種物質財富無法帶來的、感到自豪的喜悅。這或許是一種幻覺，但不管怎麼樣，要比只欣悅於眼前的快樂要強得多。那位美國富豪不會相信他的後人將欣賞他的詩作，因為他什麼也沒寫下來。那個業務員無法想像未來的人將讚賞他的畫作，因為他什麼也沒畫下來。

然而，在這短暫的一生，我什麼也不是，卻能欣悅於未來的人能讀起這些特別的紙頁，因為我實實在在地寫了下來。我能夠引以為傲——就像父親為兒子感到驕傲——我將擁有名聲，至少我擁有的某些東西能夠為我帶來名聲。一想到這裡，我從桌旁一躍而起，我那無形的、內在的宏偉程度越過了底特律、密西根以及里斯本的所有鬧區。

然而，我並非在有了這些反思後才開始反思。我最初思考的是關於人不得不過著渺小的生活，以便能夠超越這種生活。一種反思和另一種反思不無二致，因為它們一模一樣。榮譽不是一塊勳章，而是一枚硬幣：一面是頭像，另一面是金額。更大的金額要用紙幣而非硬幣，而前者的價值從來都不會太大。

像我一樣卑微的人，用這些形而上的心理學聊以自慰。

146 夢想

有的人在生活中懷著偉大夢想，卻不能實現。而有的人沒有夢想，也同樣不能實現。

147 目標與現實

每一種奮鬥，無論其目標是什麼，在現實生活中總是要有所調整；它變成另一種奮鬥，為另一種目標服務，有時候目標的實現與原定目標完全相反。唯有卑微的目標，因為能被完全實現，故而值得去追求。如果我追求財富，我可以透過某種方法得到；這個目標是卑微的，無論是個人或非個人的，就像所有可量化的目標，它是可以得到且可以驗證的。但是，我如何才能實現為國效力，或豐富人類文化，或改善人性呢？我不確定什麼才是正確的行動路線，亦不確定如何才能證明這些目標已被實現……

148 靈魂與上帝的區別

對於異教徒而言，完人即存在之完人；對基督徒而言，完人即非存在之完人；而對佛教徒而言，完人即虛空。

靈魂與上帝之間的區別便是本質。

人們陳述或表達的一切就是一段筆記，寫在早已被徹底擦去的文字邊緣處。從這段筆記裡，我們可以摘錄出那段文字可能的主旨，然而懷疑始終存在，那文字的意義到底如何有很多可能性。

149 人究竟是什麼

很多人在定義「人」時，常會透過與動物對比來定義人。這便是為何他們在定義人時經常使用這樣的句子，比如「人是一種……的動物」，中間加上形容詞，或者「人是一種動物，這種動物……」，然後我們聽到對人是哪一類動物的解釋。「人是一種病態的動物。」盧梭這一定義部分屬實。「人是一種理性的動物。」教會這一定義也部分屬實。「人是使用工具的動物。」卡萊爾的這一定義同樣部分屬實。但是這些定義，以及其他類似的定義，都多少有些不精準。原因很簡單：要將人與動物區分絕非易事，因為沒有一個可靠的標準來區分。人和動物同樣帶著與生俱來的無意識在生存。主宰著動物本能的基本法則同樣主宰著人類智慧，在生命發展階段不過是一種直覺，和任何其他直覺同樣處於一種無意識狀態，在完全發展前尚未完善。

《希臘詩選》寫道：「一切存在源自非理性。」的確，一切事物都出自非理性。若只論及呆板數字和空洞公式，數學是一門邏輯性很強的科學。但是，其他科學不過是孩子們在傍晚玩的遊戲，是一種抓住飛鳥之影的嘗試，是一種想讓風掠過的草之影停下來的嘗試。

有趣的是，用一個定義真正區分人和動物並非易事，然而，要區分高等人和一般人卻輕而易舉。

在我的早期閱讀時期，我深受反駁宗教的通俗科學和作品所吸引。那時候，我曾經讀過生物學家海克爾[50]的一句話，至今記憶猶新。這句話內容大致如下：高等人（我想他指的是康德或歌德）和一般人之間的差距，甚至要遠遠大過一般人和類人猿的差距。我從未忘記這句話，因為它千真萬確。我在有思想的人之中不過是無名之輩，然而我和一個諾雷斯農夫之間的差距，卻毫無疑問要比他——我甚至不想說是和猴子——和貓或狗之間的差距要大得多。我們都不會比貓多點什麼，我們不能真正主宰強加於我們的生活或命運；我們都來自無人知曉的未知世界；我們是別人身姿的影子、影響的表現、感覺的結果。但是，在我和農夫之間，存在一種品質的差異，這種差異在於我有抽象思維和客觀情感；然而在他和貓之間，只有一種智力和心理上的程度差別。

高等人和低等人及其動物同類的區別之處，僅僅在於具有諷刺意味的簡單特徵。這種諷刺首先表明，我們的意識變得清醒，而它經歷了兩大階段。第一階段以蘇格拉底為代表，他寫道：「我知道我一無所知。」第二階段以桑切斯[51]為代表，他寫道：「我不知道我是否無知。」在第一階段，我們武斷地懷疑自我，每一個高等人都是如此。在第二階段，我們不僅開始懷疑自己，甚至對我們的懷疑也產生懷疑。人類在這雜色斑駁的地球上觀察著日出和黑夜消逝，在這漫長卻還只是一個開端的時光裡，只有極少數人才能認識到這一點。

認識自己意味著犯錯。要完成阿波羅神諭所提出的任務「認識你自己」，比完成海格力斯[52]的偉大業績還要艱辛，甚至比解開人面獅身獸的謎語還困難。唯一方法就是有意識地不去瞭解自己！而認真地不去瞭解自己便是這個有諷刺意味之事的任務所在。對於真正偉大的人來說，比起耐心地將自己對自己無知的分析娓娓道來、對自己意識狀態下的無意識進行有意識的記錄、對自我陰影進行形而上的分析，以及寫下幻滅的黃昏之詩，我想不出還有更偉大、更值得去做的事情。

但有些事情總在困擾我們，有些分析總是混沌不明。真理——縱使是錯誤的——總在下一個角落等著我們。這便是真理比生活（當生活令我們厭倦）、知識和對生活的觀照（這兩者總是令我們厭倦）更令我們厭倦的原因。

我從椅子上站起來，神思恍惚地倚著桌子，從筆下這些表達怪異的敘述中獲得愉悅。我站起來，撐著身子，向高過周圍屋頂的窗戶走去。窗外，城市在緩緩沉入的寂靜之中漸漸入睡。大而皎潔的月亮黯然勾勒出對面高低各異的樓房。如霜的月色似乎吐露出整個世界的奧祕。它似乎要將一切展現，一切只是與朦朧月光交織而成的影像，虛幻而錯落有致，與有形世界形成矛盾。無風之下，世界越發顯得神祕。我的抽象思考令我感到不舒服，我不再寫任何東西來闡明自己或闡明任何其他東西。一絲雲彩朦朧飄過，月亮像受到庇護。我像這些屋頂一樣無知，像自然的一切一樣失敗。

50 海克爾（Wrnst Heinrich Haeckel，一八三四～一九一九年），德國生物學家和哲學家。佩索亞在個人藏書裡有四本海克爾的著作（法譯本），包括《Riddle of the Universe》（一八九九年），提出世界的唯物主義觀點。

51 桑切斯（Francisco Sanches，一五五一～一六二三年），葡萄牙的醫師和哲學家，生平大多住在法國。他最重要的著作《這是未知的》（Quod nihil scitur），系統性地採用了懷疑論，認為知識本身無法獲得。

52 海格力斯（Hercules），希臘神話中最著名的英雄之一。主神宙斯與阿爾克墨涅之子，因其出身而受到宙斯的妻子赫拉的憎惡，後來他完成了十二項被譽為「不可能完成」的偉績。

150 荒謬的意識

對於人類在智力偽裝下持續本能的生活這種現象，我不斷深思。對我來說，意識的虛假偽裝僅僅凸顯了無法偽裝的無意識。

人類從生到死都不過是外在世界的奴隸，而這種外在世界同樣支配著動物。人的一生談不上是活著，他像植物一樣生長，比動物更強大、更複雜。他遵循各種規範，並對此渾然不覺，甚至不知道這些規範的存在。他的一切思想、感覺和行為都出自於無意識——並非因為沒有意識，而是因為沒有兩種意識。

意識一閃而過，我們發現自己活在幻想中——由這種意識，而非其他，區分出人類的最偉大。

我心神恍惚地思考著普通人的普通歷史。我看見他們是如何在一切事物中淪為潛意識性情、外在環境、社會和反社會推動力的奴隸，他們像瑣細物件一樣跟隨著它們、在它們的內外互相碰撞。

我常常聽到人們說起同樣的老話，這些話象徵著一切荒謬、一切虛無和對他們無知一生的一切描述。關於物質享受，他們常常引用一句話：「這便是我們從生活中得到的……」從哪裡得到？如何得到？為什麼得到？用這些問題將他們從無知中喚醒，無疑是令人悲傷的……只有唯物主義者才會說出這樣的話，因為任何一個說這種話的人都是一個唯物主義者，不論他是否知道。他打算從生活中獲得什麼？如何獲得？他將從哪裡獲得帶骨豬排、紅酒和女性友人？他將走向什麼樣的極樂世界（他並不相信極樂世界）？他將在什麼樣的塵世腐爛（而那是他這一生的潛在本質）？我想不出什麼話能夠比這句話更令人悲傷、更能揭示人類的人性。如果植物知道自己在享受陽光，它會這麼說。如果動物的自我表達能力毫不遜色於人類，牠們會說起牠們的夢遊之樂。或許，甚至於我，當我帶著模糊印象寫下這些話時，設想我的寫作過程留下的回憶便是我「從生活中得到的東西」，那麼它們或許就延續了下去。就像被掩埋進普通土壤的普通屍體，我所寫下的散文同樣留下毫無用處的殘骸，等待著被掩埋進普通的遺忘中。一個人的帶骨豬排、紅酒和女性友人——我憑什麼能夠取笑他們？

同樣無知的手足情誼，相同血脈的表達差異，相同遺傳的不同形式——誰又能拒絕承認它們？我們可以拒絕承認一個妻子，卻無法拒絕承認我們的母親、父親和兄弟。

151

夜色徜徉

窗外，月光緩緩流淌的夜裡，什麼東西在風的吹動下輕輕擺動，投下晃動的影子。或許那只是樓上晾著的衣服，但影子並不知曉自己來自於那些襯衫，它們靜靜地跟隨其他影子一起晃動。

我讓百葉窗開著，以便能早些醒來。但直到此刻，我既無法入睡，又不能完全醒著。夜已深，聽不到半點聲音。在我房間的暗影之外，月光將一切籠罩，但卻不是從窗戶照進來的。它像一個空洞的銀色白晝。我在床上可以看見對面樓宇的屋頂，就像泛黑的白色液體。月的耀眼光芒包含一種悲傷的寂靜，就像對某個無法聽見的人說著崇高的賀詞。

我不看，不想，我閉上雙眼，進入不存在的睡眠。我思考能真切描寫月光的詞語。古人會用銀色或白色來形容。但這種假定的白色其實包含多種顏色。如果我下床到窗前，透過冰冷的玻璃窗，我知道我會看見月光在孤寂的高空中泛著灰白，藍裡透著柔和的黃。透過各式各樣、深淺不一的屋頂，月的黑白沐浴著柔和的樓宇，在最高的棕紅陶土瓦頂流動著無色的色彩。而在街道盡頭——一個沉寂的深淵，鋪著大小不一、形狀各異的光滑鵝卵石——那裡的月光泛起一種藍，這種藍或許來自石子的灰。在地平線的深處，月光一定是深藍，但這種藍與高空的深藍不一樣。觸及窗戶的月光，呈現出一種黑黃。

從床上，我睜開睡意頗濃卻未能入眠的雙眼，看見月光像變色的雪，浮動著暖暖的珍珠母線條。倘若我帶著感覺繼續思考，那麼它是一種漸入白影的單調，顏色漸深，就像我的眼皮正緩緩將這朦朧的白蓋上。

152 我無法寫作

每次完成一篇作品，我都會覺得震驚，震驚且沮喪。我的完美主義天性妨礙我去完成它，甚至從一開始就在妨礙我寫作。然而，我竟然分了神，並開始寫作。我能完成並不是意志力起了作用，而是意志力在繳械投降。我動手去寫是因為沒有力量去想；我寫完是因為沒有勇氣去放棄。這本書代表著我的怯懦。

我常常打斷思路，插入一段風景描寫，在某種程度上它切合了我印象裡真實或想像的內容結構，究其原因，是因為風景是一扇門，透過這扇門，我從缺乏創造力的自我意識中逃脫出來。這本書裡的文字是我與自己的談話，在進行這些談話時，我突然感到一種想與別人交談的願望。於是，我朝那些光線致意，它們此刻懸浮在因潮濕而顯得黯淡無光的屋頂上。或者，我轉向那些市郊的山坡，山坡上高大而隨風輕搖的樹看似近到不可思議，彷彿正在默默地倒下。或者，我轉向那些貼滿重疊海報的高大房屋，它們用窗戶與外界交流，落日的餘暉將那些還未乾透的膠水鍍成金色。

如果我不能寫得更好，為什麼我還要寫？但如果不寫下我能寫的，無論我寫得有多差，或許差到與我不相配，我會變成怎樣？就抱負而言我是一介俗人，因為我努力去完成；就像有些害怕暗室的人，我害怕沉默。我和那些更看重勳章而非獲得勳章過程的人沒什麼不同，我享受制服的金色飾帶上閃現的榮光。

對我而言，寫作是一種自嘲，但我無法停止寫作。寫作就像我憎惡卻不能不一直吸食的毒品，是我既鄙夷又依賴的癮頭。有些毒藥必不可少，其中有一些含有非常稀少的靈魂成分、從夢的廢墟中採集來的草藥、在我們意願的墳墓附近發現的黑色罌粟以及卑汙之樹（它的枝幹在靈魂冥河回音繚繞的河岸邊搖擺）的長葉。

是的，寫作就是失去自我，但每個人都會失去自我，因為一切都會失去。然而，我失去自我時感覺不到任何喜悅——不像注定要流入大海的河流，而像那些大浪打過後沙灘上留下的小水窪，蓄積的水只會滲進沙裡，永遠不會再回到大海。

153 受累於感覺

我費了極大努力才從椅子上站起來，但我的感覺將我沉沉拖住，因為它是一張主觀的椅子。

154 我是一種感覺

對我自己而言，我是誰？這只是我的其中一種感覺。

我無助地看著心靈之水漏盡，像一個壞掉的水桶。思想？感覺？當一切都被限定時，這是多麼令人厭煩的事情啊！

155 寫作，我的白日夢

有些人工作是因為無聊，同樣，有時候我寫作是因為無話可說。當人們什麼也不想時，自然會作白日夢。而我的白日夢就是寫作，因為我知道如何用散文作夢。我有很多真誠的感覺，其中很多真摯情感是從我的無感覺中提煉而出。

有些時刻，活得空虛的感覺會達到一致性的積極。對於行動派的偉人，也就是說聖徒們，他們的行動會傾注所有而不是部分情感，這種生命虛無的意識將走向無窮大。他們給自己冠以黑夜和星辰，塗以靜默和孤獨的聖油。而對於非行動派的偉人，也就是卑微的我所屬的這類人，這種虛無感同樣會走向無限小。感覺就像橡皮筋，被拉扯到一定程度，就會暴露出它鬆弛且並不能無限拉伸的細孔。

在這樣的時刻，這兩種人同樣喜歡睡覺，和不行動或行動的一般人睡得一樣多，這僅僅反映了人類物種相通的存在。睡眠是與上帝的融合，或者可稱之為涅槃，或者隨便稱作什麼。睡眠是分析感覺的緩慢過程，無論是被用於靈魂的原子科學，或是留給讓我們打盹的音樂，睡眠是單調而節奏緩慢的拼字遊戲。

在寫作時我會斟酌字句，就像站在櫥窗前卻對裡面的東西視而不見，留下來的只是模糊的意義和模糊的表達，就像我無法真正看清織品的顏色，像不知用什麼東西組成的、擺放協調的展示品。在寫作時我搖晃自己，像一位發瘋的母親搖晃她死去的孩子。

有一天，不知道是哪一天，我發現，顯然從我出生之日起，我便在這個世界上毫無感覺地活著。當問起我在哪裡時，每個人都在誤導我，而且他們又互相矛盾。當問起我應該做些什麼時，他們又都說假話，而且每個人的說法都不一樣。當我迷惑不解地在路上停下來時，每個人又因我不繼續走向沒人知道的地方或往回走而感到吃驚——我在十字路口醒過來，不知道自己從何而來。我看見自己站在舞臺上，但我不知道自己扮演什麼角色，因為每個人都在飛快地念臺詞，他們也不知道自己扮演什麼角色。我看見自己穿著侍從的服裝，但他們沒有給我女王去服侍，然後責怪我沒有去服侍女王。我看見手上有張傳訊的紙條等著我去遞送，當我告訴他們那是一張空白紙時，他們就取笑我。我仍然不知道他們取笑我是否因為所有紙張都是空白紙，或者，因為所有資訊都需要去猜出來。

最後，我在十字路口的大石頭上坐下來，像坐在從未擁有過的壁爐前面。然後，我開始獨自一人用他們給我的謊言摺紙船。沒人會相信我，甚至不相信我是騙子，沒有湖可讓我驗證我的真話。

迷失的閒語，隨意的隱喻，被隱隱的憂慮附在陰影上……在我叫不出名字的花園小徑度過的殘餘的美好時光……熄滅的燈，它在黑暗中閃動的金色光芒紀念逝去的光明……不是拋向空中而是拋在地上的詞語，從軟弱無力的手指滑落，像枯萎的樹葉從無形的大樹上飄落……懷念不知名農莊裡的水池……從心底思念從未發生過的事情……

活著！活著！至少我希望能夠在普羅塞耳皮娜的[53]死神之床酣睡。

156 靈魂的迷失

是什麼樣的專橫女王，站在她的池塘邊，控制著我破碎生活的回憶？我是一個侍童，站在綠樹成蔭的路旁，對我沉鬱平靜的翱翔時刻來說，這還不夠。遠處的船晝出海的完整和我的露臺，我的靈魂迷失在朝向南方飄移的雲朵中，像滑入水中的船槳。

157 內心的國家

我在內心創造一個國家，這個國家有政治、黨派和革命。讓自己成為它的整體，成為它的每一個部分，成為這個真正有泛神信仰的人民所崇拜的天神，成為人民的身體和靈魂的實質和活動，成為他們踐踏的全部土地和行為！成為一切，成為他們卻又不是他們！啊，這仍然是我遙不可及的夢想之一。如果我已實現這個夢想，或許我就要死去。我不確定為什麼，但是，一個人倘若對上帝犯下如此嚴重的褻瀆行為，並且篡奪了祂無所不能的神聖權力，這個人似乎就不該活了。

如果我能創立一個感覺的耶穌教派，那該是多大的喜悅！

有些隱喻比街上的行人更真實，有些隱藏在書裡的人物形象比許多男女活得更鮮明。有些文學作品裡的語句帶著明確的人性。我的作品中有些章節使我不寒而慄，我如此真切地感覺到它們是人，在黑夜的暗影裡，它們映在我房間牆上的輪廓是如此清晰……我寫過的一些句子，無論大聲或輕聲讀出來（不可能將它們的聲音隱藏起來），只能成為具有絕對外在性和完整靈魂的東西。

為什麼有時候我會列舉出一些相互矛盾、互不相容的作夢方法和夢的學問呢？或許因為我慣於視假若真，將所夢見的當作親眼所見，以致失去了人類辨別真假——我相信是假的——的能力。

對我而言，只要用我的視覺、聽覺或任何其他感覺，就可清晰地感知事物，並辨別出其真假。甚至我能夠同時感知兩種在邏輯上不能共存的事物。這無關緊要。

有些人長期苦於不能成為畫中的人物或穿上一副牌裡的裝束。有些靈魂苦於不能活在中世紀，彷彿這是一個神的詛咒。我曾遭受過這類痛苦，但如今不會了。我已超越這個層次。

53 普羅塞耳皮娜（Proserpine）是豐收女神的女兒，當冥王普洛托把她帶走並娶她為妻後，她成為地獄的女神。

但令我傷感的是，我不能夢見自己是，比方說，不同時空不同宇宙裡不同王國的兩個國王。無法作這樣的夢真是令我傷心。這種打擊就像飢餓來襲。

在夢裡目睹不可思議的景象，是我這類高等夢想家的偉大勝利之一，而這類目睹也絕少實現。比方說，夢見自己同時、分別而又各自成為在河邊散步的一男一女，看見自己同時以同一種方式、同樣精準而又互不重疊、相等而又彼此分開地融入兩個事物——比如南太平洋的一艘意識之船和一本舊書裡的一頁。這似乎是多麼的荒謬！然而，一切皆荒謬，唯有作夢最不荒謬。

158／一場夢

一個像狄斯[54]一樣使普羅塞耳皮娜著迷的人，即使是在夢裡，一個塵世的女人的愛，除了是一場夢，還能是什麼呢？

像雪萊[55]一樣，我愛時間出現以前的純粹女人；現世的愛情太單調，只會使我想起我失去的東西。

159／睡眠的讚歌

我的兩次青春期——我感到它們如此遙遠，彷彿在讀起或傾聽別人的故事——我享受這種墜入愛河的屈辱悲傷。我站在現在這個有利位置，回顧過去，這種過去我不能再把它稱作「前一陣子」或「最近以來」，我想，好在這種幻滅的體驗過早地發生在我身上。

除了感覺的變化，什麼也沒發生。表面上說，一大批人遭受了同樣的精神折磨。但是……

透過這種同時包含了感覺和智識的體驗，我很早就發現，儘管這種虛構的生活看似有些病態，但正適合我這類人的性格。我想像中的故事（正如事態的進一步發展）或許使我厭倦，但它們並沒有傷害或羞辱我。不真實的情人不可能會欺騙我們，對我們假笑，或者在和我們愛撫時暗藏算計。他們絕不會拋棄我們，也不會死亡或消失。

靈魂的強烈焦慮常常成為宇宙的大災難，翻攪著我們周圍的星辰，使太陽也偏離了軌道。一切靈魂都感覺到，命運遲早會終結焦慮的天啟，悲傷將從所有的天堂和世界傾瀉而下。

你覺得自己出眾，卻被命運當作極其低劣、無可救藥的次級品——在這種困境下，你還能因為自己是人類而吹噓嗎？

如果有一瞬間，我獲得了強烈的表達能力，所有的表達藝術都集中在我身上，那麼我會寫一篇關於睡眠的讚歌。我知道，在生活中，沒有什麼比能睡著更令人愉快。對生命和靈魂的扼殺，對一切存在和人類的完全放逐，沒有回憶或幻覺的夜，沒有過去和未來……

54 羅馬人有時把冥神普洛托翻譯成狄斯（Dis）。

55 雪萊（Percy Bysshe Shelley，一七九二～一八二二年），英國浪漫主義詩人。

160 荒謬的革命與改革

整整寂寥的一天，天空飄浮著散亂的陰雲，這一天充斥著革命的消息。無論這類消息是真是假，都令我有種特別的不安，一種混雜著輕蔑和不適的感覺。當有人認為可以透過政治鼓動來改變一切，這簡直激怒了我的智商。對我來說，無論何種類型的暴力，都不過是人類的愚蠢本質一種聲名狼藉的表現形式。其實，所有革命者和改革者都一樣愚昧，儘管後者程度略輕——因為他們會少一些挫敗。

革命者或改革者——犯下的錯誤都一樣。他們都無法主宰和改變自己對生活的態度，這是他們的一切。他們亦無法主宰和改變自身存在，這幾乎是他們的一切。他們逃離自身，致力於改變他人和外在世界。每個革命者和改革者都是一個逃亡者。為改變而戰鬥意味著無力改變自我。改革意味著無可救藥。

一個思想敏銳、坦誠正直的人，倘若要關切世界的邪惡和不公，他自然會從近在咫尺的源頭來消除它們，而這個源頭就是他自己。他將終其一生實現這個任務。

對我們而言，一切事物存在於我們對世界的觀念之中。改變世界觀念，意味著改變我們的世界，或者說單純地改變觀念世界，因為對我們而言，世界從來就只是我們觀念中的世界。我們將內在正義凝聚於筆下，寫下這流暢而美麗的紙頁，這就是啟動我們麻木感覺的真正改革——這些才是真理，我們的真理，唯一的真理。世上的其餘一切都是風景，是框定我們感覺的畫面，是束縛我們思想的書籍。無論風景裡是五彩繽紛的人或物——田野、房屋、海報、服飾——或黯淡無光的單調靈魂（那些靈魂有陳腐的語言和姿勢，偶爾出現在這個世界上），一切都將沉入人類自我表達中最根本的愚蠢。

革命？變化？我的全部心靈最為嚮往的，是厚重的烏雲不再布滿天空。我想要看到的，是湛藍的出現，那是一個清晰而明確的真理，因為它什麼也不是，什麼也不需要。

161

約束和欺騙

沒有什麼比「社會責任」這個詞更使我心煩的了。「義務」一詞就像個不速之客一樣令人討厭。不過，「公民義務」、「團結」、「人道主義」和其他類似的詞語，像從窗戶扔到我頭上的垃圾一樣令人生厭。我反感這些隱含的假設，就好像這些詞語表達出來的東西和我有關，我應該發現它們有價值，甚至有意義似的。

最近，我在一家玩具店的櫥窗裡看見一些物品，恰好使我想起這些詞語所表達的東西：一個玩偶的迷你餐桌上，擺放著模擬餐具，裡面裝滿了模擬食物。對於一個真實的、世俗的、自負而又自私的人來說，他因為具有談話天賦而成為別人的朋友，因為具有生存天賦而成為別人的敵人，而對著玩偶說一些空洞、毫無意義的話時，我們可以得到什麼呢？

政府建立在兩種事物的基礎上：約束和欺騙。那些冠冕堂皇的詞語存在的問題是，它們既不是約束，也不是欺騙。它們最多不過是蠱惑了別人。

如果我有什麼討厭的人，那就是改革者。改革者看到了世界上各種表面的弊端，並打算使一些更基本的問題惡化，藉此解決它們。醫師試著按照一個健康正常人的標準來為病人治療。但在社會領域中，我們不知道什麼是健康的，什麼是病態的。

在我眼裡，人類不過是裝飾畫裡的一種最新的自然物種。我找不到一種根本途徑去區分人和樹，我自然會看誰更具有裝飾性，誰更吸引我思考的目光。如果對我來說，樹比人更有趣，那麼樹倒下和人死去，前者會更令我傷心。夕陽西沉和孩子夭折，前者會更使我難過。我使自己的感覺獨立於事物之外，以便能夠去感受。

微風從午後的深處拂過，開始泛起一些色彩，在這樣的時刻，我寫下這些粗略的反思，對此，我幾乎就要自責起來。事實上，這不是微風呈現的色彩，而是它不情願掠過天空時，天空呈現的色彩。然而，我彷彿覺得這就是風的顏色，這就是我要說的，如果我就是我，那麼我不得不說出我的感受。

162

無懼

生活中一切不愉快的經歷——當我們愚弄自己，草率行動，或不得不遵守美德時——這些經歷應當被看作純粹的外在事件，不會影響到靈魂的本質。我們應當把它們看作生活中的牙痛或老繭，這些東西雖然會使我們心煩，但只是停留在我們的外在表面（儘管也發生在我們身上），或者只需要為了我們的生物存在去考慮，或者只需要因為我們的生命機能去擔心。

當我們達到這種態度，這也正是神祕主義者的實質所在，那麼我們不僅免受世界之害，還能免受自我之苦，因為我們所征服的是異物，和我們相矛盾，與我們不相關，所以是我們的敵人。

賀拉斯說過[56]，正直的人應該保持無懼，哪怕這個世界要摧毀他。這種畫面很荒謬，但這個觀點是有效的。儘管我們假裝被摧毀（因為我們和別人共存），我們仍應當要保持無懼——並不是因為我們正直，而是因為我們是我們自己，成為自己意味著與將我們摧毀的外在事物無關，儘管他們正好凌駕於我們之上。

對於一個傑出的人而言，生活應當是一個摒棄對抗的夢。

163 真實的危險不值得感受

對於那些沒有任何想像力的人而言，直接經驗是一種逃避，或者是避難所。一個人在獵殺老虎時遇到了危險，讀到這裡時，我覺得除了真實的實體危險，一切危險都值得我們去感受。真實的實體危險不值得去感受，是因為它消失時不會留下一絲痕跡。

行動者不知不覺就成了理性者的奴隸。事情的價值取決於對它們的解釋。某些人做出行動，而另一些人給予解釋，將它們帶入生活。敘述就是創造，生活不過是被生活。

164 想像與渴望

無為構成了萬物。無為給予我們一切。想像便是一切，只要不朝著有所為的方向想像即

56 出自賀拉斯《頌歌集》第三卷第三首。

可。只有在夢境裡，人們才能成為世界之主。而我們每一個真正瞭解自己的人都希望成為世界之主。

想像便是寶座，但不要付諸行動。渴望便是王冠，但不要欲壑難平。放棄了，便擁有了，因為借助於並不存在的陽光，或不曾出現的月光，我們原封不動地將之封存在我們的夢境中，恆久不變。

165 遠方的風景

不管我喜不喜歡，除我靈魂以外的萬物，對我而言不過是風景與裝飾。透過理性思考，我可以認識到一個人便是一個鮮活的生命，如同我一樣；但對於我那真實且無意識的自我而言，一個人的重要性永遠也比不上一棵樹，如果這棵樹更美麗的話。那就是為何我總把世事——即歷史慘劇或歷史事件——看成是五顏六色的飾帶，那上面刻畫的人物都沒有靈魂。對於在中國發生的所有悲劇，我從不曾想第二次。那只不過是遠方的風景而已，即使那風景是由鮮血與疾病畫成。

帶著諷刺的悲傷，我記起曾見過的一次工人遊行，他們大聲疾呼，付出的真誠我已無法計數（因為我發現很難承認，潛藏在眾人努力中的真誠是唯一有能力感覺的存在）。他們人擠人，吵吵鬧鬧，是一群充滿生氣的白癡，呼喊著各種事情從我身邊走過，而我對外界根本漠不關心。我立刻感覺到了厭惡。他們甚至不夠髒。那些真正承受痛苦的人並沒有匯聚成群，或如同烏合之眾一樣四處飄蕩。那些承受著痛苦的人，只會獨自一人品嘗痛苦的滋味。

多麼可悲的一群人啊！他們多麼缺乏人性，也從不曾感受過真正的痛苦！他們是真實的，因此令人難以置信。從不曾有人把他們寫入小說，就連將之當成描述性的背景也不曾有過。他們走過，如同漂浮在生命之河的垃圾，看著他們經過令我反胃，同時感到一種深刻的困倦。

166 感覺的奴僕

若我仔細思考人類的生活，我根本就找不到與動物的生活有任何差別。在不知不覺的狀態下，透過萬物和這個世界，人和動物都被無意識地丟來擲去；兩者都擁有閒暇時刻；兩者都擁有如日復一日重複完全相同的有機迴圈；兩者在框架中思考，在框架中生活，從不曾有所超脫。一隻貓在陽光下打滾，然後睡著。人類在生活中打滾，紛繁複雜，然後睡著。你是誰，便是誰，沒有人能擺脫這道命運的枷鎖，也沒有人能夠掙脫生命的重擔。最偉大的人鍾愛榮耀，這榮耀並非個人的不朽，只是一種抽象的不朽概念而已，他們不必親自參與其中。

這些想法經常出現在我的腦海裡，我心中因而對一種我天生憎恨的人產生了羨慕。我指的是神祕主義者和禁欲主義者——西藏的隱士，還有在柱子上祈禱的隱士西門．史坦拉[57]。儘管有些荒謬，這些人確實在嘗試逃脫動物界的法則。儘管行事瘋狂，他們確實在抵制生活

57 西門．史坦拉（Simeon Stylites）西元四世紀時知名的基督教禁欲獨修者，他在一根柱子上修道了三十多年，靠門徒以吊籃遞食物給他吃。

的法則，其他人在生活法則裡的陽光下打滾，等待死亡，卻從不思考。他們真的在尋找，即使是在一根柱子之上；他們心有嚮往，即使是在黑暗的修道院單人小室之中；他們對未知充滿渴望，即使注定要為此承受苦難並為之犧牲。

而我們其餘這些人則在紛繁複雜之下過著動物的生活，如同那些沒有一句臺詞、在臺上走來走去的龍套角色，卻因為可以上臺享受那華而不實的莊重而心生滿意。狗與人，貓與英雄，跳蚤與天才──我們都在星空下那巨大的寂靜中揮霍著生命，而從不曾對其思考（我們之中最優秀的人也只是為了思考而思考）。其他人──即承受痛苦且獻出生命的神祕主義者──在他們體內以及他們的日常生活之中，至少可以感覺到那神祕魔幻一般的存在。他們擺脫了，因為他們抵制那看得見摸得著的太陽；他們無所不知，因為他們清空了自己的內心，世界乃一片虛無。

說起他們，我幾乎感覺自己也變成了一個神祕主義者，雖然我知道，當我產生奇思幻想時寫下的文字是我永遠無法超越的。我永遠屬於道拉多雷斯大街，和所有人一樣。在詩歌或散文之中，我永遠都是個小職員。不論是不是神祕主義者，本土與否，順從與否，我永遠都是我感覺的僕從，永遠都是那些特別時刻的僕從。在寂靜無聲的巨大蒼穹之下，我永遠都是莫名其妙儀式中的侍童，在生活中偶爾穿著盛裝，執行步伐、手勢、姿態和表情，卻不明白為什麼，一直等到盛宴結束才能停止我在其中的角色，有人告訴我花園後面有很多大帳篷，我可以在那裡招待自己一些美食。

167 逃離自我

那些日子，一切事物以單調壓抑著我，我有如入獄。然而，那種單調不過是我自己的單調。縱使是昨天見過的每一張臉，今天都完全不同，因為今天不是昨天。每一天都是獨特的，世界上絕無與之相同的另一天。唯有我們的靈魂認定——發自內心卻並不正確地認定——一切事物歸於同一和單一。世界由各種參差不齊、各具特色的事物構成，然而，我們的近視使我們看到的不過是一片連綿不斷、模糊難辨的迷霧。

我想要逃離，逃離我的所知、我的所有、我的所愛。我想要動身，不奢望去遙不可及的印度，不奢望去南部大洋的大島，只是想去任何地方——村莊或荒原——只要不是留在這裡。我不想再見到這些從未改變的臉孔，不想再走這條路，不想再過這樣的生活。我想卸下這根深柢固的偽裝，以獲得休息。我想要睡意襲來的感覺，以此成為我的生活而非休息。臨海的一間小屋，甚至崎嶇山坡上的一個山洞都可以滿足我，但很不幸，我的意志卻不能。

奴役是生活的唯一法則，芸芸眾生必會服從：我們無從反抗，亦無處可逃。有的人天生為奴，有的人後來成為奴隸，還有的人則是被迫為奴。我們對自由懷有一種缺乏勇氣的愛戀——如果自由降臨，我們避之不及、無所適從——這足以證明我們的奴化思想有多麼根深柢固。就我而言，我剛剛提到自己渴望一間小屋或一個山洞，在那可以擺脫一切單調，這種單調實為我自身的單調——如果經歷告訴我，單調源於我自身，將永遠伴隨於我，我還敢住進那間小屋或山洞嗎？我在我所在之處感到呼吸侷促，因為我——如果問題出在我的肺，而不是周圍環境，我的呼吸在何處才能得到改善呢？我渴望見到純淨的陽光、開闊的田野、一覽無遺的海洋和連綿的地平線——我在習慣了新床和新的食物後，難道就不會走下八道樓梯來到街上，不會跨進街角的菸草店，不會對站在店外的理髮師問候早安了嗎？

周圍的一切成為我們的一部分，滲透著我們的身體感覺和對生活的感受，就像巨大的蜘蛛之神，用吐出的黏液將我們緊密而細緻地捆綁住，然後裹進在風中搖擺的柔軟絲網，以便我們慢慢死去。一切就是我們，我們就是一切，但如果一切都是虛無，那麼還有何意義呢？一抹烏雲的陰影暗示著陽光的散去，一陣微風吹起，當它平息下來，寂靜隨之而來，一張或另一張臉孔，一些聲音，偶爾泛起女孩們的談笑聲，然後夜空被毫無意義、如殘缺象形文字般的群星點綴。

168 膽小鬼

……我是個膽小鬼，憎恨生活，懼怕死亡，已經為此著了魔。我害怕那死亡的虛無變成其他，我懼怕死亡既是虛無也是其他，彷彿恐怖與虛無可以在那裡同時存在，彷彿我的棺材會困住肉體的、靈魂的永恆呼吸，彷彿不朽會被界限約束。只有撒旦的靈魂才會想出地獄這個概念，而對我而言，地獄的概念來自於混亂——是兩種不同的恐懼混合而成的產物，這兩者互相矛盾，互相汙染。

169 重讀我的作品

我一頁一頁地將自己寫下的所有東西慢慢地、清楚地重讀了一遍。我發現，我寫下的這一切毫無價值，我情願不曾寫過。我們完成一件事，無論它是一個帝國或一項判決，都含有現實事物中最糟糕的一面（因為它們被我們完成）：即它們易朽的事實。當我在閒暇時刻重讀這些紙頁時，發現它們並未使我感到擔憂，也沒有令我感到悲哀。我的悲哀在於，這些東西不值一寫，我耗費時間得來的，不過是一場如今已支離破碎的幻覺，儘管曾經值得一寫。

無論追逐什麼，我們的追逐都是出於野心。但是，要麼是我們可憐到從未實現過野心，要麼是我們實現了野心，從而成為富有的傻瓜。

令我悲哀的是，我寫得最好的部分都很糟糕。我料想其他人（如果他真實存在）一定能把它寫得更好。我們在藝術或生活中所做的一切，不過是對想像之物的不完美複製；它既沒有達到本應達到的標準，也沒有達到能夠達到的標準。我們內外皆空，成為期望和實現的失落者。

是多麼孤獨的靈魂，使我一頁又一頁地寫下這孤單，一個又一個音節地在虛幻的魔法中活下去？不在於我寫下什麼，而在於我以為我在寫些什麼！諷刺的是，就像被巫師施了巫術，我把自己想像成詩人，靈感如泉水般湧向我，以致手甚至來不及寫下，如同對生活的侮辱還之虛幻的報復。而在今天的重讀之下，我看見自己的玩偶被撕毀，稻草從被撕開的縫合處露出來，裡面已被掏空，甚至還沒被……

170 雨季已過

最後的雨季轉移到南方，只留下趕走它的風，接著，明媚的陽光重新照在城市的山崗上，五顏六色建築物的高層窗外，洗過的白色衣物開始出現，在欄杆之間的晾衣繩上隨風擺動。

我也感到快樂，因為我活著。我懷著偉大的目標離開租屋，而這個目標不過是準時趕到辦公室。但是，在這不同尋常的一天，強制生活分享了另一個完美的強制，使太陽按照天文曆法在指定時間照射在地球上某個經緯度的地方。我快樂，因為我無法感到不快樂。我無憂無慮、滿懷把握地走在大街上，因為我的辦公室和同事們終究是確定存在的。我感到自由也不足為奇，但這種自由感從何來而我一無所知。普拉塔大街的路旁，攤販叫賣的香蕉在陽光照耀下的籃子裡顯得格外黃燦。

我確實很容易滿足：雨停了、燦爛的陽光照耀在快樂的南邊、香蕉的黑斑使其越發顯得燦黃、攤販的叫賣聲、普拉塔大街的路旁、路盡處抹上金綠色彩的藍色塔古斯河，天地間這塊熟悉的角落。

將來有一天，當我再也看不見這一切，我要靠路邊的香蕉、精明女攤販的叫賣聲，和對面街角那個男孩的報攤活下來。我知道，那是另一些香蕉、另一個女攤販，那些彎腰看報紙的人將看到不屬於今天的日期。但是它們，因為沒有生命，以其他身分延續，而我，因為有生命，將不得不離開世界，儘管我還是我。

我只要買一些香蕉，就可輕易記住這一刻，因為今天，所有的陽光似乎都像無源頭的探照燈一樣聚焦於它們。但禮儀、象徵或在街邊買東西都令我為難。他們可能不會將香蕉包好，抑或可能見我不知道怎麼買而不用合適的方式賣給我。他們可能會發現我問價錢的聲音有些奇怪。寫下來要比挑戰生活好得多，儘管這個挑戰僅僅不過是在陽光下買些香蕉，只要陽光一直照耀，那裡就一直有香蕉可賣。

或許過一陣再買吧……是的，過一陣……或許，下一次……或許不……

171 愚笨中的智慧

大多數人以愚笨的方式度過他們的生活，而更令我驚訝的，是愚笨中的智慧。

表面看來，普通生活的單調極其可怕。我在這家簡易餐館吃午餐，看見櫃檯後面廚師的身影，還有餐桌旁為我服務的老服務生。我相信，他在這家飯店裡當服務生已有三十個年頭了。這些人過著一種怎樣的生活？那個廚師在廚房裡做了四十年，每一天的大部分時間都耗在廚房裡。休息時間不算很多；他相對來說睡眠很少；他偶爾回一趟老家，然後毫不猶豫地回來，絲毫不感到後悔；他慢慢地存著微薄的薪水，也不打算花掉這些錢；如果不得不從廚房退休，他將病倒，並住進他在加利西亞購置的一小塊地方；他在里斯本待了四十年，從未到過羅托納達[58]，也沒有去過戲院，只去過圓形大劇場看過一次馬戲團表演，裡頭的小丑至今仍刻在他的生命深處，歷久彌新。他結過婚——怎樣結的婚或為什麼結婚，我一無所知

58 羅托納達（Rotunda），里斯本環繞龐巴爾侯爵廣場的一條大街。

——他有四個兒子和一個女兒，他的身子衝著我的方向斜靠著櫃檯，他的微笑傳達了一種巨大、莊重、心滿意足的快樂。他沒有矯揉造作，也沒有理由矯揉造作，如果他感到快樂，那是因為他真的快樂。

那個剛剛端給我咖啡的老服務生又怎麼樣呢？他曾數以萬次將咖啡端上顧客的餐桌。他活得與那個廚師無異，唯一的區別就是他工作的餐廳和廚師的廚房之間隔著十五或二十呎。他們各自履行各自的職責。至於其他，那個服務生只有兩個兒子，他經常去加利西亞，比廚師更瞭解里斯本，瞭解波多（他在那裡待過四年），他同樣是快樂的。

在思考這些人的生活全景時，我感到不可思議。但是，在我感到恐懼、悲哀和憤慨之前，我突然想到，這些並不感到恐懼、悲哀和憤慨的人——換句話說，這些過著這種生活的人，恰恰是最有權利這麼做的人。文學想像的最大錯誤在於：認為別人和我們一樣，並且必定和我們有著一樣的感覺。人類的幸運在於：每個人都只是他自己，只有天才被賦予成為別人的能力。

事實上，不在於給予的是什麼內容，而在於給予的是什麼人或什麼事。街頭的一個小事故，將那個廚師吸引到門口，此時的他，與我尋思一個最原初的構想，或閱讀一本最偉大的書籍，或作著最令人愉快的無用之夢，有著更多的愉悅。如果生活本質上是單調的，他比我更遠離單調。他遠比我更容易逃離單調。真理不屬於任何人，因此他並不比我更擁有真理，但他擁有快樂。

聰明人把他的生活變得單調，以便使每一段小插曲都成為一個奇蹟。一個獵人在打了三隻獅子後，就不再有冒險的興致了。而對我那個單調的廚師來說，一場街頭鬥毆總能讓他有所啟發。對於一個從未離開過里斯本的人來說，坐電車去本菲卡就像進行一次無休無止的旅行，如果他到過辛特拉[59]，他甚至會覺得去了一趟火星。對於一個環遊過全世界的人來說，他在五千英里之內找不到任何新東西了。他總是看見新東西——哪裡有新奇，哪裡就有見多不怪的厭倦——當他看見新東西第二次時，他有關新奇的抽象概念就變得茫然起來。

真正的聰明人，只須坐在椅子上欣賞整個世界的壯景，無須瞭解如何閱讀，無須與任何人說話，他需要的只有自己的感官和永不悲傷的靈魂。

一個人只有使存在單調化，才能擺脫單調。一個人只有讓日常生活過得平淡無奇，才能從最微小的事故中找到快樂。在我日復一日的工作當中，充滿著乏味、重複而又毫無用處的事情，其間穿插著我逃避這一切的幻想、遙遠海島的殘夢、在其他時代的花園大道上舉行的種種宴會、不同的景象、不同的感覺和另一個我。但我知道，置身這兩種狀態之間，如果我得到這一切，那麼它們都將不屬於我。事實上，維斯奎茲先生作為我的老闆比夢中的任何國王更有價值；道拉多雷斯大街的辦公室比任何虛構花園裡的寬廣大道更有價值。讓維斯奎茲先生作我的老闆，我便能安享國王之夢；置身道拉多雷斯大街的辦公室，我便能暢遊內心視野中的虛構風景。如果我擁有這些虛構風景，那麼還有什麼虛構之物讓我幻想呢？

給我單調——相同日子的乏味雷同，今天是昨天的完全重複——我敏銳的靈魂欣賞著飛蟲飛過我的視線，分散我的注意力；歡笑聲不知從哪條街道飄來；辦公室關門時的自由感；以及休假日裡無窮無盡的休眠。

因為我什麼也不是，我才能夠想像我是一切。如果我是某個人，我就不能夠進入想像中

59 辛特拉（Sintra），位於里斯本西北方，這座古老的小鎮以宜人的氣候、鬱鬱蔥蔥的綠色山丘，以及摩爾人和葡萄牙國王建造各式各樣的宮殿聞名。

的這個人。一個助理會計可以想像自己是羅馬皇帝，但英國國王不能，因為他的英國國王身分使他不能想像自己是其他帝王。現實限制了他的感覺。

172 會計與夢想家

從那個斜坡一路走去，便可以到達磨坊，而我們付出了努力，結局是一事無成。

這是一個初秋的下午，天空裡洋溢著冰冷且死氣沉沉的溫暖，雲朵遮掩住了潮濕的光線。

命運只賜予我兩件事：會計分類帳以及作夢的天賦。

173 癮

作夢是最壞的毒品，因為它是最真實的自然流露。作夢會上癮，任何毒品都不能取代。我們不知不覺接受了它，就像摻進酒裡的毒藥。它無害，不會使你臉色蒼白，也不會使你筋疲力竭。不過，沾染上作夢習慣的靈魂無藥可救，因為它的毒性永遠戒不掉，這正是它特有的本質。

像一場霧裡的盛會……

在夢裡，我學會帶著想像為一般人加冕；學會說出透著神祕的陳腔濫調和簡單的委婉話語；學會用太陽巧妙地虛飾黑暗角落和被遺忘的家具；當我寫作時，給我一成不變的語言賦予流動的音樂性（就好像安撫自我一樣）。

174 失眠

一夜無眠後，沒人喜歡我們。遺棄我們的睡眠對人類有著某種很重要的東西。我們感到隱隱的惱怒，甚至這種感覺似乎滲透在我們周圍無生命的空氣裡。終究是我們自己否定了自己，無聲的外交戰在我們的心中爆發。

一整天，我拖著雙腿極度疲憊地走在大街上。我的靈魂已縮成一團毛線球。我是什麼，我曾經是什麼，哪一個是我，我忘記了自己的名字。我不知道自己是否還有明天。我所知道的就是我沒有入睡，在這一刻我感到困惑，這種困惑給我的內在交談賦予了漫長的寂靜。

啊，供人遊玩的大公園，人們熟知的花園裡，我走在人們從未聽說過的林蔭小道！我在無眠之夜踟躕不前，像一個從不敢浮於其表的人，我的沉思被驚醒，彷彿一個夢的結束。

我是一幢寡居的房子，與世隔絕，膽怯而鬼祟的幽靈出沒其中。我或幽靈，總是在隔壁房間，周圍的大樹沙沙作響。我彷徨，我尋找；我尋找是因為我彷徨。啊，是你，我的童年時光，身著孩子的圍兜！

在這一切過程當中，我沿著街道漫步向前，像一個神智恍惚的貪睡者，抑或一片迷途的落葉。微風緩緩吹起，將我從地面掠過，我隨風飄浮，像黎明的盡頭，捲入風景的各種細節裡。我的眼皮越來越沉重，我的雙腿拖曳前進。我感到困倦是因為我在行走。我緊閉嘴巴，彷彿雙脣已被密封。我行走在沉船裡。

不，我沒有入睡。但是，當我尚未入睡和仍然無法入睡時，我更像我自己。在這半靈魂狀態下（我將自己的一半隱藏起來）偶然而象徵性的永恆裡，我更為真實。一兩個人看著我，彷彿他們認識我，或者發現我很奇怪。我模糊地意識到這些，並回頭看了他們，我能感覺到眼睛在眼皮底下與他們的臉摩擦了一下，但我情願不知道世界的存在。

我想睡，非常想睡，完完全全地想睡！

175 心靈的支撐

我屬於這樣一代人，出生在一個思想和心靈都找不到任何支撐的世界。上一代的毀滅性工作留給我們這樣的世界，在宗教領域缺乏安全，在道德領域缺乏指引，在政治領域缺乏安寧。我們出生在抽象的痛苦、道德焦慮和政治不安之中。我們的先輩醉心於客觀規則，僅僅掌握著理性和科學方法，毀滅了基督教信仰的根基。因為他們對《聖經》的批判——經歷著從文本批判轉向神學批判的過程——當科學批判主義逐漸披露福音書原始「知識」中的錯誤和天真觀念時，將福音書和耶穌的早期經文削弱成一堆令人生疑的神話、傳說甚至文學作品。與此同時，自由探究精神將所有形而上命題和研究形而上學的所有宗教命題公開化。在他們稱為「實證主義」的含糊概念影響下，這幾代人批判一切道德，詳細探查生活的一切規則，教條坍塌後，只留下一切不確定性及其對不確定性發出的哀嘆。很顯然，文化根基如此混亂，社會不可能不成為政治混亂的犧牲品。因此，我們意識到，世界迫切需要社會革新，世界欣然嚮往從未有過的自由和從未被界定過的進步。

然而，我們的父輩以草率的批判，使我們不再可能成為基督徒，但他們卻沒能使我們接受不可能；他們使我們不再相信已建立的道德準則，卻沒將對道德的漠不關心、與人類和平共處的規則遺贈給我們；他們將難以捉摸的諸多政治難題留給我們，卻未能將不去關心這些問題解決方法的思想遺贈給我們。我們的父輩輕率地毀掉一切，因為他們生活在一個有著完整過去的時代。他們毀滅的恰恰是能夠給予社會力量的東西，這些東西使他們能夠恣意破壞而不用去考慮牆垣的斷裂。我們繼承了這種破壞及其後果。

如今，世界只屬於愚昧無知、麻木不仁和躁動不安。事實上在今天，獲得生存和成功的權利和獲准進入精神病院有著同等的基礎：缺乏思考能力、不道德和精神狂躁。

176 理性的客棧

在信仰和批判之間的那條路上，有一間理性的客棧。理性是一種沒有信仰也能被理解的信仰，不過它仍然是一種信仰，因為理解就是預先假定什麼事物能夠被理解。

177 一切都是奴僕

形而上的理論能給我們一種短暫的錯覺，我們用它來解釋那些費解的東西；道德理論能誘使我們花上一個小時去思考我們終究會知道的東西，也就是所有關閉的門，哪一扇通往美德；政治理論使我們一整天都相信，除了數學之外，當什麼問題也解決不了時，我們已經解決了一些問題……我們對待生活的態度應該歸納為這種有意識的徒勞活動，我們聚精會神做這些事情時，雖然它不會產生愉悅，但至少可以使我們感覺不到痛苦的存在。

假定我們被無情的法律統治，這種法律不能被撤銷或妨礙，那麼文明達到鼎盛時期的最好標誌就是，這種文明下的所有人都意識到，一切努力都是徒勞。我們或許是眾神的奴隸，祂們比我們強大，一時興起給我們戴上桎梏。不過，祂們也不會好到哪裡去，祂們服從——和我們一樣——抽象命運的鐵腕，這種鐵腕高於正義和仁慈，對善與惡毫不關心。

178 死亡與新生

我們已死亡。我們稱之為生活的東西，只是現實生活的睡眠狀態，是我們的真實死亡。死亡即新生，亡者並未死。世界在我們眼前變幻無常，當我們以為我們活著的時候，我們已死亡；而當我們死亡時，我們又復活了。

睡眠與生活的關係，無異於我們所謂的生活和我們所謂的死亡之間的關係。我們睡著了，生活便是一場夢，這並非是隱喻或詩意上的說法，它毫無疑問是一場夢。

我們為了使自己出類拔萃所做的一切都參與了死亡，都是死亡。理想若不是對生活毫無價值的承認，又會是什麼？藝術若不是對生活的否定，又會是什麼？一座雕像是一具死屍，雕刻不過是將死亡刻進不朽的物質裡。快樂，就其本身而言，看似沉浸在生活之中，實際上是沉浸在自我之中，是對我們與生活之間的關係的一種毀滅，是死亡的快樂陰影。

活著這個行為正是死亡的過程，因為我們每度過一天，我們殘餘的生命就少了一天。

我們棲身夢境，我們是一團暗影，漫步穿越在虛幻的森林裡，而那些樹便是我們的房子、習慣、思想、理想和哲學。

我們從未找到上帝，甚至從不知道上帝是否存在！從一個世界到另一個世界，從這個化身到那個化身，我們常常受盡幻覺的寵幸，常常受盡錯誤的愛撫……

我們從未到達真理，從未停止腳步！我們從未與上帝相逢！我們從未徹底實現寧靜，相反地，我們總是只得到少許寧靜，總在孜孜不倦地追求寧靜！

179 人類的本能

人類有一種幼稚的本能，這種本能使我們推演出一個最崇高的人，如果他是某個理智的人，那麼他便是——神聖的天父！在這神祕而混沌的世界，祂那長長的、父親般的大手為我們指引方向，無論以何種形態或方式。我們每個人都只是一粒浮塵，在生活這場風中起伏。我們不得不依賴更強大的力量，將小手放在那雙大手裡，因為當今世界總是變幻不定，天空總是無限遙遠，生活總是充滿矛盾。

我們爬得最高的時候，也只會進一步意識到，一切是多麼縹緲而空虛。

或許我們被幻覺牽引；我們肯定不是被意識牽引。

180 假如有一天

假如有一天我在經濟上變得寬裕，以至於能夠自由自在地寫作和發表作品，我知道我會想念這種很少寫作和根本不能發表的不穩定生活。我想念，不僅因為這種生活儘管平凡，卻一去不復返，還因為每一種生活都有其特有的品質和獨特的快樂，當我們過了另一種生活，甚至是更好的生活，原先這種生活的獨特快樂因為漸漸消去才變得那麼好，它的特有品質因為生活的漸漸流逝才變得那麼特別，而有些東西已消失殆盡。

假如有一天，我扛著自己意願的十字架，最終到達殉難之地，我將發現在那殉難之地有另一種殉難。並且，我會想念那些碌碌無為、平淡無奇而又不完美的日子。在某種程度上我將變得不重要。

我感到無精打采。在這漫長的一天裡，我在幾乎空無一人的辦公室裡做著白癡般的工作。兩位同事請了病假，其他人也剛好不在。除了身後那個年輕工友，我幾乎獨自一人。我想念能夠回顧過去的未來，想念這儘管荒謬的一切。

我禁不住祈求諸神，讓我留在這裡，彷彿將我鎖進保險箱裡，以逃避生活的苦難和歡樂。

181 讀書與翻書

黃昏入夜前，最後一抹餘光投下微弱的陰影，我喜歡漫步在變化著的城市街道，腦子裡什麼也不想，我行走，彷彿一切都已無可救藥。我帶著些許傷感，這種傷感在想像中比感覺更令人愉快。我移動雙腳的時候，內心翻閱而非細讀著一本書，書裡穿插的圖片快速閃過，讓我漸漸形成一種從未完成的想法。

有些人讀書和翻書一樣快速，他們看完一本書後，對裡面的內容完全不知。而我在翻閱靈魂裡的書籍時，卻獲得了一個朦朧的故事，另一個漫步者的追憶，關於黃昏和月光的片段描寫，裡面的花園小徑上，身著絲質衣服的人物走過來，走過去⋯⋯

我辨別不出一種單調和另一種單調的區別。我沿街走著，在黃昏裡走著，在夢裡一邊讀書一邊走著，我的確走過這些街道。我出港、休息，彷彿已登上駛入大海的航船。

突然，在悠長而彎曲的街道兩旁，死寂的街燈一起點亮。彷彿「砰」的一下，我的憂傷瞬間加劇。書已讀完。在懸浮於抽象街道的凝滯空氣中，只有一團外在感覺的線球，像白癡命運的口水，滴落在我靈魂的意識裡。

夜間的城市，另一種生活。觀夜的人，帶著另一個靈魂。我踟躕不前，如同帶著某種寓意，感覺變得不真實。我彷彿是某個人講過的故事，講得如此動聽，彷彿是在現實這本小說裡某一章的開頭，有些生動地將我刻畫出來：「在當時，可以看見一個人緩緩行走在某某街頭。」

我還能對生活做些什麼？

182 間奏（一）

生活還未開始，我已抽身退出，甚至在夢裡都不覺得生活有吸引力。夢本身就令我厭煩，因為它帶給我虛假、外在的感覺，就像走到了一條漫漫長路的盡頭。我游離在我之外，在一個陌生的地方停了下來，徒勞無益地滯留在那裡。我還是曾經的我。我從未待在自以為待在的地方。如果我要尋找自己，我不知道去哪裡尋找。厭倦一切的感覺使我麻木。我有種被靈魂驅逐的感覺。

我觀察自己。我是自己的旁觀者。我的感覺像身外之物，在我不為自己所知的注視下溜過。我厭倦自己所做的一切。一切事物，追溯至它的神祕根源，都呈現出令我厭倦的顏色。時間賜予我的鮮花已凋萎。我唯一能做的就是慢慢剝去它們的花瓣。這樣的做法飽含著莫大的遲暮氣息！

最細微的動作都帶給我英雄行為的壓力。單單是擺出某個姿勢的想法就令我厭煩，彷彿我真的想過要去做。

我無欲無求。生活傷害了我。我在這裡不舒服，又想不出待在哪裡才會舒服。

最理想的狀態就是，除了像噴泉一樣裝模作樣，什麼也不去做——噴泉的水在同一個地方升起，再落下，毫無意義地在陽光下熠熠閃耀，在寂靜的夜晚弄出一些聲響，以便使人們在夢裡想到潺潺河水，然後不經意地發出微笑。

183 暴風雨來臨前

炎熱而虛浮不實的一天緩緩拉開序幕，邊緣參差不齊的烏雲籠罩著整座城市。它們層層堆疊，黑壓壓地朝著河口飄浮移動。隨著烏雲的蔓延伸展，街上彌漫著一種模糊的敵意，在對抗快要出來的太陽，就像預示著什麼災難。

到了正午，我們動身去吃午飯時，一種可怕的預感懸掛在黯淡的天空中。絲絲縷縷的碎雲近在眼前，越發變得陰沉。在這藍色的空中樓閣，暗含著某種明朗而不祥的東西。太陽已經出來，卻沒有一絲可愛之處。

一點半時，當我們回到辦公室，天空似乎放晴，但也只是老城區朝著河口方向的小部分天空，那裡的能見度越來越高。而城北那邊，那些散雲合成一朵化不開的烏雲，借著黑色手臂盡頭的灰白鈍爪匍匐前進。它很快就觸及太陽，城市裡常有的喧囂似乎安靜下來，彷彿在等待著什麼。東邊的天空也有所放晴，或者說看起來如此，但天氣越來越悶熱，使人難受。我們在偌大辦公室的陰影中熱得滿頭大汗。「馬上就會有大暴雨了。」莫雷拉一邊說著，一邊翻過一頁帳簿。

三點時，太陽失去了它的作用。我們不得不將辦公室後面的那盞燈打開（時值夏季，這很令人沮喪），那裡的貨物已經打包，等著運送。接著是中間那盞燈，因為在那填寫交貨單和記下火車票票根變得困難。最後，快到四點時，我們這些有幸靠窗工作的職員都看不清了，無法繼續工作下去。整個辦公室都點亮了燈。維斯奎茲先生打開他那間私人辦公室的門，說道：「莫雷拉，我要去一趟本菲卡，但現在沒法去了——馬上就要下大雨。」「雨是從那邊下起來的。」莫雷拉答道。莫雷拉住在林蔭大道附近。街上的嘈雜聲突然清晰而響亮，有了幾分變化。電車駛過一個街區時，鈴聲憂傷地響起，我也說不上為什麼。

184 秋夜

夏末秋初，冷熱交替，空氣變得厚重，天色暗淡下來，午後的天空披上一層幾乎看得見的長袍，閃著一種虛假榮耀。這一切像是一種錯覺，這種錯覺使人無端生出一種鄉愁，它們無限蔓延，像船隻的尾波無休無止地蜿蜒下去。

這些午後時光像高漲的潮水將我填滿，心頭泛起一種感覺，比乏味更糟糕，但說不出是什麼樣的感覺。這是一種說不清的孤寂感，一種全部靈魂的毀滅。我覺得好像失去了仁慈的上帝，就像一切的實質已經消亡。物質宇宙就像一具死屍，它活著的時候我熱愛它，但它消散在這最後一抹晚霞的溫暖光芒中，化作一種虛無。

我的乏味呈現出一種驚駭的樣子，我的厭煩是一種恐懼。我沒有冒冷汗，但我覺得自己冷汗淋漓。我的身體沒有生病，但我靈魂的強烈焦慮滲進毛孔，使我渾身戰慄不已。

這種乏味是多麼強烈，存在的恐懼是多麼至高無上，我想不出還有什麼可以緩和它，化解它，安慰它，或者使我分心。和一切事物一樣，睡眠使我害怕，垂死的感覺令我恐懼。同樣不可能實現的去和留。同樣冰冷而灰暗的希望和疑惑。我是一個空無一物的架子。

然而，如果我的肉眼看見，這衰敗的一天在向我做最後的道別，我會多麼想念未來啊！行進在淤滯天空的金色緘默中，希望的葬禮是多麼隆重啊！好一支空洞虛無的送葬隊伍，走在淺淡泛紅的藍中漸漸泛白的、水晶般透明的無邊宇宙中！

我不知道我想要什麼，或者不想要什麼。我再也沒有欲求，再也不知道如何去渴望。我再也不瞭解自己的感覺和想法，人們通常透過感覺和想法瞭解自己的渴望或渴望實現的渴望。我不知道我是誰，或者是什麼。和那些被埋在斷垣殘壁下的人一樣，我躺在整個宇宙的破敗虛空中。因此，我繼續跟隨著自我的步伐，直到夜幕低垂，一種不同以往的漂浮感帶給我一絲撫慰，就像一縷微風拂過，我漸漸對自我失去了耐心。

啊，在這些皓月高懸的寧靜夜色裡，流淌著苦悶和不安！美好天堂的險惡平靜，溫暖空氣的冷嘲熱諷，還有被月光和若隱若現的星辰籠罩的藍色陰鬱。

185 間奏（二）

在這個可怕的時刻，我縮小到僅僅成為一種可能性，或上升到成為必死性。

但願黎明不會到來。但願我和我棲身的凹室以及它的內部氣氛全部精神化成為夜晚、絕對化成為黑暗，以便我不會留下影子，敗壞我賴以生存的回憶。

186 靜思

我那顆悲傷的心，想去尋找諸神，讓命運擁有一份意義！想去尋找命運，而諸神掌握命運！

有時候，我在夜晚醒來，便會感覺到無形的手編排著我的命運。

我的生活就在這裡。我的心中波瀾不驚。

187 命運的嘲弄

和所有悲劇一樣，我人生最大的悲劇是一種命運的嘲弄。我拒絕真實生活，因為它是一種罪罰；我拒絕作夢，因為它是一種毫不費力的解決之道。然而，我的真實生活再平凡不過，且卑微至極，我的夢想生活恆定不變，且激烈至極。我就像一個在放封時酗酒的奴隸——兩種墮落集於一身。

是的，我清楚地看見——理性的閃光劃破生活的黑暗，將我們周圍的物體襯托出來——所有這一切都由這條叫做道拉多雷斯的大街上卑微、破舊、被人忽略和虛假的人和物組成，它們構成了我的全部生活：這間辦公室將它的卑微徹頭徹尾地滲透給了每一個職員，這間月租房裡除了租居者生命的結束不會再有其他事情發生，這個街角雜貨店老闆用人們萍水相逢的方式與我相識，這些站在舊客棧門口的年輕小夥子們，這些日復一日的徒勞無功，這些相似的人物重複著他們並無二致的舊臺詞，像一齣只剩下神祕的戲劇，等著舞臺布景將情景展現……

然而，我又領悟，若要逃離這一切，唯有駕馭它或拒絕它。我無法駕馭，因為我無法超脫現實，我亦無法拒絕，因為無論我夢見什麼，我還是在我所在之地。

還有我的夢想！深入自我的恥辱，以及將生活放進靈魂垃圾場的怯懦。而人們僅僅在酣睡時，當他們打起鼾聲，便以死者模樣將生活放進靈魂垃圾場。他們的平靜外表使他們看上去像是經過高級演化的植物！

我既無法做出不拘於自己靈魂的高貴舉止，也無法心懷因不真實而毫無用處的欲念，完完全全地毫無用處！

凱薩曾對雄心有一番巧妙的定義，他說：「寧作村中第一，不作羅馬第二！」我既不是村裡的什麼，也不是羅馬的什麼。無論如何，在阿薩姆普卡大街和維多利亞大街受到尊敬的那個街角雜貨店老闆，他是一塊街區的凱薩。難道我要比他優越？如果沒有什麼可以證明我比他優越或低劣，抑或甚至無法比較，那麼，我又憑什麼比他優越呢？

他便是整個街區的凱薩。所有女人都喜歡他，理當如此。

因此，我迫使自己做著不想做的事情，做著不想做的夢，我的生活……毫無意義，像一座已停擺的公共時鐘。

我的朦朧卻恆定不變的感覺，以及漫長卻意識清晰的夢想，一起組成沒沒無聞的生活特權。

188 思想即毀滅

無論生活多艱難，一般人至少還有一種樂趣，那就是不去想它。隨遇而安，表面上像貓狗一樣生活——一般人就是這樣生活的。如果我們想得到貓狗的滿足，也應當這樣生活。思考等於毀滅。思考本身就在思考的過程被毀滅，因為思考等於分解。如果人類知道如何思考生命的奧祕，如果他們知道如何感知那成千上萬錯綜複雜的事物，這些事物在窺探行動的每一個細節，那麼他們將永遠不會付諸行動——他們甚至不會想活下去。他們會驚恐地殺死自己，就像為了逃避第二天要上斷頭臺而自殺的人一樣。

189 雨天

空氣是模模糊糊的黃色，如同透過骯髒的白色看到的淺黃色。灰色空氣中幾乎沒有一點黃色，然而這蒼白的灰色悲傷中卻夾雜著一抹黃色。

190 新奇感

我們的日常生活若發生任何改變，都將為精神注入一種令人畏縮的新奇，一種稍感不舒服的愉悅。一個習慣於六點下班的人，倘若在五點離開辦公室，必定會感覺到一種精神上的放鬆，但同時也會有種不知所措的遺憾。

昨天，由於有些業務需要去較遠的地方處理，我四點便離開辦公室，五點就將事情處理完。我還不太習慣在這個時間將自己置身於大街，我發現自己身處在一個異樣的城市。柔和的陽光像往常一樣落在店面上，顯露出一種無助的恬靜，行人和往常一樣與我擦肩而過，像從最後一班夜船登岸的水手。

由於還沒到下班時間，我回到辦公室，同事們自然感到驚訝，因為我已和他們做過下班的道別。什麼？你回來了？是的，我回來了。與這些整日為伴的熟悉臉孔分開，我在精神上感到自己不復存在。而此時我又找回這種存在感。在某種意義上，這裡就是我的家——這個地方就是我沒有感覺的地方。

191

如果有人欣賞我的作品

有時，我懷著憂傷的欣慰想像：如果有一天（在不屬於我的未來），有人讀起並欣賞我寫的文章，那麼我終於有了自己的親人，那些「理解」我的人便是我真正的家人。我出生在這個家庭，並受到他們呵護。但在我還未出生在這個家庭前，我早已死去。我唯有在變成雕像時才受到理解，人在生前受到的冷漠對待，死後是無法用愛彌補的。

或許有一天他們會明白，我用與眾不同的方式履行了我的本能職責，詮釋了這個世紀的一部分。明白這一點後，他們會說，我在我所處的時代被人誤解，我很不幸，周圍的人對我的作品漠不關心，麻木不仁，這樣的事發生在我身上令人遺憾。而在未來說這話的人，一定也不能理解他那個時代像我這樣的文人，正如我同時代的人不能理解我一樣。因為人們只學對他們曾祖父輩有用的東西。我們只能將正確的生活方式傳授給逝者。

在我寫作的這個午後，雨終於停了。空氣中透著一股喜悅，觸及肌膚，幾乎顯得過於涼爽。將盡的白晝呈現出淡藍色而非灰白。甚至街上的石子也折射出朦朧的藍。活著令人傷痛，但這種痛很遙遠，遠到無關緊要。一兩家商店的櫥窗點亮了。樓上一扇敞開的窗戶，有人在那俯瞰大街上已結束一天忙碌工作的工人。與我擦肩而過的乞丐若是認識我，一定會大吃一驚。

隨後，猶豫不定的時光在建築物反射出來時淺時深的藍色調中流連了一陣。

夜幕緩緩終結白晝的最後時光，在這一天裡，那些有信仰和被誤解的人，即使痛苦也帶著無意識喜悅進行日常勞動。夜幕緩緩拂去最後一絲光波，在這憂愁而無用的午後，無霧的陰霾滲入我的內心。夜幕緩緩地、輕輕地降落在微微閃著淡藍、水一樣的午後——緩緩地、輕輕地、憂傷地降落在寒冷而純淨的大地。夜幕緩緩降落，透著無形的灰、苦澀的單調和無眠的煩悶。

192 天地之中

整整三天裡，天氣炎熱無比，絲毫未見一絲涼爽，一場暴風雨潛伏在充滿渴望的平靜之中，最後終於轉移到了其他地方，隨後，一場輕柔的、幾乎夾雜著涼意的溫暖來臨，撫慰了萬物明亮的表面。生活中有時同樣如此，始終被生活重壓的靈魂突然間感覺到了解脫，而這，根本沒有任何明顯的因由。

我覺得人類便如同氣候，在風暴未到他處之前，一直處於它的淫威之下。

萬物浩瀚空洞，一切都湮滅在天空與大地之中……

193

我是自己的旁觀者

我用旁人的身分，見證自己生命的逐漸耗盡，我期待的一切正慢慢沉沒。我可以坦誠地說，不需要花環去體現生命的死亡，我亦沒有渴望之物——即使在某一時刻，在夢境裡的某一時刻，我所安放之物——無一不在我的窗下支離破碎，像一塊成團的泥土，從高高的陽臺上一個花盆裡摔出，然後散落成一地殘土。事情甚至似乎是這樣的：命運總試圖讓我喜歡上什麼或想要得到什麼，以便緊接著第二天它就能告訴我，我得不到並將永遠得不到我想要的。

然而，頗為諷刺的是，我就像一個自己的旁觀者，從未失去觀看的興致，看看生活帶給了我什麼。儘管此時我已預先知道，每一個朦朧的希望終將化為一團幻影，我仍然帶著特有的愉悅安享希望的幻滅。就像將苦與甜摻在一起，透過對比，甜更顯得甜。我是一個鬱鬱寡歡的戰略家，每戰皆失，我學會透過在每一次新的交戰前勾畫出不可避免的撤退細節來獲得愉悅。

我的命運像一個不懷好意的造物追隨著我，它只能對我自知無法得到的東西產生渴望。

如果我在街上看到一個適婚年齡的女子，在那一瞬間我會想像（儘管我看起來若無其事），如果她屬於我會是什麼樣子。而保證接下來十步之內，她將去見那個明顯是她丈夫或情人的人。浪漫將導致悲劇：在這種情況下，一個局外人可能會將它看作是一場喜劇；然而，我將兩者混在一起，因為我既浪漫又是自己的局外人，我將頁面翻到諷刺的另一面。

有的人說，沒有希望的生活令人難以忍受；還有的人說，希望使生活變得空洞。對我而言，無論停止希望或沒有希望，生活都只是一幅將我畫入其中並供我觀看的外在圖畫。生活像一齣沒有情節的戲劇，僅用來悅人耳目——像前後不連貫的舞蹈，在風中沙沙作響的樹葉，雲彩裡不斷變化色彩的日光，以及城市裡蜿蜒曲折的古老街道。

大致來說，我與自己寫下的散文幾乎一致。我用語句和段落將自己鋪展開來，給自己加上標點符號，我一遍又一遍布置一連串意象，像一個用報紙將自己裝扮成國王的孩子。我以這種方式用一連串詞語創造了韻律，像一個瘋子用乾花編成花環戴在頭上，這些乾花在我夢裡依然鮮活。最重要的是，我很冷靜，像一個布娃娃開始注意到自己，偶爾搖頭以使頭上帽子的小鈴鐺發出聲響，死者的生活叮噹作響，對命運發出微弱的警示。

然而，在這平靜的不滿之中，以這種方式去思考的空虛和單調曾多少次緩緩注入我有意識的情緒裡啊！我曾多少次感覺到，就像從斷斷續續的聲音裡聽到了某種聲音，我感受到這種生活的潛在苦澀與人類生活離得如此遙遠——在這種生活裡，除了產生自我意識什麼也不會發生！我曾多少次從這樣的自我放逐中醒來，我偶然看到，成為一個徹底的小人物是多麼美好，這個快樂的人至少可以感受到真正的苦澀，這個知足的人可以感受到疲勞而不是單調，可以遭受苦難而不是想像自己受苦，可以殺死自己，是的，而不是看見自己死亡！

我使自己成為書裡的角色，過著人們從書裡看到的生活。我的一切所感都只是感覺（與我的意願背道而馳），以便我能記下我的所感。我的一切所思都立刻化為詞語，混入擾亂思想的意象，排成別樣完整的韻律。經過這麼多的自我修訂，我毀掉我自己。經過這麼多的獨立思考，我不再是我而是我的思想。我探測自己的深度，並放棄這種探測。我終其一生想知道自己是否深刻，唯有用肉眼來探測——像井底幽暗而生動的倒影——映出我那張對自己的觀察進行觀察的臉。

我像一張撲克牌，屬於一套古老而又難以辨認的紙牌盒——是一艘沉船的唯一倖存者。我活著沒有意義。我不知道自己的價值，找不到可以與自己對照以探索自己價值的東西，並且，這種探索對任何人毫無用處。此外，用一個又一個意象描述自己——不是帶著真實，而是將謊言混入其中——我最終更成為意象而非我自己，我敘述自己，直到我不再存在。我將靈魂匯聚於筆下，除了寫作別無他用。然而，反應停止，我重新屈從於自己，我回到從前的我，即使這個我什麼也不是。我哭不出的少許眼淚在呆滯的雙眼裡燃燒，我感受不到的少許痛楚在我乾涸的喉嚨裡哽住。但我甚至不知道如果我哭泣，我是為何而哭泣，我亦不知道為何我沒有哭出來。虛構的東西像影子一樣追隨著我。我想要做的就是進入睡眠。

194 傷悲

我的靈魂與心靈之中充滿了恐怖的疲憊。我內心傷悲，因為我從不傷悲，我不知道，在想念這悲傷之際，自己正心存怎樣的鄉愁。伴隨著每一個日落，我向著希望與肯定落下。

195 真實的虛幻

有些人在承受真正的痛苦，因為在真正的生活中，他們無法與匹克威克先生一起生活，或者不能握住韋爾德先生的手。我就是這樣一個人。為了那本小說，我留下了真誠的熱淚，因為遺憾無法活在那個時代，無法和那些人，那些真實的人一起生活。

小說中的災難往往都很美麗，因為小說裡的血液並非真正的血液，在小說中死亡的人屍體不會腐爛，而且在小說之中，就連腐爛也不會成為腐爛。

匹克威克先生顯得可笑之際，其實並不可笑，因為這一切都發生在小說之中。或許這本小說可說是更為完美的生活與現實，上帝透過我們創造了生活與現實。或許我們生存只是為了創造生活與現實。文明之所以存在，似乎只是為了創造文學；文字被創造出來也是為了表達文學，從而被保留了下來。我們怎麼知道這些額外的人物並非真實存在？我的心因此備受折磨，以至於我覺得他們都是真實的……

196 虛幻的思念

最痛的感覺，最傷的情感，是那些荒謬的事情：恰恰因為不存在而渴望得到的事物；思念從不曾發生過的事情；渴望得到本應該能得到的事物；悲嘆自己不是別人；對世界的存在心存不滿。所有這些靈魂意識的半色調調成一幅描畫我們的淒慘風景和永恆日落，呈現在我們面前。我們對自己的感覺就像薄暮下的一片荒原，河邊不見一舟，唯見蘆葦叢憂傷的擺動，波光粼粼的河水在兩岸之間變得越來越暗。

我不知道，這些感覺是不是惆悵情緒引發的慢性癲狂，或從我們經歷過的前世遺留下來的某種追憶——這種追憶混亂、交錯，彷彿夢中所見，即使我們知道那是什麼，它們以荒謬而非原初的形式出現在我們面前。我不知道我們是否曾經真的是其他造物，而那些造物的完整性能夠被如今的我們更好的感知到，在我們當下生活的二維空間裡，充其量以一種不完整的形式，成為一個已喪失完整性的粗略概念，僅僅是它們的幻影。

我知道，有關這些情緒的思考攪得靈魂隱隱作痛。我們無法構思出與它們相對應的事物，亦不可能找到什麼去取代它們在我們想像中所包含的事物——這一切重擔就像一張嚴厲的判決書，無人知道在什麼地方，由什麼人或出於什麼理由去宣讀。

然而，這一切感覺所留下來的只是一種對生活及其態勢不可避免的反感，是對一切欲念及其所有表現形式的預先厭倦，是對一切感覺的普遍憎惡。在這些悲憤鬱結的時刻——成為一個情人、或英雄、或快樂的人——皆成為不可能，甚至在夢中亦是如此。一切感覺皆虛無，甚至於我們的思想亦是如此。一切都用我們無法理解的其他語言表達出來——在我們看來不過是一連串無意義的音節。

生活、靈魂、世界皆為虛無。諸神皆死於比死亡更甚的死亡。一切比虛無更虛無。一切是虛無之中的混沌。

想到這裡，如果我舉目四望，看看現實是否能澆滅我的渴望，我會看到毫無意義的店面，毫無意義的臉孔，毫無意義的姿態。石頭，身體，思想——一切都已死去。所有運動都歸於靜止。對我而言，一切都毫無意義，一切都非我所知，不因為它們陌生，而因為我不知道它們是什麼。世界悄然流逝。我在靈魂深處——這一刻它是唯一的真實——感到一種無形的悲愴，像一種暗房裡的啜泣。

197

我感傷時間的流逝

我沉痛哀悼時間的流逝。不管什麼東西，當我失去它時，總會產生一種誇張的情緒。住了幾個月的那間淒冷租屋，每週待上六天的那家鄉村客棧的餐桌，甚至那間我花了兩個鐘頭等火車的陰暗候車室——是的，失去它們使我傷心。但是，生活中這些特別的東西——當我失去它們時，我的每根神經都敏感地意識到，我將永遠不能（至少不會在完全相同的時刻）再見到或擁有它們——形而上地令我悲傷。我的靈魂驟然裂開，天國的冷風吹過我蒼白的臉龐。

時光！昔日的時光！有些東西——一個聲音、一首歌、一絲香氣——揭開我靈魂回憶的序幕……我再也回不到過去的我！我再也無法擁有過去的所有！死去的人！那些童年時代曾經愛過我的、死去的人。當我想起他們，我的整個靈魂在顫抖，我感到自己遭到所有心靈的遺棄，孤零零地在自我之夜遊蕩，像一個乞丐，在每一扇悄然緊閉的大門前哭泣。

198

假期隨筆（二）

兩條小海岬將小海灣和沙灘與世隔絕，在這三天假日裡，我在這小海灣躲避著自我。通往沙灘的簡陋階梯，上半截用木質臺階建成，下半截直接在岩石上鑿出，邊上搭建了鏽跡斑駁的鐵扶手。每當我走下這古老階梯，尤其是走在下半段的岩石臺階時，我離開自己的存在，並找回了自我。

神祕學者（至少，他們中的某些人）說，靈魂達到最高境界時，會在感覺或部分回憶的牽引下，喚起前世的某個瞬間、某張臉或某個影子。當靈魂回到比今生更接近事物的初始狀態時，會體驗到一種童年和自由的感覺。

我走下這人跡罕至的階梯，然後，緩緩踏入永遠空無一人的沙灘，就好像被施了什麼魔法，我找到更接近本我的單原子狀態。某些日常存在的面向和特徵——透過欲念、憎惡和憂慮表現出我的日常本質——從我身上消失，像逍遙法外的逃犯，漸漸消失，變得面目全非，我達到一種精神疏離的狀態，記不起昨日的事，也無法相信日復一日附在我身上的自我真正屬於我。我平時的情感，我平時不規律的習慣，我與別人的交談，我對社會秩序的適應——我似乎在什麼地方看過這一切，像一本已出版的傳記裡被刪去的頁面，或某些小說裡的情節，當我一邊讀裡面的某個章節，一邊想一些其他的事情，故事的線索突然斷開，結果，情節落在地上溜走了。

靜悄悄的沙灘，只有海浪聲和掠過高空的風聲，像看不見的巨大飛機在轟鳴，我作了個從未有過的夢——柔軟而縹緲無形的事物，給人深刻印象的奇景，沒有意象或情緒，像天空和海水一樣明朗，像大海的白色漩渦從深邃無邊的真理深處捲起，發出迴盪的聲響：海水從遠處奔湧而來，閃著斜斜落下的藍色，靠近海岸時，呈現出墨綠色調，發出巨大的嘶嘶聲，彷彿將成千上萬條臂膀摔在微暗的沙灘上，在那裡留下乾泡沫，然後潮水全部退下，踏上回到原始自由的歸程，所有對上帝的懷念，所有前世的回憶（像這個夢一樣縹緲無形，毫無痛苦），因為太美好或與眾不同而令人感到喜悅，懷舊之軀帶著靈魂的泡沫、長眠和死亡，這一切或虛無——像一片汪洋大海——環繞著生活的避難之島。

我睡了，但沒有睡著，我已迷失在透過感覺所見到的景色裡，自我的黃昏，樹叢裡泛起的點點漣漪，大河的寧靜，悲傷之夜的絲絲涼意，冥想的童年依偎而眠的白皙胸脯在悠悠起伏。

199 孤獨的甜蜜

既沒有家人又沒有同伴是一種甜蜜，那美妙滋味如同遭遇流放，其中放逐產生的驕傲壓過了我們對遠離家園的朦朧焦慮感——我用我自己的方式冷漠地享受這種感覺。我心裡的其中一個信條就是，對於我們的感覺，不應該過度在意，甚至應該以傲慢、高雅的覺察看待作夢，認為夢境離開我們就無法存在。若是認為夢境太重要，其他事也會隨之變得重要，那麼這些事就會脫離我們，變成現實，從此失去權力，無法從我們這裡得到重視。

200 平凡與平庸

平凡是一個家。平庸是母親的膝頭。我們進入崇高的詩歌，到達嚮往已久的巔峰，領略過氣勢磅　的奇峰秀嶺後，才感受到平庸的好。平庸讓人感覺到，生活中的一切都是溫暖的，就像回到客棧，與人們嬉笑怒罵，把酒言歡，回到上帝造就的樣子，對宇宙賜予我們的一切心滿意足，而那些勇攀高峰的人，他們到達山頂才發現無事可做。

當有人告訴我，在我看來瘋狂或愚蠢的某個人，在生活的很多成就和細節上比一般人更勝一籌時，我並不為所動。癲癇者在試圖抓取什麼時，會有驚人的力氣；偏執狂的說教能力，少有人能匹敵；宗教狂熱者像少數煽動家（倘若有這種專家的話）一樣聚眾布教，但前者比後者有更強的說服能力，來煽動他們的跟隨者。這一切證明，狂熱就是狂熱。我寧可選擇不去知道花叢的美麗，也不要荒野之地的勝利，因為這種勝利充斥著靈魂的無知，除了與世隔絕的虛無什麼也不會留下來。

我徒勞無益的夢，甚至多次擾亂我的內心生活，神祕主義和冥思苦想令我感到反胃。我快速衝出我作夢的公寓，衝向辦公室，當我見到莫雷拉的臉孔，就像自己終於靠岸了。當說完和做完一切，我喜歡莫雷拉甚於蒼茫世界，我喜歡現實甚於真理，是的，我喜歡生活甚於創世主。由於這是生活所賜予我的，這也是我將要面對的生活。我因為作夢而作夢，但我不能忍受將我的夢視為個人舞臺的侮辱，正如我不會把酒——儘管我喜歡喝酒——當作營養的來源或者一種生活必需品。

201 城市與鄉村

清晨，在這座明亮城市日光沐浴下的海關對面，晨霧為那一排排房子、荒廢的空地、此起彼伏的高地和大樓披上一層薄薄的輕紗。太陽慢慢將一切鍍成金色。臨近中午，輕柔的薄霧漸漸散去，如同輕紗層層揭去，直至完全消逝。到了十點，只剩天空的淡藍，彷彿在告訴世人，那裡曾經被薄霧籠罩。

迷霧散去時，城市裡的一切獲得新生。天已破曉，像開啟一扇窗戶，再次破曉。街頭的聲響有了微妙的變化，一切彷彿突然重現。馬路上的鵝卵石泛起青光，也給行人披上一層毫無人氣的光環。溫暖的陽光仍然透著一股濕氣，似乎已被消散的薄霧浸潤。

城市的甦醒，有霧或無霧，總是比鄉村的日出更令我感動。鄉村的太陽，將草地、灌木叢的輪廓和鬱鬱蔥蔥的樹林鍍成金色，一切變得潮濕，直到最後閃耀起來。與此相比，城市的日出更是一種新生，飽含著更多的期待。太陽照射在玻璃上（經過無數次反光）、牆上（將牆壁繪成豐富多彩的顏色）和屋頂上（勾勒出與眾不同的剪影），將它的影響力放大到無數倍，使輝煌燦爛的清晨與一切風味各異的現實完全區別。鄉村的黎明令我喜歡，而城市的黎明好壞摻雜，因而更令我喜歡。是的，因為和一切希望一樣，更巨大的希望會給我帶來微微的苦澀，一種遠離現實的鄉愁味道。鄉村的黎明是存在，而城市的黎明是希望。前者讓你活著，後者則讓你思考。我注定總要去感懷，和世界上最不幸的那些人一樣，認為思考比存在更有意義。

202 秋意迷濛

夏末，酷暑漸退。午後，無垠的天空偶爾泛起一抹柔光，撲面襲來的寒風也無不暗示著秋的來臨。樹葉尚未泛黃凋落，雖然我們知道自己也將面臨死亡，但也尚未感覺到死亡臨近的微微焦慮。然而，最後的垂死掙扎過後，留下一種竭盡所能的衰弱無力，一種莫可名狀的麻木。啊，這些午後充滿著如此淒涼的冷漠，秋天尚未來臨，卻已在我們心中開始。

每一個秋天都與我們的人生之秋更近了一步。其實春天和夏天也一樣，但秋天，以本質而言，使我們意識到一切事物的結束，而這也正是我們在欣賞春夏美景時最容易忘卻的事情。

這還不是真正的秋天，空中也並未飄起泛黃的落葉，天氣也沒有變得陰暗潮濕，這些都是入冬的標誌。然而，一絲望得見的哀愁——一種整裝待發的悲傷——寄存在我們色彩模糊的意識裡，寄託在別樣的風聲裡，寄情於古老的寧靜，這份寧靜彌漫在夜幕中，緩緩潛入不可抗拒的宇宙存在。

是的，我們都會逝去，我們都將失去一切。穿戴著感覺和手套去談論死亡和地方政治的人，什麼也不會留下來。正如同樣的光芒照耀在聖徒的臉上和行人的鞋面，而同樣缺乏光芒的黑暗也將吞噬聖徒和行人什麼也不會留下來的虛無。在巨大旋風的席捲下，整個世界像乾枯的落葉，漫無目的地隨風飄移，整個帝國並不比女裁縫手頭的活計更有價值，隨處可見的少女亞麻色辮子和帝國裡的王權一樣掙扎在凡間漩渦裡。一切都是虛無，在隱形世界的門廳，每一扇開啟的門後面，都能看見一扇緊閉的門，一切都在翩翩起舞，風之奴僕用看不見的手攪動萬物——這一切，無論大小，皆為我們存在，組成宇宙的可感知體系。一切都是混雜著塵土的影子，沒有人聲，唯有起風或狂風掠過的聲音，除了荒蕪，風沒有留下任何寧靜。有些人像輕飄飄的落葉，離開地面，隨著漩渦旋入空中，然後被遠遠甩在重力圈之外。另一些人像塵土一樣，唯有近看才能看出區別，他們在漩渦中構成一個幾乎看不見的薄層。還有一些人，他們是小樹幹，被吸入漩渦後，在此處或彼處稍作停留。將來有一天，當一切最終完全顯現出來，另一扇門也被開啟，我們將成為——星辰和靈魂的垃圾，我們將被清掃出房間，以便重新開始存在。

我的心像一個外來者般刺痛了我。我的大腦將我的感覺哄睡。是的，這是秋的開始，它的冷峻光芒用死氣沉沉的淡黃色調和毫無規則的形狀，觸動天空和我的靈魂，將夕陽中殘存的幾片雲彩勾勒出模糊的輪廓。是的，這平靜時刻是秋天的開始，也是意識清醒的開始，是一切事物毫無特徵的不完美。秋天，是的，秋天似乎總是這樣，在即將開始時，預先體會了一切行動的乏味和一切夢想的幻滅。我還能有什麼期待？我還能希望它從何處開始？當我反思自我時，已經加入那些落葉和門廳前揚塵的行列，在完全虛無和毫無意義的軌道裡行駛，在最後一抹不知來自何處的夕陽鍍成金色的乾淨石板上，用生命拍打出聲音。

秋天將帶走一切，帶走我的一切思想，一切夢想，和我做過或尚未做過的一切。就像用過的火柴在地板上四處散落，或揉作一團的廢紙，或偉大的帝國、所有的宗教，和為深淵裡昏昏欲睡的孩子們玩耍而設計的哲學。這一切構築了我的靈魂，從我的雄心壯志到卑微淒涼的租屋，從諸神到我的老闆——維斯奎茲先生——我所有的一切，都將被秋天帶走，都將被秋天帶走，被柔弱而冷漠的秋天帶走。秋天將帶走一切，是的，帶走一切。

203 白日的徒勞悲嘆

我們甚至不知道白日的盡頭會不會變成一場徒勞的悲嘆，也不知道我們是否只是陰影中的幻象，而現實只是一片無邊無際的寂靜，那密密匝匝、叢叢簇簇的蘆葦裡見不到一隻野鴨下水。我們什麼也不知道。已逝的歲月是兒時故事的殘存記憶，如今已變成密密麻麻的海草。即將到來的時光是未來天空的款款柔情，微風緩緩吹開零散的星辰。廢棄的神廟裡，祈福的燈焰不安閃動。荒蕪的庭院裡，池水在陽光下淤積。曾經刻在樹上的名字已失去意義。無名氏的特權像撕碎的紙片被風吹散，跌落一地，唯有遇到阻礙物才停下來。人們倚靠著同一扇窗戶。忘掉邪惡陰影的人會繼續沉睡，心中滿懷對從未擁有過的陽光的渴望；而我的精神探險使我無悔地跌入蘆葦濕地，在秋高氣爽的黃昏，不存在的遠方，我被附近的河流和我的倦怠乏味流過來的淤泥掩埋。經歷了這一切，我在白日夢裡感受自己的靈魂，像一聲不安的嘯叫，一聲尖利的怒號，在世界的黑暗裡徒勞空響。

204 雲

雲……

今天，我意識到天空，但在很長一段時間裡，我只是感受而不是凝望著它，我只是生活在這個城市，而不是這個包含它的自然世界。雲……今天，它們是最大的現實，那樣的陰天，像命中注定某個迫在眉睫的危險一樣令我憂心忡忡。雲……它們從大海飄到城堡，從西邊飄到東邊，支離破碎，混沌不堪：它們七零八落、莫名其妙湊到我們眼前時是白色的；它們徘徊不前時是半黑的，等著嗚嗚低鳴的風將它們吹散；當雲而不是雲影讓一排排緊密房屋之間那片呈現在街上的虛幻空間變得黯淡時，它們是糅合著灰白的黑，彷彿不願離開。

雲……我活著的時候不知道什麼是雲，臨死前也不想知道。我是「我」與「非我」之間、夢想的我與現實的我之間的那道鴻溝，現實造就的我有血有肉、平凡、抽象而虛無，而本我也同樣虛無。雲……我感受時心神不寧，我思考時渾身不舒服，我渴求時萬般無奈！雲……它們繼續飄著，一些雲彩如此巨大，彷彿要塞滿整個天空（儘管那些房屋擋住了我們的視線，以致我們無法看見它們是否和看起來的一樣大）；而有些雲彩形狀各異，要麼兩朵拼成一朵，要麼一朵裂成兩朵，毫無意義地懸浮在疲憊的天空上方；還有一些雲彩，它們如此細小，像某些力量存有的玩物，像一些愚蠢遊戲裡用到的奇形怪狀的皮球，此時被冷落到天邊。

雲……我詰問自己，我不瞭解自己。我的所為毫無用處，我將來的所為也毫無不同之處。我耗費著一部分生命，用在胡亂詮釋完全虛無的東西，而另一部分生命用來書寫這些詩句，以抒發我不可言傳的感覺，藉此擁有未知的宇宙。我從主觀上和客觀上都討厭自己。我討厭一切，一切的一切。雲……它們是一切：大氣層瓦解的碎片，如今是無價值的地球和不存在的天空之間唯一真實的東西，而我的單調乏味歸咎於那些莫可名狀的碎片，薄霧凝結成無色的威脅，無牆的醫院四處可見骯髒棉花團。雲……它們像我一樣，是天地之間的荒蕪過道，聽憑某種無形脈衝的擺布，有時打雷，有時不打雷，白色的雲彩令人歡愉，黑色的雲朵散布陰霾，游離天地間的虛構假象，遠離塵間喧囂，卻未有天空的寧靜。雲……它們繼續飄著，一直飄著，永遠不停地飄著，像一團色彩單調的線團，在虛假而破碎的天空無限延展，四處散開。

日子在流逝的歲月中耗盡光華。誰也說不出我是誰，也不知道我曾經是誰。我從不知名的高山走進不知名的峽谷，在倦怠的黃昏裡，我的腳步是留在林中空地上的足跡。我愛過的每一個人都將我遺忘在陰影裡。沒有人知道最後一班船何時到來。無人寫給我那封信，郵局也沒有它的消息。

然而一切都不真實。無人說故事給他們，他們也不說故事給別人。關於很久以前將希望寄託在虛構旅行而離去的人，關於那個心懷迷惑和踟躕不前的孩子，無人知道他的確切消息。棲身在那些踟躕不前的人之間，我有一個名字：影子，就和所有事物一樣。

206 森林

啊，甚至那座涼亭也不是真的——它只是一座古老的涼亭，來自我失去的童年！它像霧一樣離去，穿過我現實房間中的白牆。我的房間在暗影下浮現，清晰可見，看起來更小一些，像生活和日子，像咯吱作響的馬車聲，像抽打在疲憊臥倒在地的牲畜身上微弱的鞭打聲。

207 雙重存在 60

有很多我們認為正確或真實的事情其實只是夢境的殘餘物，只是我們不瞭解正在夢遊的形象！有人知道什麼是正確或真實嗎？有多少我們認為美麗的事物其實只是明日黃花，只是他們所處時代與地點的虛構之物？有很多事物，我們覺得其為我們所有，可其實他們與我們的血液毫不相干，我們只是他們的一扇完美的鏡子，抑或透明的外皮！

我越深入沉思我們自欺欺人的能力，我的確定性便會越發崩潰，彷彿細沙從我的指縫間滑落。當這沉思演變成一種感覺，在我的心中揮之不去時，整個世界在我心裡便成了一團影子組成的迷霧，有稜有角的薄暮，一段虛構的插曲，以及永遠不會成為清晨的黎明。萬物變身成為死氣沉沉的絕對自我，成為停滯的細節。我把我的沉思轉化成為感覺，以便能夠忘卻。甚至我的感覺也變得麻木、遙遠而缺乏創意，既不是沉思，也不是感覺，發生了變異，只是影子和混亂的副產品而已。

在這樣的時刻裡——當我可以毫無困難地理解禁欲主義者和隱士，我便能夠理解，所有人是如何為了終極而努力，或遵守可以令人努力的信條——如果可以，我要創造出一種完整的絕望美學，就像肋骨擠壓搖晃產生的內在旋律，由其他遙遠故鄉中的夜之愛撫過濾。

今天在不同時刻我遇到了兩位朋友，他們兩人吵了架。兩個人都對我講了他們吵架的事，然而講述內容各有不同。每個人都說他們說的是事實，每個人都向我提出了他的理由。他們都沒錯，絕對正確。並非他們看到問題的角度不同，抑或一個人看到問題的這一面，另一個人看到的是另一面。不：兩個人看到的都是問題的全部，兩個人都根據相同的標準看待問題，可兩個人卻看到了不同面，所以兩個人都是對的。

我為這種雙重事實的存在而深感苦惱。

208 形上學

不論我們知道與否，我們每個人都有一種形而上思維；同樣，不論我們喜歡與否，我們每個人都有一種道德觀。而我的道德觀極其簡單：對任何人既不行善也不作惡。不作惡，不僅因為這樣做似乎更公平，其他人同樣擁有我所要求的權利——不被人打攪——還因為在我看來，世界的自然之惡已經夠多了，無須由我再添加什麼。世人都是同一條船上的乘客，從某個未知港口駛向另一個未知港口，我們應當懷著一顆旅客的誠摯之心對待彼此。不行善，是因為我既不知道善為何物，甚至也不知道自己做過的事情是否為善事。當我施捨一個乞丐零錢時，或者試圖教育或開導別人時，我又如何能知道自己製造了什麼樣的惡？疑惑之下，我唯有放棄。此外，我還認為，幫助別人或闡明什麼，在某種意義上也是干涉他人生活的一種惡行。善心只是我們的一時興起，但無論我們的善心多麼高尚或仁慈，我們都沒有權利讓別人成為我們突發奇想的受害者。善事是一種不公平的負擔，這便是我斷然憎惡它們的緣故。

如果出於道德原因，我不對人行善，也就不要求他人對我行善。當我生病時，我最痛恨的就是受惠於別人的照護，因為這也是我討厭對別人做的事情。因此我從不去探訪生病的朋友。當有人來探病時，我總是將探訪者的到來當作一種煩擾，一種對我隱私的無端侵犯。我

60 這篇文章上面寫著：〈惶然錄〉（或特伊夫？）。參見〈佩索亞、異名者，與惶然錄〉對佩索亞另一個「異名者」特伊夫男爵（Baron of Teive）的說明。

不喜歡接受人們的禮物，因為這樣看起來像是他們對我施予了恩惠，我應當有所回報——不管是給他們還是其他人，事情都一樣。

我非常喜歡社交，但用的是一種極為消極的方式。我是一個不令人討厭的化身，但僅此而已，我希望僅此而已，也不得不僅此而已。對於一切存在之物，我感到一種視覺感染，一種理智鍾情——但這是一種內心的虛無感。我對一切都不信任、不期待、不寬容。一切虔誠的虔誠靈魂和神祕的神祕主義者（毋寧說是一切虔誠靈魂的虔誠和神祕主義者的神祕）都令我憎惡，使我憤怒。當神祕主義者活躍時，當他們試圖說服他人、擾亂他人的意志、尋求真理或改變世界時，我幾乎感到反胃。

我為自己不再有家而感到慶幸，這使我從關愛某人的責任中解脫出來，這種責任無疑令我煩惱。我僅有的懷舊，只是文學性的。童年的回憶令我熱淚盈眶，但這些眼淚伴隨著韻律，淚水裡的散文已經成型。我像回憶一些與我無關的事情一樣回憶童年，透過一些外在之物回憶起它們。我只能回憶起一些外在之物。令我懷念童年的不只是那鄉村裡寂靜祥和的傍晚，還有放著茶壺的桌子、房間裡擺放的家具，以及人們的容貌和身姿。我懷念那些場景。因而，別人的童年總能像我的童年一樣打動我：它們都僅僅是久遠過去的視覺現象，我對它們的感覺只是文學性的。是的，童年打動我，但更多是因為我是看見而不是想起童年。

我從未愛過什麼人。我最愛的是我的感覺——我的意識所見的狀態，透過認真聆聽捕捉的各種印象，外在世界的樸素氣味像是對我述說什麼過去的事情（它們的氣味極為容易勾起我的回憶），它們帶給我的現實和感覺要比麵包店裡飄來的麵包香味更強烈。當時，我參加完叔叔的葬禮，走在回家的路上，他曾經如此愛我，我有一種自己也說不清的、親切的撫慰之感。

這就是我，我的道德觀，或我的形上學：我是包括自己靈魂在內的、一切事物的路人，我什麼也不屬於，什麼也不渴望，什麼也不是——我只是客觀感覺的抽象中心，一塊掉在地上的鏡子，用感覺映照著大千世界。我不知道也不在乎這種方式是否帶給我快樂。

209 寫作即物化夢

加入他人、與他人合作或共同行動是一種病態的形而上衝動。靈魂賦予個體的東西不應該出借給與他人的各種關係。存在的神聖事實不應當對共存的邪惡事實屈服。

當我與他人共同行動時，我至少先失去了一樣東西——單獨行動的自由。

當我參與時，儘管我看似在擴充自己，實則是在限制自己。與人交往即死亡。對我而言，唯有我自己的意識是真實的。他人在我的意識裡不過是模糊不清的現象，過於將他們歸於現實是病態的。

我行我素的孩子們與上帝最接近，因為他們想要活著。

作為成人，我們的生活淪落到互相施捨的境地。我們縱情於共存，揮霍著自己的個性。每一句說出的話都在欺騙我們。我唯一能容忍的溝通方式就是文字，儘管它不是組成靈魂間橋梁的石頭，卻是群星間的一線光芒。

解釋即不信任。每一種哲理都是喬裝成永恆的社交手段……正如社交手段，它沒有實體形式，不能憑藉自身力量存在，只能完全徹底依附於一些客觀物件。

對於一個發表作品的作家，唯一高貴的命運就是得不到他應得的名聲。然而，真正屬於一個作家的高貴命運就是不去發表作品，而非不寫作，因為倘若那樣，他便不再是一個作家。我的意思是說，作家的天性就是寫作，但他的精神氣質使他不將自己的作品公之於眾。

寫作即物化夢，像一個創造者一樣，創造一個外在世界作為對我們天性的物質回報。而發表作品就是將這個外在世界拱手讓人。然而，倘若這個外在世界對我們來說是普遍的，而對他們來說是「真實」的、一個由看得見、摸得著的物質組成的外在世界，那麼會怎麼樣呢？他人如何去對待我們心中的這個宇宙呢？

210 挫折的美學

出版——是自我的社會化，是一種低劣的必需品！但仍然不是一種真正的行為，因為發行者靠出版賺錢，印刷業者靠出版生產印刷品。不過至少出版還有變得混亂的價值。

當一個人到達明白事理的年齡，他最關心的事情之一，就是深思熟慮後，積極主動地將自己塑造成理想典範的形象。我們的靈魂在面對現代世界的嘈雜紛亂時，由於最能體現我們高貴態度的理想做法就是無為，那麼我們的理想就是無為和不行動。徒勞無益？或許如此。然而，這只會煩擾讓那些被徒勞思想所蠱惑的人。

211 我們無法憎恨

熱心是一種粗俗。

尤其是熱心的表達，侵犯了我們不真誠的權利。

我們永遠也不知道自己何時是真誠的。或許我們永遠也不會真誠。即使我們今天對某事真誠，明天我們或許就會對這件事的完全對立面同樣真誠。

我自己從未確信如此。我總是擁有觀感。我永遠無法憎恨一片土地，儘管在那裡我曾看到過一次可恥的日落。

我們並未使太多的觀感具體化，因為我們在擁有觀感時就已說服自己相信，自己使它們具體化了。

212 詩人

提出意見是出賣自己。沒意見是存在。對每件事都有意見則成為詩人。

213 一切離我而去

我的一切都在離我而去。我的全部生活、我的回憶、我的想像和一切想像之物、我的個性：全部都在離我而去。我常常感到自己是另一個人，另一個我在感受和思考。我觀看的這齣戲有不同的陌生場景，而戲裡的主角也正是我。

我的抽屜裡胡亂堆著一些文學作品，有時候我發現，那些都是我十年或十五年（甚至更久）前寫下的東西，一些作品看起來像是出自陌生人之手，我已認不出自己的語態。但如果不是我寫的，又會是誰？我能感受到那些寫下來的事情，然而那是另一種生活，而我就像是從另一個人的睡眠甦醒過來。

我常常會翻出年輕時寫下的東西，當時我不過十七或二十歲，那些作品顯露出來的表達力是我無法憶起的。我青年時期用的措詞和語句看起來像是今天的我所寫，而這些東西只有經受多年磨練的人才能寫得出來。在我看來，如今的我與昔日並無不同。儘管我覺得自己大體上比過去大有進步，但我不知道進步在哪，我還是過去那個樣子。

這裡隱藏著某種令我疑惑不安的奧祕。

僅僅在幾天前，我看了一篇自己很久以前寫下的短文，感到大吃一驚。我很清楚，自己幾年前才開始小心翼翼地遣詞造句，但我在抽屜裡發現的這篇年代更久遠的短文裡，竟然出現了同樣縝密的語言。我完全不知道過去的我是怎麼一回事。我是怎麼發展到從前的模樣呢？我是如何認識到從前沒有認識的我呢？這一切變成一個令人迷惑的迷宮，我迷失在自我裡，離我而去。

我任由自己的思緒馳騁，我可以肯定自己在寫一些曾經寫過的東西。我記得。假設我身上存在著另一個我，我向他詢問，如果按照柏拉圖主義有關感知的說法，是否不存在另一個縱向的回憶——也就是前世，而我們隱約記起的事情只屬於今生……

上帝啊，我的上帝，我到底在觀看誰？到底有多少個我？我是誰？在我和我之間到底隔著什麼樣的鴻溝？

214 我的法文舊作

這一次，我又發現一篇自己用法文寫的文章，寫於十五年前。我從未到過法國，也從未與法國人有過什麼近距離接觸，我並不曾精通法語，然後隨著時間的流逝才漸漸生疏。今天，我像以前一樣讀了很多法語。隨著年齡的增長，我的閱歷也越來越多。我應當有所進步才是。然而，這些寫於遙遠過去的文字在法語使用上表現出一種我從不具有的自信。這篇文章文風流暢，如今的我可能無法用這種語言寫出來。它有完整的段落和語句，文法形式和慣用語無不顯示出一種流暢，我已喪失這種寫作能力，甚至想不起曾經還能這樣流暢地寫過法文。這怎麼解釋呢？誰將我體內的我換走了？

我們不難形成一種事物和靈魂的流動性理論，用於將我們當作一種內在的生命之流去理解，想像有很多個我們，我們走遍自我，我們有很多……不過，在這種情況下，除了河岸之間的個性之流外，還存在一些其他的東西：有一個絕對的他人，一個也屬於我的外在的自我。隨著年齡的增長，我將喪失想像力、情感、某種智力和一種感覺方式——這一切，儘管令人遺憾，卻不足為奇。但是，當我讀自己的文章時，就像這篇文章出自陌生人之手，我面對的又是什麼樣的事呢？如果我在深海裡看見了自己，那麼我是站在什麼樣的海岸上呢？

在其他時候，我發現一些連自己都想不起曾寫過的文章，就其本身而言，並不使我驚訝，但我甚至想不起自己有這樣的寫作能力，這就使我駭然。某些句子出自另一種思路。就好像我找到一張舊照片，我知道照片裡的人是我，但有著連我都認不出來的不同身高和容貌，但那確實是我，這使我有些駭然。

215 分裂的自我

我持有最矛盾的意見、最分歧的信仰。因為思考、談話或行動的人從來都不是我，而是我諸多夢裡的一個夢，是我暫時寄居的夢在替我思考、談話和行動。我張開嘴，但說話的是另一個我。我感到唯一真正屬於自己的，就是徹底的無能、巨大的虛無，和生活中各方面的不勝任。我不知道什麼樣的姿勢適合真正的行動……

我從未學會如何生存。

我從自己身上獲得一切想要的東西。

我希望讀完這本書後，會給你一種穿越感官噩夢的印象。

曾經精神上的東西如今成為一種美學。曾經社會的人如今成為個體的人。

既然我的心中滿是千變萬化的黃昏——包括那些不是黃昏的事物——並且，除了觀看心中的黃昏，我自己從裡到外都已變成黃昏，那麼，為什麼我還要看黃昏呢？

216 為了尋找的放棄

雲朵分布在整個天空裡，落日餘暉照射著雲朵。無垠的天空高高在上，蘊含無限，各種柔和色調點綴天空，茫然地飄浮在天空中的悲傷之間。屋頂上一半是色彩，一半是陰影，即將離去的太陽投射下最後幾縷舒緩的光線，這光既不是來自太陽，也不是陽光照亮之物反射的光線。巨大的平靜懸掛於喧鬧的城市上空，越來越平靜。萬物安靜地深呼吸著，超越了那色彩與聲響。

陽光照不到的七彩建築物開始發灰。多樣的色彩中蘊含著冰冷。輕微的焦慮在街道構成的虛假山谷裡昏昏欲睡。它睡著了，平靜下來。在高聳雲端的最低處，一點點地，那些色彩開始變得虛無。只在那一塊小塊雲朵上——宛如一隻白鷹盤旋在萬物之上——還殘餘著漸行漸遠的太陽留下的最後一抹美好金光。

為了尋找，我放棄了我在生活裡尋找到的一切。我就像一個茫然不知在尋找什麼的人，尋找著，尋找著，在夢中已然忘記了想要尋找什麼。尋找的雙手做出了實實在在的動作，而尋找的事物比這雙手更不真實——搜索，拾起，放下——那雙手就是一個有形的存在，修長，雪白，每隻手都有五根手指。

我所有的，就像這高高在上、變化多端的天空，到處都是虛無的碎片，被遠處的一束光刺痛，到處都是虛偽生活的碎片，被遠處的死亡鍍上了金，而這死亡帶著一抹了然全部事實的悲傷微笑。我所有的一切，乃不知如何尋找而得，如同一個黃昏下沼澤地上的封建領主，一個空墳之城裡的孤獨王子。

現在的我，曾經的我，或者我想像中的現在與曾經的我，突然間失去了——在我的思考之下，在高高在上的雲朵突然綻放的光芒之下——神祕、真實，或許連運氣都失去了，這些東西藏在某個晦澀之物中，這個物體的生命十分渺小。如同漸行漸遠的太陽，這就是我得到之物。在高高聳立的屋頂之上，這些屋頂各式各樣卻又千篇一律，太陽的光芒之手慢慢消逝，到了最後，萬物的內在陰影開始顯現。

遠方，第一顆小星星光輝熠熠，如同一滴水，朦朧而閃爍。

217 離散

任何感覺的萌芽，甚至是最愉快的萌芽，都必然會擾亂擁有同樣感覺的神祕內心生活。小關心和大擔憂使我們分心，妨礙了思想的寧靜，我們都渴望獲得寧靜，不管瞭解或不瞭解它。

我們幾乎總是活在我們的自我之外，生活是一種持續不斷的離散。但它向我們離散時，我們像行星一樣向著中心沿著荒謬而遙遠的橢圓形而走。

218 主，在我心中

我比時空更蒼老，因為我有意識。萬物衍生於我，整個自然都是我感覺的後裔。

我尋找，卻找不到。我渴望，卻得不到。

沒有我，世界照樣日出日落。沒有我，世界照樣颳風下雨。一切不因我而存在，只因四季變化，一年裡有十二個月的時光流逝。

世界之主在我心中，就像這塵世之地，非我所能帶走……

219 虛空

在這倦意綿綿的時刻，我感到自己在繽紛夢境中的某個夢裡，煤氣燈下，車來車往的路中間，感覺的棲居地中（被稱作靈魂），與我一起漫步在夜色中的城市街頭。

我的身體穿過大街小巷時，我的靈魂迷失在錯綜複雜的感覺迷宮。這一切不安地傳達了一種不真實和虛假存在的感覺，一切都證明，這個宇宙棲居之地是多麼空洞無物：一切都客觀地展現在我的超然精神面前。我不知道為什麼，大街小巷縱橫交織成客觀網狀物，成排的街燈和樹木，點燈或未點燈的窗，打開或關閉的門，這一切困擾著我——由於近視，夜幕中的各種剪影愈發顯得模糊不清，直到它們在我們的主觀之眼中變得荒誕怪異，虛幻難辨。

掛在嘴上的嫉妒、渴望和淺薄衝擊著我的聽覺。喃喃私語，我的意識泛起漣漪。

我和這一切同時存在，但我也的確——見到的太少，但我聽見——穿梭在這些代表存在的影子裡，並且在實際存在的空間中移動，對於這個事實，我漸漸失去清醒意識。這一切是如何存在於永恆時光和無限空間裡的，這個問題漸漸變得模糊不清，難以理解。

透過消極的聯想，我開始思考，人類的時空意識帶有強烈的分析和直覺，以致我們與這個世界失去連繫。無疑，在這樣的夜晚，在這樣的城市（和我陷入沉思的這個城市並無不同），諸如柏拉圖、司各特[61]、康德和黑格爾，他們幾乎忘了這一切，他們變得與眾不同，這似乎有些滑稽可笑。他們同樣是人類……

61 約翰．司各特．愛里更那（John Scotus Erigena，八一〇～八七七年），愛爾蘭的新柏拉圖主義哲學家和神學家。

帶著什麼樣的清晰感，我漫步在這裡，思考著這些問題，感到遙遠、陌生、困惑而又……

我結束了孤獨的旅程。無邊的寂靜對細微的聲音無動於衷，將我侵襲和淹沒。我身心皆極度厭煩事物，一切事物，厭煩簡單地待在這裡，厭煩在這現狀中尋找自我。我幾乎就要大喊起來，因為我感到自己正沉入大海，海的浩瀚無邊和空間的無限或時間的永恆毫無關係，或者和一切可被估量或命名的事物毫無關係。在這無上的無聲恐怖時刻，我不知道我具體是什麼，也不知道我通常的所為、所求、所感和所思。我感到從自我剝離，超出了我的範圍。奮鬥的精神衝動，組織和理解的智性努力，對我看不穿、但我記得曾看穿過、被我稱作美的藝術創作的不安渴望——這一切從我的現實感中消失，這一切打擊我，甚至似乎不配被稱作無用、空虛和遙遠的事物。我感到自己不過是一個虛空，一個靈魂的幻覺，一個存在的軌跡，一種有意識的黑暗，在那裡，陌生的昆蟲至少徒勞地尋找著對光線的溫暖回憶。

220 悲傷的間奏（四）

作夢有什麼好處？
我瞭解自己多少？我什麼也不瞭解。
在黑夜裡昇華自己的心靈……
內心的雕像，沒有輪廓；外在的夢，沒有夢的實質。

221 夢想家

我永遠是一個具有諷刺意味的夢想家，對自己內心的承諾不忠誠。我就像一個徹底的局外人，一個我認為是我自己、漫不經心的旁觀者，我總是欣悅於白日夢的挫敗。我信奉的東西從未使我信服。我的雙手捧滿沙土，我稱之為黃金，然後打開雙手，讓它們散落一地。文字是我唯一的真實。當我說出合適的文字，一切就已足夠。其他的，便永遠是沙土。

倘若我不是持續不斷地作夢，倘若我不是永遠處在紛繁迷亂的狀態，我完全可以稱自己為現實主義者——對於現實主義者來說，外在世界是一個與他毫不相干的國度。然而，我寧願不給自己什麼名稱，而是多少給自己留點神祕感，甚至對自己惡作劇地出乎意料。

我感到自己有持續不斷作夢的某種義務，因為我只是也只想成為自己的旁觀者。我不得不盡力演好戲。我想像自己在一個古代的布景裡，置身一個虛構的舞臺上，在一些想像中的屋子裡穿金戴銀，身著綾羅綢緞：在夢裡衍生出縹緲無形的音樂和柔和燈光下的表演。

我珍惜它們，像珍惜特別之吻的回憶，珍惜那個黛青色劇院裡殘存的童年回憶。珍惜月光勾勒出的大花園環繞著如畫般不存在的宮殿露臺。我傾盡靈魂去感受它們，就好像這一切都是真的。柔和的音樂，在這生活的心靈體驗時刻緩緩響起，賦予了這個舞臺布景極度的真實性。

顯然，布景是一種黛青色，一種月光的顏色，然而，我卻想不起舞臺上的登場人物。記憶中的舞臺布景下，我演的那場戲取材於魏倫和庇山耶[62]的詩歌，但是，這場戲（我不記得了）不是在真實舞臺上演，和憂傷音樂點綴的現實毫無關聯。這是我優雅流暢的表演，一場華美炫目的月光化裝舞會，一支銀色的、夜曲般憂傷的間奏。

然後生活開始了。那一夜，他們帶我去金獅飯店[63]赴宴。我懷舊的味覺仍然能嚐到那些牛排——那些（我所知道的是我想像出來的）今天已無人烹製的牛排，不論如何，我沒有去食用。一切混在一起——遙遠的童年，餐館的美味食物，月光布景，明天的魏倫和今天的我——交織成模糊不清的對角線，在曾經的我和此刻的我之間形成一個虛假的鴻溝。

222 暴風雨來臨之前

當暴風雨醞釀之時，嘈雜的街道聲音格外喧鬧和清晰……

街道縮成一團落寞的白光，轟隆隆的巨響回音不斷，整個世界在陰沉沉的黑暗中顫抖。暴雨惱人的陰鬱加重了空氣令人生厭的陰暗色度。天氣時冷，時暖，時熱，空氣中處處閃現著模稜兩可。進而，一道楔形金屬光閃進偌大的辦公室，刺穿了每一個人類身體的寧靜，而天空一聲巨響，寒顫顫的衝擊此起彼伏，最後粉碎成一片僵硬的死寂。雨聲漸漸弱下來，變成一種柔和的聲音。出於恐懼，街上人群的喧鬧聲也減弱了。一道新的閃光迅速將一道黃色傳遍寂靜的黑暗，在轟隆隆的雷聲突然從遠處響起前，呼吸重新成為可能；像一道怨怒的道別，暴風雨漸漸離去。

……帶著一種有氣無力、奄奄一息的低吟，天色漸明，閃電減少，轟鳴的雷聲在遙遠的廣袤中平息——它徘徊在阿爾馬達[64]上空……

一道可怕的光亮突然炸裂開來，裂成碎片。它在每個人的頭腦和心房裡凍結。一切都凍結了。心跳停了片刻。他們都是一群感官敏銳的人。寂靜像死神降臨一樣令人恐懼。雨聲漸漸大了，彷彿哭泣的一切是一種撫慰。空氣像鉛一樣沉重。

223 雷聲

微弱的電光之劍陰鬱地迴旋在偌大的屋子裡。接著是轟隆隆的雷聲，四處滾動，然後消失在遠處。雨嚎啕大哭的聲音，像閒聊裡穿插的哀悼者的聲音。在這裡，每一個細小的聲音都顯得格外清晰，神經兮兮。

224 現實是想像的插曲

……想像的插曲，我們稱作現實。

連續下了兩天雨，陰冷晦暗的天空飄起雨點，那色調刺痛我的靈魂。連續兩天……我的感覺使我傷感，於是我將它反射在窗戶上，融入淅淅瀝瀝的雨聲和傾盆大雨裡。我的心被雨

62 庇山耶（Camilo Pessanha，一八六七～一九二六年），重要的葡萄牙象徵主義詩人，影響了佩索亞的詩作。
63 金獅飯店（The Gold Lion），位於里斯本鬧區，一八八五年開始營業。
64 阿爾馬達（Almada），里斯本近郊城鎮，位於塔古斯河一側。

水淹沒，我的回憶已變成焦慮。

儘管我不覺得疲憊，也沒有理由覺得疲憊，我還是想馬上去睡覺。回到快樂的童年，鄰家院子裡有一隻色彩鮮豔的翠綠鸚鵡。牠的饒舌學語不會因下雨而生出悲涼，牠棲身在自己的避難所，叫聲裡蘊含著恆久不變的調子，像年代久遠的留聲機在這悲愴氣氛裡轉動著。

我會想起那隻鸚鵡，是因為我心情陰鬱，還是想起了我的遙遠童年？都不是，事實上，我想起牠是因為如今我的住處對面那個院子裡，也有一隻鸚鵡在歇斯底里地叫個不停。

一切都變得顛倒。當我似乎就要想起什麼時，我卻想著別的事情。當我專心觀察時，卻認不出什麼來，而當我心猿意馬時，卻看得清清楚楚。

我轉過身來，背對著灰暗的窗子，玻璃給人冰涼的觸感，在半明半暗的光影變幻中，我突然看見舊房子的對面院子裡有一隻學舌的鸚鵡。事實上我還活著，一切都不能改變，我的雙眼沉入睡眠。

225 感受和遺忘

是的，這就是日落。我心煩意亂，緩緩地漫步到阿爾範德加大街的盡頭。

我看見，在宮殿廣場那頭，西邊的天空顯然黯淡下來。湛藍的天空被染成綠色，漸變成淡灰，而在左邊，河對岸的小山上，死氣沉沉的粉色霧氣中彌漫著一大團淡褐色。

我所沒有的巨大寧靜冷冷地呈現在抽象的秋空中。我並不擁有它，而是體驗到想像它存在的微弱快樂。

但在現實中，沒有寧靜，也不缺乏寧靜，只有天空，而每種顏色都在褪色；淡藍，藍綠，介於藍綠之間的淺灰，遠處不是雲朵的雲朵呈現模糊色調，褪去的紅使它暗得發黃。

這一切是一種幻象，一出現便消失，一段介於虛無和高空中虛無間的短暫插曲，在天空和悲傷的陰影中無影無形地彌漫。

我感受和遺忘。一種鄉愁——每個人對每個事物都會產生的懷舊感——向我侵襲，就像寒冷空氣中的鴉片。我從觀看中獲得一種內心的空虛狂喜。

朝著大海，西沉的太陽越來越低，光線消失在一抹被發綠的空氣染成藍的鉛白裡。天空中浮動著一種什麼事情都從未實現的倦怠。天空的全景歸於寂靜。

在這樣的時刻，我突然生出一種感覺，希望能獲得無情地表達自我的天賦，一種隨意的古怪念頭，就像我的命運。但是不：這正在瓦解的、遙遠而高遠的天空，此時就是一切，我感覺到的情緒，各種困惑的情緒聚集在一起，它們不過是這無用的天空倒映在我心靈之湖的倒影——險峻岩石間與世隔絕的湖，完全的寂靜，一種死人的凝望，站在高處心煩意亂地凝視自我。

許多次，許多次，就像此刻，對自我的感受壓迫著我——我覺得痛苦是因為它只是一種感覺，我覺得不安是因為我在這裡懷念我從不知道的東西，一切情感的日落，泛黃的我，用灰色的憂傷嵌進我外在的自我意識中。

啊，誰能將我從存在拯救出來？我既不想死亡，也不想要生命：渴望的深處，其他事物在熠熠閃光，像可能藏在深井裡的鑽石，卻無人能下去採集。這是真實和不可能的宇宙一切的負擔和悲傷，像不知名軍隊的旗幟在空中擺盪，這些顏色將虛構的天空渲染，想像中的新月，太遙遠且毫無感覺，此時正浮現在寂靜的、令人吃驚的蒼白中。

一切歸咎於真神的缺失，神聖天堂的空洞死屍和閉鎖的靈魂。無邊的牢獄——因為你就是無邊，你無處可逃！

226 救贖

啊，當我們踏著夜色漫步在城市的街道，從靈魂向建築物的外牆凝望，一切結構上的不同、建築的細節、點燈的窗，盆栽植物妝點下的獨特陽臺，這是多麼超然的感覺啊——是的，看著這一切，意識驅使下，我的雙脣大聲念著救贖的話，這使我感到一種本能的快樂。但這一切都不真實！

227 我喜歡散文的理由

我更喜歡散文而不是詩歌這種藝術形式，原因有二：第一個原因純粹是個人原因：我沒有選擇，因為我不會寫韻文。第二個原因適用於每個人，然而，我不認為散文只是一種詩歌的影子或偽裝形式。散文值得細看，因為它關係到一切藝術價值的本質所在。

我將詩歌看作一種介於音樂和散文之間的中間階段。和音樂一樣，詩歌要遵從音韻節律，即使沒有嚴格的格律，它們的存在仍然受到檢查、約束、壓抑和責難的自動機制影響。在散文中，我們可以自由發揮。我們可以在思考的同時加入音樂的韻律。我們可以置身詩歌之外，加入詩歌的節律。偶爾出現詩韻不會擾亂散文，但是，偶爾出現散文的節奏卻會毀掉詩歌。

散文將一切藝術囊括其中，部分是因為文字包含了整個世界，部分是因為不受限制的文字包含了一切表達和思考的可能性。在散文中，透過轉換句，我們可以渲染一切：繪畫只能透過顏色和形態直接渲染，就其本身而言，它沒有內在維度；同樣，音樂只能透過韻律直接渲染，就其本身而言，它沒有正式形體，更不用說第二形體，即思想；建築師必須要從特定的、堅硬的外在事物中找到結構，我們帶著韻律、猶豫、連續性和流動性來建造房子；雕刻家必須將真實留給世界，沒有變體過程帶來的氛圍；最後是詩歌，詩人就像祕密社團的新加入者，是紀律和慣例的奴僕（儘管出於自願）。

我確信，在一個完美的文明世界中，除了散文沒有其他藝術。日落就是日落，我們只是透過言語藝術理解它們，用一種可理解的音樂色彩表現出來。我們沒有雕刻實體，而是讓它們保持原有的柔軟輪廓和看得見、摸得著的溫熱。我們蓋房子是為了住進去，這終究也是蓋房子的目的。由於詩歌明顯有點幼稚，容易記住，是一種初級的輔助形式，所以詩歌是為兒童而寫的，是他們學習散文的準備階段。

哪怕是被我們稱作次要藝術的東西，它們在散文中也能找到共鳴。散文為自己唱歌，為自己跳舞，為自己朗誦。散文中有踩著曼妙舞步的文字韻律，表達的思想就像剝去外衣，露出堪稱典範的真實感官。散文中還有偉大演員的微妙手勢，文字帶著一種節奏，將宇宙中的無形奧祕轉變成有形物質。

228 連結

事物是互相連結的。古典作者從來不會談到晚霞，但是，讀他們的作品時，我瞭解了絢麗多彩的晚霞。句法能力和感知能力之間存在一種關係，我們透過句法區分存在、聲音和形狀的價值，而感知能力可以感知到藍天實際上是綠色的，以及藍綠的天空中摻雜著多少黃色。

它可歸結為——區分和辨別的能力。沒有句法，就沒有歷久不衰的情感。不朽依賴文法家而存在。

229 生活是一種壓迫

閱讀意味著在他人之手的牽引下作夢。閱讀時粗心大意、心不在焉，就意味著鬆開了那隻手。淺薄地讀書是讀得好、讀得深的最好方法。

生活是多麼卑劣可鄙啊！注意，因為它卑劣可鄙，儘管你什麼也不想要，生活卻總是把一切強加於你，一切都不依賴你的意志或者意志中的幻覺而轉移。

死亡意味著完全變成他者。所以，自殺是一種怯懦：它意味著完全屈服於生活。

230 藝術是替代品

藝術是行動或生活的替代品。如果生活是情感的矯飾表達，那麼藝術是情感的理智表達。透過夢，我們可以得到得不到的、嘗試不能嘗試的、實現不能實現的一切。這就是我們創造藝術的目的。在其他時候，我們的情感如此強烈，儘管付之行動，這種行動並不能完全令人滿意；生活中剩下的那些未被表達的情感，被用到藝術作品的創作裡。有兩種藝術家：一種表達他沒有的情感，另一種表達他多餘的情感。

231 寫作是一種徒勞

靈魂的悲劇之一就是，在寫作時才發現，一旦作品完成，就沒什麼是好的了。而更大的悲劇就在於，我們發現自己盡了力也只能寫出這樣的東西。然而，如果事先知道自己寫出來的東西一定會有瑕疵和不完美，同時在寫的時候也看出它的瑕疵和缺點——這才是最大的精神折磨和侮辱。我不僅不滿意現在寫下的詩句，還知道我將不滿意未來寫下的詩句。憑著一種模糊而逼真的預感，我在精神上和肉體上都認識到這一點。

那麼，為什麼我還要繼續寫下去呢？因為，我尚未學會徹底放棄說教。我無法放棄對詩歌和散文的偏好。我不得不寫作，就像在被執行什麼刑罰。而最嚴厲的刑罰莫過於得知自己所寫的任何東西都是徒勞的、錯誤的和靠不住的。

我寫第一首詩時還是個孩子。儘管寫得很糟糕，但我當時看來卻很完美。以後我再也不會有那種自以為寫出完美作品而沾沾自喜的感覺。我今天的作品比以前要好得多，甚至要好過最優秀的作者所寫的作品。然而，它永遠也達不到我出於某種原因能夠——或者說是應當——達到的水準。我為自己第一首糟糕的詩歌而哭泣，就像哀悼死去的孩兒、夭折的兒子，和消失殆盡的最後一個希望。

232 兩個真理

我們越活就越發確信，我們遭遇了兩個互相矛盾的真理。第一個真理就是，與現實生活相較，一切虛構的文學和藝術都顯得相形見絀。誠然，它們帶給我們的高尚愉悅是生活所無法比擬的。然而，它們像夢一樣，儘管帶給我們生活所無法帶來的感受，拼接出生活中見不到的風景，但它們終究只是夢，當我們醒過來，一切煙消雲散，不會留下任何記憶或鄉愁，而唯有那些東西才使我們得以繼續生活下去。

另一個真理就是，任何高尚靈魂都渴望過各種各樣的生活——經歷一切事情，到過一切地方，擁有一切感受——由於客觀上說這是不可能實現的，因此對於一個高尚的靈魂，唯一的方法就是透過主觀臆想。唯有否定生活，才能活出它的全部精彩。

這兩個真理互相排斥。智者既不會試圖去調和它們的矛盾，也不會忽略其中任何一個真理。但他將不得不擇一而從，並不時懷想他沒有選擇的那個真理。要麼他就乾脆兩者都拋棄，超越自我，達到一種涅槃的境界。

知足者常樂，像被本能驅使的貓，哪裡有陽光就去哪裡，沒有陽光就找個暖和的去處待著。放棄個性、從想像中取悅的人是快樂的，他們在對別人生活的觀照中取悅，他們並未體驗所有觀感，而只是體驗了觀感的外在景象。最後，放棄一切的人是快樂的，因為從他那已得不到任何東西，他已無可所失了。

鄉下人、小說讀者和純粹的苦行者——這三類人是快樂的，因為他們完全放棄了自己的個性：第一類人靠本能生活，而本能具有動物性；第二類人靠想像生活，而想像容易被遺忘；第三類人與其說是在生活，不如說是在休眠（直到生命的結束）。

沒有什麼可以令我滿意，將我撫慰；一切存在與不存在之物都令我厭倦。我不想擁有也不想遺棄靈魂。我渴望自己不渴望的東西，放棄自己並未擁有的東西。我既不是虛無，也不是一切：我只是一座架設在我之所無與我之所願間的橋梁。

233 肅穆的悲傷

……肅穆的悲傷，存在於一切偉大事物中——高山和偉人，深沉的夜和永恆的詩篇。

234 愛意味著死去

如果我們除了愛以外沒有任何作為，我們就能死去。

235 愛是什麼

我曾真正被人愛過一次。人們總是用一種友善的方式對待我，連我幾乎不認識的人也很難對我粗暴、無禮或冷淡。有些友善待我的人，倘若我有所回應，可能發展成一種愛或感情。但我總是缺乏耐心，也無法聚精會神去做這樣的努力。

起初我以為（我們對自己瞭解得如此少！），我的靈魂對這類事情的冷漠應歸咎於羞怯。然而，我逐漸意識到，這實際上應歸咎於面對面的感情帶給我乏味感，這種乏味不能與生活的乏味混為一談。我沒有耐心讓自己保持持續的感覺，尤其是保持這種感覺需要付出持續的努力。「為什麼而做？」我沒有想過這個問題。憑著智性敏銳力和心理洞察力，我足以知道「如何去做」；而我總是忘記「為什麼要這麼做」。我意志的薄弱總是始於薄弱意志，任何意志都如此。我的情感、智性、意志和生活中的一切行為都是如此。

然而有一次，命運竟然鬼使神差地使我相信自己愛上了什麼人，並得以證實那個人也真正愛著我。而我的第一反應是大惑不解，就好像我獲得不能兌換現金的大獎。於是，由於我也是凡夫俗子，我感到有些飄飄然。然而，看起來再自然不過的情感瞬間消失。隨之而來的是一種難以界定的不適感，這種感覺包含了乏味、羞辱和倦怠。

乏味，猶如命運強加於我的某些奇怪而陌生的任務，我不得不犧牲自由自在的傍晚時光去完成。乏味，猶如一項新的職責——是一種可憎的互動——諷刺的是，它就像命運強加給我的特權，我也應當對命運感激涕零。乏味，猶如千篇一律的生活還不夠單調，我的確切感覺也必須烙上這樣的單調。

而羞辱——是的，我感到羞辱。我費了好一陣子去理解這種看似完全沒理由說得通的感覺。我被人所愛。有人將我當作可以被愛的人類傾注大量注意力，這應當激起了我的虛榮心。然而，短暫的虛榮心過後（這種虛榮心可能還包含了某種驚喜），我所體驗到的是一種羞辱。我感到自己就像誤拿了別人的大獎——那個獎的巨大價值應該屬於應得的人。

但最大的感覺就是倦怠——這種倦怠比任何乏味都難受。我終於理解了夏多布里昂的那句話，由於我曾經缺乏個人經驗，那句話的含義總令我百思不得其解。夏多布里昂在代表作《勒內》中寫道：「人們受累於被愛。」我驚訝地發現，這與我的體驗不無二致，以至於我無法否定它的正確性。

被人所愛，真正被人所愛，是多麼令人倦怠啊！成為別人繁重情感的施予對象，是多麼令人倦怠啊！看看你自己——你最大的渴望就是永遠自由——如今卻被改造成一個天天往返兩地的送貨員，擺出一副不會逃避的體面模樣，唯恐別人以為你對感情不負責任，並將失去人類靈魂所能給予的最高尚情感。你的存在完全依附在與他人情感的關係之上，是多麼令人倦怠啊！不得不有所感覺，不得不以哪怕是一丁點的愛回報，即使這種愛不是真正的互動，這又是多麼令人倦怠啊！

這段朦朧的插曲轉瞬即逝，如今在我的知覺或情感裡沒留下任何痕跡。它沒有帶給我任何從人類生活準則裡能演繹出來的體驗，因為我是人類，我的體驗與生俱來。它讓我悲嘆過去時既不悲也不喜。我像是在哪裡讀過它，事情像是發生在別人身上。它又像一本我讀到一半不得不停下來的小說，小說的另一半已丟失，但我並不介意，因為故事的前半部分還在那裡，儘管它已沒有意義。我認識到，不管丟失的那一半裡講述著什麼樣的故事，那本書都將永遠失去意義。

剩下的就是我對愛我之人的感激之情。但這是一種抽象、令人困惑的感激，更多的是理智而不是情感。如果有人因此而悲傷，我感到抱歉。我對此感到抱歉，但僅此而已。

生活不大可能再給我一次偶遇的自然情感。在徹底分析完第一次體驗後，我幾乎希望看到自己再次遭遇時會有什麼反應。我可能會感受到更多或更少的感情。如果這樣的命運降臨，那就降臨好了。我對我的情感充滿好奇。然而，不管事實如何或將要如何，我一點也不好奇。

236 冷漠的獨立性

對一切都不屈服，對一個人、一段情、一個理念，都是如此，保持一種冷漠的獨立性，不相信真理，或者甚至不相信獲得真理（如果存在的話）的有用性——在我看來，對於那些不思考就不能活的人來說，這是一種對待內心智慧生活的正確態度。有所歸屬和平庸並無不同。信條、理想、女人和職業——這一切都是牢獄和枷鎖。存在意味著自由。我們引以為傲的每一個雄心都是一個障礙；如果我們知道，我們的雄心被一根繩子拴住，我們就不會引以為傲了。不：我們沒有被拴住！擺脫自己，也擺脫其他一切，精力分散的沉思者，沒有結論的思想家，擺脫上帝；在監獄的院子裡，趁著劊子手分心，我們可以享受片刻的歡愉。明天我們就要上斷頭臺，或者，如果不是明天，那就是後天。讓我們在末日到來之前漫步，刻意忘記一切目標和追求。沒有皺紋的前額在太陽下閃著光芒，對於放棄希望的人而言，微風是如此涼爽宜人。

我把鋼筆扔在有些傾斜的桌面上，看著它往下滾，也懶得撿。我毫無警戒地感受這一切。我的快樂存在於感覺不到的憤怒手勢中。

237 生活規則的注解

控制他人的需求就是對他人的需求。指揮官是依賴他人而存在的。

提升你的品格，不將外界的一切納入——不向任何人索取任何東西，也不將任何東西強加於任何人，而當你需要他們時，就把自己變成他們。

將你所需的必需品降至最低限度，以便使自己不因任何事而依賴任何人。

事實上，絕對不可能有這種生活。然而，相對地這種生活不是沒有可能。

讓我們假設一個人擁有並經營一間辦公室。他應當做任何事情，而不需要僱人；他應當會打字、會結算、會打掃辦公室。他讓其他人來做，並非因為他沒有能力去做，而是因為這樣可以節省時間。他叫年輕工友把信件送到郵局，並非因為他不知道郵局在哪，而是因為他不想浪費時間跑一趟。他叫一個職員處理某件事，並非因為他不知道如何處理，而是因為他不想把時間浪費在這種小事上。

238 虔誠的信仰

不存在切實賦予美德的獎賞，也不存在明確施與罪惡的懲罰，這樣的獎賞和懲罰也沒有存在的必要。美德和罪惡是有機體在這件事或那件事上被評判時不可避免的表現形式，是對他們做出好或惡的宣判。這便是為什麼一切宗教將獎賞和懲罰——應受或應得的人們什麼也不是、什麼也沒做，因而什麼也得不到——置於另一個世界，沒有科學可以證實，也沒有信仰能描述。

那麼，讓我們放棄一切虔誠的信仰，以及一切會感化他人的關切。

塔德[65]說，生活就是以一種徒勞無益的方式去尋求不存在之物。既然這是我們的命中注定，就讓我們不斷尋求這種不存在之物吧。既然沒有其他途徑可循，就讓我們以這種徒勞無益的方式尋求它吧。不過，讓我們意識到，我們所尋求之物無法被找到，沿著這條道路，沒有什麼值得一個親密的吻或回憶。

評注者說，除了理解，我們已厭倦了一切。讓我們理解，讓我們保持這種理解，讓我們從這種理解中摘取影子般的花朵，熟練地編織成注定也要凋零的花環。

239 我們已厭倦一切

「除了理解，我們已厭倦了一切。」這句雋語的含義有時候難以解讀。

我們已厭倦了思考出一個結論，因為我們越思考、越分析、越看得清楚，也就越難得出一個結論。

於是，我們陷入一種被動狀態，我們只是想理解，而不管這個理解對象被提出什麼樣的解釋。這是一種審美態度，因為我們至少對於這個解釋的對錯並不在意。我們在理解時的所見，只是這個解釋的種種細節，是一種它為我們準備的理性美。

我們已厭倦思考，已厭倦持有自己的觀點，已厭倦將想法付諸行動的嘗試。然而，我們並未厭倦暫時持有他人的觀點，而只是感受他們的闖入，並不去步他們的後塵。

240 雨景

淅淅瀝瀝的雨連續下了整整一夜。我徹夜輾轉難眠，雨淒冷地拍打著窗戶，發出單調的聲音。天空偶爾颳起一陣風，雨和著風聲，飛快地掠過窗櫺。而有時，在死寂的窗外，雨的低吟催人入眠。我的靈魂，一如既往，無論在床上還是在人群中，都痛苦地意識到世界的存在。日子像快樂一樣，似乎延遲著——似乎無限地延遲。

要是快樂和新的一天永遠不會再來就好了！要是我們對自己的期待和渴望至少從來不曾醒悟過就好了！

深夜偶爾經過的馬車，顛簸地駛過鵝卵石街道時顯得格外大聲，在我的窗下發出刺耳的

65 塔德（Gabriel Tarde，一八四三～一九〇四年），法國社會學家和犯罪學家。

吱嘎聲，然後漸漸消失在街道盡頭，消失在我不安的睡意深處，儘管這種睡意絕不會變成真正的睡眠。有時，隔壁的門砰地關上。有時，踩著水的腳步聲和著濕衣服的摩挲聲。有一兩次，腳步聲漸漸多了，聲音越來越響，然後逐漸消失。夜重歸寂靜，雨繼續無情地下著。

我並未睡著，倘若我睜開眼，便能看見房間裡依稀可見的牆壁，懸浮著夢的碎片，微光和黑線條，忽上忽下的模糊剪影。大大小小的各種家具顯得比白天更大，朦朧地襯托著夜的荒謬。門很容易辨識，像一些不白不黑的東西，只是有些異樣。而窗戶，我只能聽見，卻看不見。

再一次，雨拍打著窗戶，模糊地流動著。時光伴隨著雨聲拖曳著。靈魂的孤獨逐漸蔓延開來，侵蝕著我的感覺、我的渴望和我即將入夢的一切。房間裡的模糊物體在黑暗中分享著我的失眠，它們的悲傷悄然移入我的孤寂中。

241

三角形的夢（一）

光線變成倦怠至極的黃，這種黃色是一種髒兮兮的白。事物之間的距離漸漸拉遠，聲音的間隔也變得有所不同，時斷時續，越隔越遠。這些聲音剛響起，就戛然而止，彷彿被什麼打斷了。熱度看似升高，實則冰冷，儘管仍是熱度。百葉窗兩片葉片之間的縫隙處，唯一可見的一棵樹，展現出誇張的企盼姿態。它有著與眾不同的翠綠，將靜默注入其中。周圍的氣氛，像花瓣合攏的花朵。空間由一種不同的相互關係組成，彷彿聲音、光線和顏色占用空間的方式被改變，變得支離破碎。

242 人類靈魂的荒唐

即使遠離我們一般的夢——那些沒人敢承認的靈魂下水道排出的汙物，它們使我們在夜晚感到壓抑，像汙穢的魅影，骯髒的泡沫，以及被壓成爛泥的感覺——對於這些荒誕不經、令人恐懼、莫可名狀的事物，我們的靈魂稍加留意仍可從角落認出它們！

人類靈魂是一個充斥著稀奇古怪事物的瘋人院。如果一個靈魂能夠如實地呈現自我，如果它的恥辱和羞怯並不比已知和已被命名的恥辱陷得更深，那麼它將成為——如真理所說——一口井，一口凶險難測的井，井裡滿是陰鬱晦暗的回音，蟄居著怪物、黏滑的無機質、死氣沉沉的蛞蝓和主觀的穢物。

243 幻靈

要製作邪魔一覽表，就要用文字拍下那些趁著夜色來到、使困倦的靈魂無法成眠的事物。這些事物都擁有支離破碎的夢境，沒有沉睡的藉口。它們像蝙蝠一樣盤旋靈魂的容忍之上，抑或如同吸血鬼一般吸取那些屈服的血液。

它們是山坡上殘骸廢墟裡的幼蟲，是填滿山谷的陰影，是被命運拋下的殘餘物。有時候，它們是蠕蟲，令撫育與培養它們的靈魂作嘔；有時候，它們是幽靈，邪惡地在虛無中潛行；還有些時候，它們如同毒蛇一般，從已經付出的情感那荒唐的空洞裡突然躥出來。

它們是虛偽的壓艙物，它們一無是處，只能讓我們變得無能。它們是從深淵升起的疑惑，這些疑惑拖著它們冰冷且滑溜的軀體走過靈魂。它們如同煙霧一般盤旋不去，它們留下印記，始終是我們對它們的意識中一些枯燥乏味的物質。有一兩個就像內心的火花，在夢境之中迸發，而其餘的則是我們在無意識狀態下有意識地見到它們時的樣子。

它們是一條懸盪且並無打結的絲帶，靈魂並不存在於它之中，而它本身也沒有靈魂。偉大的美景屬於明天，我們早已經開始生活。對話被打斷，無疾而終。誰能想到，生活竟至此等境地？

如果我找到自我，那麼我會迷失；對於我所發現的一切，我心存懷疑；我並不擁有我所獲得的一切。我睡覺，彷彿我在走路，可我分明清醒。我醒來，彷彿我一直在睡覺，而且我並不屬於我。本質上而言，生活就是一場曠日持久的失眠，我們的所思所想、一舉一動，都在清醒的昏迷中發生。

如果我可以沉睡，那麼我會快樂不已。這就是我現在思考的事情，因為我並沒有入眠。今夜如此沉重，壓垮了那張夢境的沉默之毯，而我一直躲在毯子之下，讓自己透不過氣。我的靈魂消化不良。

夜色退去，如往常一樣，清晨將要來臨，可清晨往往姍姍來遲，萬事萬物都睡著了，快樂著，唯有我除外。我休息了一會兒，並沒有嘗試入睡。我是誰，這個問題的深淵之中一片混沌，其中豎立著那些並不存在的邪魔的碩大頭顱。它們是來自於深淵裡的東方惡龍，紅色的舌頭垂在邏輯之外，雙目無情地盯著我那毫無生氣的生命，而我的生命並無膽量回瞪惡龍。

遮蓋物，看在上帝的分上，快給我遮蓋物！快闔上遮蓋物，蓋住那意識不清的生活！很幸運地，透過冰冷窗戶上打開的百葉窗，可以看到一縷黯淡的蒼白光線開始從地平線上追逐黑暗。很幸運地，清晨意味著打破。那份令我厭煩的不安幾乎銷聲匿跡了。在這座城市的中心，一隻公雞放聲啼叫。這憂鬱的一天在我朦朧的睡眠中開始。終於，我睡著了。車輪的吱嘎聲告訴我，那是一輛馬車。我的眼皮睡著了，可我沒有。終究，一切都是命運。

244 退休的少校

對我來說，當一個退休的少校似乎是理想的。可惜的是，一個人不可能永遠只當退休的少校。

我渴望完全成為退休的少校，這個渴望使我陷入徒勞的遺憾狀態中。

生命一場徒勞的悲劇。

我的好奇心——是雲雀的姊妹。

落日裡閃著變化莫測的不安；黎明羞怯的遮蓋物。

讓我們坐在這裡。我們能夠從這裡看到更廣闊的天空。廣袤無垠的星空使人寬慰。看著它們，生活少了些傷痛。一把無形的扇子將一陣涼風送來，使我們厭世的臉上疲勞頓消。

245 受害者

人類靈魂必然會成為痛苦的受害者，遭受著意外不幸之苦，即使這些事情在預料之中。有的男人總是把善變和不忠看成女人完全正常的行為，當他發現情人對他不忠時，就會對這種令人傷心的意外產生一種毀滅感，正如他總是提出女性的忠貞和節操作為一種教條或應有的期望。還有的人相信一切皆空，當得知他寫下的東西被認為毫無價值，或者他教育的努力是一場徒勞，或者他不可能和自己的情感交流，那麼他會有一種天打雷劈的感覺。

我們不必假設那些經歷了這些類似災難的人言不由衷、詞不達意，即使他們在文字裡預示過這些災難。理智斷言的誠懇和發自情感的自然毫無關係。奇怪或不奇怪，靈魂似乎遭遇了某些意外，所以少不了痛苦，它會蒙羞，它會分攤生活的不幸。我們對錯誤和苦難有著一樣的容納力。只有那些沒有感覺的人才體驗不到痛苦；那些最高尚顯赫、最審慎明智的人，他們的經歷和遭遇恰恰在他們的預料之中，被他們鄙視。這就是所謂的生活。

246 一切都是偶然

讓我們把發生在我們身上的一切看作小說中的偶然或變數，我們用生命而不是眼睛閱讀。只有抱著這種態度，才能解決每天遇到的麻煩，應對世事的變化無常。

247 行動即對抗自己

積極生活常常像最令人不舒服的自殺一樣打擊我。在我看來，行動是對夢做出不公平的判決後，執行的一種嚴厲酷刑。對外界施加影響，改變事情，克服困難，影響別人——這一切對我來說，似乎比白日夢裡的實質更模糊不清。當我還是個孩子時，一切形式行動蘊含的無用本質就已成為我將自己從萬物（甚至從自己）剝離開來的寶貴試金石。

行動即對抗自己。施加影響即離開家鄉。

我一直在想，這是多麼荒謬的事情，即使現實的實質只是一連串的感覺，還是存在像商業、工業、社會和家庭關係這樣單純的複雜事物，而諷刺的是，從靈魂對真理概念的內在態度來看，這又是多麼令人費解。

248 棄絕

我在外在世界拒絕與人合作，除了其他方面，這還導致了一種奇怪的心理現象。完全棄絕行動，對物質不感興趣，這使我能夠帶著一種絕對的客觀性去看外在世界。由於我對什麼都不感興趣，或者說我認為一切都不會變化，我不會去改變它。

因此，我能夠……

249 浪漫主義和現代民主政治

（一）

十八世紀中期開始，一場可怕的疾病逐漸席捲了整個人類文明。十七世紀，連年受挫的基督教宏偉藍圖和五個世紀以來不斷被延遲的異教徒願望（天主教淪為基督教，文藝復興淪為異教，宗教改革成為一種普遍現象），曾經所有夢想的殘骸、毫無價值的成就、生活過於淒慘以致無法與人分享的悲傷，以及他人過於淒慘以致我們不想去分享的生活——所有這一切毒害著我們的靈魂。人類的思想充斥著對一切行動的懼怕，這只在令人鄙夷的社會才受到鄙夷。靈魂的高等行動失去活力；唯有它的根基，即更多的有機功能仍處在活躍中。前者處於停滯，後者則開始統治世界。

於是出現了低等思想要素構成的文學和藝術——浪漫主義。隨之產生的，是由低等行為要素構成的社會生活——現代民主政治。

生來就被統治的靈魂無處求助，唯有自律。生來是要創造的靈魂，在這個創造力日漸式微的社會，除了夢裡的社會世界和靈魂的貧乏內省，沒有別的方法塑造自己的意志。

我們對失敗的偉人和活出自我本色的小人物都冠以「浪漫主義」之名。然而，這兩者的唯一相似之處就在於他們顯露的多愁善感。前者表現出一種充分利用智力的無能，而後者則表現出一種智力的貧乏。夏多布里昂、雨果、維尼和米什萊[66]都是同一時代的人物。但是，夏多布里昂是一個被削弱的偉大靈魂，雨果是一個被時代追捧的渺小靈魂，維尼是一個不得不逃離現實的天才，被迫成為有才華男人的女人。他們的鼻祖尚·雅克·盧梭，則同時具有兩種傾向。他在同等程度上具有創造者的智力和奴隸的感性。他的社會感性感染了他的理論，而他的智力只不過清晰闡釋了這些理論。他的智力僅僅用於哀悼與感性共存的這種悲劇。

盧梭是一個現代人，但比任何現代人都更徹底。他從導致他失敗的弱點中萃取——他和我們一樣悲哀！——獲得成功的力量。他的一半走向成功，然而，當他走進城市，在他的勝利旗旗底部可以讀到「挫敗」這個詞。而他的另一半停滯不前，無法去征戰。他合理的內在命運中，存在著皇冠和王權，一個統治者的威嚴和一個征服者的榮光。

（二）

我們所在的世界經歷了一個半世紀的棄權和暴力——上等人的棄權和下等人的暴力，而這便是他們的勝利。

在現代社會中，無論是在行動中還是在思想上，無論是政治界還是理論界，沒有一種上層的品質能自我維護。

貴族精神的影響力坍塌，造成一種對藝術的無情和冷漠氛圍，以至於優美的感性失去了它的避難所。對一個靈魂來說，接觸生活變得更痛苦，一切努力變得更艱難，因為付諸努力的外在環境總是越來越惡劣。

古典理想的坍塌使所有人都成為潛在的藝術家，進而成為糟糕的藝術家。當藝術依存於

66 儒勒・米什萊（Jules Michelet，一七九八～一八七四年），法國歷史學家，被譽為「法國史學之父」，著有散文集《大自然的靈魂》。

穩定的構造和小心遵守規則時，極少有人能嘗試成為藝術家，也極少有人能出類拔萃，雖然這其中相當一部分人還是很不錯的。而當藝術不是被當作創作來理解，而僅成為對感覺的表達時，那麼每個人都可以成為一個藝術家，因為每個人都有感覺。

250 藝術來自創造

縱然我想要創造……

唯一真正的藝術來自於創造。但是，現代社會環境使得人類精神不可能產生創造性。這便是為什麼科學發展的原因。如今，機器是唯一的創造物；數學證明是唯一具有邏輯連鎖的論證。

創造性需要支撐物，需要現實的支撐。

藝術是一門科學……

它遭受著韻律的侵襲。

我無法閱讀，因為我吹毛求疵的感覺只會看到事物的瑕疵、缺點和能夠被改進的可能性。我無法作夢，因為我的夢過於生動，當我拿它們與現實比較，很快便發現它們不真實，從而沒有價值。我無法天真地注視人和事，因為我無法抑制自己進一步深入瞭解的渴望，如果沒有這種渴望，我的興趣也就不復存在，它要麼死於自己之手，要麼自生自滅。形而上的思辨無法令我感到滿意，因為我很清楚（憑著自己的經驗），一切體系都是可防護的，都存在理性的可能。若要欣賞建構系統下的理性藝術，我將不得不忘掉形而上思辨追求真理的目標。

回憶中的快樂往事令我感到快樂，而現在，沒有什麼使我快樂或感興趣，在未來，也不存在什麼與現在有所不同的夢或可能性，能夠帶給我一個現在的過去那樣的過去！——這便是我的生活，一個我從不知曉的天堂意識幻影，一個胎死腹中的未實現的希望。

那些自我統一的人是快樂的——焦慮會改變他們，卻不會分裂他們，他們至少沒有信仰，能夠心無羈絆地坐在太陽底下。

251

一本自傳的片段

我先是專注於形而上思辨，進而轉向科學理念，最終為社會學概念所吸引。然而，任何一個階段的真理探索都無法使我減輕痛苦，找到安慰。我在這些領域涉獵不深，但我讀過的理論足以讓我厭倦這些林林總總的悖論。它們無不具有充分的論據，無不具有相同的可能性，對事實的選擇無不讓人覺得一切都是事實。倘若我從書上抬起厭倦的雙眼，或者分了心，將注意力轉向外在世界，我只看到一件事，那就是層層剝去費力得來的思想花瓣，使我相信一切閱讀和思考都是徒勞無益的。我所看到的不過是事物的無限複雜性，無窮無盡的可能性，以及完全可以獲得的少量事實，這些事實對於形成一門科學必不可少。

✧ ✧ ✧

我逐漸感受到一無所獲的挫敗感。在任何事物中，除了懷疑，我找不到理由或邏輯，甚至找不到自我辯白的邏輯。我想不出治癒自己的方法。當然，為什麼要治癒自己？為什麼這樣就意味著「健康」？我憑什麼肯定自己的這種姿態是病態的？如果我是病態的，誰又能說病態不是更可取、更符合邏輯或比健康更好的？如果健康更可取，那麼我是不是因為一些自然原因而病態？如果是自然原因，那麼出於某些目的——如果存在任何目的——為什麼寧可違反自然都要我變得病態呢？

除了惰性，我無論如何也找不到任何有說服力的論據，而隨著時間的流逝，我越來越敏銳地、沮喪地意識到自己的惰性，像一個放棄者一樣。尋求惰性模式，努力逃避一切個人努力和社會責任——這就是我為自己的存在雕琢的虛構雕像的實質。

我疲於閱讀，不再反覆無常地追隨這樣或那樣的美學生活模式。我從僅有的一點閱讀中，學會提取只對作夢有用的成分。我從僅有的一點所見所聞中，力圖獲取在我心裡無限延長、遙遠而扭曲的映射。我努力創造自己的全部思想和生活體驗的所有日常章節，它們除了感覺什麼也不會帶給我。我賦予自己生活以審美取向，我使這樣的審美體驗完全專屬於自己。

建立內心享樂主義的下一步就是避免對社會性事物產生感覺。我使自己避開荒謬的感覺。我學會對本能訴求和乞求麻木……

我將與別人的接觸減少到最低限度，我盡我所能不與生活產生什麼瓜葛……我甚至偶爾擺脫對榮譽的欲念，就像一個昏昏欲睡的人在睡前脫掉外套。

✧ ✧ ✧

研究形而上學和科學之後，我接著進行心理研究工作，而這對我的神經平衡構成更大的威脅。我在可怕的夜晚躲身研讀神祕學和卡巴拉[67]，除了偶爾膽戰心驚地讀起，我從沒有耐心去讀它們。玫瑰十字會的儀式和奧義、卡巴拉的符號和聖殿騎士團……這一切在很長一段時間壓迫著我。我的那段狂熱時光充斥著基於玄學的邪魔臆測——巫術、煉金術——而我從痛苦而類似超自然的感覺中推斷出至關重要的虛假刺激物，在這種感覺中我總是瀕臨發現最高祕密的邊緣。在玄學迷亂錯落的次系統裡迷失了自我，這些系統充滿著為清醒思想而設的惱人的相似物和陷阱，以及邊緣閃著超自然光環、引人遐想、無限、無邊無際的神祕風景。

感覺使我變老。太多的思考耗盡我的精力。我的生活變成一種玄學狂熱，我總在探尋事物的超自然含義，我甚至在玩火（神祕類似物之火），透過遺棄完全清醒的狀態和常規來毀滅它。

我跌入精神失常和普遍冷漠的複雜狀態中。何處才是我的避難所？我的思想使我在任何地方都找不到庇護。我拋棄了自我，但不知道是為何。

我限定和專注自己的欲念，打磨並精煉它們。要到達無限——我相信可以到達——我們需要一個可靠的港口，以便起航駛向無限。

今天，我是一名自我宗教的苦行者。一杯咖啡、一枝菸，以及我的夢就足以取代整個宇宙和星辰，取代工作、愛情，甚至美好事物和榮譽。我幾乎不需要刺激物。我的靈魂已有足夠的麻醉劑。

67 卡巴拉（Cabbala）是與猶太哲學觀點有關的思想，用來解釋永恆的造物主與有限的宇宙之間的關係。

我有什麼樣的夢？我不知道。我把自己逼到不再有想法、夢想或想像的境地。我似乎作著更遙不可及的夢，夢裡的事物模糊不清，讓人無法看清。

我對生活沒有什麼概念。我不知道也不確定生活到底是好是壞。在我眼中，生活殘酷而悲傷，唯有令人愉快的夢處處點綴。生活對其他人是什麼樣子，我為什麼要關心呢？其他人的生活只在夢裡對我有用，我在夢裡的生活似乎適合每一個人。

252 思想是一種行動方式

思想仍然是一種行動方式。只有在絕對幻想中，沒有活動干擾我們，甚至我們的自我意識也陷入泥淖——只有在這種溫暖潮濕的非存在狀態中，對行動的完全棄絕才算完成。

不再試著理解，不再分析……將我們當作自然來欣賞，將我們的觀感當作田野來凝望——這就是真正的智慧。

253 神性

……沒有理論的神性……

254 上帝是野獸之靈

當我傍晚漫步街頭時，不止一次突然並強烈地意識到事物那些異乎尋常的組織結構，是這些為數不多的自然物喚起我靈魂的強烈意識。是街道設計、各種標誌、盛裝交談的人們以及他們的工作、那些報紙，以及這一切的邏輯性喚起我的意識。更確切地說，事實就是那些井然有序的街道、標誌、工作和社會存在，這一切組裝起來，向前延伸，擴大成各種路徑。

當我仔細觀看一個人，我發現他和貓狗一樣沒有意識，他開口說話，透過一種與貓狗不同的無意識將自己納入社會組織，這種無意識明顯低於引導螞蟻和蜜蜂進入社會生活的無意識。創立和展示世界的智力像一盞開啟的明燈，對我而言和那些有機體的存在一樣清晰，和那些條理分明、恆定不變存在的自然法則一樣明瞭。

在這種情況下，我總是想起那句話（我不記得是哪位學者說的）：「上帝是野獸之靈。」這句絕妙之語是作者的一種解釋方法，用以解釋低等人由本能驅使（沒有表現出任何智力，或者說只是某種智力的一種原初輪廓）的必然性。然而，我們都是低等動物，我們說話和思考都僅僅出於一種新的本能，並不比其他本能來得可靠。精確地說，這僅僅因為它們是新的。因此，那位學者精妙絕倫的雋語有著更寬廣的適用範圍。我要說：「上帝是萬物之靈。」

我總是不能理解，怎麼有人能不去考慮鐘錶機械的原理是全世界通用的驚人事實，就去否定一個鐘錶匠，因為就連伏爾泰也不會去否定他。鑑於一些明顯偏離計畫的事情，我知道（只有瞭解那個計畫的人才知道事實是否偏離了它），一些人為什麼要將不完美的部分原因歸咎於這種無上智慧。我理解，儘管我不能接受。我理解它的原因，由於世界存在惡，一個人可能無法承認創世智慧是絕對的良善。我理解，儘管我仍然不能接受。但是，否定這種智慧存在，也就是否定有稱為上帝的存在，使我受到打擊，就像那些白癡中的某個人有時候在他智力的某個領域遭受折磨，卻在所有其他領域有出眾表現——譬如，那些在做加減運算時經常出錯的人，或者那些（鑑於如今智力已支配美感）不懂得欣賞音樂、繪畫或詩歌的人。

我說過，我不能接受上帝這個鐘錶匠不完美或不仁慈的觀點。我排斥鐘錶匠的不完美論，是因為如果我們知道那個計畫，會發現世界的治理和組織方面看似有缺陷或無意義，卻可能證明了相反的一面。即使清楚地看到每件事的計畫，我們仍可能會發現顯而易見的某件事是毫無意義的，但如果每件事的背後都有一個原因，那麼這些事是否都出於同一個原因呢？鑑於原因而非實際計畫，倘若我們不知道某件事的原因是什麼，我們又怎麼能說這件事是在計畫之外呢？正如一個詩人，出於節律的考慮，在精妙韻律的詩歌裡插入一段無節律的詩行，也就是說出於這種特殊的目的，他似乎走向了對立面（而一個更注重線性而非節律的評論家會說這句詩有錯）。因此，造物主將我們無節律的狹隘邏輯思維插入形而上流動律的崇高流動中。

我承認，鐘錶匠不仁慈的觀點更難被否定，但也只停留在表面。有人會說，由於我們不知道什麼是真正的惡，我們也就不能正確的判斷某件事的好壞。但有一點可以肯定，即使一種疼痛最終是為我們好，就其本身而言也是壞的。這足以證明這個世界存在惡。一次牙痛就足以使我們懷疑造物主的仁慈。這場論證最基本的錯誤似乎就在於我們對上帝的計畫完全無知，我們也不知道智慧無限的人會是哪種有智力的人。惡的存在是一回事，而存在惡的原因又是另一回事。它們的區別可能很微妙，甚至有些詭辯色彩，但仍然是有效的。我們無法否定惡的存在，但對於惡的存在是惡的說法，我們可以拒絕。我承認，這個問題將持續下去，僅僅因為我們的不完美將持續下去。

255 我們的幻覺生活

除了感謝上帝，承蒙上帝所賜的生活，生活還賜予我們一件禮物，那就是無知：對自己的無知和互相的無知。人類靈魂是一個黑暗泥濘的無底洞，一口地表上從未掘過的井。如果一個人真正瞭解自己，他將不會喜歡自己。倘若沒有源自無知的虛榮，而這種虛榮是精神生活的血液，我們的靈魂便會死於貧血。無人瞭解別人，這也無妨。因為，倘若做到了，他將發現他唯一的母親、妻子或兒子將成為他根深柢固、形而上學的敵人。

我們和睦相處是因為我們打從心裡彼此陌生。倘若那些幸福的夫妻能看穿彼此的靈魂，倘若他們真正瞭解對方，正如浪漫主義者所說，對他們所說的話裡隱藏的危險（儘管那些危險最終無關緊要）一無所知，那麼事情會怎麼樣呢？沒有一對夫妻是完美無瑕的，因為每一個伴侶內心深處都藏著另一個屬於魔鬼的靈魂，例如一個並不是她丈夫的理想男人的模糊形象，或者一個他妻子並不符合的聖潔女人的朦朧倩影。最幸福的人察覺不到他們的受挫，不那麼幸福的人察覺到了這一點，但選擇忽略它們，只有在隱藏的魔鬼、古老的夏娃、聖騎士和希爾芙[68]偶爾覺醒時，他們才會在言語姿態上表現出粗暴無禮。

我們的生活是一個靈活多變的誤區，是介於不存在的偉大和無法存在的快樂之間一種幸

68 希爾芙（sylph 或 sylphid，另有譯為風精、氣精、風精靈者）是一種西方傳統傳說的神祕生物。

福平均值。我們感到滿足是因為，正如我們所想和所感，我們沒有能力相信靈魂的存在。在生活的化裝舞會中，我們心滿意足地穿上令人愉快的戲服，畢竟這對於舞會事關重大。我們是流光溢彩的奴僕，翩翩起舞，彷彿一切都是真的。我們甚至——除非只剩下我們，才會停下舞步——對室外高遠的寒夜，對掙扎在冷風中衣衫襤褸的垂死之軀，以及對我們私底下認為是本我、實際上只是仿真我的一個精神贗品一無所知。

我們的一切所為、所言、所思或所感都戴上同樣的面具，穿上同樣的戲服。無論我們脫下多少層衣物，我們都絕不會變得赤身裸體，這是一種靈魂現象，並非除去衣物所能達到的。因此，我們的身心衣冠楚楚，身穿像鳥羽一樣緊緊依附於我們的層層戲服，我們快樂或不快樂地活著——或者我們根本不知道自己是如何度過——我們消遣著上帝賜予我們的短暫時光，像孩子們玩著嚴肅的遊戲。

這樣一些人或那樣一些人，放蕩不羈的人或可恨的人，即使是他們有時也會突然看清，我們的一切其實都不屬於我們，我們在真理問題上愚弄自己，我們認為正確的結論是錯誤的。而這個人瞥見這個宇宙，並創造出一套哲學或虛構出一種宗教；然後，哲學在傳播，宗教在蔓延，那些相信哲學的人披上看不見的哲學外衣，那些相信宗教的人戴上很快便被忘掉的宗教面具。

就這樣，我們既不瞭解自己，也不瞭解彼此，快樂地相處在一起。在這場表演的籌備者冷漠而輕蔑的注視下，我們踩著舞步旋轉起來，和著群星大樂隊的演奏聲，停下來時暢談著人類、瑣事和正經事。

他們唯一知道的是，我們是他們為我們自己所造的幻覺的獵物。然而，為什麼要製造這些幻覺？為什麼會有這樣或那樣的幻覺？為什麼他們用類似欺騙的手段賦予我們幻覺？毫無疑問，甚至他們也不知道。

256 超自然的荒唐

對於神祕的事物——陰謀、外交、祕密團體和超自然科學——我幾乎總感到反胃。尤其令我厭煩的是後面兩種——某些人自負地以為，透過對諸神、上帝或造物主的理解，只有他們能夠解讀世界的偉大祕密。

我無法相信他們所聲稱的東西，儘管我認為有人或許可能相信。但是，要怎麼解釋這些人並非全都是瘋子或受到了蒙蔽呢？原因就是，這其中很多事情其實只是虛無，因為這是一種集體幻覺。

最令我吃驚的是那些靈異界的巫師和通靈師，當他們寫下符咒與神祕事物溝通或暗示時，他們簡直就是一派胡言。一個連葡萄牙文都不能精通的人，竟然能精通巫術，這簡直是侮辱我的智商。為什麼掌握巫術要比掌握文法還容易呢？如果一個人透過專注力和意志力的長時間訓練，就能練就所謂的陰陽眼，那麼他為什麼不能透過不那麼多的專注力和意志力訓練，來獲得文法知識呢？在傳授巫術和舉行儀式時，為什麼他們的信徒不會自己寫符咒——由於超自然法則的特點之一就是晦澀難解，我不能說是清楚地寫——至少在深奧難懂的世界裡，優雅、流利地寫？為什麼所有人類靈魂都將精力耗費在學習上帝的語言，卻不願施捨丁點精力去學習人類語言的聲色和韻律呢？

我不會相信那些不切實際的通靈師。他們就像那些古怪的詩人，不能像任何其他人一樣寫作。我能接受他們的古怪，但我更希望他們能告訴我，他們之所以如此是因為超乎常理，而不是能力有限。

大數學家也可能會在簡單的加法上出錯，但我在這裡談論的是無知，而不是出錯。我能接受一個大數學家在做二加二的運算時算出五：任何一個人在注意力分散時都會出這種錯。但我不能接受的是，他不知道什麼是加法或如何做加法。絕大多數超自然的通靈師正是如此。

257／崇高

不精妙的思想也可以崇高，然而，在某種程度上，思想若是缺乏精妙，便無法對他人施加影響力。缺乏策略的力量不過是一團亂麻。

258／觸摸過基督的腳

觸摸過基督的腳，不能成為用錯標點符號的理由。

如果一個人在喝醉後才能寫出好文章，那麼我要對他說：去喝個酩酊大醉吧。如果他說這樣對他的肝不好，我會回答：你的肝是什麼？是當你活著時住在你體內卻感覺不到的東西，然而沒有它，你寫的詩卻能留存下來。[69]

259 我樂於遣詞造句

我樂於演說。或者說，我樂於遣詞造句。對我而言，詞語是摸得著的身體，看得見的佳人，是肉體享樂。或許因為我對真實肉欲絲毫不感興趣，甚至在理性和夢裡都是如此，欲望在我身上演變成對音韻節律的創作力，和在別人的言語中注意它們。有些人的精彩演說會令我為之一顫。弗阿爾荷[70]和夏多布里昂筆下的某些章節令我茅塞頓開，語無倫次，喜不自勝。甚至維艾拉所寫的某些章節以他完美至極的句法設計打動了我，我就像在風中瑟瑟顫抖的樹枝，經歷著某種情緒的被動迷亂。

像所有滿懷激情的人一樣，我帶著失去自我的幸福愉悅，完全體驗到繳械投降的痛楚。因此，我寫作時常常無心去思考，沉浸在客觀幻想裡，聽憑文字擁我入懷，像擁著一個嬰兒。它們組成毫無意義的句子，我能感受到它們像流水一樣緩緩流淌，像被人遺忘的涓涓細流，絲絲漣漪交相匯合，隨即消去，彼此融合，漣漪再次泛起，反反覆覆，無窮無盡。進而，思想和意象以娓娓道來的悸動從我身上閃過，化作一線蕩氣迴腸的絲白，而想像如一抹月光微微閃亮，斑駁陸離，模糊不清。

我哭泣，不為生活的得與失，但為那些使我黯然落淚的散文。記憶中的那個夜晚如今歷

69 佩索亞在手稿的同一頁，用英文寫下：「你的詩引起人類的關注；你的肝則不會。狂飲吧直到你寫出好詩並覺得生病為止。祝福你的詩，並詛咒你得病。」

70 弗阿爾荷（José Valentim Fialho de Almeida，一八五七～一九一一年），葡萄牙作家和評論家。最初是以自然主義寫作，但後來受到頹廢主義的影響，他的作品越來越關注語言的限制，不用傳統的用語和句法，而以印象主義的方式描繪感覺和知覺。

歷在目。當時我還是個孩子，我第一次讀到維艾拉的詩集，其中一段是所羅門王著名的一節：「所羅門建造了一座宮殿……」我一直讀到結尾，感到渾身顫抖，困惑不已。然而，我落下喜悅的眼淚——任何現實中的喜悅、生活的不幸都不會令我如此哭泣。我們清晰莊嚴的語言帶著神聖韻律，勢不可擋的詞語表達思想，像決堤的洪水一樣流過，每一個神奇音節都蘊含著理想色彩——它們像壓倒一切的政治激情使我本能地臣服。我哭泣。今天，當我想起這些，我仍然哭泣。我哭泣，不是對童年的懷念，我並不懷念我的童年。我哭泣，只為對那一刻的懷念，只為一種由衷的悲嘆，第一次閱讀的那種交響樂般的精湛之作，以後再也不會讀到。

我沒有社會感或政治感，然而，我仍然用某種方式表現出高度的愛國情感。我的母語是葡萄牙語。倘若葡萄牙被侵略或占領，只要我平安無事，就壓根不會感到困擾。但我唯一真正感到憎惡的，不是那些寫不好葡萄牙文的人，不是那些語法出錯的人，也不是那些用語音代替詞源拼寫的人[71]。我憎惡的，是原本就寫得極差的篇章本身，那些篇章就好像是一個語法出錯的人，一個應當挨揍的某個人，將 i 替換成 y，就像吐痰一樣令我噁心，不管誰吐的都一樣。

是的，因為拼寫也是一個生命。一個詞在被人們看到或聽到時才算被完成。而希臘語和羅馬語之間轉譯的華美過程，給這個詞披上真正的皇室長袍，使它成為一位夫人和女王。

藝術就在於使別人感我們所感，透過將我們自己的個性賦予它們，將它們從自我解放。我所感受到的真正實質內容是完全無法與人交流的，我的感受越深刻，便越無法與人交流。為了將我的所感傳達給他人，我必須將我的感覺翻譯成他們的語言——講述這些事情，就好像它們是我的所感，以便他們聽到這些事情時，能夠真真切切地感我所感。這樣一來，藝術所假設的某個人既不是這個人，也不是那個人，而是每一個人（也就是說，這個人代表所有人），而我最終要做的就是將我的感覺轉化為一種典型的人類感覺，即使這意味著破壞了我的感覺的真正本質。

抽象事物是難以理解的，因為它們並不容易鎖定讀者的注意力。因此，我會用一個簡單的事例來使我的抽象思維具體化。假如出於這樣或那樣的原因（譬如我厭倦了記帳或因無所事事而感到無聊），一種生活的莫名悲哀向我襲來，內心的焦慮使我緊張不安。倘若我試著將這種情緒用最貼切的語言表達出來，那麼這種語言越貼近，就越能表達我的個人感受，也就越無法將這種感覺傳達給別人。如果我的感覺不與人交流，那麼去感受要比將它們寫下來更明智，也更簡單。

假如我想與人交流——將我的感覺化作藝術形式，由於藝術是一種體現我們與他人同一性的交流形式，沒有這種同一性，交流不可能存在，也沒有存在的必要。假如我在尋找一種一般的人類情感，這種情感會有我現在作為一個乏味的記帳員或無聊的里斯本人所體會的情感的色彩、精神和外形。據我推斷，這種一般靈魂所擁有的一般情感也具有和我的情感一樣

71 一九一一年，葡萄牙成為共和國一年之後，開始逐字地簡化拼音。將y換成i、Ph換成f，大多數不發音的字母都被簡化了。佩索亞從未接受和採納多數這些變化，他在理論和實踐上都是強力的詞源正義保衛者（堅持古羅馬拼音）。

的特性，這便是對失去童年的懷舊情結。

此時，我有了開啟寫作主題的鑰匙。我要寫下失去的童年，我要為它哭泣，那裡是描寫鄉下老房子裡關於那些人和那些家具的心酸往事。我追憶那種既無權利又無義務的無憂無慮，那種不知如何去思考和感受的自由自在——這種回憶若是寫得好，活靈活現，將喚起讀者與我感覺完全一樣，但與童年無關的情感。

我說謊了嗎？不，我已理解。要不是由於想一直作夢的孩子氣和無意識所致，說謊僅僅是對其他人真實存在的認可和使這種存在與我們自己相符合的需要，而這無法與他們一致。說謊只不過是靈魂的理想語言。正如我們使用詞語，用一種荒謬的方式發音，將我們的思想和情感中最隱祕、最微妙的部分轉化成真正的語言（它們的詞語永遠無法被轉化過來），因此我們使用謊言和杜撰來幫助我們互相理解，有些真理——個人的和不可言傳的那些東西——是永遠無法實現的。

藝術說謊是因為它是社會的。藝術有兩大形式：一種向我們最深處的靈魂對話，另一種則向我們專注的靈魂對話。第一種是詩歌，第二種是小說。第一種以獨特的結構開始說謊，第二種以獨特的寫作意圖開始說謊。第一種意在透過遵循嚴格韻律的詩行來講述真理，因此以和言語的本性相背離的方式說謊。第二種意在透過我們知道永遠不存在的現實去講述真理。

去偽裝就是去愛。當我看到一張迷人的笑臉或一個意味深長的凝視，不管這個笑臉或凝視出自誰，我總要探索這個正在微笑或凝視的靈魂，以便發現這究竟是什麼樣的政客想要收買我們的選票，或是什麼樣的妓女想讓我們把她買走。然而，那個買通我們的政客至少就愛收買我們的這種行為，正如妓女就愛被我們買走一樣。喜歡或不喜歡，我們無法逃避這種共通的同志情誼。我們愛所有的人，這個謊言就是我們所交換的吻。

261 偽愛

我的所有情感浮於表面，但發自內心。我是個真誠的演員。當我愛時，我假裝去愛，甚至連自己都被騙過。

262 我什麼也不是

今天，一種荒唐而又真實的感覺襲來。在我內心靈光一閃，我意識到自己什麼也不是。徹徹底底的什麼也不是。在那道靈光下，我看到自己一直視為城市的地方是一片荒原，在那道不祥之光下我看清了自己，頭頂沒有天空。我在世界存在之前就已被剝奪存在的力量。如果我輪迴轉世，也必定不再是我，不再有我。

我是不曾存在的小鎮的荒郊，是對不曾寫下的一本書所做的冗長書評。我什麼也不是，根本就什麼也不是。我不知道如何去感受，如何去思考，如何去期盼。我是不曾寫下的小說裡的人物，在空中飄來盪去，還未存在就已散去，棲身於某個人的夢中，而那個人從不知道如何做完這個有我的夢。

我總是思考，總是感受，但我的思想毫無邏輯，我的感覺毫無感情。我從井蓋掉下去，從高處墜入無邊無際的深淵，毫無方向地空空墜落。我的靈魂是一個黑色的大漩渦，一團旋入虛空的無邊渦流，黑洞周圍是無窮無盡的海洋。這股水流比真的水流更迴旋湍急，水面漂浮著我在世界所見所聞的一切意象：房子、臉孔、書本、木箱、音樂片段以及聲音碎片，所有這一切被捲入凶險無邊的漩渦。

在這一切混沌中，真實的我只是處在深淵幾何學的中心：周圍的一切飛快旋轉，而我什麼也不是，我唯有存在才能讓漩渦得以旋攪。我處在中心，因為每一個圈都有一個中心。真實的我只是一口沒有井壁、卻有著井壁黏性的井，我是被虛無包圍的一切的中心。

在我內心狂笑的似乎不是惡魔（他至少還有一張人臉），而是地獄。那是已逝的宇宙嘯叫的癲狂，實體空間的旋轉死屍，還有整個世界在末日裡陰風大作，縹緲無形，時光錯落，看不到創世主，甚至看不到自己，在一片漆黑中不真實地旋轉為一，這一切是唯一的現實。

但願我知道該如何思考！但願我知道該如何感覺！

我的母親去世太早，我甚至還未能瞭解她……

263 煩悶

自從染上煩悶的嗜好，奇怪的是，我至今從未認真思考什麼是真正的煩悶。如今，我的靈魂處在一種飄忽不定的狀態，對生活或其他什麼事情都不感興趣。由於我從未這樣做過，我決定憑印象主義的思想分析自己的煩悶，即使這種憑空想像的分析自然會多少有些不真實。

我不知道煩悶是否只是一種甦醒，就像流浪漢從倦怠麻木中甦醒一樣，或是否更高貴一點。以我的個人經驗，煩悶常常以不可預見的方式侵襲，毫無規律可循。我可以整個星期日無所事事，卻感覺不到煩悶。但我在集中精力埋頭工作時，會突然體驗到有如烏雲籠罩般的煩悶。據我所知，這與我的健康狀況（或缺乏健康的狀況）無關，也並非源自於實實在在的自我中已存的某些東西。

說它是一種偽裝的形而上焦慮，是換個說法的徹底幻滅，是靈魂倚著瀕臨生活的窗邊坐下敘述的無聲詩歌，這樣描述煩悶，就像孩子總是先這樣描出外形，塗上顏色，再擦掉輪廓。但對我來說，這只是在我心靈地窨裡回音繚繞的喧囂。

煩悶……是沒有思想的思想，卻厭倦於思想。是沒有感覺的感覺，卻因感覺而焦慮。是沒有回避的回避，卻因回避而感到厭惡——所有這一切都可稱之為煩悶，但卻不是煩悶本身，而是煩悶的最佳解釋或詮釋。按照我們的直接感受，煩悶就好比是靈魂城堡護城河上的吊橋，這架吊橋已被收起，我們只能凝視著城堡周圍的土地，卻不能涉足半步。在我們內心，某些東西將我們與自我隔離，有如我們的呆滯，那些分隔物是一條環繞自我疏離的骯髒溝渠。

煩悶……是沒有痛苦的痛苦，沒有欲念的期待，沒有理由的思考……煩悶就像被消極的惡魔侵占，被虛無的蠱惑。巫師和女巫造出我們的模型，然後折磨模型，按照他們的推測，這種折磨就會透過某種靈界轉化反映在我們身上。我要說，煩悶就像這種形象轉化，如同妖精將邪惡的符咒施於我的幽靈而非模型。符咒施於我內部的幻影，而在我內心靈魂的外部，

72「出賣幻影的人」是阿德貝爾・封・沙米索（Adelbert von Chamisso）所寫的小說人物彼得・史勒米爾（Peter Schlemiel）。

貼上或釘上了寫滿符咒的紙片。我就像「出賣幻影的人」72，或者說，更像被這個人出賣的幻影。

煩悶……我努力工作。我履行著實用道德主義者眼中的社會責任。我履行這種責任，或者說聽任這種命運，不需要耗費太多努力，也沒什麼明顯的困難。然而有些時候，正好在工作或休息期間，按照道德主義者的說法，我應當去享樂，我的靈魂被一種苦楚的惰性淹沒，我感到厭倦，不為工作，也不為休息，而為自己。

如果我不思考自己，又為什麼會厭倦自己？如果我什麼都不曾思索，又會如何呢？我忙於記帳或稍作休息時，宇宙之謎浮上心頭了嗎？生命的普遍性痛苦會突然出現在我的靈魂裡嗎？為什麼被賜封貴族的人連自己的身分是什麼都不知道？這是一種虛無感，一種沒有食欲的飢餓，一種與過度抽菸或消化不良時大腦和胃有著同樣感覺的惰性。

煩悶……或許，它是我們靈魂深處因沒有信仰而產生的不滿，是沮喪的孩子（我們內心就和這個孩子一樣）因我們沒有買給他最好的玩具而感受到的失望。它或許只是人們心中安全感的缺失，他們需要一隻援手來引路，在感情深處的黑暗道路上，人們更多感受到的是無法思考的寂靜夜晚，無法感受的空落街道……

煩悶……心懷上帝的人不會感到煩悶。煩悶是神話學的缺失。對於缺乏信仰的人來說，甚至懷疑也是辦不到的，甚至他們的懷疑主義也缺乏質疑的能力。是的，煩悶是靈魂缺乏自欺欺人的能力，是思想缺乏虛構的階梯，心靈憑藉這條階梯可以堅定地登上真理之巔。

264 思考的沉重

透過類推，我得知飲食過度意味著什麼。我透過自己的感覺而不是透過胃得知。有些天，當我想得太多，我的身體變得沉重，姿態笨拙，我感到自己一動也不能動。

在這種情況下，我已消逝的幻想殘渣幾乎像是一個肉中刺，從我平靜的麻木中顯露出來。我在無知的基礎上制定計畫，在假想的基礎上建造大廈，永遠不會發生的事情使我眼花撩亂。

在這些奇怪的時刻，我的精神生活和物質生活不過是我的附屬品。我不僅忘了責任的概念，還忘了存在的想法，我從身體上厭倦了整個宇宙。我的所知和所夢使我昏昏欲睡，用同樣的強度使我的眼睛發痛。是的，這時我比任何時候都瞭解自己，我是躺在無人之地的樹下打盹的乞丐。

265 去旅行的主意

去旅行的主意間接引誘著我，就好像這個完美的主意在引誘別人，而不是我。整個世界的全景橫貫我警覺的想像力，像一種多采多姿的乏味；我追溯一個願望，就像一個人疲於做出手勢，潛在的風景和預想中的一樣乏味，這種倦怠像刺骨的寒風蹂躪著我虛弱無力的心靈之花。

旅行如此，書籍也是如此，一切都是如此……我嚮往一種博覽群書的安靜生活，以古人和現代人為伴，這種生活使我透過他人的感覺來重建我的感覺，內心充滿矛盾的想法，這些矛盾想法建立在沉思者和思想者（多數為作家）之間的矛盾基礎上。但是，我一從桌上拿起書，讀它的想法就消失了，讀書的身體動作剝除了所有讀書的欲望。同樣，如果我碰巧走近月臺或港口，旅行的想法就減弱了。我重新回到兩種毫無價值的狀態中，我（我同樣毫無價值）確信如此：像不起眼路人般的日常生活，以及醒著失眠的夢境。

讀書如此，一切都是如此……我一想起什麼事，這種想法就打斷了生活的平靜，我滿懷抗議，抬眼望著屬於我的希爾芙，可憐的人，如果她只學唱歌，或許她的歌聲會如賽綸般動人。

266 記憶中的琴聲

我第一次來到里斯本時，曾聽到公寓樓上傳來琴聲，一個我至今未見到真人的女孩用鋼琴彈奏枯燥的音階。如今，藉由一些不可思議的滲透過程，我發現我的靈魂仍響起那些音階的彈奏聲，如果樓下的門開著，聲音仍然清晰可聞。曾經彈奏音階的是一個女孩，如今已成為其他什麼人，一個成年女士，或已不在人世，在松柏成蔭的白色墓地裡長眠。

我已不再是當年那個孩子，但現實中的鋼琴彈奏聲與記憶中的聲音並無差別，以至於當聲音欲揚先抑時，同樣是緩緩的手指動作，同樣是有節奏的單音。不論我感受或思考它時，心中難免湧起一種朦朧而焦慮的憂傷。

我不為失去童年而哭泣，但我為一切而哭泣，這一切包括（我）失去的童年。我為時光的流逝而哭泣，但這是一種抽象而非具體的流逝，這種流逝透過一種來自樓上不間斷的重複音階折磨著我的大腦，毫無特徵，悠長深遠。這是一種沒有什麼可以天長地久的巨大之謎，它不是真正的音樂，而是連續不斷的錘擊聲，就像荒誕不經的記憶深處，流淌著一種鄉愁。

我的眼前緩緩出現一幅畫面，畫裡是我從未見過的客廳，一個我從未見過的學生至今仍在彈鋼琴，她的手指認真的彈奏著永遠不變、業已消失的音階。我看見，我再次看見，我重構我的所見。樓上的一家人讓我產生一種昔日從未有過的鄉愁，虛構出一種縹緲的冥想。

然而我猜想，這一切只是一種替代品，我所感受到的鄉愁並不真正屬於我，也並非真正抽象，而是從來路不明的第三者那裡截取來的一種情感，這在他人那裡是情感，在我這裡則是文學，正如維艾拉所說，是文學性的。我的悲傷和痛苦都來自臆想的感覺，懷舊使我熱淚盈眶，而這種懷舊也是透過想像和臆測去構想和感受的。

隨著一種來自世界深處、形而上的鍵盤敲擊聲，這種敲擊聲連續不斷、堅定不移，那個學生一遍又一遍彈奏著鋼琴的音階，也來回敲打著我記憶的脊椎。那些昔日的街道有另一些人在行走，如今的街道則物是人非；那是已辭世的人們以一種透明的存在向我述說；那是一種我因做過或沒做過什麼而產生的懊惱；那是夜的潺潺流水，在寂靜的樓上房間流淌。

我想在腦海裡大聲吶喊。我想要停止、打破和摧毀這不能錄音的留聲機，它在我心裡彈奏不休，卻不屬於我，這是一種無形的折磨。我想讓其他載體代替我的靈魂，讓我的靈魂離我而去，飄然獨行。聽這種音樂讓我發瘋。到最後，我——在我多愁傷感到討厭的思緒，在我薄如蟬翼的肌膚，在我過度緊張的神經——成為敲打音階的鍵盤，這個鍵盤屬於我們記憶中討厭至極的個人化鋼琴。

像大腦裡某個不聽指揮的部位一樣，音階一直彈奏，一直彈奏，在我上下彈奏，在我來里斯本住過的第一所房子裡彈奏。

267 尼摩船長之死

最後，尼摩船長[73]去世了。不久，我也會離開人世。在那一刻，所有童年時光繼續存在的可能都被剝奪。[74]

268 嗅覺

嗅覺是視覺的怪異表現方式，能透過無意識，出人意料地勾勒出動人心弦的景觀。我常常體驗到這一點。我漫步在大街上，毋寧是什麼也沒看見。我放眼望去，看著每個人都能看見的東西。我知道自己走在大街上，但並沒有意識到，這條街的兩邊是由人類之手建造形狀各異的建築物組成。我漫步在大街上。麵包店那邊飄來的香甜麵包氣味令我反胃，我的童年在遠處飄然呈現，另一家麵包店出現在夢境裡，曾經的一切悄然逝去。我漫步在大街上。突然，我聞到小型雜貨店外傾斜的架子上飄來一股水果香，心中泛起我在鄉下度過的短暫時光——何時何地我說不清楚——那裡有樹木和我童年時代心中的平靜祥和。我漫步在大街上。木箱製造者那裡飄來的木箱氣味意外地使我失去平衡：我親愛的韋爾德！你出現在我面前，最終使我快樂，因為透過回憶，我回歸了文學的真實。

269 我的悲劇

我的人生最大的悲劇是已讀過《匹克威克外傳》[75]。（我無法回到第一次讀到它們的往昔時光。）

270 得到意味著失去

藝術虛幻地將我們從邋遢解脫。當我們感受到丹麥王子哈姆雷特遭受的不公正和苦難時，我們自己的遭遇就變得微不足道，它們因屬於我們而卑微，因卑微而卑微。

愛情、睡眠、毒品和酗酒是藝術的基本形式。更確切地說，它們和藝術產生同樣的效果。但愛情、睡眠和毒品都會帶來幻滅。愛情使人厭倦或失望。我們從睡夢中醒來，睡著時我們就不再活著。在毒品的刺激下，我們以毀滅身體作為代價。但藝術不會帶來幻滅，因為

73 尼摩船長（Captain Nemo）是法國科幻小說作家儒勒・加布里耶・凡爾納（Jules Verne，一八二八～一九〇五年）創造的一個虛構人物，出現在凡爾納的作品《海底兩萬里》和《神祕島》。

74 這篇手稿底下，有英文寫著：「從夏洛克・福爾摩斯的文章轉化——應該這麼做？」

75 《匹克威克外傳》（The Pickwick Papers）是查爾斯・狄更斯（Charles Dickens，一八一二～一八七〇年）的第一部小說。

從一開始我們就接受了幻覺。我們不用從藝術中醒來，因為我們作著夢，卻並未睡著。在欣賞藝術時，我們也不用繳稅或受罰。

由於我們從藝術中獲得的愉悅在某種意義上不屬於我們，我們不必為它付出代價或在過後抱憾不已。

我指的是一切不屬於我們但透過藝術帶給我們快樂的東西——逝去的痕跡、給別人的微笑、一抹晚霞、一首詩，客觀存在的宇宙。

得到意味著失去。去感受並未得到的東西意味著存續和保留，因為這麼做就是汲取事物的精華。

271 與愛無關

這件事與愛情無關，是愛情之外的事情，值得一知……

壓抑的愛，比愛的真實體驗更能散發愛的本性。貞潔可以是開啟深刻理解力的鑰匙。行動自有所得，但會帶來混亂。占有即被占用，進而失去自我。唯有思想可以看穿現實而又不至於淪陷。

272 無窮與永恆

基督乃一種情感形式。

在萬神殿中，諸神都有自己的空間，祂們排擠對方；祂們都擁有王座與至高無上的權力。諸神在這裡無所不能，因為這裡沒有限制，甚至沒有邏輯秩序，各式各樣的不朽交疊在一起，允許我們享受各式各樣的無窮與各色具備的永恆共存。

273 神與人

歷史上並無確定之事。在秩序井然的時期，萬物盡皆可鄙；在混亂失序的時期，萬物盡顯高尚。衰落的時代富於精神活力，偉大的時代欠缺智慧的靈光。萬物混淆交融，真理只存在於想像之中。

因而，如此多的崇高思想落入糞堆之中，如此多發自內心的渴望失落在湍流中！

神與人——兩者在我眼中都一樣，皆擁有不可預知的命運，混亂不堪。在這間毫無特色的四樓房間裡，他們從我的夢中穿過，而神與人對於我的意義，相較於他們對於相信他們之人的意義，不會更多。機靈而單純的非洲人偶像、荒野之地野蠻人的動物神、埃及人那些人格化的象徵、希臘人光輝的神、羅馬人剛強的神、太陽神和愛神密特拉、因果和慈善之神耶穌、圍繞著同一個基督產生的不同變體，新城鎮裡的新近諸神——所有這些神祇組成了一次充滿謬誤與幻想的送葬之旅（是朝聖之行或是葬禮）。他們行進著，走在他們身後的是夢。這些夢是投射在地上的空洞陰影，然而最差勁的夢想家則認為那些夢境扎扎實實地扎根在那裡：沒有身體或靈魂的悲慘思想——自由、仁愛、快樂、更美好的未來、社會科學——在黑暗的孤寂中向前移動，如同乞丐偷來的皇家長袍組成了隊伍拖曳的落葉。

274／革命者的錯誤

當革命者區分資產階級和大眾、貴族和平民、統治者和被統治者時，他們犯了一個愚蠢而嚴重的錯誤。人和人的唯一區別只在於對社會的適應和不適應；剩下的就是文學和劣等文學的區別。如果一個乞丐適應社會，那麼明天就可以成為帝王，儘管這麼做他將失去乞丐的品性。他將越過邊境，喪失他的國籍。

在這間狹小的辦公室裡，這些想法令我寬慰。辦公室蒙塵的窗戶對著一條陰鬱的街道。這些想法令我寬慰，我以世界意識的創造者為伴——譬如天馬行空的劇作家威廉·莎士比亞、教育家約翰·米爾頓、流浪者但丁·阿利吉耶里……甚至，如果允許我提及，還有耶穌基督，他在這個世界如此渺小，以致他的存在都遭到歷史學家的懷疑。國會議員約翰·沃爾夫岡·馮·歌德、參議員維克多·雨果、國家元首列寧和墨索里尼等則組成另一個完全不同的階層。

這便是暗影裡的我們，身處年輕工友和理髮師之中，組成人類社會……世界的一邊，坐著威風凜凜的國王、聲名顯赫的君主、光環耀眼的天才和聖人、至高無上的領袖、妓女、先知和富人……另一邊，坐著我們——街角的年輕工友、天馬行空的劇作家威廉·莎士比亞、幽默的理髮師、教育家約翰·米爾頓、售貨員、流浪者但丁·阿利吉耶里，還有那些被死神遺忘或眷顧的人，以及那些被生活遺忘或從未被眷顧的人。

275 統治自己

統治世界始於統治自己。世界的統治者既不是真誠者，也不是不真誠者；而是一群用做作和無意識意欲在自己身上創建真正真誠的人。這種忠誠構築他們的力量，使其他人的虛假忠誠黯然失色。慣於自欺欺人是成為政客的先決條件。唯有詩人和哲學家才能看到世界的本來面目，因為只有他們才被賦予脫離幻覺的生活。看得越清就越無為。

276 沒有自由的靈魂

意見即粗話，即使這個意見並非出自真心。

每一個真誠的例子都令人無法容忍。不存在真正與自由的心靈。就此而論，根本沒有自由的心靈。

277 真正的人

萬物皆脆弱、平庸且無謂。我看到了憐憫的偉大昭示，那似乎揭示了充滿悲情色彩的憂傷靈魂深度，但我發現那昭示只持續了片刻，那昭示充滿了言語，這些話形成於——我常常帶著沉默的洞察力觀察於此——與憐憫相似的感情之中，像觀察的新鮮感一樣迅速消失，抑或形成於慈悲靈魂晚宴的紅酒之中。表露出來的人道主義情感，喝掉的白蘭地數量，以及因喝了太多酒或冗長的焦渴而受苦擺出的誇大動作，這三者之間始終有直接的關係。

所有這些人都把他們的靈魂出賣給魔鬼，那魔鬼便是地獄裡烏合之眾中的一員，對卑鄙和懶惰渴望至極。他們整日爛醉，過著浮華與疲軟的生活，無力地死在言語的坐墊上，死在一大堆蠍子之中，牠們的毒液從嘴淌下。

關於這些人最特別的事情就是他們全都沒有一點重要性，任何意義上都是如此。有些人給主流報紙寫文章，在虛無中獲得成功。其他人在專業領域出人頭地，成功卻一無所成。還有人成為有名的詩人，然後相同的灰燼讓他們愚昧的臉變得蒼白無比，他們都是墳墓裡經過防腐處理的死屍，手被放在屁股上，還保持著活人的姿勢。

在一段很短的時間內，我如同行屍走肉，失去了內心的機敏，但我保留了很多記憶，有真正美好的有趣時刻，有沮喪與悲傷的時刻，有幾個在虛無中十分突出的側寫，還有女服務生值班時一定會擺出的姿態——總之，不過是確確實實令人噁心的煩悶和一兩個有趣的笑話。

有很多年紀更老的人散布於這些之中，如同空洞的空間，帶著他們那些過時的妙語，他們會像別人一樣在背後中傷他人，而且誹謗的都是相同的人。

當我看到他們因為一些微不足道的榮耀而被這些小人物誹謗之際，我從未對這些小人物的公共榮譽產生如此多的同情。然後我就可以理解偉大的賤民為何能夠取得勝利：因為他們的勝利與這些人有關，與人類無關。

可憐人帶著他們貪得無厭的渴望——要麼渴望食物，要麼渴望名望，抑或渴望生活裡的甜點。任何第一次聽到他們說話的人都會覺得自己是在傾聽拿破崙的導師和莎士比亞的老師在講話。

有些人成功獲得了愛情，有些人在政壇功成名就，還有些人成了藝術大師。第一種人的優勢是可以講故事，因為一個人不必讓自己的愛情眾所周知，就可以非常成功地戀愛。當然了，聽其中一個這樣的人描述他們性事的長篇大論，在他們講了第七次征服後，我們也開始產生懷疑。那些貴族女士或知名小姐的情人糟蹋了數不勝數的女伯爵，他們征服女性的數字甚至會使年輕有爵位女性的曾祖母盡失莊嚴和沉著。

有些人擅長肢體衝突，能在西亞多[76]街角，能在瘋狂的夜晚裡殺死歐洲拳王。還有些人有力量左右大人物，這些人的話最不可靠。

有些人是可怕的性虐狂，有些人是積習已深的雞姦者，還有些人悲傷但大聲地承認他們對女性非常殘忍，讓她們在生活之路上隨時受到鞭打。他們喝咖啡時總讓別人付帳。

有些是詩人，有些是……

我知道沒有更好的對抗手段去對待這陰影的洪流，除了直接熟悉一般人類生活——例如，熟悉商業現實，就像是道拉多雷斯大街的情形。每每我從那間傀儡瘋人院裡返回，去找莫雷拉這真正的存在時，都會感到解脫，他是我的主管，一位真誠且能幹的記帳員，衣不稱身，身材走樣，但卻是一個真真正正的人，而上述那些人從沒有真正為人。

76 西亞多（Chiado），位於里斯本中心的高級街區，佩索亞時代的作家和知識分子常來此地。

77 「大多數人並非自己」出自王爾德，佩索亞引用的這段話下文是：「他們的思想是他人的觀點，他們的生活是一種模仿，他們的激情是一種引證。」

278 生者與死者

大部分的人不由自主地生活在虛幻之中，格格不入。「大多數人並非自己，而是別人。」[77]奧斯卡．王爾德說，他說得沒錯。有些人終其一生追求的都是他們不想要的；有些人追求的乃他們所欲，卻對他們沒有絲毫用處；還有人迷失了他們自己……

然而大多數人還是不需要任何理由就會感到快樂，享受生活。人們並不會時常流淚，而當他們抱怨之際，便形成了他的文學。悲觀主義並不是可行的民主規則。那些為這個世界感到悲傷的人都是孤立的——他們只為自身悲傷。萊奧帕爾迪[78]或肯塔爾[79]就沒有心上人？那麼整個宇宙就充滿了痛苦。維尼感覺沒有被別人全心全意地愛著他？這個世界就是一座監獄。夏多布里昂產生了奢望？人類的生活沉悶乏味。約伯身上長滿了瘡？這個塵世無處不滿布瘡痍。有些人踏在傷心人的痛腳上。可憐他的腳啊，還有那太陽和星辰。

人類吃著，愛著，長此以往，從不停輟，對這一切漠然視之，只在必須哭的時候哭，而且哭的時間盡可能短——例如，為喪子之慟而哭，死去的兒子很快就會被忘得一乾二淨，除了他的生日才會被想起；或因為金錢的損失而哭，更多的錢源源而來之際，或者人們對這損失已經習以為常之際，便會停止哭泣。

生存的意願復甦，延續。死者已被埋葬。我們的損失會被遺忘。

279 感懷失去的一切

今天，他回了老家，顯然不會再回來。我說的他是指那個年輕工友。我視他為這個人類群體中的一部分，進而也是我和我整個世界的一部分。今天，他離開了。當我偶爾在走廊上遇見他，出於意料之中對道別的驚訝，他不無羞怯地和我擁抱。我心裡不由自主地傷感了，眼眶一陣發熱，我靠著自制力才沒有哭出來。

無論我們擁有什麼，因為它屬於我們，即使在我們的日常生活中或視野裡曇花一現，便成為我們的一部分。今天，對我來說，離開我們回到加利西亞小鎮（我從未聽說過）的人不是那個年輕工友；而是我生命物質的一個重要部分，因為他是看得見的、活生生的人類。今天，我的身體少了點什麼，不再和以前一樣。今天，那個年輕工友走了。

一切發生在生活中的事情也發生在我們的心裡。一切消失在視野裡的事情也消失在我們的心中。當我們看得見時，它便還在那裡，而一旦離去，便從我們的心頭消失。今天，那個年輕工友離開了。

我坐在高高的辦公桌前，繼續做著昨天沒完成的工作，一股更強烈的厭倦感和蒼老感襲來，意志力也變得更薄弱。但今天，這不完全算是悲劇的悲劇和失控的惱人思想（我不得不努力控制不去想），使我無法習慣性地把帳記好。我唯有像自己的奴隸一樣，靠著慣性才能工

78 萊奧帕爾迪（Saverio Pietro Leopardi，一七九八～一八三七年），義大利的詩人、哲學家、散文家和語言學家。
79 肯塔爾（Antero de Quental，一八四二～一八九一年）葡萄牙詩人。

作下去。今天，那個年輕工友離開了。

是的，明天或無論哪天，生離死別的鐘聲將無聲地敲響，我也將離開這裡，陳舊的手抄帳本將被束之高閣。是的，明天或哪天，當命運之神做出判決，那個冒充是我的我將不復存在。我是否也會回老家去？我不知道要去哪裡。今天的悲劇看得見是因為它不被注意，重要的是因為它不值得一提。上帝啊，我的上帝。今天，那個年輕工友離開了。

280 孤獨的夜

啊，夜是星辰假扮光亮，啊，孤獨的夜是宇宙的尺碼，讓我身心融入你的身體，以致——僅僅是黑夜——我失去自我，也變成黑夜，沒有夢想的星辰點綴心田，不能企盼太陽照亮未來。

281 風聲

起初是一種聲音，在萬物空洞的黑夜裡發出另一種聲音。接著是一聲低嗥，街上的招牌隨風搖擺，吱嘎作響。然後，空中的聲音變成一聲尖嘯，一陣咆哮，而萬物戰慄，搖擺驟停。一切靜得可怕，像一種無聲的恐懼，起初的恐懼過去後，迎來的是另一種恐懼。然後就剩下風聲。我睡意朦朧，看見門在門框裡晃動，玻璃在窗框大聲掙扎。

我並未入睡。我存在卻又不存在。意識尚存部分殘留。我感到睏意，但並未失去意識。我不存在。風……我醒過來，又睡過去，但我並未入眠。一種模糊而嘈雜的風景下，我是自己的陌生人。我小心翼翼，為可能入睡而喜悅。我的確已入睡，但我不確定自己是否已經睡著。在似睡非睡的狀態下，總會有一種聲音去終結萬物，那是黑暗中的風聲，倘若我湊近去聽，那是我的心肺之聲。

282 荒謬的印象

清晨，最後的一點星星在天空漸漸淡去，直至消失不見。微風透出一絲涼意，橙黃的光亮透過幾朵低沉的雲彩照射下來。我總算拖著身子——被虛無耗得筋疲力盡——從床上走下來，我一夜無眠，在床上思考宇宙的問題。

我走到窗戶邊，雙眼因徹夜未閉而發痛。光線在密密匝匝的屋頂上反射出各種淺黃的陰影。我因失眠而極度遲鈍地思考一切問題。光線的黃在高樓挺拔的身影中顯得纖細渺小。遙遠的西邊（我面朝著那個方向），地平線已呈現出一種青白。

我知道，由於我什麼也抓不住，今天將壓抑我。我知道，今天我所做的一切不是被我未睡的疲倦留下痕跡，而是被我的失眠留下痕跡。我知道，和往常相較，我的存在更像是一種夢遊，並不是因為我沒有睡覺，而是因為我無法睡覺。

有些日子屬於哲學，暗示著對生活的解釋，是一種旁注——充滿了批判性的觀點——標記在我們普世命運的這本書中。今天似乎就是這樣的日子。我有種荒謬的印象，也就是說我沉重的眼皮和空白的大腦像一枝荒謬的鉛筆，將我深刻而無用的評論寫了下來。

283 死者的自由

自由存在於孤獨的可能性中。如果你能夠脫離人群，不用為了金錢、夥伴、愛情、榮譽或好奇心——這些事物無一能存活於沉默和孤獨中——而尋找它們，那麼你才算是自由的。如果你不能一個人活著，那麼你就天生為奴。你或許擁有一切心靈和靈魂的卓越品質，在這種情況下，你是一個高貴的奴隸或聰明的奴僕，但你不自由。你不能視之為你自己的悲劇，因為你的出生只是命運的悲劇。然而，如果生活壓迫你，以致你被迫淪為奴隸，那麼你是不幸的。如果你生來自由，具有與世隔絕和自給自足的能力，而貧窮迫使你與人交往，那麼你是不幸的。是的，這樣的悲劇就是你自己的，並將跟著你。

生來自由是人類最偉大的卓越品質，這使淡泊名利的隱士高於君王甚至上帝。君王和上帝的自給自足，是透過他們的權力而不是對權力的輕蔑而實現。

死亡是一種解脫，因為人死之後，別無所求。死亡迫使可憐的奴隸擺脫了苦與樂，以及夢寐以求的持續生活。死亡使君王擺脫了並不想放棄的統治。死亡使濫情的女人擺脫了她們珍愛的凱旋。死亡使男人擺脫了命中注定的征戰。

我們可憐而荒謬的屍體永遠也不知道，它們被衣著華麗的死亡裝飾，變得高貴。死去的人是自由的，即使他不想要自由。死去的人不再是一個奴隸，即使他為結束奴役生涯而哭泣。像君王這樣的人，他的最高榮耀是他的君王頭銜。作為一個人，他是可笑的，但作為一個君王，他高高在上。因此，或許死去的人變得醜陋，但他仍然卓越，因為死亡使他自由。

由於疲憊，我拉上百葉窗，將自己與世隔絕，於是有了片刻的自由。明天我將重回奴隸，但此時——我獨自一人，不需要任何人，唯恐被什麼聲音或什麼人打攪——我有屬於自己的短暫自由和榮耀。

靠坐在椅子上，我忘了壓抑我的生活。除了一度的痛感，沒有什麼令我感到痛楚。

284 不要去碰生活

讓我們連指尖也別碰到生活。

讓我們連愛這個念頭都別有。

但願我們永遠也不知道女人的吻是什麼感覺，哪怕在夢裡也不知道。

作為病態的工匠，我們要善於教會別人如何摒除幻想。作為生活的旁觀者，讓我們躲在所有的牆頭偷窺，我們因為知道看不到什麼新鮮美好的事物而預先感到厭倦。

作為絕望的織布工，讓我們只編織裹屍布——白色裹屍布裹住我們從未作過的夢，黑色裹屍布裹住我們死亡的日子，灰色裹屍布裹住只出現我們夢裡的姿態，藍紫色裹屍布裹住我們徒勞無益的感覺。

獵人在山上獵殺野狼，在峽谷裡追趕小鹿，沿著沼澤和湖岸捕捉野鴨。讓我們去恨他們吧，不因為他們殺生，只因為他們過得快樂（而我們不能）。

讓我們面露蒼白笑容，做出欲哭無淚的樣子。讓我們目光凝滯，做出無所謂的樣子。讓我們的面容都透露著鄙夷，只為鄙夷生活而去生活。
讓我們鄙夷那些工作和奮鬥的人，讓我們憎恨那些存在希望和信任的人。

285 我從未醒過

我幾乎確信自己從未醒來過。我不知道自己在生活中有沒有作夢，在夢裡有沒有生活，或者說夢與生活彼此交錯，交織成某種東西，從而組成我的意識自我。

有時候，當我勤奮地過生活時，對自我的認識和對別人的一樣清晰，我的心裡會被一種奇怪的疑惑感困擾：我開始懷疑自己是否真正存在，我是不是別人的夢。彷彿親臨其境一般，我能夠將自己想像成小說裡的人物，按照書裡的冗長文風，在繁雜敘述下的現實中活動。

我常常發現，某些虛構的人物比那些現實與我們交談的朋友和熟人更鮮明。這使我產生一種幻想，覺得世界的一切事物是否就是互相連接的一連串夢和小說。就像小盒子疊進大盒子，依此無限堆疊下去，每件事都是故事裡的故事，就像《天方夜譚》，虛構的故事在沒有盡頭的夜裡無限延續下去。

如果我思考，那麼一切對我來說都很荒謬；如果我感覺，那麼一切對我來說都很陌生；如果我渴望，那是某一個我在渴望。如果我做了什麼，我可以肯定那與我無關。我作夢時就像被人描寫，我感覺時就像被人描畫，我渴望時就像要被交貨的貨物，被裝進貨車，然後貨車朝著想必是我的終點站——一個我不想去的地方——駛去，直到抵達目的地。

一切是多麼混亂不堪！只看不想、只讀不寫該有多好！我的所見欺騙我，但我不認為那是我的所見。我的所讀令我苦惱，但我不必因寫下它而感到難受。作為意識清醒的思想者，作為已達到「我知我所知」的第二意識層次沉思者，去思考這一切該有多痛苦！去思考還是去感受？或者說生活的幕後還有第三種選擇？昏暗無序的單調，合攏的扇子，不得不生活的倦怠感……

286 年輕的我們

仍然年輕的我們走在喬木下，走在森林的輕柔細語裡。我們漫無目的地走在小路上，躍然呈現在眼前的曠野，在月光映照下彷彿如池塘一般，縱橫交錯的池岸比黑夜還要黑。微風在林地的樹叢中嘆息。我們談論著不存在的事情，我們的聲音成為黑夜、月色和森林的一部分。我們聆聽自己的聲音，彷彿它們屬於別人。

昏暗的森林裡並非完全沒有路。在本能的驅使下，我們沿著山路，在樹影斑駁的森林裡、紋理錯落的冷酷月光下行走著。我們談論著不存在的事情，而這個真實生活的景色也彷彿並不存在。

287 完美

我們因得不到完美而崇拜它。倘若得到完美，我們將會排斥它。完美是非人類的，因為人類不完美。

我們對天堂懷著隱隱的憎恨。我們的渴望像可憐的窮人嚮往天堂的鄉村。這並非什麼抽象迷戀或絕對奇蹟，能夠蠱惑人的靈魂感受；它是田園和山坡、藍色海洋中的綠洲、林蔭小徑，以及在祖先留下的農莊裡度過的悠閒時光，儘管我們從未擁有過這一切。

追求完美需要一種與人類無關的冷漠，追求完美的人將失去熱愛完美的人類之心。

我們敬畏偉大藝術家追求完美的熱忱。我們熱愛他們對完美的接近，但我們愛的只是這種接近。

288 相信或不相信

完全不相信人類是可悲的！

相信人類也是可悲的！

289 永遠不要去寫作

如果《李爾王》是我寫的，那麼我的餘生將被懊惱所困擾。因為這部作品的絕對偉大嚴重放大了它的缺陷。可怕的缺陷，放大了在某個特定場景和它們盡善盡美的可能性之間最微小的東西。這和被黑子玷汙的太陽不同，它是破碎的希臘雕像。一切在被完成後便充斥著差錯、錯誤的觀點、無知、粗俗的跡象、不足和紕漏。沒人有幸能被賦予神聖的力量，去完成盡善盡美的恢宏巨作。精神的參差不齊，使我們無法在一次單獨的情感爆發下完成任何作品。

抱著這種想法，我的想像力被遺憾、痛苦的必然性擊倒，我將永遠無法為實現美而有所作為。實現完美的唯一方法就是成為上帝。殫精竭慮需要耗費時間；這些時間流經我們靈魂的各個階段。每個階段都與眾不同，那個階段的作品都帶有其自身的個性特點。我們在寫作時，唯一能確定的事實就是我們寫得很糟糕；唯一偉大而完美的作品就是我們從不曾夢想能夠完成的作品。

僅僅帶著同情洗耳傾聽就行了。聽我說完，然後告訴我作夢不比生活更美好……

努力寫作永遠不會有回報。努力不會將我們帶向何處。唯有放棄是高貴而高尚的，因為它使我們認識到實現的東西總是低劣的，我們寫下的作品總是我們夢想中的作品的可笑影子。

我多麼希望能在紙上用文字記錄下來，以便能夠大聲朗讀並傾聽我構想中戲劇人物的對話啊！這些戲劇裡的動作完美地流動，對話完美無瑕，但我不能在空間上描繪出那些動作，以致無法實質地反映它，那些內在對話的內容也不包含真實語言，我無法湊近傾聽並抄在紙上。

我喜歡某類抒情詩人，恰恰是因為他們不是敘事詩人或戲劇詩人，因為他們的敏銳直覺使他們想表達的東西永遠不會多於強烈的感覺或夢中的時刻。能夠無意識地寫作，是使完美成為可能的確切方法。莎士比亞的任何一部戲劇都不如海涅的一首抒情詩令人滿意。海涅的詩歌是完美的。然而，一切戲劇——莎士比亞或任何其他人的——都免不了有缺陷。啊，讓我們構建一部完整的「全部」，撰寫和人的身體相似的東西，使所有部分水乳交融，賦予它生命，和諧一體的生命，把特點各異的各個部分連接起來！

你們在聽我說，卻無法聽得懂，你們永遠不知道這是怎麼樣的悲劇！父母雙亡、得不到榮耀和快樂、沒有朋友和戀人——所有這一切尚可容忍；不能容忍的是，夢想美好的東西卻不可能化作文字或行動。

對一部完美作品的意識，對一部已完成作品的滿足……——在寧靜夏天的樹蔭下，睡眠是一種撫慰。

290 夢中的天才

我向後靠坐著，僅僅和生活保持著遙遠的距離，出於慣性，我如此流利地將從來不會寫下的語句默寫下來，我又是如此清晰地將永遠無法描述的、沉思中的風景描述出來！我使用完整的句子，沒有一個字不是恰到好處；戲劇的詳細情節在我的腦海中鋪展；我能夠逐字逐句感覺到偉大詩歌的音韻節律，一股強烈的熱忱像陰影中看不見的奴僕跟隨於我。但我若是從椅子上站起來，這些幾近逼真的感覺鬆懈了，等我走到桌前要把它們寫下來時，文字已散去，戲劇已消亡，行文韻律的關鍵銜接不知所終，只剩下遙遠的懷想，殘留在遠山的一點陽光的痕跡，拂動田野邊樹葉的一縷清風，一種永遠看不見的淵源，別人的狂歡，還有那個並不存在的女人，我們渴望看見她轉過身來。

我承接了每一個可想像得出的計畫。我所創作的《伊利亞德》在有序銜接長短句時遵循一種結構邏輯，荷馬永遠也做不到這一點。我未成文的詩篇達到一種極致的完美，使維吉爾的精準變得粗劣，米爾頓的力量變得衰弱。在情節一環扣一環的象徵手法上，我的寓言諷刺詩超越了史威夫特[80]的所有作品。我曾多少次成為賀拉斯啊！

每當我從椅子上站起來，事實上，這些不都是夢，我經歷了雙重的悲劇，我發現它們既沒有價值，又不是純粹的夢，有些東西還殘留在思想和存在的抽象門檻上。

我在夢中是一個天才，而在生活中是一個白癡。這就是我的悲劇。我是賽跑中的領跑者，直到最後，距終點線僅有一步之遙便倒在地上。

291 不要投入原創

如果有改進者這樣的職務，那麼我的人生就有事可做了，至少在生活中，我可以作為一

80 史威夫特（Jonathan Swift，一六六七～一七四五年），愛爾蘭作家，著有《格列佛遊記》等作品。

個藝術家而工作。

讓我們從別人的作品開始，只去做一些改進工作……或許《伊利亞德》就是用這種方式寫下來的。

絕對不要嘗試投入原創！

我多麼羨慕那些小說創作者，那些動筆寫下並完成小說創作的人！我能夠一章一章地想像小說，有時會想像出真實的對話段落和穿插其間的敘事，但我無法將這些創作之夢寫在紙上……

292 輕蔑一切

從戰爭到邏輯推理，每一種形式的行動都是虛假的；每一次放棄也是虛假的。如果我能夠既不行動又不放棄，該有多好！那將是象徵我榮耀的夢中皇冠，象徵我偉大的靜默權杖。

我甚至不覺得苦惱。我徹底地輕蔑一切，甚至輕蔑我自己。我對別人的苦難不屑一顧，對自己的苦難也是如此。我的所有苦難被我的輕蔑踩在腳下。

啊，不過這使我遭受了更多的痛苦……因為重視自己的苦難意味著用傲慢的太陽為它鍍上金色。強烈的苦難使受難者產生被一種痛苦選中的幻覺。由此……

293 悲傷的間奏（五）

一個人若是看書時間長了，自然光線也會令他感到刺眼。同樣，當我看自己看得太久，抬眼時，那些生動鮮明和獨立於我的外在世界、他人的存在以及空間裡各種運動的位置和相互關係，這一切都將灼傷我的眼睛。我碰巧發現其他人的真實感覺。他們的精神與我的精神相互對抗，推擠之下我站立不穩。我的腳一滑，跌落在地，他們奇怪的說話聲在我耳邊響起，他們堅定而明確的腳步聲在實質的地板上響起，他們的動作真實存在，他們的種種複雜存在方式不過是我的種種變體。

當我置身這些靈魂中，我突然感到無助而空虛，彷彿雖死猶活，像一個痛楚而蒼白的陰影，風一吹就倒地，身體一接觸就化作灰燼。

於是我想：我費力孤立自己，提升自己，這樣做值得嗎？為了被釘死在十字架的榮耀，我長期忍受磨難，這樣做值得嗎？即使知道這樣做是值得的，此時此刻，一種不值得且永遠不值得的感覺籠罩著我。

294 財富意味著自由

金錢，孩子，瘋子……

財富只能以柏拉圖式的方式被人羨慕。財富意味著自由……

295 金錢很美好

金錢很美好，因為它使我們自由。

想要死在北京卻做不到，是眾多使我感到大難臨頭的事情之一。

有的人喜歡買不實用的東西，他們比一般人想像的更聰明——他們買的是小小的夢。當人們被那些不實用的小東西吸引住然後掏錢後，他們會像小孩子在沙灘上拾到海貝一樣高興——這是最能表達小孩子興高采烈的一幅畫面。他在沙灘上撿貝殼！在孩子眼裡，沒有兩個貝殼是完全一樣的。他睡著時，手裡握著兩個最漂亮的貝殼，如果它們丟了或被誰拿走了，（罪過啊！他們偷走了他一小塊外露的靈魂！他們偷走了一小塊他的夢！）他嚎啕大哭，就像上帝被搶走了剛剛創立好的宇宙。

296 似是而非的愛

似是而非的愛，荒謬而悲傷，如動物般的快樂。就像正常人說些毫無意義的話，冷冷地拍著別人的後背，一副有氣無力的模樣，缺乏熱情和活力，他們的心靈和演出會翻筋斗，用一種冷淡的方式，做出熱情的手勢。

297 歸謬法

歸謬法是我最喜歡的飲料之一。

298 生命的全部

萬物皆荒唐。有人終其一生賺錢與存錢，可他並沒有子嗣繼承他的財產，也沒有任何天國裡會給他預留一份超脫物質世界的命運的希望。有人努力賺取死後的名譽，卻不相信人有來世，讓他瞭解那名聲。還有人為了追求他根本不在乎的東西而讓自己筋疲力盡。還有人……

有人為了學習而讀書，到頭來一無所得。有人為生活而享受人生，到頭來一無所得。

坐在一輛電車上，和往常一樣，我近距離觀察著我周圍人們身上的每一個細節。對我而言，細節猶如事物、聲音和語句。就拿我前面女孩穿的裙子來說，我將之拆成做成這件衣服的布料以及做成這件衣服所費的功夫（這就是我看待一件裙子的方式，而我看到的不僅僅是布料），在我細看之下，領子上裝飾的精巧刺繡分解成刺繡這些圖案的絲線以及刺繡所花費的功夫。接著，突然間，彷彿是進入了基礎經濟學的教科書一樣，工廠和那些功夫都在我面前展現：製作這件衣服的工廠；紡織妝點在那位女性脖子上、帶花飾、較深顏色絲綢的工廠；這兩家工廠裡的各個部門、機器、工人和女裁縫。在心裡，我看向那些辦公室，只見經理們努力保持鎮靜，我看到所有的一切正被記錄到帳簿內。可這並不是全部：除此之外，我還看到在這些工廠和辦公室經歷他們社會存在之人的私生活。整個世界在我眼前打開，僅僅因為在我前面——在那位女性深色的頸背上，而我並不知道她的脖子前面的樣子——我看到淺綠色的裙子上有一個普通、不規則的深綠色刺繡。

一切人類的社會存在都在我眼前鋪展。

此外，我還感覺到了所有勞動的愛、祕密和靈魂，所以，電車裡我前面的女人可以在她那一般人的脖子上戴一條彎曲乏味的深綠色絲綢，妝點她那件淺綠色的衣服。

我有些暈眩。電車座位用堅韌的密織纖維製成，載著我去遠方，擴散成種種形式，有工業、工人、他們的房子、生活、現實、一切。

我下了電車，頭昏目眩，筋疲力盡。我剛剛經歷了生命的全部。

299／舞臺

每次不管我走到哪裡，都會是一場無邊的旅途。乘坐火車去卡斯凱斯使我感到疲倦，穿過城鄉風景的這段短暫時光彷彿過去了四、五個世紀。

我想像自己住進我經過的每一幢房子、每一間小屋、每一座被石灰和靜默刷成白色的偏僻農舍——先是高興，再是厭倦，然後忍無可忍。這一切發生在一瞬間，當我離開其中一間小屋，我無限懷念曾經住過的那段時光。所以，每一次旅途都充滿大喜大悲的痛苦和快樂，還有數不清的虛假懷念。

當我經過那些房屋、別墅和農舍，我過著和那裡的居民一樣的日常生活，和他們同時生活。我是父親，是母親，是兒子，是堂親，是女僕和女僕的堂親，同時是一切，我的特殊才能使我有幸能同時產生這麼多的紛雜感覺，同時過這麼多種生活——從外在看見他們，從內心感受他們。

我在內心創造了各種不同的個性。我不斷創造個性。每一個夢，一旦我開始作夢，它就馬上附在別人身上，作夢者就變成了那個人，而不是我。

創造意味著毀滅自我。我在內心具體化自我，我在獲得外化時才存在。我是一個空空的舞臺，等著各種演員登臺做各種演出。

300 三角形的夢（二）

我在夢裡的甲板上顫抖：一股不祥的寒意襲過我遙遠王子的靈魂。喧囂而可怕的寂靜像一股青灰的微風，侵襲房間裡有形的氛圍。冷硬、躁動不安的明亮月光下，海水不再翻滾，但仍然起伏不定。雖然無法聽見，但我知道王子的宮殿松柏環繞。

第一道閃電的長劍在遠處隱約劃過。海上的月光是閃電的顏色，而這一切意味著那位王子（從來就不是我）的宮殿在遙遠的過去就已變成一片廢墟。

當船悶聲靠岸時，房間暗了下來，他沒有死，也沒有被俘虜，但我不知道王子遭遇了什麼。如今他的命運將面臨什麼樣的冷酷和未知的事物呢？

301 鍛造靈魂

若想擁有新的感覺，唯一方法就是鍛造新的靈魂。不用新的方式就想感受到新的東西是徒勞無益的。你若不改變你的靈魂，是無法用新的方式去感受的。事物正如我們的所感——你還不知道的東西，又能瞭解多久呢？——新事物存在並被我們所感受到的唯一方式，就是我們如何感受出一些新意。

改變你的靈魂。怎麼做呢？這就要靠你自己想辦法了。

我們從出生到死亡，靈魂像肉體一樣慢慢改變。找出一個使它更快改變的方法，正如我們在遭受某種疾病的侵襲然後痊癒時，我們的肉體會以更快的速度改變。

我們永遠不要俯身發表演說，免得別人以為我們有什麼想法，或者要屈尊與公眾講話。如果公眾願意，讓他們來讀我們。

此外，演說者就像一個演員，一個幫藝術跑腿的雜工，一個任何優秀藝術家都不屑一顧的角色。

302 雙重思考

我發現，我總是同時傾聽和思考兩件事情。我想每個人多少會有類似的感覺。某些觀感如此模糊，我們只有在事後回憶時，才發現我們有這樣的觀感。我相信，這些觀感構成我們擁有雙重注意力的一部分——或許是內在部分。就我而言，引起我注意的兩種現實同樣鮮明。這便構成我的創造力。這或許也構成我的悲劇，並賦予它喜劇色彩。

我埋頭聚精會神地抄著帳本，帳目記錄的是一家不起眼的公司徒勞無益的歷史。與此同時，帶著同樣的注意力，我的思緒搭乘著想像之船，領略了幻想中東方的奇異風景。對我而言，兩件事同樣歷歷在目，同樣清晰可見：一方面，我小心翼翼抄錄的頁面是維斯奎茲先生和他的公司的商業史詩，另一方面我站在甲板上凝神觀察的——在甲板塗了焦油的接縫形成橫格狀的那一邊——是航行中一排排躺椅和躺在上面舒展雙腿放鬆休息的旅客。（如果一輛兒童腳踏車從我身邊騎過，那輛童車也將寫入我的故事。）吸菸室擋住了我的視線，所以我只能看見他們伸長的雙腿。

我將筆蘸了墨水，那間吸菸室的門打開了——我感到自己正站在那裡——浮現出陌生人的臉孔。他背對著我，向別人走去。他走得很慢，我從他的背影看不出什麼。我轉向其他帳目，試圖找出哪裡我算錯了。馬奎斯的帳目應記成債務方而非債權方。（在我看來他胖胖的，和藹可親，愛開玩笑，而突然之間，那艘船消失在遠處。）

303／行動家

世界屬於沒有感覺的人。成為現實的人最基本條件就是失去感覺。在生活中，實際表達的主要條件就是意志，因為意志主導行動。兩種事物可以阻礙行動——感覺和分析思維，而後者就是加上感覺的思維。一切行動究其本質，不過是我們的個性向外在世界的投射。由於外在世界首先且主要是由人類組成，那麼，這種個性的投射基本上與其他人的路徑形成交集，根據行動方式的不同來妨礙、傷害或踐踏他人。

一個人採取行動時，已喪失對他人的個性、快樂和痛苦的想像能力。他的同理心走向麻痺。行動家將外在世界看作是由排他的無生命物質組成——或者說，世界的本質是無生命的，就像一塊阻礙他行徑的石頭，要麼跨過去，要麼踢到一邊。或者像一個沒有抵抗能力的人一樣呆滯，這個人也正如一塊石頭，他要麼被跨過去，要麼被踢到一邊。

行動家的最好例證是軍事戰略家，因為他能將每一次行動的全部注意力連上它的極端重要性。生活如戰場，戰鬥是生活的綜合體。戰略家對付敵人時，就像棋手將棋子玩弄於股掌之間。倘若一個戰略家想得到他所走的每一步都將給一千個家庭帶來黑暗，給三千顆心靈帶來痛苦，那麼他會怎麼樣呢？倘若我們還有人性，世界會變成什麼樣子呢？倘若人類真正有感覺，文明將不復存在。藝術是感覺的避難所，行動不得不被遺忘。藝術是深居閨中的灰姑娘，因為那是不得已而為之。

從根本上說，每一個行動家都很快樂和樂觀，因為沒有感覺的人是快樂的。一個人若是從未情緒低落，你便可依此判斷他是一個行動家。一個在情緒低落時工作的人是行動的附屬物。在整個漫長的人生計畫裡，他可以是一個記帳員，正如我在某種特定的人生境遇裡恰巧也做了一個記帳員，但他無法成為人或事物的統治者。統治之術需要無感。任何人在統治時都是快樂的，因為人只有在感覺時才會悲傷。

今天，我的老闆維斯奎茲先生做成一筆交易，使一個可憐人和他的家庭破產。他在談這筆生意時，只把這個人當作商業對手，完全忘記了他作為一個人的存在。生意談成後，他才動起了惻隱之心。當然這是在事後，否則這筆生意是無論如何也談不成的。「我對那個傢伙感到抱歉，」他對我說，「他幾乎就要一貧如洗了。」然後，他點燃一枝雪茄，補充道：「好了，如果他需要從我這裡得到什麼，」——他指的是某種施捨——「我不會忘記對他的感激，畢竟賺了他這麼多錢。」

維斯奎茲先生不是個騙子，他不過是個行動家而已。誠然，遊戲的輸家將來能獲得我的老闆的施捨，因為他畢竟是個慷慨的人。

維斯奎茲先生和所有行動家一樣，這些行動家包括商業領袖、工業家、政治家、軍事指揮官、社會和宗教的理想主義者、大詩人、大藝術家、漂亮女人，或是隨心所欲的孩子。發號施令的人沒有感覺。成功的人只考慮獲得成功的途徑。而餘下的芸芸眾生——形形色色、多愁善感、富於想像力和思想脆弱的人——他們不過是舞臺背景。在他們的襯托下，演員的表演持續到木偶戲結束。他們不過是棋局平平、死氣沉沉的棋盤，直到某個大玩家將他們掃進棋盒，而這個大玩家用一種雙重人格在玩弄，自己與自己對弈，以供自娛。

304 信仰

信仰是行動的本能。

305 懷疑一切

我有一個不可忽視的習慣，那就是懷疑一切（特別是出於天性的事），而我對不真誠的自然傾向，抵銷了我進行連續運作模式時所遇到的全部障礙。

我基本上會把其他人轉換到我的夢境之中。我採納了他們的意見，這些意見都是我根據自己的理性和直覺提出來的，以便使之成為我自己的意見（我沒有任何意見，這樣我就能接受他們和其他人的意見），符合我的品味，把他們的個性轉化成與我的夢境密切相關的東西。

我如此有天賦，可以夢到真正的生活，這樣一來，我和別人進行言語上的邂逅時（我只能以這種方式和別人相遇），我能夠一直作夢，透過其他的人的意見和感情，追蹤我自己無定型人格的流動過程。

其他人就像通道和管道，海水根據自己的喜好在其中流淌，海水在陽光下閃閃發光，使它曲折的流動軌跡輪廓分明，在空虛的乾涸時遠遠無法顯得如此清晰。

有時候，在草率的分析後，我會發現我就是別人身上的寄生蟲，但實際上是我強迫他們成為我後來情感的寄生蟲。我的生活寄居在他們個性的殼裡。我用我精神的黏土重塑他們的腳步，把他們徹底吸入我的意識中，這樣一來，到了最後，我將用他們的腳步走他們的路，比他們自己還徹底。

因為我習慣把我自己分成兩部分，同時展開兩種不同的心理活動，所以常出現一種情況：在我讓自己理智而強烈地適應其他人的感覺時，我會同時嚴謹地客觀分析他們的未知自我、思想和本身。因此，在我的夢境裡，在不中斷我的幻想的前提下，我不僅經歷了他們有時已逝去的情感的精華，還發現了潛伏在他們靈魂裡各種知識能量和精神能量之間錯綜複雜的關係，並將之分類。

這一切持續發生的時候，他們的相貌、衣著和姿態也沒有逃過我的注意。我同時經歷了他們的夢境、他們的天性、他們的身體和姿勢。在徹底、統一的擴散中，我把自己融入其中，在我創造出我們對話的每一刻，大量的自我——意識和無意識，分析和分辨——都連在一起，就像一把展開的扇子。

306 我們沒有信仰

我屬於這樣一代人，繼承了對基督教的不信仰，從而也不信仰其他宗教。我們的父輩仍然保持著某種信仰的衝動，他們的信仰對象從基督教教義轉向其他形式的幻想。一些人熱衷社會平等，一些人完全迷戀美色，還有一些人相信科學和科學成就。此外，另一些人則變得更虔誠，遠赴東方和西方，去尋找新的宗教形式，填補他們只剩下生活的空虛意識。

我們失去這一切。我們生來就得不到任何慰藉。每一種文明都沿著某種宗教的獨特軌跡向前發展；信仰新宗教意味著失去曾經的信仰。最終也將導致失去一切信仰。

我們失去了一種信仰，從而失去一切信仰。

因此我們離開了，對每個人而言，這讓他們在孤寂中感覺到自己還活著。一條船的目的似乎只在於航行，但它真正的目的是抵達港灣。我們發現，自己在大海上漫無目的地航行，我們甚至不知道自己的港灣在何處。阿爾戈英雄冒險格言的痛苦版本在我們身上得到重現：

生活並不重要，跋涉才是一切。

失去幻想，我們靠作夢活著，而夢是沒有幻想之人的幻想。我們依靠內在自我而活，而這吞噬著我們，因為一個完整的人並不瞭解自己。沒有信仰就沒有希望，沒有希望也就沒有真實的生活。我們不知道未來，也就不知道現在，因為今天的行動只是未來的序言。戰鬥精神在我們身上散失殆盡，我們生來就不具有戰鬥精神。

我們之中一些人還停留在日常生活的愚蠢征服上，為了每天的麵包而卑微掙扎，卻不願下苦功，不願付出意識上的努力，不願體會成功的高尚。

我們之中另一些人的品格更高尚，對國家和社會不屑一顧，無欲無求，試圖扛起簡單生活的十字架，走向赦免的受難地——這是一種任何人都沒做過的艱苦嘗試，就像背著十字架的人，意識裡閃耀著神聖光芒。

還有一些人，他們在靈魂之外忙忙碌碌，致力於喧囂嘈雜的膜拜。當他們聽見自己的聲音。便以為自己還活著，當他們描畫出愛情的外在形式，便以為自己還愛著。活著之所以痛苦，是因為我們知道自己活著。死亡之所以沒嚇跑我們，是因為我們對死亡沒有一個標準的概念。

然而，那些走到人生終點的人，在最後時刻的精神邊緣，甚至也沒有勇氣放棄一切，尋求庇護。我們活在放棄、不滿和悲傷之中。但我們只活在其中，哪裡也不能去，永遠被囚禁在（至少我們的生活方式是如此）被我們塗上鮮豔色彩的四壁之中，被囚禁在行動不自由的四面石牆裡。

307 挫折的美學

就算不能夠從生活中提煉出美，我們也至少要嘗試這麼做。讓我們轉敗為勝，將失敗變成積極高尚的東西，賦之以圓柱、威嚴和我們心靈的首肯。

倘若生活只給我們一間囚室，我們至少要盡力裝飾它——用夢的影子和它們的多彩圖案，將我們的遺忘刻在靜態的囚壁上。

像每一個作夢者，我常常感到我的使命就是創作。但我從未付出一絲一毫的努力，也從未將我的意圖付諸實踐。因此，創作對我而言就意味著作夢、需要或渴望，而行動則意味著在夢裡完成我希望實現的行動。

308 活著的天才

我把我的無能稱作「活著的天才」，為了掩飾我的怯懦，我把它稱作「文雅」。我將自己放在漆成大理石紋路的虛構祭壇上，上帝用假金子為我鍍成金色。

但我沒能成功地愚弄自己……也沒能自欺欺人。

309 雨景

誇耀自我的快樂……

～～～～～

雨天聞起來有一絲清冷，一絲遺憾，一種對曾經虛構出來的每一條道路和每一個理想的絕望。

～～～～～

如今，女人過於關注她們的模樣和舉止，她們給人一種轉瞬即逝、絕無僅有的惱人印象。

她們把自己裝扮得太過絢麗多彩，變得比她們活著的肉體還富有裝飾性。飾帶、雕塑、圖畫——這是她們看起來的樣子，就視覺上來說。

哪怕是把圍巾披在肩部這樣的簡單動作，她們都會比任何時候更注重圍巾的視覺效果。圍巾過去是一個女人基本打扮的一部分；如今它是一件附加飾件，它的用途僅僅取決於她們的審美情趣。

在這個五彩斑斕的時代，幾乎一切都變為藝術，一切都從意識領域摘取花瓣，並融入奇思妙想。

這些女性形象都是從沒被畫出的畫裡逃出來的。她們有的人被畫得太過細緻……某個側面輪廓太過引人注目，就好像她們試著使自己看起來不真實，她們又是如此超然，是畫裡背景下的純粹線條。

310 我的靈魂是一支隱祕的樂團

我的靈魂是一支隱祕的樂團，但我不知道這支樂團由哪些樂器組成——絃樂器、豎琴、鈸、鼓——它們在我心裡奏響。我只知道演奏的那支交響樂便是自己。

~~~

一切努力都是犯罪，因為一切姿態都是已逝的夢。

~~~

你的雙手是被囚禁的鴿子。你的嘴唇是沉默的鴿子（在我眼前咕咕鳴叫）。

你的全部姿態猶如飛鳥一般。當你俯身時是燕子，看著我時是禿鷹，做出貴婦般輕蔑的樣子時是蒼鷹。望著你，我看見池塘的水面浮現很多翅膀拍打的模樣……

除了翅膀，你什麼也不是……

~~~~~~~~

下雨，下雨，下雨……

呻吟，無情的雨……

我的身體甚至靈魂都在顫抖，天氣並不寒冷，我的寒冷源自觀雨的心情……

~~~~~~~~

每一種快樂都是罪惡，因為每一個人都在生活中找樂子，而最大的罪惡就是做每個人都做的事情。

311 生活使我窒息

有時候，出乎我的意料，也毫無理由，一般生活的壓抑會使我感到窒息。那些所謂的同胞，他們的聲音和動作都使我感到身體不舒服。這是一種瞬間的身體不舒服，我的胃和頭部不由自由地產生這種感覺。我的警覺性帶來了這種深刻而乏味的影響。每個與我交談的人，他們的目光注視著我，像是在侮辱或猥褻我。我厭惡至極，因為對他們有所察覺而覺得頭暈目眩。

肚子痛的時候，幾乎總有一個男人、一個女人，或者甚至一個孩子站在我面前，他們是一種活著的典型，用庸俗折磨我。沒有一個典型能按照我的主觀思想，他們都按照客觀真理思索情感，他們的外在表現和我的內在感覺一致，透過類似的魔法出現在我面前，是一個符合我設下規則的完美範例。

312 隻言片語

有些日子，我見到的每一個人，特別是那些我每天不得不接觸的人，以符號出現，他們單個或連起來組成一篇預言或神祕文字，用晦澀難解的方式描述了我的生活。辦公室變成一頁紙，裡面的人則是字；街道是一本書，我與熟人或陌生人的談話是詞組，儘管我大概明白他們的意思，但無字典可查。他們演說或講述，但談的不是自己；正如前面所說，他們是意義不明的字，只讓人一瞥而過。在我的微弱視線裡，我只能從這些事物一閃而過的玻璃鏡面上，模糊不清地去辨識反射或顯露出來的本質。我像一個聽人描述色彩的盲人，可以領會但並未見過。

我漫步街頭時，常常聽到一些私人談話的隻言片語，幾乎都是關於另一個女人、另一個男人、朋友的男朋友或別人的女朋友……

這些人類談話（它們幾乎占據了人類整個有意識的生活）的暗影令我感到十分乏味，就像跌進蜘蛛網一樣痛苦不堪。我突然意識到一種被現實人類包圍的羞辱感，像是地主和全部佃戶都在咒罵我，而我和其他佃戶並無區別。我透過倉庫的後窗欄杆，窺視到令人生厭的垃圾堆積在泥濘骯髒的院子裡，而那就是我的生活。

313 植物狀態

那些並不知道自己不快樂的人，我厭惡他們的快樂。從真正意義上來說，他們的人類生活充滿了使人過度焦慮的東西。不過，由於他們的真實生活處於植物狀態，他們的疾苦來來去去，不觸及靈魂。他們的生活只能和那些贏得財富但牙痛不已的人相較——這可是真正出乎意料的財富，上帝賜予的最大恩賜，因為這種恩賜和他們本人一樣優越（儘管透過不同的方式），有快樂也有痛苦。

這便是為什麼我不計一切去愛他們。我親愛的植物們！

314 惰性準則

我想為現代社會的傑出靈魂制定一套惰性準則。

如果不將思想敏銳的智者納入其中，社會將自動管理自身。你可以相信，他們是唯一阻礙社會這麼做的人。原始社會之所以快樂，是因為那個時代沒有這類人。

遺憾的是，傑出靈魂一旦被趕出社會就會死去，因為他們不知道如何工作。他們如果得不到任何乏味的空閒，就會死於倦怠。但這裡我所關心的是整個人類的快樂。

每一個出現在社會的傑出靈魂都會被放逐到一座傑出之島。傑出人物會像籠中困獸一樣，被正常社會圈養。

請相信我：如果沒有智者指出人類的各種不幸，人類甚至不會注意到它們。那些敏銳的受難者使其他人遭受人類團體帶來的苦難。

由於我們暫時寄居社會，作為傑出者，我們的其中一項職責就是減少參與部落生活到最低程度。例如，我們不讀報紙，或者只有在找些奇聞軼事和花邊新聞時才讀報。你無法想像，地方報紙的綜合報導給我帶來多大樂趣。正是那些名字為我開啟了通往無邊無際的大門。

對於一個傑出的人來說，最高的榮耀就是不知道自己國家元首的名字，或者對於自己是活在君主制還是共和制一無所知。

他應該小心翼翼地用這種方式安置自己的靈魂，即使世事變幻，也不會影響到他。否則，他就不得不關心他人，以便能夠找到自我。

315 浪費時間的美學

有一種浪費時間的美學。有一本關於惰性的不成文手冊，針對那些培養感覺的人而寫，裡面詳盡闡述了各種培養方法。形成一種正確的策略，對抗社會道德觀念，對抗本能的衝動，對抗感情的誘惑，這是一門學問，並非任何唯美主義者都能做得到。嚴格說來，我們對正常讓步時，由某種諷刺性的診斷可得知，我們的病因是來自於良心上的顧慮。我們還必須學會抵擋生活的入侵；為了不受外界觀念的影響，保持謹慎很重要，與他人共存時，讓我們保持一種柔軟的冷漠，使我們的靈魂避開他人的無形打擊。

316 內心平靜的美學

一種內心平靜的美學生活，讓生命和生活中的種種冒犯和羞辱不再靠近我們，除了在我們意識的靈魂之牆外，還有一道圍繞我們感覺的可憎外圍。

我們或多或少都令人討厭。我們都犯下一種罪，或者說，是我們的靈魂乞求我們犯下一種罪。

317 如何存在

我經常關注的事，就是試圖理解其他人怎麼能夠存在，怎麼會有不屬於我的靈魂，怎麼會有與我的意識無關的意識，因為意識似乎是獨一無二的。站在我面前的那個人，他像我一樣說話，做著我會做或能做的手勢，我承認在某種意義上他是我的同類。但我想像中的插圖人物，我在小說看到的角色，以及演員在舞臺劇裡扮演劇中人，他們也是我的同類。

我認為，沒有人會真正容納他人的真實存在。我們可能會承認其他人也活著，他們像我們一樣思考和感受，但某種未知的差別因素和具體化的不平等是永遠存在的。比起那些在櫃檯後面與我們交談的冷漠身軀，偶爾在電車上瞥了我們一眼的乘客，或者在街頭與我們擦肩而過的路人，那些歷史人物和書裡的形象在我們看來要更加真實。對我們而言，大多數人不過是一種景物，是我們心裡熟悉的那些不顯眼的街景。

比起那些所謂的真實人物，也就是在形而上被稱作血肉之軀的渺小人物，某些書裡刻畫的角色和畫裡的形象更令我感到親切。事實上，用「血肉之軀」形容十分貼切：他們就像肉店櫥窗裡的肉塊，猶如活著的淌血死物，命運的肢體和肉片。

這種感覺並不會讓我感到羞愧，因為我發現每個人都有這樣的感覺。人類互相輕蔑，彼此漠不關心，以至於他們像殺手一樣殺了人卻渾然不覺，或者像士兵一樣不假思索地互相殘殺。而造成這一切的原因，似乎就在於人們忽略了這個顯而易見的深奧事實：別人也是活著的靈魂。

在某些日子，某些時刻，莫名之風向我吹來，神祕之門朝我洞開，我突然感到街角的雜貨商是一個精神實體，而此刻正在門口俯身收拾一袋馬鈴薯的助手，也是一個真正能感受到痛苦的靈魂。

昨天，有人告訴我，菸草店的店員自殺了，我簡直不能相信。可憐的人，他也曾經存在過！我們所有人已忘記這一點。我們對他的瞭解並不比那些從未見過他的人瞭解得多。明天我們將更徹底地忘記他。但他顯然也有靈魂，因為他殺死了自己。感情？焦慮？毫無疑問……但對於我，正如對於全人類，唯一記得的就只有他木訥的笑容和那件披在肩上高低不平的破舊外套。這就是這個人給我留下的全部印象。他想得如此之多，除了結束感覺，他還有什麼理由去自殺呢？有一次，我向他買菸時，偶爾發現他很快就要禿頭了。現在看來，他沒有機會禿頭了。這便是他給我留下的其中一點回憶。如果連這點也算不上回憶，而只能算是我的一點想法，那麼我還有什麼其他關於他的回憶呢？

我彷彿突然看見他的屍體，那口裝他的棺材以及人們最終將他送入的陌生墓地。我漸漸明白，那個衣衫襤褸的菸草店收銀員，在某種意義上就是整個人類的縮影。

這只是一瞬間的想法。今天，此刻，作為人類，我清楚知道他死了。僅此而已。

不，其他人並不存在……沉重的日落只為我流連，色彩生硬而模糊。落日下熠熠閃光的大河只為我流淌，儘管我看不到。為觀河而修築的廣場只為我而建，此刻的河水正在漲潮。今天，那位菸草店收銀員被葬入公墓了嗎？那麼，今天的太陽並非為他而落了。因為這樣想，太陽也違背了我的意願，不再為我西沉。

318 陌生的航行

……船駛過黑夜，既沒有發出訊號，也認不出彼此。

319 內心的海洋

我意識到，我已經失敗了，我只是吃驚，因為我沒有預見到自己會失敗。在我身上，是什麼暗示了我會成功？我既沒有征服者的蠻力，也沒有狂人的眼力。我像寒冷的天氣，清澈而憂傷。

明朗而燦爛的事物慰藉著我，在藍天下看著生活流逝就已足夠。我模模糊糊地忘了自己，忘記的比想起的要多。過多的事物充斥著我失重而透明的心，僅僅去觀看就是一種甜蜜的滿足。我永遠只會無形的凝視，我唯一的靈魂是一縷拂過的輕風。

我有一種放蕩不羈的精神，任憑生活悄悄溜走，就像我想起什麼時，抓東西的手鬆了，使得什麼東西從指間溜走。但我的外表從來看不出放蕩不羈的樣子——我逍遙自在地忍受著來來往往。我不過是一個孤獨的放浪者，一種荒謬的存在；或者一個神祕的放浪者，一種不可能的存在。

我在天性面前度過某一段暫緩的時刻，那些時刻以溫柔的離群索居雕刻出來，永遠都像是授予我的勳章。在這些時刻，我忘了所有生活的目標，忘了所有我要走的路。精神的平靜無邊無際，落入憂鬱的膝枕，使我享受成為虛無的感覺。但我從未真正享受過一段未被玷汙的時刻，從未擺脫過任何失敗和陰鬱的內在精神。在我的精神得到釋放的任何時刻，一種隱匿的悲傷在意識這堵牆外的花園裡若隱若現地開放。憑著本能，這些悲傷之花的氣味和特有的色彩穿過石牆，在「我是誰」這個難解之謎中，在日常存在的倦怠中，它們的遠處（花兒開放的地方）總變幻成一種朦朧的近處。

在內心海洋裡，我的生命之河不再流淌。我的夢中宅邸周圍，樹木隨著入秋而泛黃。周圍的風景是我靈魂的荊棘王冠。生活中最快樂的時刻就是作夢，悲傷之夢，我看見自己站在池塘裡，像一個盲眼的納西瑟斯[81]，他俯身享受著池水的涼爽，透過內在的夜視，去感受自

81 納西瑟斯（Narcissus）希臘神話中一個俊美而自負的少年，因迷戀自己的水中倒影而死。

己的倒影，透露了他的抽象情感，以及他想像深處的母性崇拜。

你的人造珍珠項鍊愛上了我最美好的時光。我們喜愛康乃馨，或許是因為它們不華麗。你的嘴脣用諷刺的微笑莊嚴地讚美。你真的理解你的命運嗎？因為你知道卻不理解它，你眼裡的悲傷寫滿神祕，在你順從的脣上蒙上一層陰影。我們的祖國與法國離得太遠。在我們的花園裡，透明的小瀑布無聲淌下，流水從岩石的小洞裡淌出，童年的祕密，玩具小錫兵的夢，我們站在小瀑布的石頭上，在大型軍事行動中靜待被處決，在夢裡我們什麼也不缺，在想像中我們什麼也不落後。

我知道我失敗了。我享受著失敗的朦朧妖嬈，就像一個筋疲力竭的人享受著使他病倒的高燒。

我有某種交友的天賦，但我從來沒有一個朋友，既因為他們只是沒有出現，也因為我所想像的友誼沾有夢的錯誤。我總是獨自生活，越孤獨，我就越有自知之明。

320 秋天

夏季將盡，驕陽不再似火，秋季尚未開始，天氣卻已漸漸入秋，空氣中彌漫著恬淡而又迷濛的無盡哀愁，彷彿天空也高興不起來。蔚藍的天空時而變得更淺，時而變得更綠，已失去高貴色彩的本質。雲彩的淡紫色調蘊含著某種遺忘的氣息。雲朵飄過的孤獨蒼天，不再令人倦怠，而是充斥著一種單調和乏味。

當一絲涼意掠過還未轉涼的空氣，天空的明亮色彩漸漸黯淡下來，風景蒙上一層朦朧而遙遠的色彩，萬物的輪廓也變得模糊，秋天才真正開始。一切尚未開始消亡，但萬物——彷彿以淺淺的微笑——懷戀和回望生命。

真正的秋天終於降臨。天氣轉涼而且多風；樹葉並未枯萎，卻發出乾枯的沙沙聲；地面的色澤和形貌像變幻的濕地一樣難以捉摸。隨著眼簾垂下，動作漸緩，曾經最後的微笑逐漸消失。萬物皆有所感，或者我們想像它們有所感受，並將它們的道別緊抱胸前。庭院裡迴旋的風聲拂過我們的意識，又成為別的什麼東西。休整期至少作為一種真正感受生命的方式而吸引我們。

然而，深秋落下了第一場冬雨，粗暴地沖刷掉這些中間色。狂風向一切固定的東西怒號，攪動一切拴住的東西，掠走一切可以移動的東西，發出在嘩嘩大雨之間無聲的抗議，悲傷到近乎憤怒的抑鬱絕望之聲。

最後，秋天冷冰冰、灰溜溜地結束了。隨之而來的是一切塵埃化作泥土的深冬，然而，嚴冬的好處也能預先料到：酷暑剛剛過去，秋的來臨最終被冬天取代。在高遠的天空，陰暗色調不再讓人想起酷熱和悲傷，一切都有利於黑夜和無盡的冥想。

這些便是我未經思索的感覺。倘若我今天寫下來，那是因為我想起這一切。我擁有的秋便是我失去的秋。

321 機會是一首歌

機會就像金錢，細想一下，它只不過是一個機會。對於那些行動家，機會和意願有關，而我對意願不感興趣。對於像我這樣不行動的人，機會是一首歌，卻沒有歌聲迷人的女歌手唱起；我們應該像摒棄聲色犬馬一樣摒棄它，把它當完全無用之物甩掉。

「有機會去……」空白之處將出現放棄的語調。

啊，在太陽底下延伸的田野裡，只有你一個旁觀者在樹蔭下凝視著你。

啊，華麗詞藻和冗長句子的酒精味道像潮水一樣湧現，它們和著音韻節律撞擊在一起，微笑著與扭在一起的蛇嘲諷地吐著泡沫，若隱若現的影子呈現一種憂傷的壯麗……

322 行動不完美

人的每一個動作無論多麼簡單，都是對內心祕密的觸犯。人的每一個動作都是一次革命性舉動；或許也是對我們真實意願的一次放逐。

行動是思想之疾，想像之瘤。行動是一種自我放逐。每一次行動都不徹底、不完美。我夢見的詩歌在我下筆之前都是完美無瑕的。這類現象在耶穌的神話裡可以找到記載。上帝一旦變成人類，就只能以殉難告終。至高無上的夢想家，祂的最大殉難者便是自己的兒子。

樹葉間斑駁的暗影，鳥兒顫抖的歌聲，悠長的河流在太陽底下顯得波光粼粼，各種植物，罌粟花，以及感官的單純——甚至當我感受到這一切時，我對它們產生一種懷念，就好像感受它們時我並未有所感受。

時光，像一輛行駛在黃昏的馬車，它的嘎吱聲將我的思緒幻影拉回到現實。倘若我從思緒中抬起頭，我的雙眼將被世間的景象灼傷。

若要實現一個夢，就必須先忘記它，將注意力從它那裡拉開。若要實現什麼，就不要去實現它。生活充滿悖論，如同玫瑰長滿荊棘。

我想要譜寫的頌詞，是寫給一種新的無序狀態，能夠為靈魂的新無政府狀態提供負面的憲章。我常常感到，消化自己的夢對人性不無裨益，這便是為什麼我從不嘗試編織夢想的原因。我所做的某些事情在傷害我，令我憔悴。

我在生活的郊外有自己的鄉間房子。我逃離行動這座城市，在幻想的花草樹木中安享時光。生活中，我的行動沒有激起半點回音侵擾我的休息處。我的回憶催我入眠，這些回憶像一支望不到盡頭的隊伍。我端起冥想的高腳杯，暢飲這金色美酒的淺笑；我只用眼睛飲用，然後閉上眼睛，生活便消逝在眼前，像遠處的一葉孤帆。

陽光燦爛的日子似乎是我從未擁有過的。湛藍的天空，雪白的雲朵，綠樹成蔭，遺失的長笛吹奏的牧歌尚未完成，便被枝葉摩擦的窸窣聲打斷……這一切是靜默的豎琴，我的手指輕輕拂過琴弦。

靜默的植物園……你的名字聽起來像罌粟……池塘……我的故鄉……狂熱的牧師在人群中發了狂……這些回憶構築了我的夢……我睜開眼，但是什麼也看不見……我所看見的一切不在此處……流水……

穿過一片雜亂之地，綠樹成蔭的叢林構成了我的血液。生活在我遙遠的心裡悸動……我不想尋找現實，但生活卻找到了我。

命運的苦痛啊！明天我就要死去！甚至今天，某些可怕的東西也要降臨於我的靈魂！當我想起這一切，我偶爾會被這至高無上的暴政嚇壞，我們不得不向前走，不知道走的是哪條不確定的路。

323 打電話

雨悲傷地下著，但下得沒那麼猛烈，彷彿宇宙也疲憊了。閃電停了，偶爾遠處翻滾著轟隆隆的雷聲，時斷時續，就好像它也疲憊了。雨突然停下來。一個職員打開窗戶，臉朝向道拉多雷斯大街。一陣涼風夾雜著溫暖的殘餘，鑽進偌大的辦公室裡。維斯奎茲先生在他的私人辦公室裡大聲打電話：「你是說還占線？」接著是乾巴巴的旁白──估計是說給電話那頭接線員聽的髒話。

324 消除幻想

要能作夢，你必須知道如何消除幻想。

用這種方法，你將達到欣然放棄的頂峰，感覺和思想混在一起，情感溢出。在那裡，色彩與靈魂無異，恨與愛無異，具體事物如同抽象事物，抽象事物如同具體事物。連接且分隔一切的結──因為它們孤立每一個要素──被解開。一切事物融合在一起。

325 虛構的插曲

虛構的插曲，用它的絢麗多彩掩蓋了內心無信仰的麻木和怠惰。

326 夢與現實

我不作夢，不生活；我夢見真實的生活。如果我們有能力去夢見它們，所有航船都是夢之船。在夢想家作夢時不去生活便破壞了他的夢；在行動家生活時不去作夢便傷害了他。我將作夢的美和生活的現實融合為一種幸福的單色。無論我們有多少夢，我們也無法像擁有口袋裡的手帕一樣擁有它，或者，如果你願意，像擁有我們的肉體一樣擁有它。無論一個人的生活是否有數不清的凱旋，他永遠不能免於和別人的接觸，免於受挫，哪怕是小挫折，免於感受時光的流逝。

殺死我們的夢就是殺死我們，毀滅我們的靈魂。夢是真正屬於我們的東西，它堅不可摧，無法改變。

生活和宇宙——無論它們是現實的還是虛幻的——都屬於每一個人。每個人都可以看見我的所見，擁有我的所有，或者，至少能想像自己看見並擁有了它，這便是……

但是，我身邊無人能看見或擁有我所夢見的事物。如果我看外在世界和別人有不同的感覺，那是因為我無意之中將我在夢中耳聞目見的事物併入我的所見。

327 晴天沒有戰爭

在這晴朗美好的日子裡，一切聲音都透著柔和的金色，處處都是柔意。如果有人告訴我，戰爭爆發了，我會說沒有戰爭。今天這樣的天氣裡，沒有什麼可以攪壞這份在一切中彌漫的柔情。

328 傾聽

伸出你的雙手，放在我手上，然後，請聽我說，我的愛人。我想告訴你，以給你忠告的自白者輕柔而舒緩的聲音：我們渴望得到的東西遠不及我們得到的多。

用我的聲音和你的專注，讓我們共同為這冗長的絕望禱告。藝術家的作品不可能更完美了。當我們逐字逐句地讀下去，會發現詩歌的最偉大之處在於我們很難從中找到可以更完善的詩句，也很難用更生動的語句描述詩裡的場景，整首詩完美至極，好得不能再好。

當藝術家注意到這一點，碰巧某天考慮到這些時，他會感到悲哀！他將永遠不可能帶著快樂去創作，或安靜地入眠。他將成為一個不再年輕的年輕人，帶著不滿漸漸老去。

為什麼一個人要表達自己呢？說得少不如不說。

如果我能說服自己相信，放棄是美好的，那麼，我將永遠活在悲哀的快樂中！

我常常用耳朵傾聽自己的所言，你同樣用耳朵傾聽這些你不愛聽的東西。即使我大聲說話，我的耳朵聽到的我的想法，也不像我的內心之耳聽到的那樣清晰。甚至我在聽自己說話時，仍會感到迷惑，總不能明白自己的意思，那麼別人也必定會誤解我！

這是別人在理解我們時，產生的多麼精妙的誤解形式啊！

那些希望被理解的人無法體驗到被理解的快樂，因為他們太過複雜，讓人不能理解。而單純的人能夠被人理解，卻從不曾有這種被理解的渴望。

329 肉欲與生活

你是否想過，親愛的他者，我們彼此是多麼捉摸不定？你是否想過，我們對彼此瞭解得太少？我們看著彼此，但沒有看清。我們聽著彼此說話，但一句話也沒聽進去。

他人的話是我們的聽力的誤解，是理解力的殘骸。我們太過自信，以為自己聽懂了別人的話。他們表達肉欲的幸福時，我們聽成了死亡。我們從他們嘴裡吐露最無關緊要的淺薄話語中，讀到了肉欲和生活。

你解釋了溪水的聲音，純粹的解釋……大樹的沙沙聲和我們的話有著同樣的含義……啊，我未知的愛，這就是我們和我們的幻想曲，一切灰燼，從囚房的門閂流淌下來！

330 美麗無用

既然一切事物或許並非都是虛假的，或許沒有什麼可以拯救我們，那麼，我的愛，謊言幾乎有令人欣喜若狂的愉悅。

微妙至極！完全顛倒黑白！荒謬的謊言具有一切乖張違逆的魅力，甚至具有更強烈、更天真無辜的終極魅力。故作天真無辜——還有誰能超越這種微妙？顛倒黑白甚至並不嚮往帶給我們快樂，也缺乏使我們痛苦的狂暴，跌落在快樂和痛苦之間的地板上，像無用可笑的劣質玩具，而大人們拿它來消遣！

難道你不知道，買下不需要的精緻小玩意會帶來快樂嗎？難道你不知道，我們心不在焉時走錯路會使人高興嗎？人類行為的色彩和贗品的色彩一樣優美……這些超過了它的本質範圍，也和它的自身目的矛盾？

浪費本來有作為的生命，從不完成必然美麗的藝術品，放棄通往成功的必經之路，這是多麼令人崇敬的事情啊！

啊，我的愛，作品永遠失去讚美，論文只剩下標題，圖書館被燒毀，雕像被拆毀！

藝術家點火燒了美麗的作品，是多麼幸福的荒唐事！或者，藝術家原本可以創造出美麗的作品，卻刻意造出平庸之作！或者，偉大的靜默詩人明知道自己能夠寫出至臻之作，卻寧願決定永遠不寫出來。（寫一首不完美的詩和不寫沒什麼兩樣。）

如果我們見不到〈蒙娜麗莎〉，這幅畫會美麗得多！如果有人搶走並燒掉它，那真是一個藝術家，比畫了它的畫家甚至更偉大！

為什麼藝術美麗？因為藝術無用。為什麼生活醜陋？因為生活充滿了目的、目標和意圖。所有的路都是從一個點通往另一個點。如果有一條沒有人來來往往的路該有多好！如果有人傾其一生修建一條連接兩個中間地帶的路——這條路若是往兩邊的盡頭延伸就有用，但如果只是保持在兩邊的中間地帶，那該有多麼微妙——該有多好！

廢墟是美麗的？因為它們不再有用。

往昔是美好的？對往昔的回憶，由於回憶意味著使它成為現在，它既不是現在也不是過去——荒謬，我的愛，荒謬。

我寫下這一切——為什麼我要寫這本書？因為我知道它不完美。夢見的是完美的；寫下的就變得不完美；這便是為什麼我要寫下來。尤其因為我提倡無用和荒謬——我寫書以便自欺欺人，以便偏離我自己的理論。

這一切之中的最高榮耀，我的愛，就是認為或許沒有一句話是真的，我甚至也不相信它是真的。

而當謊言開始帶來愉快，讓我們實話實說，承認這個謊言。當謊言使我們變得焦慮，讓我們停下來，以便使痛苦不會逆轉為快樂。

331 頭痛

我忍受著頭痛和宇宙。顯然，身體的疼痛比心理上的疼痛更嚴重，它反映在精神上，並導致無法遏制的悲劇。它們讓受害者對一切感到憤怒，而這自然地包括天上的每一顆星星。

將我們看作活著的靈魂，對於這樣的腐朽思想，我不能也從未苟同，甚至也不能想像苟同。它衍生出一種稱作人腦的物質，產生並存在於稱作顱骨的另一種物質裡。我無法成為一個唯物主義者，我認為唯物主義者便是這種思想的追隨者，我不能是因為我無法在有形的灰色謎團和無形的彩色事物中建立一種明確的關係——我指的是視覺上的關係，這種情形下，在我目光後面的那個我仰望著天空，思考和想像著不存在的天空。不過，即使是我也不會陷入假想的深坑，也就是假定此物為彼物，僅僅因為兩者處在同一個地方，就像一堵牆和投射在牆上的我的影子。或者說，當我旅行時，我的靈魂對大腦的依賴不比我們對交通工具的依賴還大，我相信我們內在的純粹精神和身體的精神之間存在一種社會關係，兩者會產生分歧。越是平凡的兩個人越容易攪動對方的神經。

今天我頭痛，或許是胃痛引起的。但這種痛，一旦由胃部轉移到頭部，大腦思維裡的沉思就被打斷。遮住我的雙眼不會使我失明，但會讓我看不見。因而，面對外界的變幻，此刻的頭痛使我找不到任何值得稱讚或值得做的事情，在這荒謬而單調的時刻，我甚至不想看到這個世界。我頭痛，這意味著什麼事情激怒了我，當我被激怒時，我會充滿忿恨，任何人都容易激怒我，包括沒有激怒我、但恰巧在我身邊的人。

我感到自己正在消亡，至少暫時如此。但如我所說，這僅僅因為我頭痛。我突然想起，一個偉大的散文作家會多麼動人地描述這種感覺。他會一字一句詳盡地闡述這個世界的莫名悲傷；在他的字裡行間，想像之眼掃過世間悲歡離合；在太陽穴的狂烈悸動下，整個形而上的悲哀和痛苦躍然紙上。但我不具有動人的文采。我因為頭痛而頭痛。因為頭痛，宇宙傷害了我。但是，真正傷害我的宇宙不是真正的宇宙，它存在是因為它不知道我存在。而另一個宇宙只屬於我，我的手穿過頭髮，這使我覺得，每一縷髮絲都毫無理由地使我承受痛苦。

332 理性

我驚訝於自己對焦慮的承受力。儘管我通常不喜歡形而上的推測，有些天我充滿緊張，甚至在探索形而上和宗教問題的答案時會感到身體上的焦慮……我很快意識到，對我而言，宗教問題的謎底意味著從理性角度解決情感問題。

333 戈爾迪之結

任何問題都沒有解決方法。我們之中無人能解開戈爾迪之結[82]；我們要麼放棄，要麼切斷它。我們粗暴地憑感覺解決智力問題，我們要麼因為疲於思考，要麼因為害怕下結論，或者因為理解某種東西有著難以言說的需要，或者因為想回到其他人身邊，回到生活的群居衝動。

由於我們對一個問題牽涉到的所有因素一無所知，也就永遠無法解決這個問題。要到達真理，我們需要更多資料，連同那些傾其所能解讀這些資料的知識分子。

82 戈爾迪（Gordian）是古希臘神話裡弗里吉亞的國王，他在自己以前用過的一輛牛車上打了一個分辨不出頭尾的複雜繩結，並把它放在宙斯的神廟裡。神諭說能解開此結的人將統治小亞細亞。這就是人們廣為傳說的「戈爾迪之結」。無人破解之下，最後，亞歷山大揮劍將此死結劈成兩半，「戈爾迪之結」也就被破解了。「戈爾迪之結」常被喻作纏繞不已、難以理清的問題。

334 蒼蠅

我已數月沒有動筆。我活在一種心理麻木的狀態中，過著屬於別人的生活。我常常感受到一種想像中的快樂。我不存在。我是別人。我沒有思想的活著。

今天，我突然回到真實的我，或者夢中的我。完成一項乏味的工作後，那段時間我感到極度疲憊。我用手肘支撐著身子坐在高斜的辦公桌前，手支撐著頭閉目養神，重新找回自我。

在假寐的遙遠懷想中，我回憶起自己曾經歷的一切，彷彿歷歷在目，我突然看見在一切事物的前後，老農場的一側是一片開闊的田野，空曠的打穀場出現在場景中央。

接著，我感到生活是多麼徒勞。就好像我的手肘撐得有些鈍痛，我的所見、所感、回憶和遺忘的一切融合在一起，還有來自街道的微弱喧囂，工作時發出的細微聲音和往常一樣流淌在靜靜的辦公室裡。

我把手放在辦公桌上，用一種面對死氣沉沉世界的陰沉目光環顧四周，肉眼看見的第一件的東西就是一隻停在墨水瓶上的綠頭蒼蠅（牠柔和的嗡嗡聲不屬於這間辦公室！）。我看著牠從無名而警覺的深淵飛出。牠閃著藍黑的綠瑩光澤令人厭惡，但並不醜陋。牠是一個生命！

誰能知道，是什麼樣超然的力量——來自真理的上帝或惡魔，我們漫步在祂們的幻影中——對於祂們來說，我是否只是一隻在面前停留片刻的光澤蒼蠅？膚淺的假想？陳腐的觀察？沒有真正思想的哲學？或許都是。但我不去思考：我去感覺。我在這種世俗、直接、強烈而陰鬱的厭惡下做了這種可笑的比喻。當我把自己比作一隻蒼蠅時，我就是一隻蒼蠅。當我想像自己感覺如此時，我就真正覺得如此。我感到自己有一個蒼蠅般的靈魂，像蒼蠅一樣睡覺，像蒼蠅一樣孤獨。最令人恐懼的是，我同時覺得像我自己。我不經思索地抬眼望著天花板，害怕高高的木製蒼蠅拍會猛地向我拍過來，就像我要拍死那隻蒼蠅一樣。我目光低垂，那隻幸運的蒼蠅悄無聲息地逃走了，至少我沒有聽見任何聲音。不知不覺，辦公室裡再度沒了哲學的思索。

335 感覺是一種討厭的東西

「感覺是一種討厭的東西。」我在餐館遇見一個陌生人，隨口說出了這句評論，這句話在我記憶的地板上熠熠閃光，它的樸實無華為句子增添了色彩。

336 理解的方式

我不知道有多少人會集中注意力去觀察有人行走的空曠街道。從詞句上看，這句話似乎想說明一些其他的東西，事實也的確如此。一條空曠的街道不代表沒有人行走，而是指人們走在上面時就好像它空無一人。假如你理解了後面這句話，那麼前面這句話就不難理解：只認得驢子的人不見得會瞭解斑馬。

我們的感覺隨著我們的理解及其程度而改變。理解的方式各式各樣，要明白這些方式，也有一些獨特的方法。

有段時間，一種對生活的倦怠、苦悶和焦慮感從腳底傳遍全身，如果不是我已忍耐的事實，我想說這是令人不能忍受的。那是一種對我內在生命的扼殺，一種渾身上下每一個毛孔都想變成其他人的渴望，是對末日的短暫一瞥。

337 倦怠

我最大的感受就是倦怠，而當倦怠沒有理由存在而存在時，不安和倦怠是一對孿生子。我害怕做出手勢，在理智上我羞於談話。一切尚未開始，我已覺得徒然。

這些臉孔讓人沉悶不堪，無論是否聰明都顯得愚蠢，無論是否快樂都透著令人生厭的怪誕，醜陋是因為他們存在，這些異類生物與我無關……

338 他人

在這些超然脫俗的偶然時刻，當我們開始意識到我們作為個體被他人當作「他人」，我總是擔心，我必須要給那些注意到我、並和我說話的人留下實體、甚至精神上的印象，無論那些人是每天與我共事，還是偶然相識。

我們都習慣於將自己看作主要的精神現實，將他人看作當下的肉體現實。至於我們考慮如何看待他人時，我們模糊地將自己看作肉體的人，將他人看作精神現實，但只有在我們墜入愛河或發生衝突時，才真正明白，他們和我們一樣，都是靈魂占據主導地位。

因此，有時我在徒然尋思自己在別人眼中的類型時迷失了自我：我的聲音聽起來如何、我不知不覺在他們的記憶中留下了什麼印象，我的言談舉止和可見的生活是怎麼印刻在他們的視網膜上。我總是無法從外在世界看自己。鏡子不能從外在世界將我們展現在自己面前，因為鏡子無法使我們脫離自己。我們需要一個不同的靈魂、不同的觀察和思維方式。如果我是一個被投射在銀幕上的演員，或者我的聲音被錄下來，我確信我仍然不知道我在外在世界是什麼樣子，因為不管喜歡與否，不管我可能錄下什麼，我總是活在內心世界，被高牆隔絕在自我意識的私人領域裡。

我不知道別人是否和我一樣，或者，如果生活的科學本來就在於疏遠自己，而這種疏遠變成我們的第二天性，這樣，一個人就可以將生活看作一種從自我意識中的放逐。又或許，甚至比我更固執己見的其他人，也更徹底地沉迷於自我存在的非理性，他們的生活表面上和蜜蜂或螞蟻有著驚人的相似之處，蜜蜂組成的社會遠比任何國家高效有序，螞蟻透過小觸角交流語言，產生的效果超過了人類用於相互理解的複雜系統。

現實意識的地形是一種極複雜的不規則海岸線，那裡有此起彼伏的山巒和形形色色的湖泊。如果我進一步思考，我會把這一切看作一種地圖，就像《溫柔之國》[83]或《格列佛遊

83《溫柔之國》（Pays du Tendre）又叫《溫柔之國地圖》（Tender），是法國女作家瑪德琳·斯庫德芙（Madeleine de Scudéry，一六〇七～一七〇一年）一部描寫愛情和求愛的小說，第一卷在一六五四年《Clélie》出版。《溫柔之國》描寫的愛情之國，被「情感之河」流穿，有一座朝向東方的「冷淡之湖」，並有許多「真誠」、「溫柔」、「無知」和「怨恨」之名的城市。十七世紀下半葉法國流傳許多這類「情色地圖」。

記》——一本準確記載幻想的諷刺小說或者玄幻小說，那些精英用這些書來消遣，他們知道鄉村就是真正的鄉村。

對於愛思考的人來說，一切都是複雜的，毫無疑問，他們樂於使事情變得更複雜。不過，那些覺得需要用一大堆諒解為自己的放棄辯護的人，他們陳述的理由就像騙子的解釋，一旦謊言的根基被沖走，他們就過於誇大終將被揭露的細節。

一切都很複雜，或者說我是一個複雜的人。但不管怎樣，這無關緊要，因為不管怎樣，一切都無關緊要。這一切，這一切思慮飄散在寬闊的大路上，在被上帝遺棄的花園裡過著植物般的生活，就像攀緣植物離開了它們的牆。今夜，我做了這些沒有結論的考慮，我對關鍵的諷刺一笑置之，這種出現在人類靈魂的諷刺，甚至比星辰的形成還早，是上帝偉大目標的孤兒。

339
落日遺棄的湖面

落日遺棄的湖面仍然金光閃閃，在我倦怠的表層徘徊。我看見想像中的湖泊，就像看見自己，我在湖裡見到的便是我自己。我不知道如何解釋這樣的風景、或這樣的象徵、或這個想像中的我。但我理解我的所見，正如我在現實中看見太陽躲在山後，將垂暮的光線投向湖面，發出黯淡的金色光芒。

思考的危險之一是在思考時觀察。那些用理性思考的人會因此分神。那些用情感思考的人會因此睡著。那些用渴望思考的人會因此死去。然而，我用想像思考，內心的所有理性、悲傷和衝動都變成遙遠而與我無關的東西，就像岩石環繞、死氣沉沉的湖泊，夕陽的餘暉流連忘返，不忍離去。

湖面因我的停滯而波動。太陽因我的沉思而閃躲。我閉上沉重而困倦的雙眼，眼前除了湖區，一切都已消失，白晝的湖面熠熠閃光，深棕色的水面水草漂浮，而這一切開始被黑夜取代。

因為寫作，我沉默不語。我的印象是：存在物永遠在山的另一邊，倘若我們的靈魂能夠到達，一次偉大的旅程正等著我們完成。

我已停下來，像我的風景裡的太陽。我的所言或所見散失殆盡，只剩下已降臨的黑夜，充滿色彩黯淡、死氣沉沉的湖泊，沒有一隻野鴨的低窪地，流動的死寂，潮濕而險惡。

340
我不相信風景

不，我不相信風景。我這麼說不是因為我相信亞米哀說的：「風景是一種情緒狀態。」這是他不堪忍受內心風景時說出的一句話。我這麼說是因為我不相信風景。

341
寫作是對自己的正式訪問

日復一日，我在卑微的靈魂深處，記錄下那些印象，它們形成我自我意識的外在本質。

我用飄忽不定的語句寫下它們，一旦被寫下，它們隨即棄我而去，獨自在意象的山坡和草地漫步，沿著觀念的大道，向困惑的小徑走去。它們對我毫無用處，因為任何東西對我都毫無用處。然而，寫作使我變得更冷靜，就像一個病人，即使疾病在身，也仍然能更輕鬆地呼吸。

有些人心不在焉地坐在辦公桌前塗鴉一番，然後荒唐地寫下自己的名字。這些紙頁就是我自己智識的無意識塗鴉。我帶著對一切感到麻木的感覺寫下它們，像一隻躺在太陽底下的貓。當我偶爾重讀它們時，會有一種模糊而過時的驚奇感，就像突然想起什麼早已忘卻的事情。

當我寫作時，我是在對自己正式訪問。我有自己的專屬房間，在自己想像的裂縫裡被其他人回憶，我在那裡欣悅於分析自己所沒有感受到的東西。我審視自己，像審視陰暗角落裡的一幅畫。

我在出世前，就已失去屬於我的古堡。我祖先的宮殿在我出生之前就已被變賣。我的宅邸在我被賦予生命前就已化為廢墟。唯有在某個時刻，當心中的月亮浮上蘆葦地，一股懷舊的悽楚從一堆殘垣斷壁裡悄然升起，深藍的天空漸漸泛起乳白色，顯得不那麼黑暗了。

我像人面獅身獸一樣審視著自己。我的靈魂成為一捲被遺忘的線球，從女王的膝頭滑落——對她毫無用處的刺繡來說不過是一點微不足道的損失。我的線球滾到雕花壁櫥下，目送我的雙眼漸漸消失在一團難以名狀、死一般的恐懼之中。

342 醒著作夢

我從未睡著。我活著，我作夢。或者說，我活著和睡著時都在作夢，夢也是生活。我的意識從未中斷：如果我沒有睡著，或者半夢半醒，我能夠意識到周圍的一切；我在真正睡著時則開始作夢。我是一連串不斷展開、時斷時續的圖像，但總是偽裝成為外在之物。如果我醒來，就與日光下的人為伴；如果我睡著，就與黑暗中的幻影為伴，那些幻影照亮了夢。我的確不知道如何區分兩種狀態，或許我醒著時真正在睡覺，睡著時又醒來。

生活是一團被什麼人胡亂捲起的毛線球。如果它被捲成一團還說得過去，或者沒被捲起來，而是散開的也行。但問題是，生活就像這樣一個線團，它沒有成形，而是亂糟糟、毫無頭緒地纏在一起。

我只是處於半醒狀態，我思考著這些未來我將寫下來的東西（我已經夢見我將使用的語句）。我看見朦朧夢境裡的風景，聽見窗外滴滴答答的雨聲，這種聲音使我的夢變得更朦朧。它們是空洞之謎，在虛無中顫抖，透過它們，雨滴變成連綿細雨的悲啼，它們毫無用處、浮於其表，不停重複著聽覺風景裡的細節。希望？沒有。只有風聲蕭蕭，憂傷的雨從看不見的天空嘩啦啦地傾瀉下來。我繼續睡著。

毫無疑問，生活導致的悲劇發生在人們漫步的公園裡。有兩個人，她們漂亮且渴望有所變化；愛情在單調的未來等著她們，而她們有著無限懷想，渴望成為從未經歷過的愛情的女兒。月光透過附近的樹林灑在地上，她們手拉著手，漫步在荒蕪的廢棄小道，沒有欲求或希望。她們是完美的孩子，因為她們並不是真正的孩子。走過一條又一條小徑，走在森林的樹蔭裡，她們像剪紙裡的人物，穿過無人的舞臺布景。最後，若即若離地消失在水池附近，漸漸停止的模糊雨滴聲，此時變成了噴泉的水聲，她們曾經朝那走去。我就是她們分享的愛，這便是為什麼在這樣的無眠之夜，我能聽見她們，這也是為什麼我不快樂也能活下去。

343 一天（之字形）

如果我能夠成為後宮裡的嬪妃，該有多好啊！這種事情沒有發生在我身上，是多麼遺憾啊！

今天過後，留下的正是昨天留下的和明天將要留下的東西：無邊無際的、無法滿足的渴望，也就是說總是渴望和別人一樣又不一樣。

沿著夢想和疲憊的階梯，從你的非現實走下來。走下來，取代這個世界。

344 不孕婦女的讚歌

如果有一天我要娶一個俗世的女子為妻，請為我禱告，讓我實現以下願望：她至少要是不孕的。並且我會要求你為我祈禱，我永遠也不會遇到這樣一個臆想的妻子。

唯有不孕是高貴和有價值的。唯有扼殺永遠不會存在的東西是崇高、超群和荒謬的。

345 神祕的愛

我不會渴望擁有你。為什麼要渴望呢？這只會貶損我的夢境。擁有身體是一種庸俗。如果可能的話，渴望擁有身體或許更糟糕：也就是說，渴望庸俗——簡直是終極的可怖。

由於我們希望不孕，讓我們也保持貞潔，相較於棄絕本來能生育的身體，在我們已棄絕的東西中緊握我們所喜歡的那一部分，沒有什麼比這更不道德和卑劣的了。不徹底的高貴態度是不存在的。

讓我們像死者的嘴脣一樣貞潔，像夢中的身體一樣純淨，以這種方式遠離塵世，像癡迷的修女一樣。

我們的愛會是一種禱告……我被塗上聖油，注視著你，帶著對天父的倦怠和對萬福瑪利亞的焦慮，我要把夢見你的那些時刻變成一座玫瑰園。

讓我們永遠停留在那裡，像一個男人站在一扇彩色玻璃後面，而一個女人站在相對的另一扇彩色玻璃後面……人群從我們之中匆匆走過，影子的腳步聲發出冷冰冰的回音……禱告者的私語，……的祕密，有時，空氣中瀰漫著……熏香。在其他時候，一個雕像般的人物往這邊和那邊灑著聖水……而我們永遠會站在同一扇彩色玻璃之後，太陽照射時，玻璃反射出同樣的色彩，夜幕降臨時，映照出同樣的輪廓……世紀的流逝也無法觸碰到我們玻璃似的沉默……在外面的世界，各種文明瞬息即逝，戰爭隨時爆發，盛宴被渦旋狂暴翻攪，和平有序的人們繼續過著他們的日子……而我們，我幻想的愛情，總有著同樣徒然的表現，同樣虛假的存在，同樣……

直到有一天，各個世紀和帝國走到盡頭時，教會終將轟然坍塌，一切也終將停止……

儘管如此，我們將繼續存在——我不知道以什麼樣的方式，或者在什麼樣的空間，或者存在多長時間——永恆的彩色玻璃，哥德式墳墓裡，沉睡許久的藝術家完成了樸素的設計和著色，兩個天使雙手緊握，將死亡的意念凝結在大理石上。

346 夢境中的萬物

我們夢到的事物只有一個面向。我們無法繞過它們，去瞧另一面。生活中的萬物存在一個問題，那便是我們可以從各個角度觀察它們。和我們的靈魂一樣，我們夢境中的萬物不過是我們能夠看到的那一面。

347 不會發送的信件

在此我原諒你不出現在我關於你的想法中。

你的生活……

這不是我的愛；這僅僅是你的生活。

我對你的愛，就像我對日出和月光的愛：我希望這一刻能成為永恆，但在這一刻裡我想擁有的卻是擁有這一刻的感覺。

348 戲裡人生

沒有什麼比他人的愛更令人痛苦──就連別人的恨都不會如此，因為相較於愛，恨意起碼更為斷斷續續；作為一種令人不愉快的情感，恨意自然不那麼常常出現在懷有恨意的人身上。可是愛與恨都一樣沉重；這兩種情緒在找尋我們，追逐我們，不會讓我們過清靜日子。

我的理想就是經歷小說中的一切，然後在真實的生活裡休息──閱讀我的情感，經歷我對他們的輕蔑。對於某些擁有敏銳和敏感想像力的人來說，虛構主角的探險具有充足的情感，甚至是情感滿溢，因為我們和這個主角經歷了這樣的探險。沒有更浪漫愛的探險是比擁有心愛的馬克白夫人那樣真正和直接地感受到愛。經歷了這樣一場愛情後，除了休息一下，不去愛真實世界裡的任何人，人們還能做什麼呢？

我被迫踏上的這段旅程，在一個又一個夜裡，與整個宇宙為伴，我不知道這到底有何意義。我知道我可以看書以自娛。無論是在這段旅途中，還是在其他旅途中，對我而言，閱讀似乎都是打發時間最容易的方法。我偶爾把視線從給我真正感覺的那本書裡移開，作為一個陌生人，我看了看從眼前飄過的風景──田野、城市、男人和女人、深情的戀慕、渴望──對我而言，都抵不上我睡夢中出現的事情，只不過可以讓我偷個懶，讓我的眼睛從我一直專心閱讀的書裡移開。

只有被我們夢見的才是真實的自己，因為一切事物轉為現實之後，都屬於這個世界，屬於所有人。如果我要實現一個夢想，我就會感到嫉妒，因為這個夢想如果自行成真，就等於背叛了我。「我已經完成了所有我想要做的事情。」一個軟弱的人如是說，但這只是個謊言；事實是，他預言般夢到了經由他而實現的生活。我們什麼也沒有實現。生活把我們像塊石頭一樣猛擲出去，我們在空中滑行還說：「看我移動的樣子。」

在太陽的聚光效果和星辰的閃爍之下，無論這個插曲揭幕結局如何，知道這是一個插曲定沒有害處。如果劇場門外是生活，那我們將活下去，如果是死亡，那我們將死去，而這個節目與結果如何毫無關係。

這就是為何在我少數幾次到劇院或馬戲團時，從不曾感覺到與事實如此接近的原因：接下來，我知道我終於看到了生活的完美呈現。那些男女演員、那些小丑和魔術師，既重要又微不足道，就像太陽和月亮、愛戀與死亡、瘟疫、飢餓和人類之間的戰爭。一切都是一場戲。這就是我想要的事實嗎？我要回到小說裡的世界……

349 雙重謊言

在所有的需求中，最悲慘的一種就是交心，坦白。暴露自己是靈魂的需求。開始吧，坦露你的心聲，但要坦白你沒有的感覺。開始吧，把你的祕密說出來，讓你的靈魂擺脫它們的重壓，但你說出的祕密必須是你從未有過的祕密。

在你說出真相之前，先欺騙自己。表達自己總是一個錯誤。堅決地意識到：對你來說，表達就是謊言的同義詞。

350 時間的測量方法

我不知道時間是什麼。假如有真正能測量時間的方法，我不知道那是什麼方法。我知道，時鐘的測量是錯誤的，它在空間上從外在來劃分時間。我知道，憑我們的感覺來測量時間同樣不真實，它劃分的不是時間，而是我們對時間的感覺。憑我們的夢來測量時間是錯誤的，因為我們只在夢裡與時間擦肩而過，時而時光悠悠，時而歲月匆匆，我們的生活過得快慢與否，取決於一些在它們之中流動、而我們無法攫取的東西。

有時候，我認為一切都不真實，時間只是圍繞與它無關事物而存在的一個框架。在昔日生活的回憶中，時間的安排處在一種荒謬的水準和層面，以至於我在思想成熟的十五歲某段時間，表現得比被玩具包圍的某段幼兒時期還要幼稚。

每當想起這些事情，我就感到困惑。我感覺，某些地方出了錯，但我不知道哪裡出了錯。就好像我在看一場魔術表演，明明知道是戲法，卻看不出戲法背後用了什麼手法或道具。

然後，諸多荒謬的想法出現在我的腦子裡，卻又不能說是荒謬至極。我不知道，一個人在疾馳的車裡緩緩地思考，那麼他是在疾馳還是在緩行。我不知道，一個跳海自殺的人和一個站在露臺上不小心掉下去的人是否會以同樣的速度落下。我不知道，我吸菸時寫下這段話，並費力地思考——是否這一切都發生在同一個時段——是真正同時發生的。

我們可以想像，同一個軸上的兩個輪子，總有一個轉在另一個的前面，儘管它們只有毫釐之差。一架顯微鏡能將這種毫釐之差放大到令人難以置信的地步——到不可能的地步，使它變得不真實。為什麼顯微鏡不能像我們的近視一樣真實呢？

這些思考毫無用處嗎？當然如此。它們是理性的戲法嗎？我不否認這種說法。那個沒有任何測量方法去測量並殺死我們的東西，到底是什麼？在這些時刻，當我甚至不知道時間是否存在、時間對我來說就像一個人時，我感到自己就要昏昏入睡。

351 紙牌遊戲（二）

夜晚，非常相像的鄉下大房子裡煤油燈閃亮，一些人讓他們的老伯母玩紙牌打發時間，而那個女僕正伴著茶壺發出的慢慢沸騰聲打瞌睡。我內心中的自我坐在我的座位上，因為這份沒用的平和而感覺到戀舊。茶來了，老舊的紙牌就這麼整齊的疊放在桌邊的角落，大瓷器櫃的陰影讓昏沉的飯廳顯得更加陰暗。女僕的臉淌著汗水、帶著睡意，緩慢的想快速結束一切。我帶著一股與一切都毫不相關的痛苦與懷舊，在我的內心世界看到了這一切。然後我發現，我正在思考一個人玩紙牌時的心理狀態。

352 春天來臨

我看見春天來臨了，不是在曠野或大花園裡，而是在城裡一個小廣場的幾棵枯樹上。那種新綠格外顯眼，像一個特別的禮物，又像某種溫暖的憂傷，令人愉快。

我喜歡這些穿插在交通稀疏的街道之間寂寥的廣場，廣場上同樣人跡罕至。它們是廢棄的空地，永遠在那等待被人遺忘的喧囂。它們是城裡的一點鄉野氣息。

我來到一座廣場，走在一條通往它的街道上，然後從同一條街道往回走。從不同方向看，廣場會有所不同，但落日為同樣的寧靜突然染上一層懷舊色彩——我沿著街道走來時並沒有看到這樣的風景。

一切徒勞無用，我的感覺亦是如此。我已遺忘一切過去，就好像我只是隱約聽說過以前的事情。將來的一切也將被我遺忘，就好像我曾經歷過，並已將它們遺忘。

落日的點點哀愁在我周圍揮之不去。一切變得清冷，倒不是因為天氣轉涼，而是因為我已走進一條窄街，廣場已消失不見。

353 請不要回到現實

市鎮邊緣，稀疏的房屋點綴著那些斜坡，黎明已悄悄來臨，天氣不算太冷，也不算太熱。完全散開的薄霧在沉寂的斜坡上分解成縹緲無形的碎片。（要不是生活不得不重新開始的事實，天氣並不會給人帶來涼意。）這一切——帶著濕氣和涼意的溫和早晨——與他從不曾感受過的快樂頗有些相似。

電車緩緩向大路駛去，當它靠近房屋密集的地方時，一種朦朧的失落感向他襲來。現實生活開始變清晰。

在這些清晨時分，陰影散去，它們的殘留仍在徘徊，屈服於這個時刻的精神渴望到達日光沐浴下的老海港。一個人很少會這樣一直站著，彷彿只為莊嚴肅穆的風景，或只為靜靜照在河面上的月光，但不同的生活會使這樣的時刻帶著不同的風味，使之更接近他的自我。

縹緲不定的霧越來越薄。太陽更深地刺入萬物。生活的聲音越來越大，到處都能聽見。這樣的時刻，正確的做法就是永遠不要回到現實生活，儘管我們的生活是命中注定的。讓我們揮動著現實生活的羽翼，用精神化的肉體，而不是精神，徘徊在霧裡，徘徊在清晨——這將最能滿足我們尋找避難所的渴望，儘管我們根本沒有尋找的理由。

對一切事物的細緻感受使我們變得淡然，從得不到的失落中解脫：我們的靈魂感受還在萌芽時期，無法令人理解，人類活動和對事物的感覺完全保持一致，激情和情感迷失在各種可見的成就中。

綠樹成蔭的街道與這一切毫無關係。

市鎮的清晨走到了盡頭，正如河那邊的斜坡一樣，當小船靠近碼頭時，只要不靠岸，就能在船上欣賞遠處的風景；隨著船靠近碼頭發出的摩擦聲，風景也消失了。一個褲腿捲至膝蓋的人在繩子上裝上一個夾鉗。他的姿態非常自然，目的明確，形而上地使我的靈魂不能再欣賞這模糊不清的焦慮。碼頭上的小夥子用一種打量正常人的目光打量著我，而一個正常人從來不會在船靠岸的實踐環節產生這種不合時宜的感覺。

354 熱，隱形衣

熱，就像一件隱形衣，讓人們很想脫下它。

355 閃電

我已感到心神不寧。毫無徵兆地，周圍一片靜默，萬物已停止呼吸。

突然，地獄之光像鐵一樣炸裂開來。我像動物一樣蜷縮在桌子上，我的雙手平放著，像失去作用的爪子。無情的閃光掠過所有角落和靈魂，聲音像旁邊的山倒塌一樣從天而降，一聲轟鳴，像撕開地獄的冷酷面紗。我的心臟停止跳動。我的喉嚨已哽住。我的意識停滯在一張紙上的一處墨水漬。

356 雨後的寧靜

酷熱褪去，雨輕輕地下著，後來越下越大，聲聲入耳，空氣中透著一股暑天沒有的寧靜，雨水中微風漣漣，泛起一種清新的安寧。明朗的喜悅彌漫在毛毛細雨裡，天空不再陰鬱，也沒有暴風雨的惡兆。甚至那些不再身披雨衣、手持雨傘的人（幾乎是每個人），他們大聲說笑著，在閃亮亮的馬路上快步向前走去。

在一個空閒時刻，我走到辦公室敞開著的窗戶邊——天氣太熱，窗戶一直開著，即使下雨也沒有關上——按照習慣，我全神貫注而又漫不經心地向外看著，看到了之前還未看到就已詳細描繪過的場景。是的，街上有兩個快樂的平凡靈魂走著，他們在濛濛細雨中歡聲笑語，走得不算匆忙，但腳步很輕快，走在細雨朦朧卻又清澈明亮的天空下。

然而，在某個街角後面，一個外表寒酸、貧窮但不謙卑的老人突然出現在我的視野裡，他不耐煩地走在漸漸停下來的雨中。他顯然沒有發脾氣的特定對象，但至少顯得很不耐煩。我仔細打量他，不再用那種對待其他事物漫不經心的目光，而是那種洞悉什麼象徵的目光。他並不象徵任何人，那便是他匆匆走過的原因。他象徵著那些從來什麼都不是的人，這便是他煩躁的原因。他不屬於那些走在不舒服的雨中還能滿心歡喜微笑的人，他屬於雨本身——他是一個活在無意識中，只能感受到現實的人。

然而，這不是我想說的。某些東西橫亙在我對那個路人（由於我沒再看他，他也就消失在視野裡）的觀察和我的思緒中；某種未被察覺的奧祕，某種來自靈魂的緊迫感使我停下來，無法繼續沉思。就在我深陷沉思的時候，我聽到（但沒聽清楚）辦公室最裡頭的倉庫那邊傳來打包的聲音，儘管看不到，但我彷彿看見桌旁的窗戶後面，和著說笑聲和剪刀的咔嚓聲，沉重的牛皮紙包裝盒被人用捆紮包裹用的細繩捆了兩圈，並打了兩個結。

看見是為了看見過。

357 向每個人學習

生活的一條規則就是，我們能夠、也應當向每個人學習。我們從騙子和惡棍那裡學到重要而認真的東西，從傻瓜那裡學到哲學，透過偶然機會從偶然相識之人那裡學來誠信公正的知識。一切包含在一切之中。

在冥想的某個特別清醒的時刻，就像在這樣的午後，當我漫步街頭四處張望時，每個人都給我一種新奇感，每幢房子都帶給我一些新鮮東西，每張布告都帶給我一個消息。

我無聲的腳步是一段連續不斷的對話，我們之中的一切——人、房子、石頭、布告和天空——組成一個和諧友善的巨大群體，在命運的偉大隊伍中，每個人用語言互相推擠。

358 偉大的人

昨天，我耳聞目睹了一個偉大的人。我指的不是一個聲名顯赫的人，而是一個真正的偉人。如果世界上有價值存在的話，那麼他很有價值。人們看到了他的價值，而他也知道他們看到了。因此，他符合所有被我稱作偉人所應具有的條件。我也是這樣稱呼他的。

他外表上看起來屬於那種久經滄桑的生意人。他面露倦色，可能是想得太多，或者僅僅是生活過得不夠健康。他的手勢毫無特徵，眼裡閃耀著某種光彩——那是一種深謀遠慮的優越感。他的聲音含混不清，就好像全身的麻痺開始影響他靈魂的某種獨特表達力。他的靈魂絮絮叨叨談論了很多關於政黨政治、葡萄牙幣的貶值或同事們孰是孰非的觀點。

如果我不知道他是誰，就無法將他的外貌描述清楚。我知道，一個偉大的人不需要按照簡單靈魂的英雄典範，由此，一個偉大的詩人不一定非要有著阿波羅的身體和拿破崙的模樣，或者至少一個顯要人物要有一張富於表現力的臉。我知道，這些想法很荒謬，正如他們是人類一樣荒謬。但是，即使我們不能期望一切，或幾乎一切事物，我們仍然可以期待某些東西。撇開一個人的外貌，讓我們來看看說話的那個靈魂，儘管我們不能期望他有活力和氣魄，我們至少應當能指望他的話裡傳達出智力和一點莊嚴。

這一切——這些人類的幻滅——逼我們質疑它的事實所在，若有的話，便存在於靈感的一般觀念裡。似乎這個肉體屬於一個生意人，而這個靈魂屬於一個彬彬有禮、受過教育的傢伙，就其本身而言，他們天生被賦予了一些內在的、與他們無關的東西，這令人難以理解。他們似乎並沒有說話，但一些聲音從他們嘴裡發出來，如果他們說了，那將變成謊言。

這些都是隨便而無用的推測。

有時，我為自己沉湎其中而懊惱。它們不會貶損那個人的價值，也不會增加他肉體的表現力。但是，沒有什麼可以改變什麼，我們的所言和所為僅僅只是觸及山頂，而山谷裡的一切都在沉睡。

359 不可知

沒有人理解別人。正如某位詩人[84]寫道：在生命之海的島嶼上，我們之間隔著大海。一個靈魂無論多麼努力地瞭解別人，也只會被告知一句話——他的理解是一個不成形的影子。

我熱愛表達，因為我知道沒有什麼可以表達出來。我就像馬大[85]的主一樣：我滿足於被給予的。我去看，這就足夠。誰能理解什麼呢？

或許，正是這種關於理解力的懷疑主義，使我們用完全一樣的方式看待一棵樹和一張臉，一張海報和一個笑容。（一切皆自然，一切皆人造，一切皆相同。）對我來說，我所看見的一切只是看得見，無論是被黎明破曉前發白的綠染上顏色的高遠藍天，還是親眼看見所愛之人死去時臉上表露的虛假難過。

我們看著素描、插圖和頁面，然後轉過身……我的心思不在那上面，我的目光只是瞥了一眼它們的外殼，就像蒼蠅掠過一頁紙。

我知道我的感覺、我的思考、我的存在嗎？我只知道，我只是待售的無用鏡子，那些色彩、形狀和表情構成一個客觀組合。

360 咖啡館

相較於那些真實的一般人，他們走在生活的大道上，心中的目標渾然天成，偶爾產生；那些坐在咖啡館裡的人，他們出盡鋒頭，只能透過和夢境中的精靈比較才能描述他們的鋒頭正盛——精靈這種造物既不會讓人覺得害怕，也不會令人覺得痛苦，但是當我們醒來以後，對它們的記憶會在我們嘴裡留下惡臭的味道，我們並不能十分理解這種味道，這種深深的反感並非直接針對它們，而是針對它們所代表的東西。

我看見這個世界裡的真正天才和征服者——既偉大又渺小——在萬事萬物構成的夜裡航行，卻並沒有注意到他們傲慢的船首，在那片一包包稻草和碎軟木組成的馬尾藻大海裡橫衝直撞。

84 這裡的詩人是指馬修．阿諾德（Matthew Arnold），文中指的是他的詩作《致瑪格麗特》。

85 佩索亞可能指的是《路加福音》裡記載的一個故事，耶穌責怪馬大太注重對他的服侍，而沒有像她的妹妹馬利亞一樣聽他講道，或者，他可能指的是《約翰福音》中，耶穌為馬利亞給他的腳塗抹昂貴膏油的「浪費」行為而辯護的記載。

在那些咖啡館裡，萬事萬物都有看法，就像在那棟辦公大樓後的死巷裡，透過倉庫窗格看，那裡彷彿一座關押廢物的牢房。

361 藝術的價值

對真理的追尋——主觀信仰的真理，主觀現實的真理，或社會金錢與權力的真理——始終賦予值得獎賞的真理追尋者終極智慧，即真理並不存在。生活的豐厚獎勵只會賜予那些意外買到票的人。

藝術的價值在於它會將我們帶離當下。

362 道德律法

遵照更高等的道德律法，打破一般的道德律法，屬於合法行為。飢餓不是偷盜麵包的理由，但一位藝術家可以為了保證兩年內衣食無憂、清靜創作，偷了一萬元葡萄牙幣，從而提供作品，推進人類文明；如果只是一件藝術作品，那麼這個論斷就不成立了。

363 愛意味著占有

我們不能愛，孩子。愛是幻覺中最肉欲的部分。聽著：愛意味著占有。一個正愛著的人占有了什麼？身體？占有它，我們就要吸納它，吞噬它，使它的實質融入我們。這種不可能如果成為可能，也並未結束，因為我們的身體會死，會轉化，因為我們甚至並未擁有自己的身體（僅僅是我們所感覺到的身體），更因為被愛的身體一旦被占有，它就變成我們的身體，不再屬於他人，而隨著他人的消失，愛也跟著消失。

我們占有了靈魂嗎？仔細聽我說：不，我們沒有。甚至我們自己的靈魂也不屬於我們。一個靈魂又如何能夠被占有呢？在兩個靈魂之間隔著不可逾越的鴻溝，有著他們是兩個靈魂的事實。

我們占有了什麼？我們占有了什麼？是什麼使我們墜入愛河？美？我們愛時占有了美嗎？如果我們傾盡所能完全占有了一個身體，我們真正占有的是什麼呢？不是身體，不是靈魂，甚至也不是美。當我們抓住一個有吸引力的身體，我們抓住的不是美，而是我們所擁抱的細胞組成的肥胖肉體；我們吻到的並不是美的嘴脣，而是正在腐爛的、膜狀嘴脣的潮濕肉體；甚至性交，儘管我們應該承認這是一種親密而激烈的接觸，它仍然不是一個身體對身體的真正滲透。我們占有了什麼？我們真正占有了什麼？

至少我們擁有自己的感覺？至少愛是一種透過感覺去擁有自己的方法，不是嗎？至少愛是一種使夢變得生動進而壯麗的方式，我們存在的夢，不是嗎？一旦感覺消失，至少回憶不再伴隨我們，以便使我們真正擁有……

讓我們擺脫這種幻想。我們甚至並不擁有我們的感覺。別出聲。回憶不過是我們對昔日的感覺。每一種感覺都是一種幻覺……

聽我說，繼續聽下去。聽著，不要看窗外遠處平坦光滑的河岸，不要看夕陽，也不要聽火車的汽笛劃過空寂的遠方……認真聽我說：

我們並不擁有感覺，而透過感覺，我們無法擁有自己。

（傾斜的、裝滿暮色的壺將油畫顏料潑向我們，時光像玫瑰花瓣一樣四處散落，飄浮在空中。）

364 我是我嗎？

當我甚至不擁有自己的身體，我又如何能用身體去擁有其他東西呢？當我甚至不擁有自己的靈魂，我又如何能用靈魂去擁有其他東西呢？當我甚至不理解自己的心智，我又如何能理解別人的心智呢？

我們既不擁有身體或真理，甚至也不擁有任何幻覺。我們是謊言構築的幻影，幻覺的影子，我們的生命內外皆空。

有誰能知道自己靈魂的界限，並說出「我是我」嗎？

但我知道，我是感我所感的那個我。

當其他人擁有自己身體，他也和我一樣擁有身體裡的感覺嗎？不，他擁有的是另一種感覺。

我們擁有什麼？如果我們不知道自己是誰，又如何知道我們擁有什麼？

如果，當談論到你在吃什麼，而你說「我擁有了它」，那麼我會理解你。因為你顯然將你所吃的東西吸收到身體裡，你把它轉化為你身上的物質，你覺得它進入你的身體，並歸你所有。但對於你所吃的東西，你不能說成擁有。你把擁有叫做什麼？

365 墮落是我的命運

把瘋狂稱作肯定，疾病稱作信仰，把惡行當成一種快樂——這些世間的烏煙瘴氣是一種令人悲傷的東西，這便是凡塵俗世。

保持冷漠。去愛夕陽和黎明，因為它們毫無用處，甚至對你也無用，讓我們去愛它們。徐徐垂落的夕陽將你染成金色，像一位在玫瑰盛開的清晨裡被廢黜的國王，白雲飄飄的五月天，深居閨中的處女微笑。讓你的渴望在香桃木中凋零，你的煩悶在羅望子裡結束，這一切或許伴隨著流水聲，猶如河岸邊的薄暮，它的唯一意義就是無止境地流向遙遠的大海。剩下的便是生活留給我們的東西，我們眼中的閃光黯淡下去，我們的紫袍還未穿上就已磨得破舊不堪，月光照耀著我們的流放之路，星辰的靜默彌漫在我們的幻滅時光裡。勤勉是一種沒有結果、溫和的悲傷，將我們和愛並肩拴在一起。

墮落是我的命運。

我的古老領地是幽深的山谷，夢中的涓涓流水從未被血液玷汙。那些樹葉忘了，被我遺忘的生活總是充滿綠色，月光如流水般流淌在石子間。愛從未觸及的深谷，那裡的生活無憂無慮。沒有愛，沒有夢，沒有神廟中的諸神——我們漫步在微風中，漫步在不可分割的時光裡，對醉人、無用的信仰沒有一絲懷念。

366 茶杯上的風景

像纏繞在中國茶杯外壁上的無用風景，始於把手，又突然止於把手。茶杯總是如此小……如果風景延伸越過茶杯的把手，它又會走向瓷杯的什麼地方？

某些靈魂不能由衷地感受到悲傷，因為描繪在中國扇子上的風景不是三維立體畫。

367 靈物

……花園裡的菊花黯然枯萎，它們的存在使一切變得陰鬱。

……日本人的繁茂華美只有兩個明顯的維度。

……五顏六色的日本肖像纏繞著茶杯喑啞的半透明外壁。

為精緻的茶會而準備的茶具——不過是為完全無結果的談話而編織的託詞——總像一種栩栩如生的事物打擊著我，一個帶有靈魂的個體。它形成一種像有機體一般的綜合物，不僅僅是各個部位的簡單總和。

368 想像中的花園

在想像中的花園裡，那些對話若隱若現地圍著某些茶杯展開了嗎？兩個人坐在茶壺的另一邊，他們在用什麼樣的崇高語言交談啊！我聽不見他們的談話，我是一個生活在多彩人群中死氣沉沉的一員！

真實的靜態事物構成優雅哲學，一門永恆交織的哲學！畫中人物的那張臉，從看得見的永恆之巔向我們的短暫狂熱投來輕蔑的目光，從不採取明確的態度，也不暫停具體的手勢。

讓我們想像那些棲居在畫中生動鮮明的人物，想像關於他們的民間故事！繡上人物的愛情——一種被簡潔平面幾何圖形標記的愛情——被那些愛冒險的心理學家探索和消遣。

我們沒有愛，我們只是假裝去愛。真愛不朽且無用，屬於那些有著不變感覺的人物，因為他們天生就是靜態的。我知道那個站在我茶壺凸面上的日本男人，他就從未動過。他從未牽過那個女人的手，他永遠也搆不著。黯淡的色彩，像筋疲力竭、傾盡光熱的太陽，總使山上的斜坡變得不真實。整個場景透著瞬間的憂傷——一種更真實的憂傷，無法填補我空洞乏味的時光。

369 真實不真實

在未開化的金屬時代，唯有無情地教養我們作夢、分析和著迷的能力，才能避免使我們的個性墮落到什麼也沒有，或者使每個人的個性都一樣。

在我們的感覺中，任何真實的東西都恰恰不屬於我們。我們共同擁有的一切感覺組成了現實。因此，感覺的個性存在於任何錯誤之中。觀看鮮紅的太陽會帶給我什麼樣的歡樂！我的感覺是多麼地徹底和獨特啊！

370 對話

我從不讓我的感覺知道我怎麼去感覺它們。我和我的感知玩遊戲，就像是一位極度無聊的公主和她邪惡而敏捷的大貓。

我關上內在的心門，那裡讓特定的感知通過並且被辨認出來。我快速地清除那些會讓它們形成姿勢的心理對象路徑。

在我們假裝有過的談話中插入一些無意義的句子，從別人的灰燼裡發出無意義的肯定句，同樣是無意義的肯定句……

「妳的目光提醒我一艘船傳來的音樂彈奏聲，船停在神祕河流的中央，河岸有樹林圍繞……」

『別說那是冷颼颼的月光。我憎恨月夜……但竟有人在月夜下彈奏音樂……』

「這也是一種可能性……當然，這是一種不幸的可能性……但妳的目光似乎對某事滿懷愁緒……它缺乏它所表達的情感……在妳表情的謊言裡，我可以看見許多我所擁有的幻想……」

『我可以向你保證，我有時覺得我說的話，或者甚至，儘管作為一個女人，我透過目光說了什麼……』。

「妳是不是對自己太嚴苛了？我們真的可以感覺到我們認為自己有什麼感覺嗎？例如，在這些談話中有任何現實的偽裝？當然不是。這在小說中是不能接受的。」

『有一個好理由……瞧，我不是這麼肯定自己是和你在說話……儘管作為一個女人，我盡到成為一個瘋狂藝術家圖畫書裡幻想的責任……有一些我的細節太細緻了……我認為它給人一種矯揉造作的印象，有點不自然的真實……對我來說，成為一幅插圖似乎是當代女性唯一可以追求的價值。當我還是孩子時，我想成為家裡一副舊紙牌的皇后……這對我來說似乎就像是一個傳令官令人同情的假期……當然，對於一個孩子來說，這樣的道德志向是很普遍的……不久之後，當我們所有的志向都不道德時，我們真的想過這些嗎……』

「因為我從不跟小孩說話，我相信在他們的藝術上的直覺……你知道的，就算現在當我說我很努力地理解妳告訴我那些事情的真實意義。妳願意原諒我嗎？」

『不全然……我們不應該探究其他人假裝有的感覺。它們總是太親密……你有想過分享這些私人的祕密會傷害我，所有這些都是假的，但也代表我可憐的靈魂真實的襤褸……有關我們最令人同情的事情，相信我，是我們不是真正的樣子，而我們最糟糕的悲劇就是發生在我們對自己的想法裡。』

「的確是這樣……為什麼要說這些呢？妳傷害了我。為什麼破壞我們談話不變的虛幻？這樣的方式幾乎變成一個美麗的女人和感覺的夢想家之間，坐在為喝茶而擺置的桌子旁，一個看似真實的交換。」

『你說得對……現在換你要原諒我了……但我感到心煩意亂而沒有真的注意到我說過的一些話是有意義的……我們還是換個話題……它總是這麼慢！……別再傷心了——我剛才說的話，畢竟，它完全沒有意義……』

「不用抱歉，也別專注於我們談了什麼……每次愉快的談話都應該是雙向的獨白……我們最終無法確定我們是否真的在和某個人對話，或者只是和想像中的人說……最愉快和最深刻的對話，以及最不道德地啟發性的對話，就是那些小說家和他們書裡的兩個角色。例如……」

『看在上帝的份上！別告訴我你要舉一個例子！那只能用文法寫；或許你已經忘了我們甚至不讀它們。』

「妳曾經學過文法？」

『從不。儘管我知道說某件事的正確方式……在文法書中我最喜歡是例外和重複字……躲開規則和說些無用的事情，形成基本上當代的態度。我說得對嗎？……』

「絕對正確……什麼是文法特別惱人的地方（你是否曾注意到我們談論這件事是多麼不可思議？）在文法中最惱人的部分是動詞的部分，因為是動詞給予句子意義……一個誠實的句子應該總是有任何可能的意義……動詞！……我一個自殺的朋友——每次我有一場稍長的談論，我就殺死一個朋友——將竭盡生命去摧毀動詞……」

『他為什麼會自殺？』

「等等！我依然不知道……他想要研究和發展一種暗中沒有完成句子的方法。他曾經說他正在尋找意義的細菌……他結束了自己的生命——是的，當然——因為有一天他領悟到他承擔了多麼巨大的責任……這個題目的巨大使他瘋了……用一把左輪手槍和……」

『不，這是荒謬的……你不覺得它永遠不會是一把左輪手槍？一個像這樣的人不會拿著槍對著自己的頭射擊……你對你從來沒有過的這個朋友瞭解太少了……這是嚴重的缺點，你知道……我最好的女性朋友，一個我創造的迷人青年……』

「妳們關係很好嗎？」

『我們盡力而為……但是這女孩，你無法想像……』

這兩個坐在茶桌旁的人物肯定沒有這樣的對話。但是他們衣著得體，不能以這種方式談話似乎有點可惜……這就是為什麼我寫下這些他們可以產生的對話……他們的手勢、氣氛、快樂的一瞥和微笑——當我們停止感覺到自己的存在時出現這些談話的短暫間隔——清楚表達我忠實地假裝去報導……當他們分開後，各自與別人結婚了（因為他們想太多而不能與對方結婚），如果有一天他們碰巧讀到這幾頁，我認為他們會承認他們從來沒有這樣說過話，並感謝我如此精準地解釋了不僅是他們真正的樣子，而且也是他們從來沒有想過甚至不知道他們是這樣的樣子……

如果他們讀了我，也許他們會相信這些才是他們真正想說的。他們顯然傾聽彼此但錯過很多事情，像是空氣中的芬芳、茶香、她穿胸衣的意義……雖然這些都沒有說明，但這些東西形成對話的一部分……這些事情一直都在那裡，所以我的任務不是寫文學，而是寫歷史。我重建、完成那些錯過的東西，以及這些將是我對他們的藉口，偷聽他們沒說的話和不想說的話。

371 荒謬的讚歌（一）

我的感覺是多麼地徹底和獨特啊！我誠摯而傷感地陳述著。這個問題和快樂無關，因為作夢的樂趣既矛盾又陰鬱，必須透過一種特殊而神祕的方式去享受。

有時候，我會在內心客觀地觀察令人愉快的荒唐事物，這些事物我在想像中甚至也看不見，因為在我們眼裡，它們不符合邏輯——連接虛無和虛無的橋梁，沒有起點和終點的道路，亂七八糟的風景……荒謬、不合邏輯、矛盾的一切，使我們脫離現實及其大量的附屬物——實用思想、人類感覺，和有用而有利行動的一切觀念。荒謬避免我們的精神狀態從作夢的無比甜蜜陷入過分厭倦之中。

我用一種奇怪而神祕的方式想像這些荒謬。在某種程度上我無法解釋，我能夠看見任何人類肉眼都看不見的東西。

372 荒謬的讚歌（二）

讓我們把生活變得荒謬，從東到西。

373 生活

生活是我們不知不覺經歷的一場經驗之旅。生活是一場穿越物質的心智旅行，既然是我們的心智在旅行，那就是我們所生活的地方。因此，那些熱衷沉思的靈魂比那些生活在外在世界的靈魂過著更盡興、更開闊、更動盪的生活。最終結果至關重要。我們的感覺就是我們的生活。做一場夢和體力勞動一樣能使我們筋疲力盡。當我們思緒紛飛時，生活永遠沒有思想那樣艱難。

在舞廳角落裡的那個男人與所有舞者跳舞。他看見了一切，因為他看著一切，他在一切中活著。由於一切最終不過是我們自己的感覺，與身體的真實接觸並不比看見它或回憶它更有價值。因此，當我看見別人跳舞時，我也在跳舞。我贊同那位躺在草地上的英國詩人[86]，他看見遠處有三個人在割草，於是寫下：「第四個人在割草，那個人就是我。」

這一切表達了我的感受，和我今天產生的強烈倦怠有關，來得這麼突然，沒有明顯的原因。我不僅厭倦，還感到怨恨；這種怨恨也是一個謎。我痛苦至極，幾乎就要落淚——不是哭泣，而是一種內在的痛苦：讓我流淚的是靈魂的病痛，而不是感覺上的疼痛。

我在不生活中活了多少回啊！我在不思考中想了多少回啊！我在靜止不動的暴力世界裡筋疲力盡，我寸步不移地經歷了冒險活動。從未有過和將來也不會有的東西使我感到厭膩，至今不存在的諸神使我倦怠。我在躲避一切戰鬥時受傷。我的肌肉因我連想都不想的一切努

86 英國詩人是指埃蒙德．戈斯（Edmund William Gosse，一八四九～一九二八年），他的一首詩題為《我躺在草地上》。

力而疼痛。

枯燥、沉默、徒勞……不完美、死氣沉沉的夏日高空。我仰望天空，就好像天空不在那裡。我在思考時沉睡，我像行走一樣躺著。我因沒有任何感覺而痛苦。我強烈的懷舊情緒什麼也不為，什麼也不是，就像我看不見的高空，我在那凝望著與個人無關的東西。

374

如果我是別人

碧空如洗，然而充滿陽光的天空凝滯了。這不是即將到來的暴風雨帶給現在的壓力，也不是無意識的身體產生一種不舒服，更不是湛藍的天空中出現一團迷霧。這是想到不工作使我們產生的一種倦怠感，一片羽毛撫過我們睡意綿綿的臉。天氣悶熱的夏天。郊野甚至吸引那些不喜歡它的人。

如果我是別人，對我來說這無疑是快樂的一天，因為我會感受，而不是思考。我會盼著完成正常一天工作——對我來說是異常單調的日復一日——然後和一些朋友搭電車去本菲卡。我們會在太陽下山時坐在一家花園餐廳裡吃晚飯。在那一刻，我們的快樂會成為風景的一部分，被看見我們的人欣賞。

但是，由於我是我，我想像自己是別人所得到的快樂，我自己一點也感受不到。是的，很快，那個走在樹下或涼亭下的「他我」將吃下兩次我所能吃到的食物，將喝掉兩次我所能喝到的飲料，笑了兩次我所能想像出來的微笑。不久後的他，現在的我。是的，我暫時是別人：作為別人，我像被襯衫袖子遮掩的動物一樣存在，看見並生活在人類的卑微快樂中。真是美好的一天，使我夢見了所有這一切！天特別藍，就像我嚮往成為一個精力充沛的業務員，完成一天的工作後去度假，這種夢想一閃而過。

375 格言幾則

鄉村總是在我們不在的地方。在那裡，也只有在那裡，樹木和樹蔭才真實存在。

生活是驚嘆號和問號之間的踟躕。句號解決疑問。

奇蹟產生於上帝的懶惰——更確切地說，我們創造奇蹟時把它歸因於上帝的懶惰。

上帝是一種化身，我們永遠也不可能成為上帝。

對一切臆想的厭倦……

376 酒醉

輕度酒醉產生的低燒，帶著一種柔和而有穿透力的不舒服，使我們疼痛的骨頭發冷，悸動的太陽穴下，眼眶發熱——我鍾愛這種不舒服，就像奴隸鍾愛他的壓迫者。酒醉使我陷入一種虛弱顫抖的消極狀態。驚鴻一瞥中，我看見幻景。拐過思想的彎道，我迷失在突如其來的意外之感中。

思緒、感覺和願望變成單一的困惑。信仰、情感、想像之物和真實之物全部混在一起，像倒下的抽屜將各種各樣的東西翻到地板上。

377 遙遠的感覺

在康復期，我們會感覺到一種憂傷的快樂。如果之前的疾病影響到我們的神經，更是如此。我們的情緒或思想正處在秋天，更確切地說，由於天空中見不到秋天才會有的落葉，則更像是初春。

我們的疲倦令人愉快，這種愉快只會帶來一點點傷痛。我們覺得有點遠離生活，儘管身在其中，猶如待在生活這間房子的陽臺上。我們陷入沉思，不再真正的思考；我們感受，卻沒有產生任何可以描述的情緒。我們的願望愈發平靜，因為我們已完全不需要它。

就這樣，某些回憶、希望和模糊的欲求緩緩地爬上意識的斜坡，像是站在山頂上隱約可以看見的旅行者。對無用之事的回憶；無法實現也無關緊要的希望；天性或表現並不強烈的欲求，甚至不能夠渴望去改變。

當這一天的天氣符合我們的某些情緒——比如說今天，儘管時值夏季，天空卻烏雲密布，微風沒有一點暖意，我們幾乎覺得冷——那麼在這種心境下，我們的思想、感覺和生活的印象就會格外明顯。並不是說，我們已經產生的那些回憶、希望和欲求變得更清晰。但我們對它們的感覺變得更強烈，它們飄忽不定地湊在一起，荒謬地壓在我們的心頭。

這一刻，我莫名其妙地產生一種遙遠的感覺。我站在生活的陽臺上，是的，但未必就是這種生活。我站在生活之上俯瞰生活。它展現在我面前，各種斜坡和梯田，朝著山谷村莊裡白色房屋的裊裊炊煙向下延伸。我閉上眼睛時仍然在看，因為我並未真正在看它。我睜開眼睛時什麼也沒看見，因為我從一開始就並未真正在看它。我感到一種朦朧的懷舊之情，除此之外什麼感覺也沒有，不為過去，不為將來，也不為現在——一種毫無特點、無窮無盡、難以理解的感覺。

378 分類

事物的分類學家，我是說，那些僅僅把分類當作科學的科學家，他們通常沒有認知到，可分類的東西無窮無盡，無法被分類。不過，真正使我詫異的是，他們沒有認知到那些隱藏在知識隙縫裡的——靈魂的和意識的東西——也能夠被分類。

也許因為我想得太多，或是夢得太多，或者可能出於一些其他原因，我無法區分存在的現實和不存在的現實（夢中的世界）。因此，在我對天地的沉思中，我把太陽沒有照到或腳沒有踏到的東西嵌入其中——那是想像中流動的奇觀。

我用虛構的晚霞將自己鍍成金色，但我虛構的東西只能存活在我的虛構中。想像中的微風使我歡欣，但想像中的東西只有在被想像時才存在。各種構想賦予我靈魂，每一種構想都將屬於自己的靈魂賦予我。

唯一的問題是現實問題，它難以解釋是因為它是活生生的。一棵樹和一個夢之間的差異在哪？我可以摸到樹；我知道我有夢。這一切究竟意味著什麼？

這一切意味著什麼？我獨自待在寂寥的辦公室裡，可以生活在想像中，而不用放棄思考。我的思考不會被空空的辦公桌和只剩下牛皮紙與線團的送貨部門打斷。我離開自己的凳子，靠坐在莫雷拉那張舒適的扶手椅上，享受著提前升遷的感覺。或許周圍的環境影響了我，我心不在焉。這些炙熱的日子裡，我昏昏欲睡；我因精神不振而無眠地睡著。這就是我產生這些想法的原因。

379

悲傷的間奏（六）

我厭倦了街道，不對，我不是厭倦了街道……街道囊括了生命的全部。我頭往右轉，就能看見對街的酒館；頭往左轉，就能看見堆存疊起的木箱。轉身朝後看，就能看見中間的非洲公司辦事處，補鞋匠在門口不斷敲著他的錘子。我不知道樓上是什麼，據說三樓的公寓是從事不道德的交易，但其實一切都是如此，這就是生活。

我厭倦了街道？我不過是厭倦了思考罷了。當我看或感受街道時，我不去思考；我安坐在屬於自己的角落，內心極其平靜地工作，我是記帳的小人物。我沒有靈魂，這裡的人都沒有靈魂——這間大辦公室裡只有工作。那些安享舒適生活的百萬富翁，總在這個或那個國家，所在之地同樣只有工作，同樣沒有靈魂。能名留青史的只會有一兩個詩人。但願我寫下的某句話或別的什麼能流傳下去，並且被人說「寫得好」。就像我記下的數字，抄進我一生的帳簿之中。

我相信，我永遠只會是紡織品倉庫的助理會計，我真誠地相信，我永遠不會升到會計主任的位置。

380 秋天

很長一段時間——我不確定是幾天還是幾個月——我腦中一片空白。我不思考，於是我便不存在。我忘了我是誰。我無法寫作，因為我無法成為我自己。經歷了一段間接的麻木狀態後，我變成了其他人。我明白，想不起自己是誰便意味著我醒過來。

我昏厥了一段時間，與世隔絕。我變回我自己，卻想不起我是什麼，關於我曾經是什麼的回憶被打斷了。我有一種困惑的印象，是一段玄祕難解的插曲。在一部分回憶裡，我掙扎著尋找另一部分回憶，卻總是徒勞的。我無法振作起來。如果這段時間我還活著，我甚至忘了我還意識到這一點。

並不是說，給人秋天之感的第一天——第一個不舒服的冷天用微弱的光線為死氣沉沉的夏天穿上衣服——透過某種使人心煩意亂的明晰，帶給我一種意志消亡、欲望虛幻的感覺。也並不是說，在這段遺失一切的插曲裡，有一絲徒勞追憶留下蒼白無力的痕跡。事情遠比這樣更令人痛苦。這是一種試圖想起無法憶起的回憶的單調，一種意識迷失在無人知曉的海岸邊茅草和海藻之中的痛苦。

我知道，這晴朗而平靜的一天有著真正的天空，這天空是深藍色的而不是湖藍的。我知道，太陽雖然不像之前那麼金亮，也用濕潤的微光沐浴著牆壁和窗戶。我知道，儘管沒有起風，也沒有一絲微風召喚和否定它，一股催人覺醒的涼意在薄霧籠罩的城市裡蟄伏。我知道這一切，不思想，無欲念，我昏昏欲睡，因為我想起自己就要睡著，我的心裡泛起懷舊情緒，只因為我焦慮不安。

我以前從未得過這種疾病，而且也很難痊癒。我完全清醒了，為從不敢做的事情做著準備。是什麼樣的睡意使我不眠？是什麼樣的鍾愛拒絕與我交談？變成別人，在生機勃勃的春天裡深吸一口冷空氣，是多麼美好的事情啊！至少我可以想像，當我身在遠方，在我回憶起的畫面裡，藍綠的茅草沿著河畔輕輕搖擺，而那裡見不到一絲風的痕跡，這遠比生活要美好得多！

我曾多少次回憶起我不是什麼人，我把自己當成一個年輕人，而忘了所有其他的一切！我從未見過卻真實存在的風景變得不同，而我見過卻並不存在的風景對我來說是新的。為什麼我要在乎這些？間歇時我停止回憶，偶然間又開始繼續，此時，太陽似乎散發涼意，夕陽西下，河邊陰鬱的茅草冷冰冰地沉入睡眠，我看得見，卻並不擁有。

381 再說煩悶

還沒有人用一種通俗易懂的語言向那些從未經歷過煩悶的人定義煩悶。有些人僅把煩悶稱作倦怠；另一些人卻用來指惱人的不適；還有些人認為煩悶就是疲憊。不過，雖然煩悶包含了倦怠、不適和疲憊，但它們的關係就像是水與氫和氧的關係一樣，是構成的關係，而不是相似的關係。

如果有些人對煩悶持有一種有限而不完整的見解，另一些人則認為煩悶的含義在某種意義上遠非如此——比如說，他們用這個詞來表達對世界的多樣和不確定一種智識或發自肺腑的不滿。使人打呵欠的是所謂的倦怠，使人焦躁的是所謂的不適，使人幾乎動彈不得的又叫做疲憊——這些都不是煩悶；但是，它們和煩悶都不是那種生命空洞的深刻意識，以致受挫的抱負浮上心頭，重新找回失意的渴望，植入未來的神祕主義者或聖人靈魂的種子。

是的，煩悶是對世界的倦怠，對生存的惱人不適，對活下去的疲憊。事實上，煩悶是對萬事皆無邊虛空的肉體感覺。但是，更進一步說，煩悶是對另一個世界的倦怠，無論那個世界存在於現實之中還是想像之中；煩悶是對活下去的不適，就算是用另一個人的身分、以另一種方式、在另一個世界活下去；煩悶是一種不僅對昨日和今朝，甚至對明天和永恆的疲憊，如果存在這種疲憊，或者它是一種虛無，如果這種虛無就是永恆。它不僅僅是萬事萬物、芸芸眾生的空洞虛無，靈魂遭受煩悶折磨所致的煩惱，它也是對其他一切事物的幻滅——是感受虛無的靈魂對自身虛無的感覺，是一種激發自我厭惡、自我排斥的幻滅。

煩悶是一種混沌不堪的身體感受，一種一切皆混沌的感覺。這種心煩意亂、身體不適、疲憊不堪的感覺，只有被關在狹小牢房裡的犯人才會有。那些痛恨生活困頓的人感覺自己在一間寬大的牢房裡披枷帶鎖。不過，那些被煩悶所困的人則感到自己在一間無邊的囚室裡，被毫無意義的自由所囚禁。那些心煩意亂、身體不適、疲憊不堪的人或許會被狹小牢房的高牆粉碎和埋葬。那些痛恨生活困頓的人，他們的枷鎖或許會脫落，可以趁機逃走，又或者，他們在徒然掙扎著擺脫枷鎖時，那些枷鎖會帶給他們痛苦，這種疼痛的體驗使他們甦醒，忘記昔日的憎恨。但是，無邊囚室裡的高牆無法摧毀、埋葬我們，因為它們並不存在；我們也不會因為掙脫枷鎖所帶來的痛苦而甦醒，因為枷鎖也是不存在的。

面對這平靜而美麗的永恆薄暮，我紛繁的思緒油然而生。我凝望著高遠的碧空，看見模糊如雲影的粉紅色形狀，就像展翼飛翔、遙不可及的生活拍落一片無法觸及的柔軟羽毛。我低頭望著河水，波光粼粼，反映一片藍色，那顏色似乎比藍天更藍。我再次舉目望天，在看不見的空氣中，那互相糾纏的五顏六色漸漸鬆散開來，此時被蒼白的雲影渲染，彷彿在更高遠、更純淨的萬物層次上，有屬於其自身的實質煩悶，一種無法實現自我的感覺，一種無法衡量的肉體上的痛苦和孤寂。

但是，在那高遠的天空，除了高遠，它還有什麼？除了本就不屬於它的色彩，天空中還有什麼？除了從夕陽反射來的一點點柔和的光線，在那些支離破碎的東西裡還有什麼？它們甚至不是雲彩（那些雲彩是否存在都值得我懷疑）。除了我自己，那裡還有什麼？啊，在那裡，僅僅是在那裡，還存在煩悶。這裡所有的一切——天空、大地和世界——除了我，一切都不存在！

382 煩悶是我的夥伴

我已達到這樣一種境界：煩悶變成一個人，一個被賦予肉身的虛構人物，一個屬於我的夥伴。

383 生活舞臺的演員

外面的世界就像是舞臺上的演員：你可以看到他，但不是真實的他，而是另外一人。

384 挫敗感

……一切是一場無藥可救的頑疾。

感覺的慵懶，永遠不知道如何處事的挫敗感，行動無力……

385 霧還是煙

霧還是煙？它是從地上升起，還是從天而降？這無法說得清：這更像是髒汙的空氣，而不是散發或下沉而來。有時候，它似乎不是一種自然界的現實，而是我們的眼睛出了問題。

無論它是什麼，整個景觀呈現出朦朦朧朧的不安寧氣氛，遺忘和衰敗則構造成了整個的不安寧。就好像瀆職的太陽，它的沉寂呈現出不完美的軀體，又像是某種普通的直覺，某些事情就要發生，可見的世界不得不用它掩飾自己。

很難說得清，天空中滿滿的是雲還是霧。它只是一種蟄伏的薄霧，處處染上顏色，顯出稍稍發黃的灰白，但也有例外，有的地方變成虛幻的粉紅，或定格在湛藍色，但這種藍是天空本來的顏色，而不是覆蓋於其上的另外一種藍。

一切沒有定數，即使是不確定也不是絕對的。這便是為什麼把霧稱作煙是自然而然的事情，因為它看起來不像霧，或者說問及是霧還是煙，很難下定論。因為即使空氣的溫度都能影響我們的判斷，產生疑問。它談不上熱或冷，或不熱不冷，不過，組成它的成分似乎和熱度毫無關係。事實上，霧看起來很涼爽，卻似乎給人溫熱的觸覺，彷彿視覺和觸覺是同一種感覺能力的兩種不同感覺方式。

在樹木輪廓或建築角落的周圍，我們甚至找不到真正的霧勾勒的模糊輪廓和邊緣，也沒有真正的煙若隱若現。就好像萬物在白晝之下向四面八方投射出朦朦朧朧的影子，沒有任何光源來解釋這些影子的出處，也沒有任何特定的場地用於投射這些影子，以證明它是可以被看得見的。

事實上，它本身也是模糊的：它不過像是某種快要現形的東西，和先前一樣徹底，就好像它在猶豫是否要現形一樣。

是什麼感覺占了上風？徹底沒有了感覺，心裂成碎片，所有感覺變得雜亂不堪，意識在恍惚中存在，某種類似於聽覺的能力在提升——卻是在靈魂裡，人們竭力理解總在若隱若現的天啟，看似明白，卻枉然一場，就像去理解真理，真理的另一面卻永遠不會現形。

我的思緒又回到了我的睡意上，但現在這睡意早已消失，因為僅僅是打呵欠似乎就費了不少功夫。哪怕不再觀看下去，我的雙眼也感到疼痛。整個靈魂已然游離，毫無生機，唯有外在、遙遠的聲音還在為不存在的世界留存。

啊，另一個世界，另一些事物，用另一個靈魂去感受這一切，用另一個心智去認識這個靈魂！任何事物，甚至煩悶——只要不是模糊不定的靈魂和事物，只要不是這略帶藍色、一切都被人遺棄的無窮無盡，就已足夠！

386 漫步在森林裡

我們沿著森林裡峰迴路轉的小徑向前走著，時而聚集，時而分開。他們的步伐與我們不同，我們踏著一致的步伐走在沙沙作響的柔軟落葉上，黃綠相間的樹葉散落在凹凸不平的地面上。但是，我們也會各行其道，因為我們想法不同，除了我們以同樣響亮的步伐踏在同樣的地面這個事實，再無相同之處。

秋天已經來臨，無論我們走到哪裡，或曾經走過哪裡，除了腳下的落葉，我們還能聽見風的狂野伴奏聲，伴隨著樹葉不斷飄落，或落葉的沙沙聲。眼前除了森林，別無其他景致，森林已將一切蒙上一層面紗。不過，對於我們這類人（我們唯一的生活方式就是時而步履凌亂、時而步伐一致地走在垂死的地面上），這是一個相當不錯的地方。我相信，這是一天的結束，是那一天或任何哪一天的結束，或是一切日子的結束，在這象徵性、真實的森林裡，一個秋天意味著所有秋天。

我們甚至不能說，我們可以把家庭、責任和愛情拋諸於後。在那一刻，我們不過是旅行者而已，徘徊於遺忘和未知之間，不過是個步行的騎士，守衛一個被遺棄的理想。但是，隨著不斷被踐踏的落葉聲，和永遠狂野、飄搖、無常的風聲，我們離別或返途的原因得到了詮釋。因為不知道路在何處，或者，為什麼，我們不知道應當離去還是留下。我們周圍的落葉聲用哀傷將森林安撫入眠，而我們並不知道這些葉子落在哪裡，我們看不到它們。

儘管我們從未注意彼此，但我們也從未打算繼續獨處。我們以彼此為伴，雙方都感到倦意綿綿。我們的腳步聲如此一致，我們甚至都忘了彼此的存在。然而，我們各自孤獨的腳步聲又使我們記起對方的存在。森林是一片虛幻的空地，就好像森林本身並不真實，或者是一場結局，但無論森林還是虛幻，都不會結束。我們繼續踏著一致的步伐，在樹葉的踐踏聲周圍，我們聽見，森林裡響起非常柔和的落葉聲，這便是一切。在森林裡，這便是宇宙。

我們是誰？我們是兩個人，還是一個人的兩種形式？我們不知道，也不能問。薄霧朦朧的太陽或許依然存在，因為森林的夜晚並未到來。模糊不清的目標或許依然存在，因為我們仍在繼續行走。某個世界或另一個世界或許依然存在，因為森林依然存在。但無論它是什麼，或者可能是什麼，都和我們不同，兩個永遠在行走的步行者踏著一致的步伐，對於落葉來說，他們沒有什麼區別，也不是什麼傾聽者。什麼也沒有。時而刺耳、時而溫和的神祕風聲低鳴著，時而響亮、時而柔和的落葉沙沙聲，一個痕跡，一個疑惑，一個目標在消逝。一個從未存在的幻覺——森林、兩個步行者，還有我，不確定哪個人是我，或者說兩個人都是我，或者都不是，還未看到結局，我便見到除了秋天、森林、總是飄搖不定的狂野風聲，以及已經飄落或正在飄落的樹葉，什麼也不曾存在的悲劇。一直以來，我們可以清楚地看見——無處存在——喧囂而又寂靜的森林裡，彷彿太陽就在那裡，一天就要結束。

387

頹廢者

我猜想，我就是被他們稱作頹廢者的那類人，表面上，這類人的精神被定義為閃著憂鬱光芒的虛偽怪癖，用一些不尋常的詞彙來體現一個焦慮、巧妙的靈魂。是的，我想這就是我，我很荒謬。這便是為什麼以一個古典作家的精神，我至少嘗試為我裝飾性的替代靈魂，置入一個生動的數學運算。

當我在某種程度上陷入寫作構思時，我就會忘記我到底在專注於什麼——我是在試著描述如同神祕掛毯畫的散亂感覺，還是當我試著描述這種描述行為時，我用心斟酌了語句，卻被這些語句吸引，於是分心，使我看到了其他事物。由各種想法、想像和詞語構成的、清晰可見的自由聯想困擾著我，我說出來的想像中自己的感覺和我的真實感覺一樣多。我無法區分來自靈魂的啟發和源自想像並從靈魂跌落在地的果實。我也不知道，是否那些不和諧之音或偶然出現的措詞節律，可能不會從已經模糊不清的觀點和深藏的感覺裡轉移我的注意力，從而使我不去想，也不去說，就像為了散心而進行的長途旅行。所有這一切正如我所說，激起一種徒勞、失敗和痛苦的感覺，只給我插上金色的翅膀。當我開始談論我的想像時，那些想像便開始在我腦海中滋生，雖然我應該避免濫用。當我抽身拒絕那些我沒有感覺到的事物，我開始有種特別的感覺，甚至我的拒絕也被粉飾修剪了一番。當我想使自己沉湎於思考中，不再努力，一個溫和的短語，或者一個清晰而具體的形容詞突然像陽光照過一樣，使我豁然開朗，清楚地看見出現在眼前的隱匿紙頁，我執筆寫下的字母就像荒謬地圖上的神奇符號。

像對待我的筆一樣，我把自己擱置一邊，將自己裹進微微傾斜流動的海角裡，遙遠的，中間的，順從的，像一個溺水的漂流者看見不可思議的島嶼，被同樣紫色的海水吞沒，他在遙遠的床上如此真實地夢見這一切。

388 文字

讓我們賦予感覺純文學的接受能力，讓我們為了將情感轉變成可見的物質，不惜俯首，成為雕像，鐫上流暢且熠熠發光的文字。

389 冷漠的創造者

我想用「冷漠的創造者」當作我今天精神的座右銘。我希望生活中的活動首先能包括：教導別人越來越不注重自己的感覺，同時又要遵守集體主義的動態原則。教導人們精神的防腐法，防止他們被共性和粗俗感染，我渴望成為內在規律的教導者，這是我所能想像得到的最高命運。如果我的讀者能夠達到——當然是漸漸達到我的研究主題要求——對他人的觀點，甚至是目光，都毫不敏感，這便足以編成花環，彌補我生命的學術停滯不前的缺憾。

從形而上的病因來說，我的缺乏行動力已經成為了一種疾病。我總是覺得，做任何動作都意味著對外在世界的干擾和回饋；我總有這麼一種印象，或許我的任何一個舉動都會攪得地動天搖，星辰不安。因此，哪怕最細微的一個動作都很快地使我有一種抽象的、令人吃驚的重要性。我形成一種對待一切行動皆至誠的態度，自從這種態度在我的意識中固定下來，我便不再和有形世界產生任何強力的聯繫。

390 迷信的藝術

找到迷信的方法仍是一門藝術，這門藝術能使一個高尚的人變得完美，與眾不同。

391 自我欺騙的方式

自從我利用閒暇時刻觀察和思索，我便注意到人們並不贊同或瞭解生活中什麼是真正重要的，什麼是真正有用的。最為嚴謹的科學是數學，數學有其自身的一套法則和定律；當它應用到實際，是的，它能夠用來解釋其他科學，但它只能闡明已經被發現的事物——它不能應用在發現事物的過程。在其他科學中，唯一確鑿、公認的事實就是，它們和生活的最高目的無關緊要。物理學知道鐵的膨脹係數，但它不知道組成世界的真正結構。我們越瞭解想知道的事物，就越落後於我們已經知道的事物。形而上學似乎是最高指導，因為它關注的是終極真相和生活的最高目的，但它甚至不是一門科學理論，而只是一堆磚塊，這樣或那樣的雙手將它們砌成笨拙的房子，卻沒用灰泥把磚塊黏合在一起。

我還注意到人和動物的唯一區別在於欺騙自己的方式，以及對生活的無知狀態。動物不知道牠們在做什麼：牠們出生，牠們長大，牠們生生死死，沒有思想、反思或真正的未來。人活著和動物有多大的區別？我們都會睡覺，但唯一的不同之處在於我們會作夢，在於我們作夢的層次和品質。或許死亡會喚醒我們，但我們也無法確定，除非透過信仰（因為信仰就是擁有）、希望（因為希望就是占有），或寬容（因為給予就是獲得）。

在這寒冷而憂傷的冬日午後，下雨了，就好像雨一直沒有停過，自從這個世界誕生以來一直這麼下著，毫無變化。下雨了，我的感覺就像被雨水沖刷成一團，我垂下遲鈍的目光，凝視著地面，那裡雨水橫流，什麼也沒灌溉，什麼也沒沖刷，什麼也沒振作。下雨了，我突然有一種沉重感，彷彿自己是一種動物，我也不知道那是什麼動物，我夢見牠的思想和情感，退縮到一個空間，就像躲進一間茅舍，因從永恆的真理那裡獲取一點點熱度而心滿意足。

392 存在即拒絕

「人們」就是尋常之人。

人們從來不是人道主義者。被稱為「人們」的這些傢伙最大特徵是就是對其本身利益的狹隘關注，以及——盡己所能——對他人利益的小心排斥。

當人們失去傳統之際，也就意味著這個社會紐帶被切斷了；而當這個社會紐帶被切斷之際，那麼人們與不像他們的少數之間紐帶也被割裂了。少數和沉迷於死亡藝術及真正科學之人之間的社會紐帶也出現斷裂，主要媒介的存在是文明的依託之物，這種斷裂意味著這種媒介的終結。

存在即拒絕。今日的我是什麼樣子，今日的生活是什麼樣子，拒絕何人以及昨日之我是什麼樣子？存在即反駁自身。最能象徵生活的，莫過於那些新聞：報紙昨天還在這些新聞預測今日之事，可今日發生之事與那些新聞的預測完全矛盾。

想要意味著無力實現。人想要他得不到的東西，只有到了他有能力得到時情況才會改變。想要的人永遠不能得到，因為在想要的過程中他迷失了自我。這些對我而言似乎堪稱基本原則。

393

聲音

……正如我們為之奮鬥的目標那樣卑劣，我們選擇的那些目標已經失去。

即使不是全部，也有大多數人都過著卑劣的生活：卑劣存在於生活的所有快樂之中，卑劣存在於生活的所有痛苦之中，除了那些與死亡打交道的人，因為神祕在這些之中扮演了一個角色。

透過我漫不經心的過濾，我聽到了液體流動的聲音，那分散的聲響升起，一如從外面傳來斷續的流動波濤之聲，彷彿來自另一個世界：小販兜售蔬菜此類天然之物，以及彩券這類社會之物的吆喝聲；手推車和貨車向前急衝奔去，輪胎發出洪亮的刮擦聲；汽車轉向時的噪音比引擎還要大聲；人們從窗戶裡抖動衣服的聲響；一個小男孩在吹口哨；樓上傳來的嬉笑聲；一輛電車在街道上駛過，傳出了金屬噪音；十字路口傳出了嘈雜聲；大聲，小聲，寂靜無聲，全部混雜在一起；往來車輛的轟隆聲斷斷續續；腳步聲；人們開始說話，聊天中，結束對話——我在睡夢裡思考，所有這一切對我而言，就像一塊石頭從它不屬於的草叢裡飛了出來。

接著，透過我租屋的牆壁，一股日常住家的聲音傳來：腳步聲，碗碟碰撞的聲音，掃把掃地的聲音，被打斷的歌聲（法朵？87），昨夜陽臺上的集會，因為某個東西從餐桌掉下來而引發怒火，有人想要櫥櫃頂上的香菸——所有這些都是現實，這些會抑制性欲的現實在我的想像力中不占有一絲分量。

年輕女僕的腳步輕緩，我想像她的拖鞋有紅黑色的編織，因為我如此想像，拖鞋的聲音便呈現出某種紅色編織物的特質；那家的兒子穿著靴子，發出響亮的腳步聲，他出了門，大喊著再見，門砰一聲關上，阻斷了那隨之而來的一聲「再見」；一片死寂，彷彿四樓的世界終結了；碗碟被拿到廚房清洗；水嘩嘩流著；「我有告訴過你」……寂靜從河上吹響了哨子。

但我迷迷糊糊，打瞌睡有助於消化。在共同感覺之間，我有的是時間。如果現在有人問我，對於這短暫的生命，我最需要的是什麼，我覺得最好的莫過於這些長而緩的時間，不思考，沒有感情，不行動，幾乎不存在感覺，以及內心欲望的消散與衰落，這樣想非常特別。隨後，在幾乎沒有思考的情形下，我忽然意識到即使不是全部，也有大多數人都如此生活，感覺更強烈，抑或感覺更微小，向前邁進，抑或止步不前，可對終極目標同樣目不關心，同樣放棄他們的個人目標，過著同樣無力的生活。每當我看見一隻貓躺著曬太陽，我就會想到人類。每當我看到有人睡覺，我就會記起萬事萬物都處於休眠狀態。每當有人告訴我他作夢了，我都想知道他是否意識到，除了作夢，他根本沒做過其他事情。街上的動靜更大了，彷彿門開了，門鈴響了。

什麼都沒有，門立刻關上了。腳步聲消失在走廊盡頭。洗過的盤子揚聲，傳出了一曲水流和瓷器的交響曲。[……]一輛卡車駛過，公寓的背面開始震動，萬事萬物走向終結，於是我停下思考，站起來。

394 另一種夢幻

我隨意推理，正如我隨意作夢，因為推理正是另一種夢幻。

啊，美好日子裡的王子，我曾是你的王妃，我們用另一種愛，互相愛戀，那段記憶令我悲傷不已。

395 星象

輕柔與空靈的時間就如同給祈禱者的聖壇。根據星象，我們的會面會如何發展，肯定是在吉利的合相——如此微妙，如此高雅，我們瞥見夢裡的模糊物質和我們的感情意識交織在一起。我們有一個苦澀的信念，即生活不值得我們留戀，這個信仰早已不復存在，一如又一個夏天。春天重生了，我們現在可以想像（雖然有些令人失望）這個春天屬於我們。林間的池子與人類極為相似，這一點頗為恥辱，這些池子也會感覺悔恨，周圍的玫瑰長在沒有陰影的

87 法朵（fado）是一種哀愁的葡萄牙傳統民謠，也稱為「命運」（fate）。

花壇裡，還有不確定的生活旋律——這些都無須負責。

沒有必要去辨別或預見。整個未來都是圍繞在我們周圍的迷霧，而當明天我們瞥見之際，會發現明天與今天沒有不同。我的命運就是小丑，篷車被甩在後面，沒有哪裡的月光會比灑在寬敞公路上的月光更美好，除去風的吹拂，葉子不會顫抖，那一刻，不確定性產生了，我們有一個信念，即它們都在抖動。遠處的紫紅色，轉瞬即逝的影子，不完整的夢境，不要寄望死亡能使夢境完整，正在下山的太陽散發出的光線，山上那棟房子裡的燈光，極度痛苦的夜晚，這些書之間死亡的香氛，孤零零的、外界的生活，在蒼茫的夜裡樹木散發著綠色氣味，此處的星星要比山那邊的星星更多……你的痛苦組成了莊嚴和仁慈的聯盟；你把不多的話語莊嚴地獻給那段航程，沒有船返回，甚至沒有真正的船，生命的煙霧讓萬事萬物都褪去了輪廓，只剩下陰影和骨架，從遠處透過大門看著黃楊木間怪異池子裡的苦水讓人想起了華鐸[88]，令人痛苦，不再重複。千年的時光只是為了讓你到來，可這條路沒有轉彎，所以你永遠不會到達。高腳杯是為了裝那注定的毒藥而保留——不是你的毒藥，而是我們所有人生活中的毒藥，甚至是路燈，隱蔽處和裂縫處，我們只能聽到無力的翅膀，與此同時，在這個不安且令人窒息的夜裡，我們的思想慢慢地浮現，穿過焦慮……黃色，黑綠色，可愛的藍色：一切都已死亡，我神聖的保母，一切都已死亡，所有的船都從未起航！為我祈禱吧，或許上帝即將存在，因為在我看來你就是在向上帝祈禱。遠處的噴泉發出輕柔的啪嗒聲，生活裡充滿了不確定，村莊裡的煙霧漸漸消散於無形，在那裡夜幕降臨，我的記憶是如此朦朧，那條河是如此遙遠……允許我將入眠，允許我將忘記自己，形象朦朧的女士，媽媽的愛和祝福，與他們自身的存在極不相稱……

396 無數個我

最後的雨滴落到地上，天空變得清明，大地成了一面潮濕的鏡子，清澈得閃閃發亮的生活，帶著蔚藍天空和清新雨水興高采烈地回歸，來到我們靈魂中屬於它自己的天空，我們的心生機勃勃。

無論我們喜歡與否，我們是此刻以及它的形狀、色彩的僕人，我們是天空和大地的臣民。甚至那些只關注自己，鄙視周遭的人，也會在下雨和雨過天晴時注意不同的道路。或許只在抽象的感覺深處覺察到模糊不清的變化，因為下雨或雨停而出現。它們不需要我們感覺就可被感知，因為我們感覺不到的天氣能讓自身被感知。

我們每一個人都是好幾個，是一些，是極大數量的自我。所以，那個鄙視環境的自我，不同於那個在環境中受苦或自得其樂的自我。我們的存在是一塊遼闊的殖民地，有不同種類的人以不同的方式思考和感知。此刻，抽空匆忙記下這些感想，這是可以原諒的，因為今天工作不是很多。是我，正聚精會神地寫下這些；是我，慶幸自己現在不必工作；是我，看到室內是看不到的、外面的天空；是我在思考一切；是我感到自己的身體很滿足，但雙手還是有點冰冷。那些不知彼此的靈魂投射到我的整個世界，就像一個混雜但緊密的群體，像一個統一的影子——我負責記帳的身體平靜地向柏格斯高高的辦公桌靠過去，拿回了他借我的吸墨紙。

88 尚－安東尼・華鐸（Jean — Antoine Watteau，一六八四～一七二一年），法國洛可可時代的代表畫家。

397 童心不再

黎明破曉時，城市裡斑駁陸離的光影（或者說那些或明或暗的光線）灑落在建築物之間。照亮清晨的似乎不是太陽，而是城市本身，光照似乎從牆垣和屋頂中射出——在物理上當然並非如此，而是因為牆垣和屋頂碰巧就在光源之處。

我的所見所感使我感受到一種莫大的希望，但我知道這只是文學意義上的希望。清晨、春天和希望——表達美好意願的音樂用旋律將它們聯繫在一起；表達同樣意願的靈魂用同樣的回憶將它們聯繫在一起。不：如果我像觀察城市一樣觀察自己，我會發現只能去期待一天的結束，就像一切日子的結束。理性同樣看見了黎明。無論我對這一天抱著什麼希望，那個希望都不屬於我，它只屬於那些為打發時間而活的人，在某一刻，我碰巧會把他們的外在理解方式表現出來。

希望？我為什麼而心存希望？白天唯一許諾的就是白天的存在，我知道這一天要持續一段時間，並且會有一個終點。光亮使人振作，但無法改變我，因為我終將以同一個人離開——只不過漸漸老去，帶著快樂或更快樂的感覺，悲傷或更悲傷的思想。當某樣事物誕生時，我們可以認為它出生了，也可以認為它即將死去。此時，在燦爛的陽光下，城市的景象如同一片充滿建築物的曠野——自然，開闊又和諧。但即使看見這一切，我能夠忘記我的存在嗎？我對城市的意識，究其核心，就是我對自己的意識。

我突然想起，我看見了兒時看見過、如今卻看不見的城市黎明。當時，黎明為生活而非為我破曉，因為當時我就是生活，只是我沒有意識到。我看見破曉時，感覺很快樂。今天，我又看見破曉，感覺到快樂，但變得悲傷。孩子還是那個孩子，卻變得沉默。我用曾經的方式去看，但在我的雙眼之後，我看到自己注視著黎明，這足以使太陽黯淡，使綠樹變老，使鮮花還未開放就已枯萎。是的，我曾經屬於這裡；但今天，站在這些風景面前，無論它們多麼清新，我不過是一個外來者，一個訪客，一個朝聖者，我是一個局外人，我的所見所聞對我來說都已太陳舊。

我已看見過一切，甚至包括那些從未見過或再也看不見的事物。甚至關於未來風景的回憶也在我的血液中流淌，不得不再次見到那些風景所帶來的焦慮對我來說已變得單調乏味。

我倚窗而站，在暖暖日光下凝視著整座城市的千姿百態，心中只泛起一個念頭——我深深地渴望死去，渴望結束，渴望不再見到照耀這座城市或任何城市的陽光，不再思考和感覺，忘掉時光的流逝和太陽的存在，就像忘掉一張包裝紙，脫掉沉重的大衣——放在寬大的床邊——一種存在的無意識努力。

398
我渴望命運的眷顧

我從直覺上肯定，對我這樣的人來說，在任何現實環境都不會順遂，在任何情況都不會產生有利結果。如果我有好理由從生活撤退，那麼這就是另外一個理由。這些事件的過程讓一般人必定會獲得成功，在我身上卻會出現意料之外的不良反應。

有時候，這樣的觀察會讓我產生一種痛苦的印象和神聖的敵意。似乎唯有藉由對事件有意識的操縱，從而使這些事件對我產生消極影響，才能讓一連串定義我生活的災難發生。

這一切導致的結果就是我從不付出太多努力。如果我願意的話，讓幸運眷顧我吧。我非常清楚，我付出最大的努力，卻不會獲得別人付出努力後得到的結果。這就是我向幸運投降的原因，而且我不會希望從它那裡得到什麼。我應該期待什麼呢？

我的禁欲主義是作為生物的必需品；我需要保護我自己，抵禦生活。因為禁欲主義畢竟是享樂主義的嚴格形式，我嘗試從我的不幸中尋求一些樂趣。我不知道自己能夠達到什麼程度。我不知道在所有的事情上我能得到什麼程度的樂趣。我不知道任何事物可以在多大程度上給人快樂。

當另外一個人與其說是因為他的努力而成功，倒不如說是因為與環境有關的必然而成功，但不論是因為必然還是因為努力，我都不會也不能成功。

精神上地說，我似乎生在一個短暫的冬日。夜色早早地籠罩在我的身體之上。我唯一的生存之道就是身處沮喪和憂傷之中。

所有這一切沒有一點符合禁欲主義。只是在口頭上，我的痛苦是高貴的。我像個生病的女僕一樣怨天怨地。我像個家庭主婦一樣煩躁。我的生活是徹底的微不足道，充滿了徹底的憂傷。

399 踟躕

我對生活的要求，也正是第歐根尼[89]對亞歷山大的要求：不要擋住我的陽光。有些東西是我想要的，但我沒有任何理由渴望得到它們。至於我所發現的東西，在真實生活中發現或許會更好。作夢……

我出門散步時醞釀出來的完美措詞，一回到家就會全部遺忘。我不確定這些措詞絕妙的韻文是否還是原來的模樣（我已遺忘），或者終究有部分不屬於它們。

我對一切事情都踟躕不定，自己也常常不知道為什麼。我常常尋找——正如我有我這個版本的直線，在我的心裡，我把它當作理想的直線——兩點之間最長的距離。我總是無法過一種積極的生活。我總會走出錯誤的一步，別人則不會；在別人看來順理成章的事情，我做起來總是費力傷神。我渴望做到的事情是別人無意中就能實現的。在我和生活之間，總是隔著磨砂玻璃，我無法透過視覺或觸覺弄清楚那頭是什麼；我無法去過那樣的生活或活在那樣的空間。我是我渴望成為的白日夢。我的白日夢按照我的願望開始：我的目標就是寫出第一篇美文，而我從未實現。

89　第歐根尼（Diogenes），西元前四世紀的古希臘哲學家。普魯塔克（Plutarch）記載，當亞歷山大大帝宣布成為希臘人的將軍時，除了錫諾普的第歐根尼（Diogenes）之外，大家都來祝賀。亞歷山大大帝帶著隨從前往，發現第歐根尼躺在陽光下。他分散了眾人的喧囂，抬頭看著亞歷山大大帝；亞歷山大大帝問他想要什麼。「是的，」這位哲學家答道，「我希望你站遠一點，別擋住我的陽光。」亞歷山大大帝對這個回答印象深刻，後來他說：「我若不是亞歷山大，我願是第歐根尼。」

我永遠也不知道，是否對於我的智性來說，我有著太多的感覺，或者說對於我的感覺來說，我有著太多的智性。我總是反應太遲，我不確定影響它的是前者還是後者，或者，兩者都是，或者，還有第三種影響反應的事物。

～～～～～～

理想（？）的夢想家——社會主義者、利他主義者和無論屬於哪一類的人道主義者——都使我感覺腸胃不適。他們是沒有理想的理想主義者，沒有思想的思想家。他們被生活的表面蠱惑，因為他們的命運就是去愛漂浮在水面上的垃圾，他們認為它們很美麗，因為四處散落的貝殼也漂浮在水面上。

400 廉價香菸

閉上眼睛，抽一根昂貴的雪茄——變得富有就是這麼簡單。

就像某個人重訪舊時故居一樣，吸一根廉價香菸，我就能完全回到——心靈和靈魂——昔日曾經抽這種香菸的時光。透過淡淡的菸味，昔日的全部生活都回來了。

而有的時候，某一種糖果也是如此。一小塊巧克力就能激起我的無限回憶，挑動我的神經。童年！當我的牙齒咬入柔軟的黑色糖塊，我咀嚼和品味著卑微的歡樂，就像我的小錫兵有了快樂的玩伴，就像揮鞭的騎士恰好遇見自己的馬。我熱淚盈眶，從巧克力的滋味中品嘗到昔日的歡樂和遺失多年的童年，我從悲傷中貪婪吸食甜蜜。

儘管這種品嘗儀式很簡單，但它或許和任何儀式一樣莊嚴。不過，在精神層面上，這枝香菸以最微妙的方式重建了我的昔日時光。由於它正好觸動了我的味覺意識，它透過一種移位，喚回那段我以一種更為普通的方式死去的時刻；它使那段遙遠的回憶變得近在咫尺，回憶像薄霧籠罩著我，當我想具體表達出來時，它們變得更虛無縹緲。一根薄荷香菸或一根廉價雪茄將昔日的某段時光裹進甜蜜的柔軟。靠著微妙的似有似無——滋味混合著味道和氣息——我重建了已逝的舞臺布景，重新用昔日的色彩粉刷，它總是像十八世紀一樣乏味、邪惡和遙遠，亦總是像中世紀一樣無可挽回地迷失！

401 痛苦與忘卻的華麗盛會

把恥辱提升為光榮，我為自己舉辦了一場痛苦與忘卻的華麗盛會。我沒有為痛苦作詩，但我用它安排了一列送葬隊伍。我在朝自己而開的窗戶前，懷著敬畏之心凝視著深紅的晚霞和無端悲傷的稀疏薄暮，危機、重負和天生不適合生存的種種失敗毫無目標地行軍走過。童心未泯的我仍在觀看，興致勃勃地向為我而設的舞臺上馬戲團揮手。他被那些只在馬戲團表演的小丑逗笑；他的目光停留在那些特技演員和雜耍藝人身上，就好像他們便是生活的全部內容。於是，一個瀕臨爆發的人類靈魂中一切未知的悲痛，一個被上帝遺棄的心靈中一切無藥可救的絕望，都沉入天真孩童的睡眠中，沒有喜悅卻心滿意足，在我房間的四面牆上，牆上貼滿醜陋而剝離的壁紙。

我走在自己的悲傷裡，而不是走在大街上。道路兩側一排排的建築物是對我靈魂的不解……我的腳步響徹人行道，像敲響荒謬的喪鐘，是黑夜裡可怕的噪音，結局像一張收據或一座墳墓。

我抽身後退離開自己，看見我是一口井的井底！

從來不是我的那個人已死。上帝忘了我本應該是誰。我只是一段空白的插曲。

如果我是一個音樂家，我會為自己寫葬禮進行曲，我有著相當充足的理由！

402 頑石或塵埃

轉世成為一顆頑石，或一粒塵埃——帶著這份渴望，我的靈魂淚如雨下。

我失去了對萬事萬物的味覺，甚至連分辨枯燥無味之物的味覺都消失了。

403 傷逝

我並不是說我能看穿一切……生活重壓於我……任何情感對我來說都太過沉重……唯有上帝知我心……來自過去的送葬隊伍是什麼樣子，引起了被遺忘的輝煌與煩悶，撫育我的鄉愁？是什麼樣的華蓋？什麼樣的星序？什麼樣的百合花？什麼樣的旗幟？又是什麼樣的彩繪玻璃櫥窗？

我們退位後沒有華蓋隨行，帶著最美好的幻想走在什麼樣的神祕林蔭小道上，逼真地想起世間的涓涓流水、杉柏樹和黃楊樹？

～～～～～～～

別出聲……你偶然出現太多次了……我情願不曾見到你……你何時才能只成為我的一段美好記憶？你要成為多少女子才能出現！而我常常以為，我在一座人跡罕至的舊橋上與你相逢……是的，這就是生活。其他人丟掉他們的船槳……軍團軍紀盡失……騎兵團帶著錚錚作響的長矛，踏著破曉的黎明離開……你的城堡靜靜的等待廢棄……沒有一絲風在山頂的樹上遺留……毫無用處的門廊，隱藏的銀器，靈驗的符號——這一切只屬於古代神廟裡被征服的薄暮，而不屬於我們此刻的相遇。因為除了你的手指和它們緩慢的手勢，菩提樹毫無理由為人遮蔭……

這一切更證明為那遙遠的疆域……彩繪玻璃上國王簽署的條約……宗教繪畫裡的百合花[90]……隨從在等候誰？……失落的鷹飛向了何處？

90 文藝復興時代，百合花是宗教繪畫不可缺少的題材。基督教視百合是為「聖母之花」和「天堂之花」，是復活節不可缺少的花飾；《聖經》記載百合是由夏娃流下的悲傷眼淚變成的。一些宗教題材的畫作，百合也象徵福音。

404 讓我們成為兩個國王

將世界纏繞在我們的手指上，像靠著窗邊作白日夢的婦女在指間纏繞線球或絲帶……一切追根究柢，不過是我們試著用這種並無害處的方式去感受單調而已。

同時成為兩個國王是有趣的：不是擁有同一個靈魂的兩個國王，而是擁有兩個不同、國王似的靈魂。

405 我們的生活方式

對大多數人而言，生活是他們幾乎注意不到的惱人小事，是一種摻雜著短暫愉悅的傷心事，就像一個守靈人講述奇聞軼事打發漫長而寂靜的夜，以履行他守靈的職責。我總是在想，將生活看作是眼淚之谷是毫無意義的；是的，生活是眼淚之谷，但我們很少去那哭泣。海涅說，大悲無言後我們通常也只是抽抽鼻子。作為猶太人，以及一般人，他瞭解人類的普遍本性。

如果我們對生活保持意識，那麼生活是難以忍受的。幸運的是，我們沒有這樣做。我們糊塗地活著，像動物一樣活得毫無意義和目的。如果我們預想死亡，而假定動物不會預想（儘管不確定是否如此），我們在各種令人分心的事物干擾下，藉由各種遺忘方式預想它，那麼我們很難說我們已考慮過此事。

這便是我們的生活方式，在這脆弱不堪的基礎上，我們認為自己比動物優越。我們與動物的區別純粹在於說與寫的外在細節，在於使我們脫離具體智慧的抽象智慧，在於我們想像不存在之物的能力。然而，這一切只是伴隨著我們的生物本質而存在。說和寫對我們的原始求生欲望並無作用，我們不知道如何去做，也不知道為什麼去做。我們的抽象智慧只對精密系統或準系統的思想有用，這對動物來說相當於牠們躺在太陽底下。想像不存在之物或許不是我們的專享；我曾見過貓凝視月亮，牠們很可能渴望得到月亮。

世界和生命的全部，是一個範圍廣泛的系統，透過個體意識去體現無意識。就像兩種氣體，在電流通過時就變成了一種液體。而兩種意識——來自我們的具體存在和抽象存在——在生命和世界通過時就變成了一種高等的無意識。

不思想的人是幸福的，因為他已憑著本能和生物天命完成了思想，而我們則必須經歷許多曲折，然後憑著無生命或社會天命才能完成。與動物最接近的人是幸福的，因為他毫不費力地活著，而我們則必須要透過努力工作才能活著；因為他知道回家的路，而我們只能穿過虛構的偏僻小道和霧濛濛的歸途才能回家；因為他像一棵生根發芽的樹，組成風景及其美麗的一部分，而我們只是在舞臺上跑龍套的角色，我們穿著現實的戲服，既無價值又受到忽視。

406 動物的快樂

我從來就不太相信動物會感到快樂，除非我想用這種說法強調某種特殊的感覺。人若想要快樂，必須知道自己是快樂的。我們從一夜無夢的睡眠中得到的快樂是當我們醒來時，意識到我們睡覺時沒有作夢。快樂在快樂之外。

無知便沒有快樂。但是知道快樂又會導致不快樂，因為要知道你快樂就得意識到你正在經歷一個快樂的時刻，而這個時刻很快就會結束。知道即扼殺，對快樂如此，對其他亦如此。另一方面來說，不知道，卻是不存在。

只有絕對的黑格爾能設法讓存在和不存在並存，但僅限於寫作。在生活的感覺和規則中，存在和不存在不能混合，也不能融合；它們因為互相轉化而排斥彼此。

怎麼辦？像孤立一個事物般孤立此刻，現在就開始快樂，此刻，我們感到快樂，不做他想，徹底排除萬物，只想我們此刻的感受。將所有的思想沉入我們的感官……

這是我今天下午的信仰，不是明天早上的信仰，因為明天早上我會是另一個人。明天我會變成有何信仰的人呢？我不知道；我得到明天才能知道。無論是今天還是明天，就連我今天的信仰，永恆的上帝，都不能知道我明天的一絲一毫。因為今天我是我，到了明天，很有可能這個「我」便從未存在過。

407 永遠的孩子

上帝把我造成孩子，並讓我一直當孩子。為何還要讓生活一再痛苦地打擊我？玩耍時，拿走我的玩具，留我孤零零一個人，用無力的雙手緊抓著浸滿淚水的藍色罩衫？若我沒有慈愛的關懷便不能生活，那為何還要將其和垃圾一起丟掉？啊，每當我看到一個孩子孤零零地站在街上哭泣，我疲憊心靈的震驚恐懼比孩子的悲傷還令我痛苦。我情感生命的每個毛孔都在傷心，是我的手轉著孩子的衣角，是我的嘴因為哭泣而扭曲，是我的脆弱，我的孤獨……路過的成年人的笑聲，像火柴劃出的火焰，照耀著我敏感細膩的心靈。

408 街頭歌手

他用輕柔的聲音唱著一首來自遙遠他鄉的歌曲。音樂使陌生的歌詞變得親切，聽起來就像來自靈魂的法朵，儘管歌聲和法朵毫無相似之處。

透過它隱晦的歌詞和人類的旋律，這首歌曲訴說著所有心靈裡無人知曉的事情。他渾然入迷，在街上陷入忘我，目光完全沒注意到他的聽眾。

人群彙集，傾聽著他的歌聲。絲毫不見有人嘲弄他。歌聲屬於每一個人，歌詞不時對我們訴說某些滅亡種族的東方祕密。城市裡的喧囂我們充耳不聞，小貨車從身邊擦身而過，其中一輛甚至擦過我的外套。我感覺到了，但沒有聽見。陌生人的歌聲裡透著一股令人入迷的力量，撫慰著我們心中的夢想或失敗。這是一起街頭事件，我們都注意到，警察慢條斯理地拐進街角。他同樣慢條斯理地靠近，然後在賣雨傘的男孩後面靜靜地站了一會，似乎發現了什麼。這時候，歌聲停了。沒有人說話。然後警察干涉了。

409 獨處

出於這樣或那樣的原因，我一個人待在辦公室裡。儘管我突然才發現如此，但我早已模模糊糊地感覺到了這一點。在我意識的某些角落，我感到一種莫大的安慰，和以往不同，肺能更自由地呼吸。

這是一種最為新奇的感覺，唯有偶遇和缺席這種偶然事件才會帶來這種感覺：發現我們獨自待在一個地方，而那裡平時總是嘈雜擁擠，或者屬於別人。我們突然會有一種完全占有的感覺，毫不費力地獲得巨大的統治權——正如我所說——有一種欣慰和寧靜而祥和的感覺。

完全獨處的感覺真是太好了！我們可以對自己大聲說話，到處走來走去而不用擔心眾目睽睽，可以沉浸在不被人打攪的幻想之中！所有房子都變成一片曠野，所有房間都變成開闊的田野。

司空見慣的聲音都變得陌生了，就好像它們屬於附近卻完全獨立的宇宙。我們終於成了國王。這也是我們所有人真正渴望實現的目標，我們之中大多數人比起裝滿假金子，更熱切渴望實現這種目標。在那一刻，我們是宇宙的食祿者，有著穩定的收入，活得無憂無慮。

啊，但是，樓梯裡響起上樓的腳步聲，我意識到有人來了，這個人將打破我樂在其中的孤獨。我的隱祕帝國就要被蠻夷入侵。我沒有聽出這是誰的腳步聲；也不曾記得聽過這個聲音。但直覺告訴我，腳步聲是朝我走來的，那個人上樓後，我正尋思是誰，便突然看見了他。是的，那是公司的一名職員。他停下來，門開了，他走進來。我看清楚他了。他進來時說道：「索亞雷斯先生，你一個人嗎？」我回答道：「是的，有好一會了……」接著，他脫下外套，目光停留在衣架上掛著的另一件舊外套，他說：「一個人待在這裡真是無聊透了，索亞雷斯先生，不僅如此……」「真的是無聊透了，毫無疑問。」我答道。「你是不是覺得快要睡著了，」他一邊說著，一邊穿上那件磨破了的外套，朝他的辦公桌走去。「的確如此。」我笑了笑，表示贊同。我拿起遺忘在一邊的鋼筆，重新回到毫無特色卻有益健康的正常生活。

410 整體與個人

只要可以，他們都會坐在鏡子前。和我們交談時，他們出神地望著鏡子裡的自己。有時候，就像墜入愛河的人，他們談話時總是心不在焉。他們一直喜歡我，因為我對自己成年外貌的厭惡使我一看見鏡子就會不假思索地轉過身。因此，他們對我很好，因為他們本能地意識到我是一個不錯的聽眾，我總是聽任他們炫耀自己，並且有個任他們講道的祭壇。

作為整體，他們不算太糟；作為個人，一些人變得更好，另一些人變得更糟。他們有著一個舉止平凡的觀察者不曾料想、溫順而慷慨的感覺，一般人難以想像、卑微而拘謹的姿態。悲哀、嫉妒和自欺欺人——這些形容就可以概括他們，在這種環境浸潤下的那些傑出人士，他們的工作中任何一部分內容都可以用同樣的形容來概括，他們碰巧陷入了困境。（在弗阿爾荷的作品裡，這闡釋了公然嫉妒、等級低下和缺乏優雅的粗劣的存在。）

一些人機智幽默，另一些人除了機智什麼也沒有，還有一些人根本就不存在。咖啡館裡人們表現的機智包括拿不在場的人開玩笑，還有嘲弄在場的人。這種機智在別處不過是一種粗俗的表現。除了以犧牲別人為代價，再也無法機智，與此相較，沒有更合適的證據來證明一個人已經江郎才盡了。

我經過了，我看見了——不像他們——我勝利了。因為我目睹了我的勝利。我看見，他們和其他低等的社會群體並無不同：在自己的租屋裡，我看見一個同樣卑劣的靈魂，咖啡館已將其顯現於我，但並沒有——謝天謝地——在巴黎一炮走紅的任何妄想。我的女房東夢想能有一間更新的房子，但她從不妄想出國，我的心受到了觸動。

從那時起，我在人類意志的墳墓裡消磨時間，我回憶起幾個有趣的笑話，不然就會覺得枯燥乏味。

他們朝著墓地走去，他們的過去似乎遺留在咖啡館，因為如今他們甚至從未提起過。……他們的後裔永遠不會瞭解他們，那些東西永遠被隱藏於那一堆他們在口頭爭論中贏得的腐敗旗幟中。

411 傲慢與虛榮

傲慢是在情感上對我們自身偉大的肯定。虛榮是別人看見了這種偉大或者認為這種偉大屬於我們的情感肯定。這兩種感覺不一定一樣，也並非彼此對立。它們彼此不同，但可以共存。

不帶有虛榮的傲慢，透過一種羞怯的行為表現出來。一個自我感覺偉大而又不確定別人是否認同他的人，在這種情況下，他會害怕和別人有不同的觀點。

不帶有傲慢的虛榮，這種情況很少見但會發生，透過一種大膽行為表現出來。一個確信別人對其有高度評價的人，他什麼也不會懼怕。沒有虛榮，肉體的勇氣和精神的勇氣也能存在，但膽量不能。我這裡所說的膽量是指積極的膽量。沒有肉體的勇氣或精神的勇氣，膽量也能存在，因為這些性格是在一種不同、無法比較的秩序。

412 悲傷的間奏（七）

我甚至沒有驕傲之處聊以自慰。縱然我有什麼可吹噓之處，值得羞愧的地方卻更多！

我常常躺著打發日子。我即使在夢裡也不想爬起來，我完全沒有任何努力的能力。形而上體系和心理學分析的創立者仍處在受難的初始階段。除了建構，系統化和分析還能做什麼？所有這一切——安排、整理、組織——除了透過努力，還能如何完成？這就是生活，可嘆可悲！

不，我不是一個悲觀主義者。能夠把自己的痛苦轉為一種普世原則的人是快樂的。我不知道世界是否淒慘或專制，我不關心這個，因為我對別人的苦難毫無興趣。只要他們不哭不呻吟（那樣使我厭煩，令我不快），我就懶得理會他們的苦難。我對他們就是這麼鄙夷。

我傾向於認為生活是半明半暗的。我不是一個悲觀主義者。我不會抱怨生活的淒慘；我只會抱怨自己生活的淒慘。我唯一焦慮的事實就是我活著要受苦，而且作夢也無法擺脫受苦的感覺。

悲觀主義者是快樂的作夢者。他們按自己的模式形塑世界，所以總能感到輕鬆自在。最令我悲痛的是世界歡樂的喧囂與我陰鬱乏味的緘默形成的懸殊。

對於珍惜生活的人來說，所有悲傷、恐懼和失望都是美好而幸福的事情，就像乘坐一輛破舊的驛站馬車去旅行，只要有個好的旅伴就夠了（就可以享受旅行）。

我甚至從自己的苦難中看不出什麼偉大的徵兆。我不知道事情是否如此。但我所受的苦難如此微不足道，傷害我的事情又是那麼平庸。假設——如果我有勇氣偉大——我的苦難中包含什麼偉大的徵兆，這對我可能是個天才的假設簡直是一種侮辱。

美麗落日的絢麗使我傷感於它的美。當我凝望夕陽時，總是在想：快樂的人看到它，該有多麼雀躍！

這本書是一首輓歌。完成之後，它將取代《孤獨》[91]成為葡萄牙文壇最感傷的書。

與我的痛苦相較，別人的痛苦似乎顯得不真實或微不足道。那些痛苦屬於快樂、珍惜或抱怨生活的人。我的痛苦屬於自我禁閉於生活之外的人……

在我和生活之間……

因此，我看見的一切事物都帶來痛苦，我感覺不到帶來歡樂的事物。我發現痛苦源自視覺而非感覺，而快樂源自感覺而非視覺。因為如果不看不想，他會獲得某種滿足，類似於神祕教派、波西米亞人和賤民的那種滿足。苦難要透過思想之門和觀察之窗才能進入我們的屋子。

413 為夢而生

讓我們活在夢境中，為夢而生，根據每一個夢境時刻的奇思妙想，心煩意亂地把宇宙拆除、重組。讓我們有意識地意識到這麼做毫無用處時這麼做。讓我們用身體的每一個毛孔來忽略生活，用我們所有的感情來偏離生活，用我們的整顆心來放棄愛。讓我們把搬到井邊的水罐裝滿沒用的沙子，然後倒出，然後接著裝沙子，倒出，重複這徒勞的行為。

讓我們編織花環，一旦編好，就可以把它們徹底而完全地拆開。

讓我們在調色板上把顏料混合在一起，卻不必鋪上帆布作畫。讓我們買石頭來雕鑿，卻不用鑿子也不成為雕刻家。讓我們把萬事萬物變得荒唐，把所有枯燥乏味的時間變成純粹的無價值之物。讓我們帶著生存的意識玩捉迷藏。

讓我們聆聽上帝向我們講解，我們存在，脣上掛著一抹快樂和懷疑的微笑。讓我們看著時間畫這個世界，然後我們發現那幅畫不僅虛假，而且空蕩。

讓我們帶著互相矛盾的語句思考，用那些不是聲音的聲音大聲說話，使用不是顏色的顏色。讓我們肯定——並理解什麼是不可能的——我們意識到我們根本沒有意識，我們根本不是現在的樣子。讓我們用隱藏且矛盾的意義來解釋這一切，即萬事萬物擁有它們神聖且反面的特徵，讓我們不要過於相信這個解釋，這樣我們就不必放棄了……

讓我們在無望的沉默中雕刻我們所有說話的夢想。讓我們把我們所有行動的思想在麻木

91 詩集《孤獨》的作者為葡萄牙最傑出的詩人之一安東尼奧．諾布雷（Antoine Nobre，一八六七～一九〇〇年）。

中凋萎。

除了這一切之外，生活的恐懼在遠處盤旋不去，正如一片完整的藍天。

414 夢到的景致

然而，我們夢到的景致只是我們曾經見過的景致的影子，而夢到這些風景，幾乎和在這個世界裡看到的一樣單調乏味。

415 想像中的人

相較於真正的人，想像出來的人更有深度，也更真實。

對我而言，我想像出來的世界是唯一真實的世界。對於我自己創造出來的人物，我的熱愛如此真實，如此充滿活力，如此熱血沸騰，如此生機盎然。如此瘋狂！我想念這份熱愛，因為和各種各樣的愛一樣，這份愛也會時隱時現……

416 與自己對話

有時候，在我想像出來的曼妙午後，在我想像中的客廳，趁著暮光，繼續令人疲憊的對話之際，我發現我的對話者不是別人，正是我，在討論的間歇裡，在我內心的對話中，我開始想知道為何我們科學時代的遺贈沒有擴展到人造物及無機物上。最令我無精打采考慮的問題之一，就是在人類和近似人類生物的普通心理學發展時，為何我們沒能發展出只存在於地毯和圖畫中的人造形象與物品的心理學（它們當然有心理活動）。這種對現實的看法令人悲痛，會將注意力局限在有機物的領域，而不會認為雕塑和刺繡品具有靈魂。有形的東西才有靈魂。

這種私人的深思熟慮並非無聊的消遣，而是一種科學上的刻苦鑽研，就和其他科學鑽研一樣。於是，在得到答案之前，在不知道能否得到答案之前，我思考如果有了答案會怎樣，帶著我在內心之中的分析以及高度的專注，我把這個已實現的目標可能結果設想了一番。我剛一開始這樣思考，科學家立刻就出現在我的腦海裡，彎腰駝背地看著那些他們知道確有生命的圖案；顯微鏡專家從地毯的經緯線中現身，物理學家從寬闊、旋轉的圖案邊緣出現，化學家從圖畫中的形狀和色彩構思中出現，地理學家從雕塑的不同層次中出現，最後，最重要的心理學家出現了，他負責一一記錄和分類一座雕塑的所覺所感，和畫中或彩色玻璃上的人物那朦朧靈魂裡閃現的想法、狂亂的衝動，放縱的激情，在這些領域內發現了被死亡和靜止標記的、偶爾出現的仇恨與同情——可以是在淺浮雕那永恆不變的姿態中發現，抑或是在畫中人物不朽的意識中發現。

在其他藝術之外，文學和音樂都是心理學家精妙之處的沃土。我們都知道，小說裡的人物都和我們一樣真實。某些聲音具有飛速的靈魂，可它們依舊容易受到心理和社會的影響。讓所有無知的人都知道：真正的社會存在於各種顏色、聲音和文字中，甚至是政體和革命、王權、政治和實際（並不是打比方）都存在於用樂器演奏的交響樂整體效果中，存在於有條理的整部小說中，存在於一幅一平方英尺的複雜圖畫中，那裡有戰士擺出各種各樣的姿勢，愛人或有象徵意義的人物發現快樂和痛苦交織在一起。

當我的一個日本茶杯破了，我想像著真正的原因不是女僕不小心的手，而是因為住在那個瓷器的彎曲部分的人物非常焦慮。它們自殺的這個殘酷決定並沒有令我感到震驚：它們利用女僕當自殺的工具，就像我們用槍一樣。知道這一點（我非常正確地知道這一點）就已經超越了現代科學。

417

讀書

我知道讀書的樂趣是無與倫比的，而我很少讀書。書籍是夢境的介紹，而對於可以自由且自然地與夢境對話之人，則無須介紹。我從不曾在書中迷失自己；在我閱讀之際，我的智慧和想像力的評論往往會成為流暢敘事的阻礙。幾分鐘後，我便開始寫作，而我所寫的根本無從發現。

我最喜歡讀乏味的書，這些書就放在我的床邊，與我一同安睡。我常帶在身邊的兩本書：菲格雷多神父[92]的《修辭學》和弗萊雷神父[93]的《葡萄牙語的反思》。我經常快樂地重讀這些書，當我確實讀了很多遍時，我也確實沒有直接讀過這些書。我欠這些書一條規則，而我懷疑憑我一己之力根本做不到：以客觀性寫作，以理性寫作，那是人們始終的嚮導。

菲格雷多神父的寫作風格感人、直截了當、簡樸，這即是一條行為準則，讓我的智慧充滿喜悅。弗萊雷神父總是寫些不遵守紀律的長文，讓我的心愉悅，而不致疲倦，給我啟迪，而不致引發任何恐懼。他們兩人既博學，心無憂慮，由此可以確認，我完完全全不渴望喜歡他們，或者喜歡其他任何人。

我閱讀自身，放棄自身，並非因為閱讀，而是因為我自身的緣故。我閱讀，睡覺，彷彿我那雙已經開始作夢的眼睛依舊在看菲格雷多神父對修辭手法的描述，而在魔法森林中，我聽到弗萊雷神父在解釋，人們應該說「馬格達萊納[94]」，只有愚昧的人才會說「馬達萊納」。

418 憎恨讀書

我憎恨閱讀。僅僅想到那些陌生的書頁就令我厭煩不已。我只能閱讀我熟識的文字。擺

92 菲格雷多神父（Antonio Cardoso Borges de Figueiredo，一七九八～一八七八年），他寫了一些在學校使用的教學書。佩索亞生前的個人藏書裡有一本本菲格雷多神父《修辭學》的老舊副本，在扉頁和幾首詩上有加注。

93 弗萊雷神父（Francisco José Freire，一七一九～一七七三年），以筆名坎迪多．盧薩蒂諾（Cândido Lusitano）聞名，是有影響力的葡萄牙文學院「阿卡迪亞」（Arcadia）的創始者。

94 馬格達萊納省（Magdalena）是位於哥倫比亞北部加勒比海沿岸的一個省。該地名的拼音 g 若不發音的話，就成為「馬達萊納」（Madalena）。

在我床邊的書是菲格雷多神父的《修辭學》，每天晚上，我都會在床邊再次閱讀這本書，而我已經讀了千百遍，這本書使用的葡萄牙文非常準確，而且很有神職人員的風格，寫到了各種修辭手法，這些修辭手法的名稱我到現在都沒學會。可書裡的文字令我獲得平靜……我時睡時醒，因為我遺漏了有 c 字母的耶穌會用字[95]。

然而，我必須相信菲格雷多神父書中誇張的語言純正主義，因為我借鑑了這本書裡的謹慎風格——盡我可能搜集更多，以便恰當寫下可以表達自我的文字……

我讀到了這些文字：

（菲格雷多神父書中的一句話）

浮華，空虛（？）以及冰冷，

這幫助我忘記生活。

抑或這些文字：

（關於修辭方法的一段描述）

在前言部分得到了再現。

我並沒有誇張那一點點言詞：我感覺到了這一切。

和別人閱讀《聖經》的章節一樣，我閱讀《修辭學》的章節。不過我有兩個優勢：徹底的安詳和缺乏忠誠。

419 瑣事

日常生活的瑣事像灰塵，用醜陋而骯髒的跡象，襯出我可恥墮落的人類存在：帳本攤在眼前，眼睛卻在作著無數東方的夢；辦公室主任無傷大雅的笑話冒犯了整個宇宙；當我認真思考關於美學和思維的理論最純潔的部分時，瓦斯科先生的女友，某某小姐打來電話，請他回電話。

還有某人的朋友，一群不錯的小夥子，的確是很不錯的小夥子，很好相處，也很好說話，可以與他們一起吃午飯，吃晚飯，但是，不知為何，我感覺這一切很骯髒與可悲，而且毫無意義，因為即使上街，我們也還是待在布料倉庫裡，即使到海外，我們仍然坐在帳本前，即使身處無窮之境，我們也還有老闆。

每個人都有個說著不合時宜笑話的辦公室主任，每個人都有個游離在正常宇宙之外的靈魂。每個人都有個老闆和老闆的女友，還會在很不方便的時間接到非接不可的電話——夜幕優雅地降臨，女友們客氣地道歉（？）或給她們的情人留下訊息，但這個我們都熟知的人早已外出去喝昂貴的茶。

每個作夢的人——即使他們不是在里斯本鬧區的辦公室趴在布料倉庫的帳本上作夢——在帳本之前，可能會娶一個妻子，或者是繼承對將來的管理，或者是可能存在的任何東西。

95 菲格雷多神父的《修辭學》裡沒有特別列出了C的目錄。佩索亞認為這無疑是因為耶穌會的拼字方法，反映了十八世紀的慣例，C字母在很多字裡消失了（因為它不發音），或被S和SS所取代。

我們這些作夢和思考的人，都是這個或那個鬧區的布料倉庫或其他商業的助理會計。我們輸入數額，又丟失它們；我們加總然後繼續工作，我們闔上帳本，那看不見的平衡一直和我們對抗。

我寫的這些話讓我笑了，但是我的心卻快碎了——像東西被摔成碎片一樣，殘渣遍地，裝在箱子裡不知被誰扛到了每一個市議會永遠存在的垃圾車裡。

一切都在等待，盛裝打扮，充滿期待，等著將要到來和已經到來的國王，等著他的隨從踏起塵埃，在慢慢出現的東方再次形成一陣薄霧，等著遠處早已隨他們的黎明風馳電掣而去的騎士。

420 喪禮進行曲

來自各種神祕宗教的神職人員在走廊上一字排開，等候著你。還有手持長矛的金髮男孩，拔劍出鞘、刀光閃閃的年輕人，明晃晃的頭盔和銅器，還有絲綢和黃金的幽光。人的想像力感染一切，使送葬隊伍氣氛陰鬱的哀傷之感，凱旋的沉重之感，虛無的神祕主義，絕對否定的禁欲主義……

不是溫暖陽光下覆蓋我們瞑目的六呎冰冷黃土和旁邊的綠草地，而是超越我們生命的死亡，它本身就是一種生命——它存在於某些神，我信仰的多神教裡的那個未知之神。

恆河也流過道拉多雷斯大街。一切時代都存在於這個狹窄的房間裡——呈現各種風俗、五顏六色的混合列隊，還有各種文化和民族之間的差異。

就在這條街上，我可以入迷地等待城垛和刀劍之中的死亡。

421 心裡的旅行

在夜幕降臨的親切氛圍下，我在四樓房間的窗前，面對逐漸閃現的滿天繁星，我俯瞰無窮遠處，我的夢——和著可見距離的韻律——踏上未知、想像或通往完全不存在的國度之旅。

422 金色的月光

金色的月亮用金黃的光芒照亮東方。在更廣闊的大河裡，它的微光蜿蜒地流向大海。

423 帝國的滅亡

在奢華綢緞和混亂紫袍的修飾下，帝國在異國旗幟的籠罩下走向死亡，那些旗幟和放在停留處的豪奢華蓋鋪天蓋地淹沒了道路。人群舉著華蓋走過。道路時而死氣沉沉，時而整齊有序，為隊伍讓出一條路。武器在速度奇慢、毫無目標的隊伍裡閃著冰冷的光芒。郊野的花園被人遺忘，噴泉不過是將僅有的一點水繼續向外噴射。笑聲從遠處傳來，落入光的回憶裡，這並不是說路旁的雕塑開口說話了，也不是說皇位的繼承埋沒了裝飾墳墓的秋天色彩。長戟讓到處是墨綠官袍、褪色紫袍和深紅長袍的太平盛世陷入絕境。所有人倉惶逃亡後，廣場空無一人，我們漫步而過的花壇再也見不到人影，已將溝渠遺棄。

鼓聲像雷鳴一般，響徹令人戰慄的時光。

424 陽光與陰影

每一天世界上都會發生一些事情，我們卻無法用我們所知道的法則來解釋。它們每天都被提起，然後又被遺忘，它們以同樣神祕的方式出現和消失，它們的奧祕逐漸被遺忘。這就是無法被解釋的事物注定會被遺忘的法則。有形世界像往常一樣在陽光下繼續向前發展。他物則在陰影下注視著我們。

425 作夢是一種折磨

作夢本身成為一種折磨。在夢裡，我獲得這樣一種清醒，我所見到的夢中之物都像真的一樣。因此，夢之為夢的一切價值都喪失殆盡。

我夢見自己成名了嗎？接著，我感受到一切在公開場合露面時獲得的榮光，個人隱私和隱姓埋名的完全喪失，這使得榮光變得痛苦不堪。

426 智慧的開端

我們將最大的焦慮看作一件無關緊要的小事，不僅在宇宙生活中，在我們自己的靈魂生活中亦是如此，這便是智慧的開端。身處焦慮之中，以這種方式思考便有了智慧的高度。當我們真正受難時，我們人類的痛苦看似無窮無盡。不過，人類的痛苦並不是無窮無盡的，因為沒有什麼屬於人類的東西是無窮無盡的，我們的痛苦除了給我們痛苦的感覺之外，沒有任何價值。

我曾屢次被看似瘋狂的煩悶或看似要蓋過煩悶的焦慮所迫，在我反抗之前，我停下來，猶豫起來，在我崇拜自己之前，我猶豫著停下來。在這一切痛苦中——無法領悟世界之奧祕的痛苦、不被愛的痛苦、受到不公平待遇的痛苦、受到生活壓迫、扼制和束縛的痛苦、牙痛或鞋不合腳的痛苦——有誰能說得清，哪種痛苦對他自己來說最糟糕，更不用說對別人，或者對存在的大多數人來說？

有些和我交談的人認為我的感覺遲鈍。但我認為我比絕大多數人要敏感。我是一個敏感的人，我瞭解自己，因而知道什麼是敏感。

啊，認為生活痛苦或者認為思考生活是痛苦的，這種想法並不正確。正確的是，只有我們認為我們的痛苦重大而嚴重時，它們才會如此。如果我們讓它們消失，它們怎麼來就會怎麼去，怎麼產生就會怎麼消亡。一切都無關緊要，我們的痛苦也是如此。

我在煩悶的重擔之下寫了這些文字，而這煩悶似乎超越我的承受範圍，或者說，它需要比我的靈魂更大的空間；一種將一切人和事物納入其中的煩悶令我窒息，使我發狂；一種徹底不被理解的身體感覺使我焦躁，將我壓垮。但我抬起頭，仰望著並不瞭解我的藍天，我的臉不知不覺感受著涼爽的微風。看完天空，我闔上眼簾，感受過微風後，我的臉已無感覺。這並未使我感到好受一點，但卻令我有所不同。看著自己從自我中解脫出來，我幾乎面露微笑，並未因為我理解了我自己，而是因為我變成另一個人，不再能夠理解我自己。高空中飄浮著一片宇宙遺留下來的細小白雲，像是一種看得見的虛無。

427
永不觸碰

我的夢：我在夢裡創造朋友，與他們作伴。他們身上有另一種不完美。

保持純潔，不是為了保持高貴或堅強，只是為了能做你自己。給予你愛實則是失去愛。

放棄生活，這樣你才不會放棄自己。

女人是良好的夢境來源。永遠不要觸碰她們。

學會放棄奢侈和享樂的想法。學會為每一件事感到由衷的高興，不因為它本身，而因為它喚起的想法和夢。（因為萬物都非本身，只有夢卻永遠是夢。）為了實現這個目標，你應該什麼都不觸碰。只要你一碰，你的夢就會幻滅；被碰到的事物就會占據你感知的能力。

看和聽是生命中唯一高貴的東西。其他感覺若非粗鄙，便是世俗。唯一的貴族精神就是永不觸碰。避免太過親近——這是真正的高貴。

428 關於不在乎的美學

對於每一個單獨存在的事物，作夢者都應當試著徹底感到不在乎，而不在乎，其本身就是一個喚醒他的事物。

將可以夢見的任何事物從每一個物體或事件中自動地抽象出來，而將它的現實性當作外在世界的死物，這種能力——是一個明智的人應該試著去獲得的。

永遠不要考慮自己的真實感受，把這種蒼白的凱旋提升到冷眼看待自己的雄心、渴望和欲求的境地。歷經喜怒哀樂卻無動於衷，對待自己就像對你毫無興趣、擦肩而過的路人……最高程度的自制就是對自己不在乎，將我們的肉體和靈魂當作命運讓我們在裡面度過一生的房屋和庭院。帶著儼如王侯的傲慢態度去對待我們自己的夢想和最深的欲望，委婉而謹慎地忽略它們。我們在自己面前也要畢恭畢敬，要認識到，我們從來都沒有真正地獨處，因為我們是自己的目擊者，所以應當在自己面前扮演一個陌生人的角色，採取一種刻意而冷靜的外在方式——因為高貴而變得不在乎，因為不在乎而變得冷漠。

為了不被自己看輕，我們應當要做的就是不再懷有雄心、激情、欲求、希望、虛妄或緊張不安的感覺。要記住的關鍵就是，我們永遠有自己的陪伴——我們從來不曾獨處，從來不能感到心安理得。出於這種考慮，我們將戰勝擁有激情和雄心，因為它們使我們變得脆弱；我們不能擁有欲求或希望，因為欲求和希望是粗俗不雅的東西；我們不能變得虛妄或感到不安，因為在他人眼裡，草率行為使人不快，衝動永遠是一種粗俗的行為。

一個貴族永遠都不會忘記，他從來都不曾是獨自一人。這便是為什麼規矩和禮儀總是貴族的特權。讓我們把自己內化為貴族。讓我們把這個貴族從庭園和客廳帶出來，把他放進我們的靈魂和存在的意識裡。讓我們帶著計畫和為他人著想的姿態，對自己以禮相待。

我們每個人都是一整個社區，一個偉大奧祕的鄰里。我們至少應當明白，處在鄰里的生活與眾不同、優雅講究。感覺的盛宴需要我們溫文儒雅、內斂矜持，思想的宴會需要我們彬彬有禮、端莊高貴。由於其他靈魂可能會在我們周圍建造卑劣而骯髒的鄰里社區，我們應當清楚地劃定自己的領域界限，從感覺的外牆到羞怯的凹室，一切都是高貴而寧靜的，銘刻著節制，除去虛飾浮華。

我們應當試著尋找一種平靜的方式去認識彼此的感覺。將愛情弱化到愛的夢影，一種在月光下兩道微弱光波之間黯淡而戰慄的間距。將欲求變成無用又無害的東西，一種我們靈魂裡的會心微笑；把它變成我們從未夢想實現甚或表達的東西。將憎恨安撫入眠，就像去哄一條被俘獲的蛇。讓恐懼放棄所有外在表現，除了將痛苦殘留在我們眼裡，毋寧說，殘留在我們靈魂的眼中，唯有這種態度才能被稱作美學。

429／冷遇

我這一生，在每一個環境中，每一個社交場合裡，所有人都視我為入侵者。或者至少也視我為陌生人。不論是在親人或熟人之中，我總被他們當成一個外人。並不是說他們是處心積慮地這樣對待我。更確切地說，這是我周圍之人的自然反應。

每一個地方的每一個人都友善地待我。我懷疑，如我這樣的罕見異類，應該會引起很多人提高音量，皺起眉頭，怒聲呵斥或白眼相對。可我遇到的友善往往沒有感情。對於那些與我最親近的人，我一直是一位客人，而那些對我友善之人給予我的注意力往往與加諸在陌生人身上的注意力無異，而且他們不會對我投入感情，對闖入者同樣如此。

我肯定，其他人秉持的這種態度源自於我自身性格中某些固有的晦澀因素。或許是我在與人交往時態度冷漠，才使得其他人不自覺地也表現了與我同樣無情的方式。

我天生能很快地和別人打成一片。人們立刻對我十分友善。可我從來沒有被人真心對待過。從未有人誠懇對我。對我而言，被愛似乎永遠是一件不可能之事，如同一個陌生人永遠無法喊出我的名字。

我不知是否該為此感到遺憾，或者我是否應該接受這一切，將之當作無關緊要的命運，沒有任何遺憾或接受的理由。

我始終希望獲得別人的喜愛。被人漠然視之於我總是一種傷害。如同被命運拋棄的孤兒，我想要——和所有孤兒一樣——別人愛我。這種需要始終如同渴望一樣，永遠不會被滿足，我如此徹底地適應了這種注定的飢渴，有時候我不知道自己是否真的有吃飯的需要。

無論原因為何，生活都讓我感覺痛苦。

其他人都擁有為他們奉獻的人。然而甚至從沒有人想到要為我付出。其他人受人寵愛，而我只是被人善待。

我知道自己有能力喚起別人的尊重，但不能贏得別人的愛。很遺憾，我從未做過一件事能向其他人證明，他們一開始對我的尊重是正確的，因此，他們再也不會真正尊重我。

有時候我覺得我必須享受痛苦。可我知道我真的寧可要其他的事物。

我不具備成為領導者或追隨者的品質，甚至不能成為一個知足之人，當我不具備其他品質之時，知足常樂應是我最後的底線。

其他人不及我的聰明才智，卻更加堅強。他們擅長對生活曲意逢迎；他們讓他們的智慧發揮了更大的作用。我擁有所有品質可施加影響，卻沒有本領將之付諸行動，甚至連這樣做的意志都缺乏。

如果我會愛上別人，那麼我必將不會得到愛的回報。

我不得不做之事便是希冀某些事物行將毀滅。我欠缺致命的力量，這便是我的命運，而對於我所特別關心之人與事，這份致命的力量就變得軟弱不堪。

430 清醒

瘋子頭腦清醒地利用邏輯，向自己和他人證明他們的瘋狂想法正當合理，見識了這樣的行為後，我再也無法肯定我的清醒是清醒。

431 本性的缺失

我生命中最大的悲劇——雖然是一個鬼鬼祟祟的悲劇，即那種發生在陰影下的悲劇——就是我不能自然地感受到萬事萬物。我可以像別人那樣去愛、去恨，而且和他人一樣感到恐懼與付出熱情；然而，我的愛或恨，我的恐懼或熱情。都不像真情實感。要麼是它們缺乏某種因素，要麼就是具有某種不屬於它們的因素。無論如何，這些感情並非它們本身，而我的感受與生活並不一致。

在被恰當地稱為謹慎的性格，在深謀遠慮和嚴謹的利己主義基礎上，感受才會形成，如此一來，這些感受看上去就成了另外一副樣子。被明確稱為一絲不苟的性格，也可以觀察到這些天性被取代了。我身上存在著一個類似的苦惱，我的感情缺乏清晰，然而我既不謹慎、也並非一絲不苟。沒有理由我會有異常感受。我本能地失去了我的本性。我即將走向錯誤的道路，這本非我的本願。

432 侮辱

我自己這個角色和我命運的奴隸不僅被他人的冷漠冒犯，他們的熱情也使我感到不安（他們認為是在對我熱情）——這便是命運強加給我的人身侮辱。

433 局外人

身處他們之中，我的確是一個局外人，但所有人都沒有意識到這一點。我就像一個生活在他們之中的間諜，沒有人懷疑我，甚至我自己都深信不疑。他們視我為親戚，沒有人知道我從一出生就被掉包了。因此，我和他們平起平坐，卻毫無相同之處，我是他們的兄弟，卻不屬於他們的家庭。

我來自奇鄉異土，那裡的風景比生活要迷人得多，但我從不對人提及那片土地和我在夢裡見到的風景。我像其他人一樣雙腳踏在木地板和石板上，但我心繫遠方，儘管它在我體內跳動著，被疏離和流亡的身體控制。

大家都戴著相似的面具，沒人能認出我，或甚至是認出我戴了面具，因為沒有人知道這個世界上還有戴面具的人。沒有人能想像得到，我還有另一面，而那才是真正的我。他們總是把我當成真正的我。

他們的房子庇護我，他們的雙手握住我的手，而他們看見我走在大街上，就好像我真的在那裡。但真正的我從來都不曾待在他們的客廳，我所經歷的我從來不曾和他們握手，我所知道的我從來不曾走在大街上，除非這就是所有的街道，我也從來不曾被人看見過，除非我就是所有其他人。

我們都隱姓埋名生活在遙遠的地方；偽裝，我們全都不為人知。然而，對於有些人來說，他和他的本我之間的距離從來不曾顯露；對於另外一些人來說，這種距離偶爾被無邊的閃光照亮，令他們驚恐或憂傷；但還有一些人，對他們來說，這只是痛苦的現實生活而已。

我們應當知道我們無法瞭解我們是誰，我們的所思和所感不過是一種注解，我們的所想並非我們的所望，或許也不是任何人的所望——在每一個時刻認識到這一切，在每一種感覺裡感受這一切——對於我們的靈魂，我們是陌生的，難道我們沒有被自己的感覺放逐嗎？

然而，在這狂歡節的最後一夜，我一直凝視著的這個面具，在街角和一個沒有戴面具的人交談後，與他笑著握手道別。沒有戴面具的人轉身從他一直站著的那個街角離開了。而面具——一個無趣的人——繼續向前走去，最終消失在影子和時有時無的燈光之間，與我所想像的情景毫無關係。直到那時，我才注意到街上除了發光的街燈，還有些別的東西，街燈沒有照到的地方，還有朦朧的月光，隱祕而寧靜，包裹著虛無，如生活一般……

434

月光

……在死氣沉沉的棕色裡受潮，鏽蝕。

……被冰雪凍結、層層疊疊的屋頂上透著灰白，在死氣沉沉的棕色裡受潮，鏽蝕。

435

停滯

……所有的一切在變幻莫測的黑暗中搖搖晃晃，一面被白色勾勒出輪廓，泛起冷珍珠層的藍色網底。

436

雨

終於，在反光屋頂的漆黑裡，一束冷淡的晨光像痛苦的天啟照射下來。又是一個漸漸明亮的夜晚。又是一次慣常的恐怖：白天，生命，虛假的目標，不可避免的活動。又一次，我肉體的、視覺可見的和社會性的性格，以無意義的言語和人社交，被他人的行為和意識利用。又一次，我是我，恰如我不是我。黑暗裡的光填滿了百葉窗縫隙（哎，窗戶一點都不嚴實）的灰色疑問，我意識到我不能再躲在床上，能睡卻不睡，作夢卻不記得真相和現實，不能窩在乾淨清爽溫暖的被單裡，只是感到舒適，無視身體的存在。我意識到我失去了快樂的無意識，因為這無意識，我才能一直享受我動物般困倦的意識，在這意識裡我觀察——像太陽下慢慢眨著眼睛的貓——我自由的想像邏輯描述著這些動作。我意識到黑夜的特權已然消失，一起消失的還有我偶爾瞥見微微搖晃的樹下慢慢流動的河水，和我緩緩流動的血液和淅淅瀝瀝的小雨中失去的低語瀑布。我為了活著，失去自己。

我不知道自己是否在睡覺，還是感覺自己在睡。確切地說，我不是在睡覺，更像是從不眠的睡眠中醒來，因為我聽見城市裡生命最早的聲音像洪水般從下面不知什麼地方傳來，上帝在那裡創造的街道四通八達。這些聲音很快樂，穿過正在飄落或已經停下的悲傷的雨，因為雨聲已經聽不見；我只知道早上（無論現在是何時）穿過縫隙的陽光太灰暗了，照出不太清晰的陰影。對我的心而言，這些聲音快樂、散亂而痛苦，好像它們要召喚我去考試或行刑。每天，若我聽見這些聲音從我甜蜜虛無的床上傳來，都像是極其重要的一天，重要到我沒有勇氣面對。每天，這些聲音從陰影的床上升起，同時像亞麻布散落到大街小巷時，都感覺它們像要傳喚我去法庭。每一個新的日子，我都要被審判。我內心的那個人一次又一次被判刑，因為他緊偎著他的床，像緊偎著他失去的母親，因為撫摸著他的枕頭，好像他的保母會保護他。

在樹蔭下幸福睡覺的大型動物，走在高高草叢中疲憊但溫馨的步伐，暖洋洋的下午遠方遲鈍的黑人，疲憊的眼睛打著哈欠，所有能讓我們忘記一切，想要睡眠的東西，平靜的心輕輕地關上靈魂的窗戶，無名睡眠的愛撫……

睡眠，去遠方，無須知道有多遠，忘記自己的肉體，自由地享受無意識像被遺忘的湖上一座避難所，在隱密的森林深處，茂密的樹葉下停留……

呼吸的虛空，溫和的死亡，我們會精神飽滿但滿懷鄉愁地從中醒來，深深遺忘摩擦著我們靈魂的薄紗……

我又一次聽到，像未被勸服的人新一輪的抗議，突然喧囂的雨灑落明亮的世界。我想像中的骨頭感到一陣冷顫，就像我在害怕。最後的黑暗將我拋棄，我一個人，孤獨地蜷縮在自我的無意義中，開始小聲哭泣。是的，我為孤獨和生活而哭泣。我徒然的悲傷就像一輛無輪的馬車，躺在現實的街道上，淹沒在被遺忘的糞便中。我為一切而哭泣——我曾躺過而如今失去的膝頭，我得到過的死亡之手，我從未發現的擁抱我的臂彎，我從未靠過的肩膀。破曉決絕的到來，白天如赤裸裸的現實般劃破我的悲傷，我夢過、想過或忘記過的一切——這一切，像影子的混合物，虛構和懊悔，融入過去的世界，加入紛繁的生活，像一串葡萄，被年輕男孩一哄而搶，躲在角落裡吃掉了。

人們白天的噪音陡然變大，像是敲擊的鈴聲。在建築物裡，我聽見第一個出去謀生的人開關門閂的聲音。我聽見通向我心的荒唐走廊傳來拖鞋的聲音。我像一個終於成功自殺的人，猛然掀掉蓋在僵硬身體上的舒適棉被。我醒來了。雨聲漸小，雨在外面落得更急。我感覺好多了。我實現了什麼。我起床，走到窗前，毅然決然地打開窗戶。飄著乾淨雨水的陰天映入我的眼簾。我打開窗戶。冰冷的雨水打濕我溫暖的皮膚。天在下雨，是的，儘管是我一直聽到的雨，它畢竟還是小了不少。我想振奮，想生活，我向生活探出脖子，一如探向一個巨大的枷鎖。

437 城市裡的田園生活

有時候，一種田園般的平靜會光臨這座城市。在陽光燦爛的里斯本，特別是在夏日午後，農村的氛圍就像一縷清風一樣襲來。我們在這裡，在道拉多雷斯大街上安睡。

靜謐的秋天呈現在眼前，上有驕陽平穩地高掛空中，下有裝滿稻草的大車，這些做了一半的板條箱，突然之間，從容不迫的行人似乎是在一個村莊裡行走，見到此情此景，對我的靈魂而言，是多麼振奮人心啊！我孤零零地待在辦公室，透過窗戶看著這些人與景，我萬分激動：我身處在郊外的一個小鎮，或停留於一個未知的小村，因為我別有感受，所以我很開心。

我知道：如果我抬起雙眼，必定會見到對面一排排灰暗的建築物，看到所有鬧區辦公室的骯髒窗戶，看到依舊有人居住的樓上那些不協調的窗戶，看到在山牆頂端，在一片花盆和植物中，洗好的衣物沒完沒了地在陽光底下晾曬。我知道這種情形會發生，可照耀在萬事萬物上的陽光是如此輕柔，我周圍平靜的氛圍是如此沒有意義，因此，即使我的眼前所見也沒有理由會拒絕承認這個我幻想出來的村莊，在我的鄉村小鎮裡，商業都變成了純粹靜謐的活動。

我知道，我知道……其實只是午餐或休息時間到了，或者什麼都不做的時間到了。萬事萬物都在生活表面上平穩進行。即使是在我睡眠之際，我的身體靠著陽臺，彷彿靠在一艘輪船的欄杆上，而這船正駛過一片陌生的風景。就連我都讓我的心智歇息，彷彿我就在這個鄉村裡。忽然之間，在我面前，另一番風景隱約可見，它們圍繞在我周圍，俯瞰著我：在小鎮的正午之後，我見到這個小鎮裡的所有生活；我見到家庭生活那巨大且愚蠢的快樂，田野生活那巨大且愚蠢的快樂，平和及悲慘中所蘊含的巨大且愚蠢的快樂。因為看得到，所以看見了。可我不要看，我醒來。我帶著微笑四望，所做的第一件事便是抖落我那套不幸的深色西裝上的塵土，袖子剛才被我靠著陽臺欄杆，從不曾有人擦過這裡，而且我沒有意識到，有一天，哪怕只是一小會兒，這個欄杆會變成一艘完美觀光郵輪的甲板欄杆（從邏輯上講，這樣就不會有灰塵了）。

438
夜的剪影

在被染成淡藍的綠色夜晚襯托下，夏日的地平線，高低起伏的冰冷建築物被勾勒成參差不齊的棕黑色剪影，朦朧籠罩在黃灰色中。

在另一個時代，我們掌握著物質海洋，從而創造了普世文明。如今，我們將掌握精神上的海洋、情感和人類的母性，從而創造智性的文明。

439
去教堂

……我的感覺達到令人痛苦的程度，即使這些感覺是快樂的；我的感覺達到令人喜悅的程度，即使這些感覺是悲傷的。

我在星期天寫作，早晨過得很慢，整整一天都充滿柔和陽光，城市參差不齊的屋頂上，明淨的藍天將滿天星辰的存在淹沒。

在我心裡，這也是星期天……

我的心就要去教堂，不知停留在何處。它披著一件兒童的天鵝絨外衣，在寬大的衣領上方，它的臉上泛起笑容，因最初的印象而變得紅撲撲，眼裡看不見一絲悲傷。

440 靜夜思

在那個漫長的夏天，每天清晨，當我醒來的時候，天空呈現黯淡的藍綠色彩，接著被無聲的白染成灰藍。然而，西邊的天空變成我們通常認為天空應有的色彩。

人們感覺到腳下的地面在移動，接著，有多少人開始講述真理，去探索和尋找，否認世界的幻覺！他們的英名是如何被標上大寫字母——就像在地圖冊上能找到的那些——成為清晰的視野和內容豐富的頁面！

出現在明天那些各地的風土人情從來就不曾有過！時斷時續的情感散發出琉璃色！你還記得有多少回憶出自錯誤的臆測，出自純粹的想像嗎？在一種灑滿各種確定性的癲狂狀態下，柔和而歡快的潺潺水聲從所有公園噴湧而出，就像情感從我的自我意識深處湧現。舊長凳上空無一人，周圍的蜿蜒小徑散發著空曠街道的陰鬱哀愁。

黑里歐波里斯[96]之夜！黑里歐波里斯之夜！誰將向我訴說這些無用的話語？積怨和優柔寡斷過後，誰將補償我？

441 共在

在那夜色下的荒涼之地，一盞無名之燈高掛在窗後。在這座城市裡，我能看到的其他事物就是黑暗，唯有微弱的反射光線朦朧地從街道上冉冉升起，使得蒼白的顛倒月光灑落四處。夜裡一片漆黑，難以辨認建築物的不同色彩，抑或是色彩的深淺度；唯有朦朧的、看上去十分抽象的差異打破了整齊劃一又密集的整體色彩。

一條隱形的線把我和那盞燈的未知主人連在一起。並非因為我們此刻都醒著；此刻我們不能交流，因為我的窗戶裡一片黑暗，所以他根本看不到我。總有些其他原因，這原因與我自身有關，是關於我的孤獨感，這份感覺融入夜色，融入寂靜中，選擇那盞燈停泊，因為那盞燈是唯一可以找到的停泊處。似乎正是因為那盞燈的亮光，才使得這夜變得如此黑暗。這似乎就是事實，我醒了，在黑暗中作著夢，使得那盞燈發亮。

一切事物之所以存在，或許就是因為其他事物的存在。萬事萬物同時存在——或許這就是真理。

如果那盞燈沒有在那裡閃爍光芒，如果它只是一座毫無意義的燈塔，徒有華而不實的高度優勢，那麼，此時此刻，我就會感覺我並不存在，抑或至少不會帶著當下自我的意識，按照我現在存在的方式存在，因為這就是意識與當下，是此時此刻純粹的我。因為我沒有任何感受，所以我有了這份感覺。我想這是因為萬物皆虛無。虛無，虛無，那是黑夜的一部分，

96 黑里歐波里斯（Heliopolis），尼羅河三角洲的古埃及城市。

是寂靜的一部分，我與這黑夜和寂靜一起分享空虛，分享消極，分享我與自我之間的差距，那個中間地帶，而這已被某些神祇或其他存在拋諸腦後了……

442 無用的文字

當我們在毫無智慧的情況下，聰明地自娛自樂，想要睡卻睡不著的時候，我會重讀那些章節，這些文字連在一起，就組成了我那本關於隨機印象的書籍。這些文字就像一股熟悉的味道，散發出千篇一律的無趣印象。即使口中說著我始終在變化，我依然感覺我是在說同一件事：我與我自己的相似度超過了我願意承認的程度；也就是說，即使是那些書是平衡的，我既沒有勝利後的快樂，也沒有失敗後的失落。我的自我缺乏協調，缺乏自然平衡，我因此變得虛弱，倍感痛苦。

我曾經寫下的所有文字都是灰色的。我的生活，甚至是我的精神生活，就像一個下著毛毛細雨的日子，在這個日子裡，萬事萬物從不曾出現，到處一片混沌，只有空洞的待遇和已被遺忘的目標。我在破爛的絲綢中痛苦掙扎。在光線之下，在單調乏味之中，我看到了我自己，但卻不認識我自己。

我帶著謙卑的姿態，嘗試著，起碼要表明我是誰，要像一座神經機器一樣，記錄我那主觀和超敏感生命中最微不足道的印象——這些印象都被清空了，就像一個被掀翻的桶子，一切彷彿水一樣，潑灑在地上。我給自己塗上了偽裝的色彩，結果閣樓變成了一個帝國。我的心，其中有我在單調生活吐出的重大事件，似乎歷歷在目——這些紙頁寫於很久以前，現在被一個不同的靈魂重讀——就像一個農田的水泵，依本能安裝，然後壓出水。我在一片無風無雨的海上遇到了船難，我的腳觸不到海底。

而我詢問我依舊保有意識的部分，在不存在的事物之間一系列混亂的間隔裡，我用那些我相信屬於我自己的語句，用那些我感覺從我心中油然升起的感情，用那些旗幟和軍旗（這些旗子不過是坐在屋簷下那個乞丐的女兒用唾液把碎紙黏在一起做成的），寫成了一篇篇如此之多的文字，我這麼做又有什麼好處。

我詢問殘餘的自我，我到底是為了什麼要勞心費神地寫下這些無用的文字，為這些垃圾獻身，甚至在命運的碎紙存在之前，就已經神形消散，消失於世間。

我一邊問著，一邊繼續書寫。我把這個問題寫下來，用全新的詞句包裝，用全新的感情闡釋。明天我將繼續寫我那本愚蠢的書，我缺乏信念，感情冰冷，而我會把每天對此的感想草草記下。

讓該來的到來吧。一旦骨牌全被擺好，無論這個遊戲是贏是輸，全都被推倒，而這場已經終結的遊戲則毫無希望。

443 我用自身寫作

我的內心中，有著何等的地獄、煉獄和天堂啊！可誰能看到，我所做的一切都與生活相悖——我，是如此平靜，如此安詳？

我不是用葡萄牙文寫作。我用我自身的全部來寫作。

444 打發時間的囚徒

除了生命，一切都變得令人難以忍受。辦公室、家、街道——甚至它們的對立物，如果這便是我的命運——淹沒了我，壓迫著我。只有它們構成的整體能帶給我安慰。是的，這個整體中的任何部分都足以讓我寬慰：照進死氣沉沉辦公室的一縷陽光，透過窗子進入我房間的小販叫賣聲，還有人們的存在，氣溫和天氣變化的事實，以及世界令人驚奇的客觀規律……

一道陽光突然射進辦公室，突然之間，我發現了它……實際上，它尖銳無比，像一片幾乎沒有顏色的刀刃，劃破陰暗的木地板，光線所到之處，一切都有了生氣，包括舊釘子、木板之間的縫隙，還有密密麻麻全是黑線的紙頁。

陽光照進寂靜的辦公室，這種作用幾乎難以察覺，我卻觀察它足有好一陣子……打發時間的囚徒！唯有囚犯才會用這種方式觀察日光的移動，就像觀察一群螞蟻一樣。

445 煩悶是一種病

據說，煩悶是閒人得的病，或者說，只有那些無所事事的人才會染上這種疾病。不過，事實上，這種靈魂之病更不易察覺：那些本身就有此傾向的人更易患病，而那些在工作或假裝在工作的人（在這種情況下他們到底是一回事）並不比那些真正的閒人更容易倖免於煩悶之疾。

最糟糕的事情，莫過於對比內心生活散發出自然光芒的印度人及其尚未開發的土地，以及日常生活的髒亂不堪（即使算不上真正的髒亂不堪）。如果閒散不是理由，煩悶則變得更令人壓抑。那些努力奮鬥過的人，他們的煩悶是最糟糕的一種。

煩悶不是因無事可做而百無聊賴的疾病，而是一種更為嚴重的疾病，覺得凡事都不值得做。這意味著做的事情越多，就越感到煩悶。

從記帳的帳簿抬起頭，我常常感覺腦袋一片空白！我情願保持閒散狀態，什麼都不做，也沒有什麼可做，因為這種煩悶，即使足夠真實，至少我還能從中取樂。在眼前的煩悶狀態下，任何休息、高貴和幸福都不能防止我感到不舒服：我寧願我的每一個動作都被抹去，也不願從我未曾有過的動作裡感受到潛在的疲憊。

446

歐瑪爾·海亞姆（一）

歐瑪爾·海亞姆[97]的煩悶，和那些因不知道如何去做而自然不知道該做什麼的人的煩悶不同。後者的煩悶屬於那些生來即死的人，他們求助於嗎啡或古柯鹼是可以理解的。而那個波斯聖人的煩悶更高貴、更深刻。擁有這種煩悶的人清楚地思考並看到一切事物的模糊性，

97 歐瑪爾·海亞姆（Omar Khayyám，一〇四八～一一二一年，波斯詩人、哲學家和天文學家，著有《魯拜集》（Rubáiyát）。後文提到的薩姬（Sáki）是《魯拜集》裡的人物，原意為「斟酒」。

他觀察一切宗教和哲學，正如所羅門[98]說的：「我明白，一切是精神的虛空和苦惱。」或者引用另一個帝王，塞維魯皇帝的一句話，當他與權力和世界道別時，說道：「曾經一切皆是空。」「我就是一切，沒有什麼是值得煩惱的。」

塔德說，生活就是以一種徒勞無益的方式去尋求不存在之物。這正是歐瑪爾．海亞姆要說的，如果他也曾這樣說過。

這便是為什麼那個波斯人酷愛喝酒。「喝吧！喝吧！」這句勸酒詞概括了他的實用哲學。飲酒不是因為快樂，而是為了變得更快樂、更自我。飲酒也不是因為失望，而是為了遺忘，變得不那麼自我。將快樂、活力和愛融入酒中，從歐瑪爾．海亞姆的作品中我們卻看不到活力的注解和愛的語句。偶爾出現在《魯拜集》裡柔美纖弱的人物薩姬只不過是個「手持美酒的女孩」。詩人欣賞她的優雅身姿，正如她欣賞盛酒的雙耳細頸瓶一樣。

迪恩．艾瑞奇[99]也是一個能從酒中讀出快樂的例子：

如果我想的一切都是真的，
我們有五個喝酒的理由。
美酒——朋友——或口渴——
或者我們遲早要喝——
或者其他的任何原因。

《魯拜集》的實踐哲學本質上是溫和的享樂主義，只輕微地追求快樂的欲望。看到玫瑰和喝葡萄酒就夠了。輕柔的微風、沒有重點或目的的談話、一杯葡萄酒、花朵——波斯聖人對這些放置了最高的欲望，而無其他欲求。愛的激情和疲憊、行動的徒勞無功，沒有人知道如何去知道，並認為混亂了一切。最好是停止解釋這個世界的徒勞渴望和希望，最好也停止改善或治理這個世界的愚蠢野心。一切都是虛無，或者，如同《希臘詩選》的記載：「所有存在來自於不合理。」這是一位希臘神[100]所說，因此說者有一個理性的靈魂。

447
我們的冷漠

我們終究對一切宗教、哲學和被證實毫無用處假說（我們稱之為科學）的真實或虛假漠不關心。我們亦不關心所謂人類的命運，以及人類在整體上遭受或未遭受的苦難。是的，正如《福音書》所說，要對我們的「鄰居」仁慈，而對於人類，《福音書》什麼也沒說。我們在某種程度上都這樣認為。在中國，一次大屠殺在多大程度上真正使我們之中最高尚的人感到不安？而看見一個孩子無緣無故當街挨一巴掌，最富於敏感想像力的人卻更感到心碎。

慈悲為懷，大愛無疆。因此，費茲傑羅[101]在他的一篇筆記裡，解釋了歐瑪爾．海亞姆倫

98 所羅門王（Solomon）是以色列王國的第三任君主，據《聖經》記載，所羅門王有超人的智慧、大量的財富和無上的權力。
99 迪恩．艾瑞奇（Henry Aldrich，一六四七～一七一〇年），牛津大學基督堂學院的院長，這所學院有從神學到建築學等許多人文主義學科。佩索亞沒有記下艾瑞奇〈喝酒的理由〉之警句，這篇文章主要是以海亞姆的手稿副本為主，但佩索亞顯然想要用自己的翻譯將詩譯成葡萄牙語，這在他留下的數千紙頁裡都能找到。
100 此處希臘神指的是格利康（Glycon），古希臘的自然療法之神。
101 費茲傑羅（Francis Scott Key Fitzgerald，一八九六～一九四〇年），美國小說家。

理學的某一個方面。

《福音書》提出，要對鄰居友愛。但它並沒有提到要對人或人類友愛，沒人能幫助或改善它。

有些人可能想知道我自己是否要贊同歐瑪爾・海亞姆的哲學，並且在這裡重申和解讀（我相信是用一種更準確的方式）。我要說的是，我不知道。有時候，他的哲學對我來說似乎是最好的，也是唯一的實用哲學。但有時候，它卻使我感覺虛空、死氣沉沉、徒勞無益，像一個空的玻璃瓶。因為我認為，我不瞭解自己。而我也不知道我真正在想什麼。如果我有信仰，或許我會有所不同。但如果我是瘋狂的，我也會有所不同。是的，如果我曾經有所不同，那麼我也將繼續有所不同。

當然，除了這些世俗的課業之外，還有祕傳教團的神祕教義，這些玄義被公開承認，但卻保持嚴格的神祕感，這些隱藏的玄義收錄在公共儀式裡。在大型的通用儀式，譬如羅馬教會對聖母瑪利亞的禮拜儀式，或者共濟會的精神儀式上，都存在這些被遮掩或半遮半掩的事物。

然而，有誰能說進入神祕聖所的初衷，不僅僅是對一種新幻覺的熱切渴望呢？如果一個瘋子甚至對他的狂妄想法更深信不疑，那麼他還能得到什麼確信無疑的東西呢？史賓塞[102]將我們的知識比作一個球形，當他擴張時，接觸的越多，知道的也就越少。至於那些神祕的開啟者以及他們帶給我們的東西，我還記得格蘭德巫師[103]一句可怕的話：「我能看得見伊西斯[104]，也摸得到她，但我不知道她是否存在。」

448 歐瑪爾・海亞姆（二）

歐瑪爾・海亞姆有一種個性，而我，無論好壞，都沒有。一小時以後我便偏離了此刻的我，明天我將忘記今天的我是什麼。那些像歐瑪爾一樣的人，他們便是他們自己，他們僅僅生活於一個外在世界。而那些像我一樣的人，他們不是他們自己，他們不僅生活於外在世界，還生活在一個各式各樣、變化莫測的內心世界。我們盡自己的努力，也終究無法擁有像歐瑪爾一樣的哲學。我躲在自己的避風港，像那些可有可無的靈魂，和那些我批判的哲學家。歐瑪爾或許會排斥他們，因為他們與他毫不相干，但我無法排斥他們，因為他們就是我。

449 另一種生活

有些內心的受苦非常微妙、非常散漫，我們不能區分它們是身體的感覺還是靈魂的感覺，無法確認它們是來自我們感覺到生活徒勞的焦慮還是來自某個器官深處，例如胃、肝或

102 史賓塞（Herbert Spencer，一八二〇～一九〇三年），英國哲學家、社會達爾文主義之父，他將「適者生存」應用在社會學上。

103 格蘭德巫師（Grand Wizard）即美國一八六五～一八六九年的三K黨，奉行白人至上主義運動和基督教恐怖主義的民間仇恨組織。

104 伊西斯（Isis），古埃及女神，主司農業及受胎。

腦的一點小毛病。多少次我的自我意識被痛苦的停滯攪起的浮渣汙染得渾濁不清！多少次我莫名的噁心，以致我不確定這是因為煩悶還是預示我要嘔吐了，這時候我的存在是多麼痛苦！多少次……

今天，我的靈魂為我的身體感到悲傷。我身上的一切都在疼痛：記憶、眼睛、手臂。好像全身都得了風濕病。白日透徹的明亮，藍得純粹的天空，高高照射、不曾減弱的亮光都沒能影響我。涼爽的微風——縱然帶有秋日的味道，卻讓人回想夏天——讓空氣擁有了自己的性格，我卻不能受它安撫。沒有東西能影響我。我悲傷，這悲傷不明確，也不含糊。我就在那裡悲傷著，街道上堆著凌亂的貨箱。

表情不能精確傳達我的感覺，因為任何事物都不能準確表達人的感覺。但我絞盡腦汁，想要多少表達我對於自己和街道揉雜的多樣景觀，自從我看到這些景觀，它們就以無法瞭解的深奧成為我的一部分。

我想在遙遠的國土過著不一樣的生活。我想成為別人，在陌生的旗幟下死去。我想被當成其他時代的皇帝歡呼，那時代會是更好的今天，因為它們不屬於今天，朦朧不清，難以理解，但豐富多彩，新奇獨特。我想擁有所有能讓我變得荒謬的東西，恰好是因為它們會讓我的本質變得荒謬。我想，我想，我想……但是，日光照耀時總有太陽，夜幕降臨時總有黑夜。我們悲傷時總有傷痛，我們作夢時總有夢境。事情總是它們存在的樣子，而非它們應該存在的樣子，應該的存在不是為了更好或更壞，只是為了不同。總有……

搬運工把街上的貨箱搬走了。嬉笑怒罵之間，他們把箱子一個個放到貨車上。我從辦公室的窗戶俯視他們，眼神呆滯，眼皮充滿睡意。某種微妙得像謎一般的存在，將我與被裝載的貨箱貫通，奇妙的感覺把我所有的煩悶、不安和反胃做成貨箱，一個正大聲說笑的人扛著它，然後放在不在那裡的貨車上。窄窄的街道上，一直很寧靜的陽光斜斜照在他們囤放貨箱的地方——不是照在貨箱上，貨箱在陰影裡，而是遠處無所事事、猶豫不決的送報生所在的角落。

450 雨過天晴

像一種陰沉的預感，一些更為不祥的東西此刻在空氣中徘徊，甚至連雨都像是受到了什麼恐嚇。一種無聲的黑暗垂落在空氣中。突然，像一聲尖叫，可怕的白晝支離破碎。一道冷光掠過一切，將光芒填滿我們的思維和每一個裂縫。一切瞠目結舌。然後是一聲暫緩的嘆息。悲傷的雨中，人類的聲音幾乎是歡愉的。心臟機械而僵硬地跳動，思考使人暈眩。辦公室裡滋生出一種朦朧的信仰。無人成為他自己。維斯奎茲先生出現在他的辦公室門口，說他不知道是怎麼回事。莫雷拉笑了笑，他的側臉在這突然的驚嚇下顯得更黃了，他的笑容毫無疑問地在說：打雷還會繼續。一輛四輪馬車從街道疾馳而過，發出和往常一樣的巨響。電話失控似的丁鈴作響。維斯奎茲沒有回到自己的私人辦公室，而是走向大辦公室的電話旁。所有的聲音霎時停下，周圍一片寂靜，雨如噩夢一般落下。維斯奎茲忘了電話的事，而鈴聲也停了下來。那個年輕工友在辦公室後面坐立不安，像一個令人生厭的傢伙。

一種飽含釋然與平和的巨大喜悅，令我們所有人驚慌失措。我們有些頭昏眼花地恢復了各自的工作，不由自主地互相社交、友善起來。那個年輕工友敞開窗戶，沒人叫他這麼做。一股清新的芬芳夾雜著潮濕空氣飄進辦公室。此時，綿綿細雨輕輕飄落。街上的聲音一如既往地響起，卻顯得有所不同。馬車夫的吆喝聲聲入耳，的確有不少人。街區的有軌電車發出清脆悅耳的鈴聲，為我們的社交增添了一些色彩。街上傳來一陣孩子的笑聲，像金絲雀躍然飛過平靜的天空。毛毛細雨漸漸停了。

現在是六點鐘。辦公室即將關門。維斯奎茲先生在他私人辦公室半掩著的門口說道：「你們都可以回去了。」他的發話像一種職業恩賜。我立刻站起來，闔上帳薄，收起來。我從容地將筆放回墨水臺，一邊說著「明天見」，一邊朝莫雷拉走去，然後和他握了握手，就好像他給了我什麼莫大的幫助。

451 活著就是旅行

旅行？活著就是旅行。我從一天去到另一天，就像從一個車站去到另一個車站，乘坐我身體或命運的火車，將頭探出窗戶，看街道，看廣場，看人們的臉和姿態，這些總是相同，又總是不同，如同風景。

若我想像，就能看見。我旅行時還做過什麼？只有想像力極端貧乏，才需要靠旅行去感知。

「任何道路，像這條簡陋的恩特普福爾路，都能引你到世界的盡頭。」但當我們繞世界的盡頭一周時，會發現那就是我們啟程的恩特普福爾路。世界的盡頭，就像開端，其實是我們對世界的概念，是我們內心美麗的風景。若我想像，便能創造；若我創造，便能存在，我便能看到不一樣的風景。那為何還要旅行？在馬德里，在柏林，在波斯，在中國，在北極或南極，若我不在自己心中，不在我獨特的感覺中，又將在哪？

生活由我們創造。旅行就是旅行者自身。我們看到的不是我們看到的，而是我們。

452 孩子的智慧

我認識唯一一個有靈魂的旅行者是我之前工作過的公司裡一個年輕工友。這個小夥子蒐集城市、農村和運輸公司的宣傳手冊；他有從雜誌撕下來或到處要來的地圖；他有許多風景、外國服裝、小舟和大船的圖片，都是他從報紙雜誌剪下來的。他會捏造一家公司，或套用一家真正的公司，甚至用自己工作公司的名義到旅行社索取去義大利旅行的手冊、去印度遊覽的手冊，或航行於葡萄牙和澳洲之間的輪船名冊。

他不僅是我知道最偉大的——因為最真實——旅行者，也是我有幸見到最快樂的人之一。我後悔沒有瞭解他之後怎麼樣了，或者說，我覺得自己應該後悔，實則不後悔；因為到現在為止，距離我認識他那短短一段時間已經十幾年了，他一定長大了，成了只知道履行職責的傻瓜，或者已經結了婚，得維持生計——等於還活著就已經死了。也許曾經有過那麼好的靈魂旅行經歷的他，甚至還真真正正四處旅遊。

我只記得：他知道從巴黎到布加勒斯特的火車行駛路線，對英國的其他火車路線也瞭若指掌；儘管他叫不對陌生名字，我能看到他偉大的靈魂非常真確地閃閃發光。是的，今天，他可能如行屍走肉般活著，也許某一天，他老去的時候，他會記起怎樣能更好、更真實的夢到波爾多，而不必真正到達那裡。

這一切可能也有別的解釋：他也許只是在模仿某人。或者……是的，有時我想，孩子的智慧和成年人的愚蠢之間差別之大令人駭聞，孩童時期有一種守護靈陪伴著我們，將祂自己的靈魂智慧借給我們，後來，也許被某種更高法則所逼迫，祂不得已憂傷地遺棄我們——一如母獸養大孩子之後就遺棄牠們了——拋給我們肥豬一樣的命運。

453 時光的微笑

我在這間咖啡廳的臺階前膽怯地看著生活。我看到的只是它廣大多樣的冰山一角聚集在這個完全屬於我的廣場上。一陣如同酩酊的輕微暈眩讓我看到了事物的靈魂。有形一致的生活在我之外邁著路人清晰可辨的步伐行進，它們的動作透著一種被壓抑的怒火。這一刻，我的感覺只是一個清楚又迷惑的錯誤，我的感官停滯了，萬物都成了其他，我一動不動地伸展雙翼，像一隻假想的神鷹。

我是個理想化的人，也許我最大的野心就只是一直坐在這間咖啡廳的這張桌子旁。

一切都是徒然的，像攪起的死灰，也是模糊的，像黎明降臨之前的時刻。

光完美、寧靜地照在萬物之上，為它們鍍上現實悲哀的微笑！世上所有的玄祕都已落下，我看著它們成形，變成平凡的街道。

啊，所有的玄祕被我們之間的普通事物磨破！想到它就在這裡，在我們複雜的人類生活陽光普照的表面，時光便在玄祕的唇邊不確定地笑著。這一切聽起來多麼現代！但又多麼古老，多麼隱晦，多麼意味深遠！

454 讀報

從一種美學角度來看，讀報總令人感到不愉快，但從一種道德的角度來看，甚至對於那些不在意道德的人來說，常常也有所同感。

當讀到戰爭和革命的影響時——新聞總會有這樣或那樣一類事情——這類事情使我們感覺煩悶，而不是害怕。真正使我們靈魂感到不安的，不是傷亡者的殘酷命運，也不是死於戰鬥或並非戰死的犧牲者，而是將自己的生命和財產貢獻給一些必定徒勞一場的事業的愚蠢行為。所有的理想和雄心不過是長舌婦混充男人的歇斯底里。沒有一個帝王能把打碎一個孩子的玩具合理化。沒有一個理想值得為之破壞一輛玩具火車。什麼樣的帝王才算有用？或者，什麼樣的理想才有意義？一切源自人性，人性從來都不會改變——變化多端但無法完善，起伏不定但不會進步。面對這無可挽回的事物狀態，面對我們不知道為什麼被給予和不知道何時會失去的生活，這一萬次的棋局以相同又相異的方式構成了我們的生活，對於永遠無法完成的事情，我們一直無謂的思索，也因此產生了乏味感……面對這一切，一個明智的人除了要求抽身離開，不去思考生活（因為生活本身已經是一種負擔），擁有一點點陽光和新鮮空氣，以及至少擁有山那邊寧靜祥和的夢，還能做些什麼呢？

455 過客

生活中那些使我們顯得荒唐、粗野或悲傷的不幸情況，過後都會被內心平靜的我們看作旅途中的悲歡離合。我們不過是這個世界的匆匆過客，願意或不願意，我們在虛無和虛無、一切和一切之間旅行。我們不必過於擔憂路途的顛簸和旅程中的災禍。這個想法讓我感到安慰，因為它所蘊含的某些東西令人安慰，或者僅僅因為我對它感到安慰。但如果我不去想它，虛構的慰藉就已足夠真實。

令人安慰的事物太多了！千奇百怪的雲彩總在明朗寧靜的藍天飄浮。微風拂過鄉間濃密的樹枝，拂過城裡晾曬在四樓或五樓的衣服。天氣暖和時我們感受到溫暖，天氣轉涼時我們感受到涼意，鄉愁、希望和窗外那個世界一個迷人的微笑，總能勾起我們的回憶，我們想要敲開解除自我之謎的大門，像得到基督救贖的乞丐。

456 我是自己的偽裝

我已久未動筆！在過去的幾天裡，我對是否放棄猶豫不決，就像經歷了幾個世紀。我像一潭荒蕪的池水，在並不存在的風景裡淤滯。

其間，我熬過了生活中充滿各種單調的每一天，度過了由一連串變化組成一成不變的時光。生活一切正常。如果我已入睡，一切並無什麼不同。我像一潭荒蕪的池水，在並不存在的風景裡淤滯。

我常常不能瞭解自己，在那些瞭解自己的人之中，我顯得與眾不同。我看見活在各種偽裝下的自己。無論一切怎麼變化，我依然如故；無論我完成什麼，對我來說都歸於虛無。

在我的內心有著遙遠的回憶，我彷彿回到鄉村舊宅的單調，而那種單調和此時感覺到的單調如此不同……我的童年在那座房子裡度過，但我說不清（如果我想說）那段時光比今天的生活過得更快樂還是更悲傷。那是生活在往昔的另一個我。那段生活和這段生活不同，無法比較。外表看來，同樣的單調將兩個我連在一起，而在內心，兩種單調無疑不同。它們不只是兩種單調，而是兩個生命。

我何苦要回憶？倦怠。回憶是一種休息，因為它意味著什麼也不做。為了獲得更好的休息，我有時回憶不曾發生過的事情，我在鄉村生活（我真正在那生活過）的回憶——房子裡的地板吱嘎作響——無論這種回憶的清晰程度，或是激起的鄉愁來說，都無法和我昔日從未居住過的空曠房子所帶來的回憶相比。

我完全成為了自己的虛構，我一旦有任何自然的感覺，就直接轉化成一種想像的感覺。回憶變成夢，夢變成夢裡的遺忘，自我認識變成一種喪失自我的思考。

我已徹底脫去這屬於自己的存在外衣。只有披上偽裝時我才是我自己。周圍的一切漸漸消失，未知的落日為我從未見過的風景鍍上一層金色。

457 現代事物

現代事物包括：

（一）鏡子的發展；

（二）衣櫃。

我們的肉體和靈魂都演變成穿衣的生物。由於靈魂總是依附肉體，它演變出一套無形的衣服。我們發展到擁有一個基本上穿衣的靈魂，同樣地，我們發展到——作為肉體的人——成為一種穿衣的動物。

問題不在於衣服已成為我們不可分割的一部分，而在於衣服的複雜性，令人奇怪的是，它和我們自然文雅的體態動作毫無關係。

如果有人要和我討論是什麼社會因素使我的靈魂變成現在這個樣子，我會默默地指向一面鏡子、一支衣架和一枝鋼筆。

458 思想的旅行者

在春天清晨的薄霧中，鬧區昏昏沉沉地醒來，太陽搖搖晃晃地升起。在微冷的空氣中有種平靜的喜悅，一種不是微風的風柔和地吹著，寒意已過，但生活還是微微打了個冷顫——不是因為殘存的那點涼意，而是因為有關寒冷的記憶；不是因為今天的天氣，而是因為與即將到來的夏天的對比。

商店尚未開始營業，只有咖啡廳和日間餐館開了，但這種靜寂不是週日那種懶散——就只是靜寂。一束金光穿過夜晚的空氣，穿過正在消散的薄霧，藍色變得有點紅。街上開始出現星星點點的活動跡象，行人一個個站著，看起來異常清晰，可以看到少數幾扇開著的窗戶裡有模糊的身影正在移動。叮咚作響的纜車順著它們半空中有限的黃線循序行進。漸漸地，街道開始退去荒涼的跡象。

我沒有思想或感情地到處遊蕩，只是在感受周圍的印象。我起得很早，毫無準備地走到街上。我像作白日夢一樣觀察。我像陷入沉思一樣看。一股柔和的情感荒謬地在我心中升起。好像外面消散的霧滲入了我的內心。

我意識到自己一直不經意地思考自己的生活。我沒注意到，但一直都在這樣做。我認為我已經不能再悠閒地散步，而成為了一個特定景象的反射體，成為一面空白的螢幕，上面透射著物體的顏色和光，卻不是影子。但其實不知不覺中，我已經不僅僅如此。我還是自我否定的靈魂，甚至連我抽象的觀察也是一種否定。

薄霧逐漸消失，空氣變得模糊，充滿一種慘白的光，好像吸入薄霧一樣。我突然意識到此時比有更多人存在時更加嘈雜。現在更多的行人腳步慢了下來。然後，在每個人漸緩的匆忙中，活潑的賣魚婦人邁著輕快的步伐映入眼簾，麵包師傅頂著他們奇大無比的麵包籃搖搖晃晃地走來，裡面的麵包顏色比麵包種類還多。麵包師傅沒放平的奶罐碰得叮咚作響，像荒謬的無用鑰匙。警察一動不動地站在路口，像是文明對即將到來不顯眼的一天始終如一的否定。

此刻，我與這景象唯一的關聯是視覺，能看到這些，我是多麼欣喜呀——用一個剛到達生活表面的成年旅行者角度去看待這一切！不需要一出生就學著將這些事物貼上預定的意義標籤。能看到它們自然的自我表達，不用在意那些強加在它們身上的意義，能認識這個賣魚婦人真實的人性，不用在意她被稱作一個賣魚婦人的事實，更不用在意我對她的瞭解——這個人存在並且賣魚。能像上帝一樣看待警察。能第一次注意到所有的事物，不是對生活的玄祕預示，而是現實的直接表現。

鐘聲或是一個大鐘錶敲響了，我沒有數，但知道一定是八點鐘。我從自我醒來，是因為陳腐的計時方法，這是社會強加於時間連續性的迴廊，是包含抽象的邊界，是圍繞未知的界限。我看到空中完全散去的薄霧（只有一抹類似藍色的顏色固執停留在藍色中）其實滲入了我的靈魂，並以同樣的方式滲入了接觸我靈魂的事物深處。我看不到我所看到的景象。我的眼睛能看到，但我是盲目的。我開始用陳腐的知識看待一切。我看到的不再是現實，而是生活。

……是的，我也屬於我的生活，而生活屬於我；不再只是屬於上帝或自身的現實，這種現實裡沒有玄祕，沒有事實，這種現實——因為它是真實的，或假裝是真實的——始終存在某個地方，剝離了世俗和永恆，只是一個絕對的形象，這是靈魂的外化。

我轉身慢慢離開，步伐比預想得快，回到我租屋的房門前面。但是我沒進去，我猶豫了一下，繼續走去，菲蓋拉廣場[105]上擺著五顏六色的小商品，熙熙攘攘地擠著很多顧客，擋住了我的視線。我緩慢前行，毫無生氣，我的視覺已經不再屬於我，它不再是任何東西：僅僅是一個人類動物的視覺，這個人類動物不可避免地繼承了希臘文化、羅馬秩序、基督教義和其他所有的假象，形成了我感覺並感知的文明。

活著的人在哪裡？

459 我喜歡住在城市裡

我希望住在鄉村裡，就像住在城市裡。我喜歡住在城市裡，可如果我住在鄉村裡，我會加倍喜歡住在城市裡。

460 自我審視

感情越強烈以及感受的能力越微妙，感情就越會為了芝麻小事而荒唐地發抖震顫。因為天色陰暗，所以需要非凡的智性來感受焦慮。人類從根本上來說都是感情遲鈍的，他們不會因為天氣而感覺焦慮，因為天氣總是不停變化；除非雨落到頭上，否則人類不會感覺到一滴雨水。

天色朦朧，萬物遲緩，潮濕悶熱。獨自一人留在辦公室裡，我開始審視我的生活，而我所看到的就像今天的天氣，讓我感覺沉重與苦惱。我看到我自己像個小孩子一樣毫無因由地感覺快樂，像個少年一樣志得意滿，像個成年人一樣既不快樂也沒有抱負。所有這一切都發生在薄霧之中，發生在呆滯的狀態下，就像今天這個日子，呈現在我眼前，讓我永誌不忘。

我們之中有誰在回頭看那條沒有退路的道路時，能說他們走了一條正確的路？

105 菲蓋拉廣場（Praça da Figueira）是里斯本的一個鬧區廣場，佩索亞的時代那裡被一個公共市場占用了。

461 自閉

我知道，最細微的事物都能輕易地折磨我，此後，我小心翼翼地避免接觸最細微的事物。如果一片雲在太陽下掠過都可以讓我痛苦，那麼我要如何才能不去承受生命中無邊無涯的黑暗？

我與世隔絕並非為了尋找快樂（我的靈魂不知道如何感受快樂），也不是為了尋找寧靜（除非從未真正失去寧靜，否則無人能獲得寧靜），而是為了安睡，為了忘卻，為了適度地放棄。

我那骯髒房間的四面牆，既是牢房也是荒野，既是床鋪也是棺材。腦海裡一片空白，無所求，無所夢，迷失在麻木之中，如同意外生長的植物，如同生長在生活表面的苔蘚，這便是我的快樂時光。我品嘗著這份荒唐的虛無，沒有一絲苦澀，預先體會了死亡和破滅的滋味。

從未有人能讓我稱之為「大師」。沒有基督為我而死。沒有佛陀為我指明道路。亦沒有阿波羅或雅典娜現身在我最崇高的夢中給予我靈魂的啟蒙。

462 自我放逐

我將自己從生活的行動和目標中放逐，我試著割斷自己和事物之間的一切聯繫，這恰恰是我試著逃避的。我不想感受生活，或者觸及任何真實的東西，因為與這個世界接觸帶來的體驗告訴我這種性格的人，生活總是給我痛苦的感覺。但是，這種逃避接觸的自我隔離加劇了我已經過度緊張的感覺。如果能夠徹底切斷與事物的一切聯繫，那麼我的感覺就沒有問題了。但我無法實現這種徹底隔離。無論我怎樣無為，我仍在呼吸；無論我怎樣不動，我仍在移動。因此，由於孤獨惡化了我的感覺，我發現再渺小的事物，哪怕它曾經對我完全無害，也開始給我大難臨頭的感覺。我選擇了錯誤的逃避方式，從一條令人不舒服、迂迴的路線逃走，到達和起點在同一個地方的終點，旅行帶來的筋疲力竭加劇了生活在哪裡的恐懼。

我從未把自殺看作一種解決方法，因為我對生活的恨源自於對生活的愛。我費了很長一段時間認識到這個令人遺憾的錯誤，我該如何面對我自己。由於認識到這一點，我感到沮喪，每當我說服自己相信什麼東西時，都會有這樣的感覺，因為對我而言，每一次新的認識都意味著另一種幻滅。

我藉由分析它而殺死了我的心願。如果我能在分析之前回到我的童年，哪怕在我有一個心願之前，那該多好！

我的公園全都沉入死寂的睡眠，公園裡的水池在正午的太陽下淤積，野蜂的嗡嗡聲和生活壓抑著我，這種感覺不像一種悲傷，而像一種持續不斷的身體疼痛。

遙遠的宮殿，陰鬱的公園，遠處的小徑，再也無人去坐的石凳消失的吸引力——逝去的顯赫，消散的吸引力，失去的光芒。啊，我那被忘卻的渴望，如果我能找回夢見你的那種憂傷，該有多好！

463 平靜

平靜終於來臨。所有的一切都是碎屑和殘渣，從我的靈魂裡消失不見，彷彿這一切從不曾存在過。我很孤獨，也很平靜。就像是這一刻，我在理論上皈依於一種宗教。不過我不再受塵世裡的任何事物吸引，也不會受天國裡的任何事物吸引。我感覺非常自由，彷彿我已經不再存在，並且已經意識到了這個事實。

平靜，是的，平靜。一種巨大的平靜如同某些過剩的東西壓向我，直達我的內心深處。我讀的書，完成的任務，生活的變化與沉浮——所有這一切對我而言都變成了一抹微弱的半影，一種幾乎看不見摸不著的光環，環繞著某個平靜的東西，這東西我根本不認識。付出努力時我有時候會忘了我的靈魂，沉思時我有時候會忘了所有行動——努力與沉思回歸於我，就像是一種不帶感情的親切，一種微不足道的空洞憐憫。

這並不是一個溫暖且陰沉的多雲日子。那微風非常微弱，幾乎並不存在，比凝滯的空氣更加難以察覺。那模糊且有汙點的藍天也不是無名的色彩。一切皆虛空，因為我什麼都沒有感受到。我不想看到卻看得一清二楚，無助極了。我聚精會神地看著這些非奇觀的景象。我沒有感受到我的靈魂，只有平靜。所有身外之物都是不同的，此刻一動不動，即使它們在動，它們對我的意義，就像是這個世界對基督的意義，基督俯身看著萬事萬物，而撒旦則誘惑它們。它們皆虛無，我可以理解為什麼基督不會受到誘惑。它們都是虛無，我不能理解為何又老又聰明的撒旦認為它們會受到誘惑。

快速地經過，不被感覺到的生活，在被遺忘的樹下一條河靜靜地流淌著！輕輕地經過，不被知曉的靈魂，巨大的樹枝掉落下來發出看不見的沙沙聲！無用地經過，毫無意義地經過，有意識地意識到虛無，滿落樹葉的遠處空地之中朦朧一閃，來處和去處我們都無從得知！快，快，讓我忘記吧！

某些不敢生存的存在發出幽微的呼吸，感受失敗的存在發出低沉的嘆息，拒絕思考的存在發出無用的低語。緩慢地走，懶散地走，自你不得不擁有的漩渦裡走，在你被給予的水滴裡走。走向陰影，或走向光明，它們是這個世界的兄弟；走向榮耀，或走向深淵，它們是混沌和黑夜的兒子。然而，記住你模糊不清的部分，諸神隨後就來，祂們也會與你擦身而過。

464 夢想的本錢

無論是誰看到這裡，都會得出肯定的結論，認為我是個夢想家。他們大錯特錯。我沒有錢，根本成不了夢想家。

強烈的憂鬱與煩悶的悲痛，只有在舒適和莊重豪華的氛圍下才能共存。所以生活在祖傳古堡的埃加烏斯[106]才會一連好幾個小時病態地陷入沉思，而在死氣沉沉的客廳大門另一邊，男管家正低調地打理房子，準備飯菜。

偉大的夢想需要特殊的社會環境。有一天，我寫下的某一段落具有了悲傷韻律，讓我興奮地想起了夏多布里昂，片刻之後我便記起我既不是子爵，甚至根本不是不列塔尼人。還有

106 埃加烏斯（Egaeus）是愛倫坡（Edgar Allan Poe）短篇恐怖故事《Berenice》的主角。

一次，我在寫作，內容似乎令我想起了盧梭，同樣是片刻之後，我便意識到我不是貴族領主，名下沒有城堡，此外我也沒有特權做一個來自瑞士的流浪者。

可是道拉多雷斯大街也是個包羅萬象的地方。在這裡，上天也給予謎一樣的生活無限發展。我的夢想或許可悲，可這就是我所擁有的夢想，以及我有能力擁有的夢想，就像我根據車輪和木板想像出了大車和木板箱一樣。

誠然，日落在他方。可即使從四樓這間房間裡俯瞰這座城市，也有可能思量無限。這種無限建立在下面倉庫之上，上方則是繁星點點……是日之將近，我從高高的窗戶向外看，突然有此感觸，身非資產階級令我心存不滿，無法成為詩人令我心有悲哀。

465
失眠

夏天的到來令我悲傷。夏的光亮，儘管刺眼，撫慰了那些不瞭解自己是誰的人，但並不能撫慰我。外界的豐富生活和常常從感覺裡挖掘出來的屍體形成巨大的反差——我的所感和所想，我不知道如何感受和思考。在這被稱作宇宙的無界國度裡，我感到自己生活在暴政下，它並未直接壓迫我，但仍然觸犯了我靈魂中的一些祕密原則。然後，一種對某些未來、不可能放逐的荒謬鄉愁緩緩地、輕輕地抓住我。

我最大的感覺就是麻木。這不是一種隱隱帶來——就像所有其他的麻木，甚至疾病導致的麻木一樣——身體休息特權的麻木。這種麻木也不會使我們忘記生活，以及進入夢鄉，在盛大的退位儀式上接受令人寬慰的恩賜，它接近我們的靈魂。不：這是一種無法入睡的麻木，壓在眼皮上，眼睛卻閉不上，因懷疑而嘴角輕揚，就好像要表達一種乏味和反感。這是一種睡意，當一個人的靈魂忍受著嚴重失眠時，它無用地襲過他的身體。

只有夜幕降臨，我才感到一種不快樂的休息，由於其他休息是愉快的，依此類推，它似乎也是愉快的。然後，我睡意全無，睡意帶來混亂的精神薄暮開始逐漸散失殆盡，直到它幾乎有些微明。有段時間，那裡潛伏著對其他事物的希望。不過，這種希望轉瞬即逝。隨之而來的是絕望，無眠的煩悶，從未睡著的人被喚醒的不愉快。透過房間的窗戶，我用難受的靈魂和疲憊的身體凝望著數不清的星星——數不清的星星，無，虛無，但數不清的星星……

466 鏡子

人不應該看到他自己的臉——沒有比這更凶險的東西。這是自然給予人們的一份厚禮，讓他看不到自己的臉，不能夠盯著自己的眼睛。

只有在河邊和池子的水裡，人才能看到他的臉。他不得不採取的任何姿勢都具有象徵意義。他不得不俯身、彎腰，承受恥辱來注視他自己。

發明鏡子的人毒害了人類的心。

467 悲哀的臉

他聆聽我朗讀自己的詩句——那天我讀得很好，因為我很放鬆——他帶著自然法則的簡明易懂對我說：「如果你能夠一直這樣，但換張不同的臉，你就會是個可愛的人。」「臉」這個詞——它的意義遠不止它的本義——猛地將我從我無知的衣領下拉出來。我在房間看著鏡子裡那個並不可憐的乞丐那張可憐而悲哀的臉；然後，鏡子移開了，道拉多雷斯大街的幽靈像一個信使的極樂世界出現在我面前。

我的敏銳感覺像一種與我無關的疾病。它折磨著別人，我只是那個人發病的部位，因為我相信我必須依靠更強大的感覺能力。我像一種特殊的組織，或者僅僅是一個細胞，首當其衝地承擔著整個有機體的責任。

我思考，因為我在遊蕩；我作夢，因為我醒著。我的一切與我自己糾纏在一起，我的每一部分都感到不知所措。

468 抱歉

我們時常生活在抽象中，這抽象屬於思想本身還是思想的知覺，與我們自己的情感相悖，還是現實生活中的事物會成為幽靈——就連那些我們獨特個性能感受的更細膩東西也不例外？

無論我與某人多麼交好，情感多麼真摯，他生老病死的消息只會留給我模糊不清的印象，這印象讓我尷尬不已。只有直接接觸，真實的情景會激發我的感情。我們靠想像過活，便會用盡全力去想像，尤其是為了想像那些真實的存在。我們的精神生活遠離不存在也永遠不會存在的事物，結果我們喪失了思考可以存在的事物的能力。

今天我發現一位好久不見但我時時真心懷念的故友，剛剛住院做手術。這個消息在我心中激發唯一清晰確定的感覺就是，想到不得不去探望他，我很疲憊，甚至我想放棄這次探望，任由自己愧疚。

就這麼多……處理了太多陰影，我自己也成了陰影——我思想，我感知，我是我。我的存在包含我從未成為的正常人所具有的懷舊之情。這個，只有這個是我的感覺。我其實並不為將要做手術的友人感到傷心。我其實不為任何要做手術的人或是受苦而悲傷不已的人感到傷心。我只是為不能成為一個會傷心的人而傷心。

突然間，我想起了另一個人，不知是被何種力量所驅使。好像我產生了幻覺，我從未感受過也從未成為過的一切與沙沙作響的樹木，汩汩流入池塘的水流和並不存在的農場交織在一起。我變成了自己的影子，好似我的存在向它屈服。與德國故事裡那個叫彼得・施萊米爾[107]的傻子恰恰相反，我將我的肉體賣給魔鬼，而不是影子。我因為不感到痛苦，因為不知如何痛苦而痛苦。或者我還僅僅是假裝活著？我睡了還是醒著？炎熱的白天吹來一股涼涼的輕風，我忘記一切。我的眼皮愜意地變重了……我想起同樣的太陽正照在我不在也不希望去的

107 彼得・施萊米爾（Peter Schlemihl）是《彼得・施萊米爾的奇蹟故事》（Peter Schlemihl wundersame Geschichte）的主角，由阿德爾伯特・馮・查米斯（Adelbert von Chamisso，一七八一～一八三八年）在一八一四年出版。

田野上……嘈雜的城市中央浮現廣遼的寂靜……這是多麼柔和！但若我能感受到，它會柔和得多！……

469 寫作也失去了吸引力

甚至寫作也失去了它的吸引力。用語言表達情感，精心地遣詞造句，這些都變得像吃喝一樣平庸。我做這些事情時或多或少帶著些興趣，但總是帶著某種超然，不曾融入真正的熱情或才智。

470 魚鉤

開口說話，就會表現出太多對他人的關心。就在他們張開口之際，魚，和奧斯卡・王爾德如宿命一般地上鉤了。

471 幻覺和假象

只要我們把世界看作是一種幻想和錯覺，就會把發生在我們身上的任何事情看作是一場夢，看作是我們睡著時幻想它們存在的東西。對於生活中的一切挫折和災難，我們會用一種巧妙而徹底的冷漠對待。轉進街角的人已死，這就是為什麼我們再也見不到他們的原因；遭受苦難的人從我們眼前經過，如果去感覺，他們就是噩夢，如果去思考，他們就是令人不快的白日夢。我們自己的苦難甚至和這種虛無並無不同。在這個世界上，我們向左邊側睡，即使在夢裡也能聽見受到壓迫的心跳聲。

沒有別的了……一點陽光，一縷清風，遠處的幾棵樹，對快樂的渴望，對時光流逝的哀嘆，永遠令人懷疑的科學，永遠找不到的真理……就是這樣，沒有別的了……沒有了，沒有別的了……

472 虛無

為了獲得神祕的滿意狀態，而不致承受其所帶來的艱苦；為了在沒有神、神祕和主持入門儀式的守護祭司[108]之路上做一位入迷的追隨者；為了思考一個你不相信的天堂而度過一天——所有這些對於靈魂來說都是一種美妙的滋味，而靈魂知道它一無所知。

寂靜的雲在頭頂的高空飄動，一具肉體處在陰影裡；隱藏的真理在我頭頂的高空飄動，一具靈魂被囚禁在一具肉體裡……是的，萬事萬物都在高空流過，飄走；受人期待的萬事萬物都在遠方，遠遠地飄走……是的，萬事萬物都具有吸引力，萬事萬物都是陌生的，萬事萬

108 守護祭司（Epopt）是古希臘伊留西斯神祕教中的最高祭司。

物都飄走了。

我要怎麼才能知道，在陽光下或在雨中，作為一具肉體或一具靈魂，我也可以飄走？無濟於事——只能希望，萬事萬物都是虛無，是虛空，因此，又成為萬事萬物。

473 上帝

每一個心智健全的人都信仰上帝，沒有一個心智健全的人信仰一個具體的上帝。有這樣一種既真實又不真實的存在，祂統治萬物，而祂的容貌外表（如果祂有的話）無法被定義，祂的目的（如果祂有什麼目的的話）也無法被看穿。把祂稱作上帝——由於上帝這個詞沒有明確的含義——我們一言不發地證實了祂。我們有時把無限、永恆、全能、公正或博愛這些形容詞加在「上帝」的前面，但都被去掉了，就像名詞前面所有多餘的形容詞。祂的無限沒有屬性，正因為如此，「上帝」是一個絕對名詞。

同樣的確定和同樣的難解與靈魂的存活共存。我們都知道我們會死；我們都覺得我們不會死。死亡是一種誤解，我們有這樣朦朧的直覺，不只是源於我們的欲求或期望，還有一種出自本能的邏輯，摒棄……

474 一天

我沒有吃午餐——每天我都會說服自己必須去做的事情——沿著塔古斯河漫步，然後沿著街道往回走，甚至不願假裝知道散步對我有好處。即使如此……花時間生活不值得。唯有花時間觀看才算值得。只看，不生活，帶給人快樂，但這就像我們夢見的一切，不可能實現。不將生活納入其中的快樂是多麼偉大的事情！

至少，要創立一種新的悲觀主義、新的消極思想，藉此我們能夠獲得一種幻覺，以為我們留住了自己的某些東西——哪怕是不好的東西！

475 思考

「你在笑什麼？」莫雷拉並無惡意的聲音從兩座書架那邊飄過來，那些書架成為我小尖塔的邊界。

「我弄混了一些名字。」我回答道。我的肺部也平靜下來。

「啊。」他飛快地說，飄滿塵埃的辦公室再次寂靜下來，我也平靜下來。

夏多布里昂子爵在看這些書！亞米哀教授坐在這張皇家高位上！阿爾弗雷德・德・維尼伯爵在格蘭德拉百貨商店記帳！瑟南古走在道拉多雷斯大街上！

甚至沒有可憐而又可悲的蒲爾熱[109]，他的書像沒有電梯的建築物一樣令人討厭……我轉身探出窗外，再次看著聖日耳曼大道[110]，恰恰在那個時候，農場主人的伴侶從隔壁窗戶向外

109 蒲爾熱（Paul Bourget，一八五二～一九三五年），法國小說家、文學評論家。

吐口水。

我處在思考和吸菸之間，並不把一件事和另一件事連結起來，我在精神上發笑時感受到菸味卡進我的喉嚨，演變成一陣聽得見的輕微笑聲。

476
懷舊與現實

似乎很多人會覺得，我只為自己而寫的日記太過虛偽。但對我而言，虛偽恰恰不做作。除了仔細記下這些心理筆記，我還能用什麼聊以自娛？儘管我並不十分在意如何記錄。事實上，我草草寫下，既沒有按照特別的順序，也沒有花費特別的心思。我散文裡精鍊的語言就是我自然而然想到的語言。

對我而言，外在世界是一種內在現實。我的這種感覺並非是按照形而上方式，而是通常被用來掌握現實的感覺。

昨天的瑣事是一種鄉愁，侵蝕著我今天的生活。

這裡就是隱居地。夜幕降臨在我們的逃避之上。垂暮的太陽在池塘的藍眼睛裡反射出最後的絕望。這些古老花園裡有著太多屬於我們的東西！這些雕像和英式林蔭小道將我們體現得如此豔麗多姿。戲服、鈍劍、假髮、優雅的動作和隊伍，這一切不過是我們精神的部分實質！然而，這個「我們」到底指的是誰呢？正如廢棄花園噴泉噴出來的水花，在憂傷地嘗試後，仍然無法像曾經噴的那樣高。

477 百合花

……遙遠河岸邊的百合花，清冷肅穆，在真實陸地的中心，在永遠沒有盡頭的日子裡。沒什麼別的了，然而完全真實。

478 月夜景色

整個景色就像完全不存在了。

479 荒謬的哀愁

我站在影影約約的斜坡上往下看，冰封的城市在月光下沉睡。

一種成為自己的焦慮常常困擾我，淹沒我，找不到一條出路，使我變得敏感、恐懼、悲傷和孤獨。

一種難以言說、過於荒謬的哀愁，一種悲傷，孤獨而荒蕪，形而上的我……

110 聖日耳曼大道（Boulevard Saint Germain），位於法國巴黎。

480 夜色朦朧的城市

寂靜而朦朧的城市在我悵然若失的目光下延展。

形狀各異的建築物構成一團混亂而獨立的建築群，死寂的影子在珍珠般縹緲無常的月光下顯得格外引人注目。那裡是屋頂和影子，窗戶和中世紀，但市郊什麼也沒有。我看見遠處的一切都閃著微光。我所站之處的上方是黑色樹枝，整個市鎮的沉睡充滿著我幻滅的心。月光下的里斯本，我的倦怠，只因為明天！

好一個夜晚！這樣的夜晚，令任何塑造世界細節的人感到歡欣。在這些孤寂的月夜時分，我對曾經總是瞭解的自我不再瞭解，對我而言，沒有比這更好的旋律或時刻。

我並未思考，也沒有微風和人打擾。我像醒著一樣沉睡。但我的眼皮還有感覺，彷彿什麼東西使它們變得沉重。我聽得見自己的呼吸。我是醒著的，還是睡著了？

我拖著雙腿走在回家的路上，感覺像灌了鉛一樣沉重。消失的愛撫、化為虛無的花、從未發出聲的我的名字、我的不安猶如河岸之間的河流，放棄義務的特權，以及——祖先花園裡的最後一個彎道——那是另一個世紀，像一座玫瑰園……

481 理髮師之死

我像往常一樣走進理髮店，帶著一種愉快的感覺，輕鬆而自在地走進一個熟悉的地方。

新事物總使我感到不舒服，只有待在曾經到過的地方，我才覺得舒服。

我在椅子上坐下後，年輕的理髮師把一塊乾淨冰涼的布圍住我的脖子，我突然想起要問候一下他那位年老的同事。那位老者總在右邊的椅子那邊工作，他雖然生病，但動作敏捷。我提問並不是要無話找話；而是這個地方讓我想起了他。當理髮師的手指從我的襯衫領子和脖子之間的亞麻布裡伸出來，在我身後淡淡地回答道：「他昨天晚上去世了。」就像理髮師從旁邊的椅子永遠消失了，我整個毫無理由的好心情頓時煙消雲散。一絲寒意襲擊我整個思想。我說不出話來。

懷念！我甚至懷念對我無足輕重的人或事物，因為時間的流逝令我感到痛苦，而生活之謎是一種折磨。我在走慣了的街上見到那些看慣了的臉孔——如果我看不見他們，我會感到傷心。或許，除了是一切生活的象徵，他們對我無足輕重。

我經常在早上九點半遇到的那個綁腿髒兮兮的無趣老頭……總對我糾纏不休卻白費功夫的賣彩券瘸子……在菸草店門口抽著雪茄面色紅潤的肥胖老人……臉色蒼白的菸草店老闆……因為我經常見到而變成我生活一部分的這些人，他們身上到底發生了什麼事？明天我也會消失在普拉塔大街、道拉多雷斯大街和范奎羅斯大街上。明天的我——我和這個感受和思考的靈魂，這個為我而存在的宇宙——是的，明天我也將不再行走於這些街道上，會突然被其他人想起，並問起：「他怎麼了？」我的一切所為、一切所感和一切生活都不會比每天在其他城市或地方的街道上行走的路人更重要。

不安選集

在一篇關於如何編排《惶然錄》的說明（附錄三）中，佩索亞考慮將部分有標題的文章單獨出版成冊。這些有標題的文章包括一九一〇年以後的作品，並按字母順序排列。他用羅馬字母將這些取自某些文章的片段分開，比如〈對不幸的已婚婦女的忠告〉。

對不幸的已婚婦女的忠告（一）

（不幸的已婚婦女包括所有已婚和一些單身婦女）

最重要的一點是，要謹防訓練有素的人文情懷。人道主義即粗俗。我冷靜地、理性地寫下這些話，是為妳們好，妳們這些可憐又不幸的已婚婦女。

一切藝術和自由的實質，就是一個人的精神盡可能不屈服，取而代之的是肉體的屈服。不道德的行為是不可取的，因為那樣會貶低妳在別人眼中的品格，使妳變得庸俗。妳應該在得到周圍每一個人的尊敬時，內心卻充滿淫欲。成為一個相夫教子的貞潔妻子和母親，與此同時，悄悄地從所有男人（包括鄰居和雜貨商）那裡染病——這是每個想真正享受和擴充個性的女人最大的滿足，她不會墮落地使用卑賤女僕用的卑賤手法，或者落入極蠢的女人才保持的死板貞潔，後者的美德僅僅是利己的產物。

按照妳的優勢，讀到我這篇文章的女性靈魂是否能夠看明白我在寫什麼。一切愉悅都在心裡；一切罪行都發生在夢裡，也只會發生在夢裡！我想起一個從未發生的完美而真實的罪行。這個完美的罪行並不是我們所熟知的。波吉亞[111]犯過完美罪行嗎？相信我，那不是他所為。那個罪惡累累、手段完美的人正是我們夢想中的波吉亞，是我們思想裡的那個波吉亞。我確信，凱薩·波吉亞活著的時候既平庸又愚蠢。他一定如此，因為活著本身就是愚蠢而平庸的事情。

我公正無私地向妳們提出這個建議，將我的方法應用到對我個人無益的案例中。我的夢充滿尊貴和榮耀，毫無半點肉欲可言。但我希望這個方法對妳們有用，如果說除了令我煩惱沒有其他理由，那是因為我討厭有用的東西。我用我的方式實踐著利他主義。

對不幸的已婚婦女的忠告（二）

現在讓我來告訴妳們如何在想像中對丈夫不忠。

絕不犯錯：只有平凡的女人才會真正地對丈夫不忠。羞怯是獲得性愉悅的必要條件，而委身於多個男人則毀滅了這種羞怯。

我承認，女性的卑微使她們需要男性這樣的物種。但我認為，每一個女人應當只委身於一個男性，如果必要的話，使他成為想像中男性擴展圈的中心。

做這些事情的最佳時間是在生理期前的那些日子。

具體如下：

將妳的丈夫描繪成一個較蒼白的軀體。如果妳擅長於此，妳會感到那團白色在妳的上方。

不擺太多的肉欲姿勢。親吻在妳身上的丈夫，然後在想像中替換他——記下躺在妳靈魂上方的那個人。

快樂的本質是多元的。將妳內在像貓一樣的機靈釋放出來。

111 凱薩．波吉亞（Cesare Borgia，一四七五～一五〇七年），引用自馬基維利，是當代「王子」最好的例子，凱薩是政治冷血的波吉亞氏族中最惡名昭著的成員之一。

如何惹怒妳的丈夫……

偶爾惹怒妳的丈夫是很重要的。

學會在不放鬆外在戒律的同時，沉湎於邪淫之事。最無法無天的內心加上最嚴格的外在戒律，構成完美的感官感受。每一個表現夢想和欲望的手勢在現實中都不存在。

替代比想像更容易。我的意思是，藉由替代，在與 B 男交歡的同時想像與 A 男性高潮。

對不幸的已婚婦女的忠告（三）

我親愛的門徒們，我對妳們的期望就是，如實按照我的建議去做，妳們將體驗到一種極大的多重感官愉悅，儘管妳們的子宮和姓氏被教堂和國家拴在某個男性身上。

鳥兒起飛前都會用腳蹬地。女孩們，願這樣的畫面成為唯一存在精神戒律的永久提示。感官感受的至高愉悅，如果妳能獲得，就是成為能想像得到的最淫蕩的蕩婦，但卻從不背叛妳的丈夫，甚至連目光也不背叛。

在內心成為一個蕩婦，在內心對妳的丈夫不忠，當妳擁抱他時心裡已出軌，當妳親吻他時就好像吻的不是他——這就是感官享受，我的上等女人，我神祕而理性的門徒。

為什麼我不給男人同樣的忠告呢？因為男人是一種不同的生物。如果他是一個下等人，我建議他盡可能引誘更多女人，然後遭受我的輕蔑……一個上等男人不需要女人。他不透過性占有便能獲得感官享受。這是一個女人，甚至一個上等女人所無法接受的。從根本上說，女人是一種性的生物。

世界末日的感覺

因為我在生活中每邁出一步，都讓我越發靠近那使人毛骨悚然的全新未知，因為我遇見的每一個人都是未知的一片活生生的碎片，我把這些碎片放在我的桌子上，以供我每天做我那些可怕的冥想，於是我決定戒除萬事萬物，決定走向虛無，決定將自己的行為降到最低程度，決定為人們增加難度，為活動設置障礙，不讓他們找到我，決定完全禁欲的藝術，決定退位到前所未有的高度。這就是折磨人的生活如何恐嚇與折磨我。

下決定，完成某件事，擺脫懷疑和模糊——對我而言，這些事情似乎就如同浩劫或宇宙災難。

據我瞭解，生活就是一場災難，就是一個天啟。隨著每一天的流逝，我感覺自己越發無能為力在清晰的現實處境裡注意人們的行為或表達自我。

隨著每一天的流逝，其他人的存在——往往我的靈魂遇到他們時都會受到粗魯而無禮的驚嚇——都變得越發令人痛苦與壓抑。和別人說話，就令我毛骨悚然。如果他們對我表現興趣，我就會逃跑。如果他們看著我，我就會顫抖。如果……

我處於永恆的自衛狀態。生活令我痛苦萬分，其他人也令我備受折磨。我不能與現實面對面。就連太陽都讓我沮喪，令我壓抑。只有在深夜，我一個人獨處，逃避，遺忘和迷失，不與任何真實或有用的人與物有連結——唯有此時我才能找到自我，感覺舒服。

生活讓我感覺冰冷。我的存在就是潮濕的地窖和黯淡無光的地下墓穴。我就像支撐最後帝國的最後一支軍隊遇到的慘敗。沒錯，我感覺到彷彿我在一個統治天下的遠古文明末期。我，過去常常支配別人，如今卻孤身一人，遭遇遺棄。我，一直以來都有智者指引我，如今卻無朋無友，迷失方向。

我的內心始終祈求憐憫，我的內心為了自己而淚如雨下，正如為了一位死亡的神祇淚如雨下一樣，在年輕異族如同白浪滔滔地攻擊邊界時，這位神祇的聖壇被全部摧毀，生活如期而至，並且想要知道這個帝國到底對幸福做了什麼。

我一直非常害怕別人和我說話。我一事無成。我不敢想自己成了什麼人；我甚至不敢夢到我在想自己變成了什麼人，因為即使是在夢裡——作為一個純粹的夢想家，我所處的那種幻想狀態——我都意識到，我與生活格格不入。

這個世界裡沒有一種感情能把我的頭抬離枕頭，而我則帶著絕望的情緒讓自己的頭沉浸在枕頭裡，沒有一種感情能夠應付我的身體或我的思想，我的思想覺得我依然活著，甚至不能應付抽象的生活概念。

我不會說任何現實中的語言，我在生活的瑣事之中蹣跚而行，像個病人一樣，他在臥床幾個月之後終於站了起來。只有躺在床上，我才感覺自己融入了正常的生活。我很高興自己發燒了，因為在躺臥之際，這似乎是非常自然的事情。如同風中的一道火焰，我焦急地亂動，有些頭暈目眩。唯有在封閉房間內不流通的空氣裡，我才能呼吸到我正常生活的氣味。

我甚至不會想念海風。我任由擺布，把我的靈魂當成一座修道院，我甘心做我自己，不再想成為乾旱貧瘠天地裡的秋日，而我只有微弱的鮮活生命，如同一抹光亮在遮著天篷的黑暗池子裡消失不見，我沒有活力，失去色彩，可當太陽下山之時，流亡的紫色光輝傳來……

我唯一的真實愉悅是分析我的痛苦，而我唯一的世俗快樂就是當感情崩潰或腐爛之際，看著情感令人毛骨悚然地漸漸消散——朦朧的陰影裡傳來輕微的腳步聲，我們甚至不用轉身察看那是誰的腳步；遠處傳來微弱的歌聲，我們不必嘗試聽清楚歌詞，因為歌聲的含糊和來自於誰的神祕感更能讓我們平靜；蒼白的水域有著朦朧的祕密，夜空裡充滿了空靈的氛圍；遠處的馬車傳來鈴響，誰知道它他們自何處返回，或者他們有著怎樣的歡樂，因為他們距離此處是那麼遙遠，晦暗懶散的午後一輛困倦的馬車，在那裡，夏天讓位給了秋日……

花園裡的花都枯死了，變成了別樣的花朵——更老且更壯麗，枯萎的黃色花瓣非常神祕、沉寂與寂寞，顯得更協調。池子裡的水冒著泡，這水也是夢境的一部分。遠處的青蛙呱呱地叫！啊，我的內心之中有一個死氣沉沉的鄉下！多麼具有鄉村般寧靜氛圍的夢境啊！啊，我的生活，多麼缺乏鬥志，就像一個不中用的懶漢，他睡在路邊，他的睡眠清新而晶瑩，草地的芳香就像霧氣一樣飄入他的靈魂，醇厚，永恆，就像與其他事物無關的萬事萬物，在星辰冰冷的憐憫下，如暗夜一般，缺乏特性，到處遊蕩，令人厭煩。

我隨著我的夢到處遊蕩，讓畫面一幅接著一幅；像扇子一樣，我讓每一個偶然的隱喻都演變成一幅巨大的、只能在心裡看見的圖畫；我拋棄了我的生活，就像拋棄一件過於緊繃的西裝。我躲藏在樹林中，遠離道路。我迷失了自我。在一切不重要的時刻裡，我可以忘記對生活的品味，可以埋葬關於日光和喧囂的思想，可以有意識且荒唐地在我的感情裡走向終結，還有那個位於一片廢墟之上、折磨人的帝國，在一片勝利的旗幟和鑼鼓中，有一個巨大的入口，通向一座榮耀的終極城市，在那裡，我不會為任何人與物流淚，不會有任何渴望，不會向任何人，甚至向我自己祈求存在的權利。

正是我為了我在夢境裡創造出來的、那令人不快的池子表面而深感痛苦。我的痛苦就是我想像出來那長滿綠樹大地上的蒼白月亮。我的痛苦就是停滯的秋日天空產生的疲倦，我記得那天空，卻從未親眼得見。我所有的死寂人生，我所有的缺陷夢境，以及我擁有但卻不屬於我的東西，全都在我內心的天空中，在我靈魂之河那看得見摸得著的漣漪中，在平原上我見過卻也沒見過這麥田的麥田那焦躁不安的寧靜裡，向我壓來。

一杯咖啡，一點菸草，我抽菸的時候菸味從我身邊飄過，在這間半明半暗的房間裡我的眼睛半睜半閉——這一切，以及我的夢境，都是我希望從生活得到的東西。對我而言，這一切看起來是否太貧乏？我不知道。我怎麼才能知道，什麼是貧乏，什麼是富有？

啊，外面的夏日午後啊，我多麼想改頭換面……我打開窗戶。外面的一切是那麼的柔軟，可那一切卻割傷我，就像一份無限的痛苦，就像一份朦朧的不悅感覺。

有最後一件事情將我割傷，把我撕裂，將我的靈魂扯成碎片。此時此刻在窗邊，這件事就是我想到了這些悲傷與輕柔的事物，我應該成為一個有吸引力且唯美的人，就像是畫中人一樣——然而我甚至不是……

讓這一刻趕快過去吧，趕快遺忘吧……讓今夜到來，讓夜色越來越沉，讓夜色籠罩一切，永不退去。讓這個靈魂永遠成為我的墳墓，陷入純粹的黑暗，願我永遠不能在沒有感情和渴望的情況下重生。

有效作夢的技巧（一）

首先，要確保你不尊敬一切，也不相信一切。然而，當你表現出不敬時，應當保持著尊敬某些事情的欲念；當你鄙視你不喜歡的人時，應當保持著喜歡某個人的痛苦渴望；當你藐視生活時，應當認為生活是美好的，值得我們活著和去珍惜。這麼做之後，你將為你的夢中樓閣奠定基礎。

記住，你正在從事最崇高的事業。作夢就是發現自我。你將成為自己靈魂的哥倫布。你將要發現屬於自己的風景。要確保你的路線正確，你的儀器不能指錯了方向。

作夢這門技巧，因為被動，所以艱難。在夢裡，我們集中一切努力避免施加力道。如果有睡眠的技巧，那麼它毫無疑問與之相似。

注意，作夢技巧並不是一門指導作夢的技巧。指導即行動。真正的夢想家對自己繳械投降，被自己支配。

起初，消除一切物質刺激後，你將忍不住手淫、酗酒、吸食鴉片……這些都是努力和尋覓的過程。要成為一個優秀的夢想家，你就不得不只當一個夢想家。鴉片和嗎啡在藥房都能買到——你又如何能指望透過它們作夢呢？手淫是一種生理現象——你又如何能指望……

現在，如果你夢見手淫，那麼很好。如果你夢見吸食鴉片或嗎啡，並沉湎於夢中的鴉片和嗎啡，那麼你值得稱讚：你的表現如同一個完美的夢想家一樣。

你應當始終把自己想像得更淒慘、更可憐。這樣做並無害處。它甚至可以當作一種通往夢境的雲梯。

有效作夢的技巧（二）

・推遲一切。明天的事情絕不今天做。事實上，無論明天或今天，你根本不需要做任何事情。

・永遠不要想你要做什麼。不要這麼做。

・過你的日子。不要以此為生。對或錯，快樂或悲傷，做你自己。你只能在夢裡這麼做，因為你的現實生活和人類生活都不屬於你，而屬於別人。你應該將生活和作夢調換，完全將精力集中在作夢。從生到死，在你真實生活的一切行動中，你並沒有行動——而是被行動。你沒有生活——而只不過是被生活。

成為別人不能理解的人面獅身獸。將自己關在象牙塔，但不關門。你的象牙塔就是你。

如果有人告訴你這樣做既虛假又荒謬，不要去相信。但也不要相信我說的，因為一個人不應當相信任何事情。

・藐視一切，但要做到你的藐視不會讓你心煩。不要因為藐視一切而認為自己高人一等。這就是掌握高貴藐視技巧的關鍵。

有效作夢的技巧（三）

透過夢見一切，生活中的一切使你蒙受更多的苦難……

這是你不得不背負的十字架。

形而上心靈有效的作夢技巧

推理——一切都很簡單，因為對我來說一切都是一場夢。我決定夢見什麼，就會夢見什麼。有時，我在自己身上創造了一個哲學家。當他有條不紊地闡釋哲理時，作為一個年輕男侍的我，用我的靈魂在他女兒的窗下向她求愛。

誠然，我囿於自己的所知。我不能創造出一個數學家。但我對自己的所有心滿意足，足以使我排列出各種組合，作不計其數的夢。或許，透過作夢我將實現更多東西。儘管這的確不值一提。我已感到十分滿足。

摧毀人格：我不瞭解自己的想法、感覺或性格……當我感覺時，對於面前出現某個視覺化的這個人或那個人，我只有一種模糊的感覺。我將我自己替換成我的夢。每個人都不過是他自己的夢。我甚至連夢都不是。

永遠不要將一本書讀到尾，也不要按順序讀，要跳著讀。

我從不瞭解自己的感覺。每當人們對我說起這樣或那樣的情感，並描述它時，我總感到他們在我的靈魂中描述著什麼。然而，當我之後回想起來，我又總懷疑這一切。我總不明白，我所感受到的我是否就是真實的我，或只不過是我想像中的我。我是一場戲裡的角色，而這場戲就是我自己。

努力徒勞無用，卻給人歡愉。推理毫無結果，卻十分有趣。戀愛使人煩惱，但或許比不愛更好。然而，作夢可以取代一切。在夢裡，我不用實際努力，卻能獲得努力的印象。我可以進入戰鬥，不用擔心驚嚇或受傷的危險。我可以推理，不用刻意發現什麼真理（我無論如何都發現不了），不用設法解決什麼問題（我知道我永遠也解決不了）……我可以戀愛，不用擔心被拒絕或背叛，也不會感到厭倦。我可以換心上人，而她始終如一。如果我希望被背叛或拋棄，我可以讓這樣的事情發生，並且總是用我想要的方式，總是以給我愉悅的方式。在夢裡，我可以體驗到最壞的焦慮、最殘酷的折磨和最偉大的勝利。我可以體驗這一切，就好像它們發生在生活中；我的夢是否生動、清晰和真實取決於我自己的能力。這需要研究和內在的耐性。

作夢的方式有很多種。其中一種便是徹底對你的夢臣服，不要試圖使夢清晰而明朗，讓自己進入夢喚起的朦朧感覺。這是一種低級無聊的作夢形式，因為它很單調，總是千篇一律。另一種大為不同的方式就是使夢清晰，以及控制夢。然而，透過這種控制夢的努力，夢顯然變得不真實。至高的藝術家——像我這樣的夢想家——只會努力讓夢變成這樣和那樣，使之契合他的幻想，展現在他面前的夢正是他渴望得到卻從不曾想過的，因為腦力勞動使他筋疲力盡。我想把自己夢成一個國王。我突然覺得，這就是我想要的，看哪，我就是某個國家的國王。夢將告訴我，我是哪個國家哪種類型的國王。我已成功地駕馭了夢，它們總是出乎意料地帶來我想要的東西。透過更清晰地聚焦，我可以使這些留給我模糊印象的生活場景更完美。在夢裡去中世紀不同時代的不同地方，我完全不能意識清醒地勾畫出來。我從未發現自己有這麼豐富的想像力，我對此感到吃驚。我任由自己的夢馳騁……它們如此純淨，總是超過我的預期。它們總比我期望的更美麗。然而，只有最高等的夢想家才有希望達到這一步。我數年來致力於作這樣的夢，而如今，我不費吹灰之力就實現了。

開始作夢的最佳途徑是透過書籍。對於一個新手來說，小說尤其有用。第一步就是學會徹底沉浸於你的閱讀，完全融入小說的人物角色裡。當你自己的家庭和家裡的麻煩相較之下顯得平淡無奇、令人生厭，那麼你會發現你已大為進步了。最好不要閱讀純文學小說，因為它會將我們的注意力轉移到形式結構。

我毫無羞愧地承認我就是這樣開始的。奇怪的是，我總是本能地閱讀偵探小說，而言情小說總是讀不下去。但這出於個人原因，我即使在夢裡也不願看到不切實際的東西。每個人都可以培養他獨有的偏好。讓我們永遠不要忘記，作夢就是探索自己。從讀書的角度來看，肉欲的靈魂應當選擇與我所讀書籍相反的讀物。

當作夢者體驗了身體的感受——當一部關於打鬥、射擊和戰爭的小說使他真正感到筋疲力盡，雙腿疲憊不堪——那麼他已度過了作夢的第一階段。對於一個肉欲的靈魂，他應當能夠——只做精神的手淫——在閱讀小說的某個適當時刻體驗了射精。

然後，作夢者應當試著將這一切轉移到精神層面。他應當在夢裡感覺到實際並未發生的射精（我舉的是最強烈和明顯的例子）。疲憊加劇，但快樂也將變得無比強烈。

在第三階段，一切感覺都變得精神化。這加劇了快樂和疲憊，但身體不再有任何感覺；我們不再四肢疲憊，取而代之的是我們的思想、意志和情感的鬆懈和倦怠……到達這一步，是走向作夢高等階段的時候了。

第二階段，就是為你自己的樂趣建構小說。如前所述，你只有在夢完全精神化時才能做這種嘗試。否則，建構小說的動態過程將阻礙精神化快樂的順利進行。

第三階段：一旦我們完成想像力的培養，就可以將夢塑造成任何我們想要的樣子。此時，我們不再感到精神疲勞。人格已徹底分解。我們化作有靈魂的灰燼，但沒有形狀——甚至連水都不如，而水的形狀取決於盛水容器的形狀。

徹底達到這一步後，完整而自動產生的戲劇在我們面前逐漸呈現。我們再也沒有精力寫作，但這無關緊要。我們可以間接地創作，可以想像我們身上有個詩人用一種方式寫詩，而其他詩人則會用不同的方式。我將這種技巧錘鍊到爐火純青的程度，能夠用不計其數的方式寫作，每一種都獨具匠心。

作夢的最高階段就是，創造出一幅有各種人物的畫面，畫裡的人物和我們同時存在，我們與這些靈魂相互聯繫、互相影響。這在極大程度上將我們的人格解體，將我們的精神化作灰燼。我承認，在整個人生中，我們很難不感覺到一種倦怠。但這是多麼大的勝利！

這只是一種終極的禁欲主義。這是一種沒有信仰、沒有上帝的禁欲主義。

我就是上帝。

瀑布

孩子知道洋娃娃不是真的，但待它們如真人一般，如果洋娃娃破了，他們甚至會為之哭泣。孩子的做法是非現實的。在這種容易哄騙的年齡，當生活中沒有性的存在，現實被遊戲取代，真實的東西被不真實的東西取代，這是何等幸福的事情！

如果我能回到過去，永遠當一個孩子，對大人在事物標上的價值和他們彼此建立的關係一無所知，該有多好！我小時候常常將我的小錫兵頭朝下倒著放。有什麼令人信服的邏輯論證可以向我證明，真正的士兵不能頭朝下往前走呢？

對於一個孩子來說，金子並不比玻璃更有價值。金子的價值真的更大嗎？一個孩子會朦朧地感覺到，大人的手勢表現出來的憤怒、熱情和恐懼是荒謬的。難道我們的恐懼、憎恨和愛情真的有用且不荒謬嗎？

孩子的直覺有著神性的荒謬！我們常常為事物的真實風景套上慣例的外衣，不論它在我們眼前有多麼暴露，我們總是把自己的思想攪成一片模糊，不論我們是多麼直接地凝視著它們！

難道上帝不是一個大孩子嗎？難道整個世界不像一個遊戲，一個淘氣小孩的惡作劇嗎？如此地不真實，如此地……

我笑著說出這個想法以供考慮，而當下，我從遠處審視這個觀點，發現它是多麼地可怕。（誰又能說它不是真的呢？）它跌落在地，落在我的腳下，將我的祕密摔成碎片和無數駭人的粉末……

我醒來是為了確定我的存在……

越過蜂窩，在庭院的乏味盡頭，和著小瀑布迷人的潺潺水聲，一種無邊無際的巨大煩悶在汩汩作響。

無名戰士墓

沒有遺孀或遺孤將古銀幣放在他的嘴裡向冥河渡神卡戎[112]付船費。我們永遠不會知道他用什麼樣的眼神渡過斯堤克斯河[113]，看到自己的臉——永遠不讓我們看見——九次倒映在冥界的水裡。他的影子在陰暗的河岸遊蕩，影子的名字對我們來說只是另一個影子。

112 卡戎（Charon）是希臘神話中的冥河渡神，負責把亡魂渡到冥河的另一邊。傳說，只要付錢給祂，祂就會將其擺渡過河。

他為國犧牲，不知如何，不知為何。他的犧牲有沒沒無名的榮耀。他全心全意奉獻自己的生命：出於本能，而非職責；因為他熱愛他的國家，不是因為意識到它。他像兒子保衛母親一樣保衛自己的國家，母子關係是天生的，而非邏輯的。出於對原始祕密的忠誠，他沒有太多考慮或希望自己的死亡，只是本能地接受，一如他接受自己的生命。他現在棲息的影子，與溫泉關[114]的影子是同胞兄弟，血肉之軀忠於他們出生時立下的誓言。

他為國犧牲，如同太陽每日升起。他天生就是死神想要他成為的樣子。

他並非因為什麼狂熱的信仰而倒下，也不是在某些為偉大理想的殘忍鬥爭中被殺害。他未受信仰和人道主義的汙染，他並非為了維護某個政治理念，或人類的未來，抑或一個新的宗教而死去。他不相信死後世界，不因輕信穆罕默德和基督的門徒哄騙，他直視死亡的降臨，不期望還有另外的生命；他目睹生命離開自己，不奢望有更好的生命。

他像風，像日子一樣自然地死去，帶著讓他與眾不同的靈魂。他鑽入陰影，一如人來到門前，徑直走進去那樣。他為國犧牲，這是我們唯一知道並瞭解的事情。當他塵世的生命之火熄滅時，他的眼睛深處反射的既非伊斯蘭教徒和基督徒的天堂，亦非佛教徒超脫的放下。

若我們不知他是誰，那麼他也不知自己是誰。他履行職責，卻不知自己做了什麼。讓玫瑰花綻放、讓樹葉凋零的美麗力量引導著他。生沒有更高的目標，死也沒有更好的回報。

現在，他得到諸神的許可，去參觀無光的世界。他經過克塞特斯河的悲痛和弗列格桑河的火焰，夜晚聽到緩慢的勒忒河水流的怒吼。

他像殺死他的本能一樣無名。他沒想過會為國捐軀，但卻這樣做了；他沒想過履行職責，卻也履行了。既然他的靈魂沒有名字，我們也就不要詢問他肉身的名字。他是葡萄牙人，但卻不是這個或那個葡萄牙人，所以他是一般的葡萄牙人。

他的位置不在葡萄牙開國元勛旁邊，那些人處於不同的境界，有不同的意識。他不在我們崇拜的人之列，那些人英勇無畏地拓展了航海線，帶給我們更多原本占領不了的土地。

不要用雕像或石頭紀念這個代表我們每個人的靈魂。既然他是整個民族，他的墳墓應該是整片國土。我們應該將他埋在他自己的記憶中，只以他的榜樣為墓碑。

差別宣言

城市及國家的那些東西無法駕馭我們。那些部長和官員不知羞恥地耽誤國事，這也沒關係。這一切為身外之事，就像雨天的泥漿。我們和它們毫無關係，然而它們和我們卻密切相關。

我們同樣對世界各地的戰爭和危機這樣的大動亂無動於衷。只要它們不降臨到我們頭上，我們就不會關心它們降臨到誰頭上。這種態度看似建立在對他人的極度輕蔑上，而它實際上不過是建立在對自己持懷疑態度的基礎上。

我們並不仁慈，也不慷慨。不是說我們與此相反，而是因為我們既算不上仁慈，也算不

113 希臘神話中有五條河環繞著冥府。最廣為人知的冥河是斯堤克斯河（Styx），是仇恨河。下文的克塞特斯河（Cocytus）是悲嘆河，勒忒河（Lethean）是遺忘河，弗萊格桑河（Phlegethon）是火焰河。另一條則是阿刻戎河（Acheron）痛苦河，河上有渡神卡戎，於渡船上載著亡者穿越斯堤克斯河進入冥府。

114 溫泉關（Thermopylae）發生了第二次波希戰爭中的一次著名戰役，希臘的斯巴達王列奧尼達一世率領三百名將士在溫泉關抵擋波斯軍隊長達三天，但最後寡不敵眾，三百名將士全部陣亡。

上不仁慈。仁慈是一種微妙的形式，只有原始靈魂才具有仁慈。它作為一種發生在別人身上的現象吸引我們，別人有別人的思維方式。我們翹首旁觀，既不贊成也不反對。我們的天命就是成為虛無。

如果我們出生在自稱為貧窮階層的階級，或者是可以在上下層社會任意遊走的其他階級，那麼我們就是無政府主義者。但是，我們多半屬於等級和社會階層之間隙縫出生的個體——幾乎總是活在貴族和中上階層之間，社會精英和狂人（我們可能可以和他們相處）之間的頹廢空間裡。

行動困擾我們，部分是因為我們的身體勝任不了，但主要還是因為它冒犯了我們的道德感。我們認為行動不道德。在我們看來，每一個思想，一旦用語言表達就遭到貶損，因為語言把思想變成了別人的財物，使任何人都能理解。

我們贊同神祕學和祕術。然而，我們不是術士。我們天生不具有這種意志，更不用說培養和發展這種意志，成為一個擁有完美法術的巫士或催眠師，我們沒有這樣的耐心。但我們贊同神祕學，尤其是它傾向於以這樣的方式表達自己，許多人讀它，並認為能讀懂它，但實際上卻沒有讀懂。它以玄祕難解的姿態傲視一切。此外，它蘊藏了大量神祕可怖的感覺：星際幼體，離奇身體在神廟裡透過儀式魔法激發的離奇存在，徘徊在遲鈍感覺周圍的非物質存在，身體的靜默和內在的聲音——這一切撫慰我們，用它濕熱可怕的手在黑暗和痛苦中愛撫我們。

但如果術士充當人道主義的傳道者和捍衛者，那麼我們就不能苟同了；這剝去他們的神祕性。一個術士用占星盤占卜時，唯一正當的理由就是出於更高美學的考慮，而不是什麼服務他人的險惡目的。

不知不覺中，我們對黑魔法、超驗科學的禁忌形式，以及全能真主兜售給我們對輪迴的譴責和墮落，懷抱著代代相傳的同情。我們疲弱的眼睛和優柔寡斷的靈魂迷失在——像隻發情的母狗——顛倒黑白的理論，腐朽敗壞的禮教，世襲的險惡曲折和可憎的階層制度中。

無論喜歡或不喜歡，撒旦對我們施了法，就像男人對女人下了蠱。肉體智慧的毒蛇纏繞著我們的心靈，就像纏繞著雙蛇杖[115]，它傳達了神的旨意：墨丘利，上帝的傳譯。

我們不是同性戀者，卻希望有勇氣成為同性戀者。對行動的厭惡並不能使我們變得女性化。因為身陷肉身的性混亂，我們像家庭主婦和無所事事的女主人一樣，失去了真正的欲望。儘管我們不相信，我們似乎表現出某種諷刺意味。

除了軟弱，我們的惡行沒有其他原因。我們私底下崇拜惡，不是因為它是惡，而是因為惡比善更強大，更激烈，一切強大而激烈的東西都吸引我們的神經，而它本該屬於一個女人。「大膽犯罪」不適用於我們，因為我們沒有力量，甚至沒有智慧的力量，而這是我們曾經唯一需要的東西。帶著強烈的感覺想像犯罪——這是我們為嚴厲宣言唯一能做的。但這並不總是可能的，因為我們的精神生活有其自身的現實性，我們有時感到痛苦，只因它是一種現實。由於天生缺乏紀律，影響聯想（連同其他一切心理運作）的存在法則對我們是一種侮辱。

115 雙蛇杖（caduceus）是羅馬傳說中神的信使墨丘利（Mercury）的標誌，杖上有兩條蛇纏繞左右、兩頭相對，有的杖頂端有一對天使的翅膀。

神的嫉妒

當我與他人一起體驗愉悅的感覺時，我嫉妒他們在這種感覺中扮演的角色。他們和我有同樣的感覺，他們透過與我一致的靈魂感受，看透了我的靈魂，這使我覺得猥褻。

令人痛苦的事實就是，當他人必定出於和我一樣的原因凝視風景時，那麼，我又何以能夠以這些風景為傲呢？誠然，在某時某刻，喚起它們的差異對我來說是一種難以實現的迂腐慰藉。我非常清楚，這種差異微不足道，他們帶著同樣的凝視精神，以一種與我相似卻不完全相同的方式看著風景。

這便是我常常試圖改變所見、從而無可爭辯地擁有它的原因——改變山脈的輪廓，卻保持與原貌絲毫不差的壯麗；用另一些完全不同卻又極其一致的花草樹木替代；在夕陽下觀看另一些有同樣效果的色彩。我創造的這種方法得益於我觀看事物時與生俱來的體驗和習慣，一種對外在世界的內心解讀。

而替換有形世界只是最低層次的一種方法。在我最美好、最強烈的夢境時分，我改變和創造的東西會更多。

我會使風景如同音樂一般感染我，透過愉悅觀感喚起我的視覺想像——這是一種奇異而難實現的狂喜，因為喚起的替代品與它引起的感覺有著同樣的秩序。處於這種狀態下，我最大的快樂在於當光線模糊、氣氛朦朧時，我注視著索迪拉車站的廣場，真切地看到一座中國寶塔，它的瓦頂上方懸掛著各種古怪的鐘，像一些荒誕的帽子——一座奇特的中國寶塔在空間畫了出來，我不知道這種絲綢緞子般的空間如何能忍受那種令人憎惡的三維空間。那一時刻，我彷彿看到一塊無限延伸的布料，一種對現實的無限嫉妒……

喪禮進行曲

有什麼人能做點什麼去擾亂或改變這個世界呢？每一個有價值的人，難道就找不到另一個和他價值相當的人嗎？一個正常人和另一個正常人的價值相當；一個行動家的價值和他解釋的行動力相當；思想家的價值和他的創造物相當。

你為人類創造的任何東西都要任憑地球結束它們。你為後人留下的任何東西都帶有你的特點，別人不會理解，或者它只屬於你那個時代，後世不會理解，或者它屬於萬世，萬世沉入的最後深淵不會理解。

我們只是櫥窗，在陰影裡擺各種姿勢，而背後的神祕……

我們終有一死，壽命有一定的期限——不會更長或更短。有些人死了就消失了，有些人在認識他們、愛他們的人的回憶中繼續活了一段時間；另外有些人繼續活在他們祖國的記憶中，還有些人進入他們所屬文明的記憶；極少數人能在相互對立的不同文明中持續活下去。但我們都被時光的深淵包圍，終將從那裡消失；飢餓的深淵將吞噬我們每個人……

歷久不衰只是一個願望，永生永世是一種幻覺。

死亡就是我們和我們的生活。我們出生時就已經死了，我們如死一般地存在，我們瀕臨死亡時就已死去。

任何活著的事物都因變化而活著；它因發生而變化，因發生而死去。任何活著的事物總是不斷轉變成其他事物——它不斷否定自己，永遠逃避生命。

因此，生命是一段插曲、一個連接、一種關係，但它是已經過去和即將過去之間的關係，死亡和死亡之間的一段沉悶插曲。

……理解力，一種表面的錯誤虛構。

肉體生命是純粹的夢，或者僅僅是原子的組合，它不在我們理性推斷和情感動機的範圍。因此，生命的本質是一種幻覺、一種表象，不是純粹的存在就是非存在，這種幻覺或表象既然是虛無的，就必定屬於非存在——生命就是死亡。

受不死的幻覺所蠱惑，我們用在創作上的所有努力是多麼地徒勞無功啊！我們說「永恆的詩篇」或「不朽的文字」，然而，地球在終結物質時不僅會帶走覆蓋它的生命，還會帶走……

一個荷馬或一個米爾頓所能做到的，不會比撞擊地球的一顆彗星更多。

巴伐利亞國王路德維希二世[116]的喪禮進行曲

今天，死亡來我的門前推銷，她逗留的時間比平常要久。她用比以前還慢的動作，慢慢地在我面前展開遺忘和慰藉的毯子、絲綢和亞麻布。她對著自己展示的東西滿意地微笑，一點也不在意我看到她在笑。但是，正當我禁不起誘惑，想要購買時，她卻告訴我這些是非賣品。她不是來讓我買這些展示品，而她是想利用這些東西吸引我要她。她說，這些毯子讓她遠方的宮殿無比優雅，在黑暗的城堡裡，她穿的就是跟這些一模一樣的綢緞，她在地下世界住所裡的亞麻餐布比她給我看的更好。

她輕輕地解開我和我沒有裝飾、樸素的家之間的關聯。她說：「你的壁爐沒有火，那你為什麼還要這個壁爐？」「你的桌子沒有麵包，那你還要桌子幹什麼？」「你的生命沒有朋友和伴侶，那這生命還有什麼可吸引你的？」

她說：「我是冰冷壁爐裡的火，是空蕩桌子上的麵包，是孤獨者和被誤會的人忠實的伴侶。這個世界失去的光榮，是我黑暗統治下的榮耀。在我的王國，愛不會疲倦，因為它不渴望占有；也不會因為從未占有過而絕望。我的手輕輕放在思想者的頭上，他們就會遺忘；那些徒勞等待的人，最終會靠在我胸前，相信我。

「人們對我的愛，沒有毀滅的激情，沒有令人發狂的嫉妒，沒有影響記憶的健忘。他們對我的愛像夏夜一樣平靜，乞丐可以在這樣的夜裡像路邊的石頭一樣露天而眠。我的嘴脣不會唱美人魚唱的那種歌曲，哼不出樹木和噴泉演奏的旋律，但我的靜寂像微弱的音樂一樣歡迎你，我的寧靜像慵懶的輕風安撫你。」

「是什麼，」她說，「讓你牽掛生活？愛情不追隨你，榮耀不拜訪你，權力也落不到你身上。你繼承的房子成了斷垣殘壁。你收到土地的第一次收成也毀於霜凍，剩下的也被太陽曬得枯萎。你農場的井裡從未發現水。你還沒來得及看見，葉子就已經在池塘裡腐爛；你從未走過的小徑上早已荒草叢生。

「但我的領土，黑暗統治一切，你會感到慰藉，因為你不再希冀，能夠遺忘；你的欲望

116 巴伐利亞國王路德維希二世（Ludwig II, King of Bavaria），這位怪誕的日耳曼君王在一八四五年出生，一八六四年繼承王位，一八八六年六月十三日去世，也就是佩索亞出生前的整整兩年之前。路德維希是華格納的狂熱崇拜者和支持者，他對政治事務的興趣不大，卻把時間和國家的錢花在建造仿哥德式的城堡上，花在私人享受的娛樂、話劇和歌劇上。憤怒的大臣終於以他精神不適統治為由，把路德維希關進柏格的一座城堡中。第二天，他的屍體被發現淹死在施塔恩柏格湖，但死因是自殺或被暗殺仍是一個謎。這或許會讓被稱為「童話國王」的路德維希感到滿意，他曾寫道：「我想保持一個永恆的謎，對自己和他人都是如此。」

會消失，你最終會得以安息，因為你已經沒有生命。」

她告訴我，人若生來沒有能理解更好日子的靈魂，對更好日子的希冀就只是徒勞無功。她告訴我，作夢從來不會讓人得到慰藉，因為醒來時，我們會被生活傷害得更深。她告訴我睡眠不是休息，因為夢裡充斥著妖魔、事物的陰影、張牙舞爪的鬼魂、未曾實現的願望，以及生活這條沉船的殘渣。

她說話時，慢慢地收起——前所未有地慢——誘惑我眼睛的毯子，遮蓋我靈魂的綢緞，以及早已沾滿我淚水的亞麻布。

「既然你注定要做自己，為何還要費盡心思成為別人？既然由於你忘了自己是誰，連開懷大笑時最真的快樂都是假的，那為何還要笑？如果哭泣沒有用，如果你哭泣不是因為眼淚能讓你感到慰藉，而是因為眼淚不能讓你慰藉，那為何還要哭泣？

「如果你笑時很開心，那麼你笑時我就贏了；如果你開心，那是因為你不記得你是誰，那麼想像一下，你跟我在一起的話，不會記得任何事情，那麼你將有多開心！如果你偶爾休息得很好，睡著了卻沒有作夢，那麼想像一下，躺在我的床上，睡覺從不作夢，你休息得有多充分！如果你因為看到美，忘記自己，忘記生活，從而感到很興奮，那麼在我的宮殿裡，黑暗之美一直和諧地存在、不老去、不衰敗；在我的大廳裡，沒有風吹皺窗簾，沒有灰塵落在椅子上，沒有燈光會照得天鵝絨和絲綢逐漸褪色，沒有時間會將雪白的牆壁變黃，那你得有多興奮！

「接受我的好意吧，它從不改變；接受我的愛吧，它沒有終結！從我的金杯裡飲用取之不盡的瓊漿玉液吧，它不酸不苦、不讓人噁心、也不醉人！從我城堡的窗戶向外望去，不要凝視月光和大海，它們很美，卻不完美，凝視母性的無盡黑夜和完整壯美的無底深淵吧！

「在我的懷裡，你甚至會忘記來此之前經歷的種種苦難。偎在我胸前，你甚至感覺不到促使你來找我的愛。坐在我的寶座旁，你將永遠是玄祕和聖杯永不退位的君主，你會與諸神和天命共存，你會像祂們一樣，成為虛無，沒有現在，沒有將來，你將不需要充足或缺少、甚至是讓你真正滿足的東西。

「我會作你母性的妻子，當你失散多年又重逢的孿生姊妹。將你的諸多不安嫁給我，將你徒勞找尋自己的一切託付於我，你就可以在我神祕的本質裡，在我之前放棄的存在裡，在我讓人窒息、讓靈魂溺死、讓諸神消失的懷裡失去自己。

超脫和捨棄的至高無上君主，死亡和沉船的皇帝，在世界的遺址和廢墟邊上遊蕩的偉大、活著的夢啊！

絕望和榮耀的至高無上君主，不滿足的宮殿裡悲傷的君王，從未真正忘記過生命的遊行隊伍主人啊！

出身於墳墓的至高無上君主，在夜的月光照耀下向生者講述你的生活，花瓣凋落的百合花皇家衛士，冰冷象牙的皇家使者！

守衛至高無上的牧羊人君主，沒有榮耀，甚至沒有女僕陪伴左右的焦慮騎士，在月光照耀的路上獨自前行，森林中和斜坡上的君主，一個戴著頭盔的背影，孤獨地穿過峽谷，在村莊中遭到誤解，在城鎮裡受到取笑，在城市裡被人鄙視！

被死神專屬供奉的至高無上君主，蒼白而荒唐，被人遺忘而無法辨認，在可能的邊緣，坐在磨破的天鵝絨和骯髒大理石中間的寶座上行使權力，周圍是他虛幻朝廷的影子，守衛他的是他想像中沒有士兵的神祕軍隊。

端來高腳杯、盤子和皇冠，所有的衛兵、女僕和僕人！端到死神要舉辦的宴會上！頭戴長春花環，穿上黑色衣服，端過來吧！

在高腳杯和盤子裡放著曼陀羅，用紫羅蘭和所有讓人悲傷的花朵編成你們的花環。

君主將與死神在她那高山湖畔、遠離生活、隔絕世界的古老宮殿裡共進晚餐。

讓為宴會彩排的樂隊使用特殊的樂器，奏出催人淚下的曲調。讓僕人穿著不知顏色的莊嚴制服；大方樸素，像英雄的靈柩。

宴會開始前，讓身著暗紫色長袍的大隊中世紀隨從，在開闊的公園林蔭道漫步，靜靜地舉行一場壯觀的儀式，像美女穿過噩夢。

死亡是生命的勝利。

我們依賴死亡而存在，因為我們的昨天死去，今天才能存在。我們依賴死亡才有希望，因為我們確信今天會死去，才能相信明天。我們依賴死亡才能在作夢時活著，因為作夢就是否定生命。我們依賴死亡，才能在活著的時候死去，因為活著就是否定永恆！死亡引導我們，死亡找尋我們，死亡陪伴我們。我們擁有的只有死亡，我們想要的只有死亡，我們希望得到的只有死亡。

一陣留意的微風拂過翅膀。

他來了，在沒人見過的死神和從未到達……的陪伴下。

傳令官，吹響你們的號角吧！立正！

你對夢中事物的熱愛是你對現實事物的輕蔑。

鄙視愛情的處子君主，

嫌棄光明的陰影君主，

否定現實的夢境君主！

在鑼鼓喧天的簇擁下，冥界向你向你歡呼，君主！

帝國傳奇

我的想像是一座東方的城市。它占據現實的空間，全部材質都是舒適長毛毯的那種感覺。街上色彩鮮明的帳篷和攤子，點綴在奇怪的背景上，顯得毫不協調，好像淡藍的緞子上有紅色或黃色的刺繡。這座城市的全部歷史像我房間陰影裡一隻幾乎聽不見的飛蛾，繞著我夢的燈泡飛舞。我的幻想曾經生活在榮耀之中，從女王的手中接受被時間汙染的珠寶。柔軟的天鵝絨覆蓋著我想像的沙灘，海草像一團團模糊的煙霧漂浮在我平淡無奇的河流上。所以，我是失去文明的門廊，是損壞飾帶上發熱的阿拉伯圖案，是破裂柱子縫隙中永恆的黑暗，是遠方失事船隻上孤獨的桅杆，是推倒的寶座上的石階，是看似只遮蓋陰影的面紗，是像香爐中的煙一樣從地上升起的鬼魅。我的統治一片黯淡，持續不斷的邊疆戰事攪亂了我大殿上的和平。遠處經常會有隱隱約約的集會噪音，總有隊伍要經過我的窗下，但是我的池塘裡沒有金魚，靜靜的綠色花園裡沒有蘋果，就連果樹後面那些幸福的人們住的簡陋小木屋煙囪也沒有炊煙冒出，也沒有簡單的歌謠催我不安的神祕自我意識入眠。

在隔離的森林裡

我知道我已醒來時仍然睡著。我活得筋疲力竭的古老身體告訴我，時間還早得很……我模糊地感覺發燒了。我不壓迫自己，但卻不知道為什麼……

我半醒半睡地停滯在一種清醒、沉重的無形麻木中，在一個僅僅是夢影的夢裡。我的注意力在兩個世界之間漂流，兩眼茫茫地望著海天深處，它們互相融合，彼此滲透，我不知道自己身在何處，也不知道自己夢見了什麼。

一股陰影將化作灰燼的死滅意願吹過我清醒的部分。溫暖的沉悶甘露從未知的蒼穹滴落。我的靈魂飄落了龐大而無力的焦慮，不知不覺地改變著我，就像微風改變了樹頂形成的線條。

在我這暖和而慵懶的凹室裡，快要破曉的天空還只是一片朦朧的光暈。我被一陣寂靜的混亂攪得不知所措……為什麼天一定要亮呢？……知道天會亮是一種重負，就好像我不得不做點什麼天才會亮。

慢慢地，彷彿在恍惚中，我冷靜下來，然後變得麻木。我在空中徘徊，醒不來也睡不著，發現自己被另一種現實吞沒，不知出現在何處……

這新的現實——一座奇怪的森林——出現在我面前，卻並沒有抹去我這溫暖凹室的現實。我被兩種共存的現實深深吸引，它們就像兩股融合在一起的氣流。

這震顫而透明的風景顯然同屬於兩種現實！……

這位用目光和我一起為相異的森林穿上衣服的女子是誰？為什麼我要停止自問？……我甚至不知道如何才能想去知道……

這朦朧的凹室是一塊黑玻璃，我透過它清醒地看著風景……我早已熟悉這風景，並且和這不認識的女子一起走了很長一段時間，透過她的非現實漫步於一種不同的現實。在內心深處，我能感覺到這些我熟悉的樹木、花草和迷徑，還有在那裡漫步、在我視線下——這種視線因身處凹室的意識而變得模糊——古老而清晰可見的我，已有許多個世紀。

有時，在那遙遠看見並感覺到自己的森林裡，微風吹散薄霧，那霧就是黑暗而清晰的景象，取景於我現實中存在的凹室，瀰漫在那幾件家具、幾條窗簾和夜的昏沉中。接著，風停了，這另一個世界的風景又恢復到完整而獨特的自身風景中去……

其他時候，這間小屋不過是另一片土地上地平線浮現的一團灰霧……有時，這個摸得著的凹室便是另一片土地上被我們踩在腳下的地面……

我作著夢，失去自我，在我和那個女子那裡都是如此……我被一團筋疲力竭的黑色火焰焚燒……我被一種帶著巨大、順服渴望的虛假生活禁錮……

啊，被玷汙的幸福！站在十字路口永恆的躑躅！……我作著夢，在我的意識之後，某個人和我一起在作夢……或許我只是不存在的那個人的夢……

窗外的黎明是那麼遙遠！而森林距離我的另一雙眼睛是那麼近！

遠離那座森林時，我幾乎遺忘了它，但擁有它時，我卻又懷念它，而漫步在森林裡，我黯然落淚，對它心馳神往……

那些樹！那些花！那些隱藏在灌木叢中的小徑！……

有時候，我們手挽手地走在香柏和紫荊樹下，誰也不去思索生活。我們的身體是絲絲縷縷的芳香，我們的生命是涓涓流泉的迴響。我們手挽著手，我們凝視的目光想知道，變得感性和生活在愛欲的幻覺裡是什麼樣的感覺……

我們的花園裡，各種鮮花爭奇鬥豔：褶邊玫瑰、白裡透黃的百合、不露深紅便難以辨別的罌粟、花壇青翠邊緣的紫羅蘭、嬌柔的勿忘我、無香的山茶花……在深深的草叢上方，孤獨的向日葵凝神地望著我們。

我們的靈魂是純粹的視覺，輕撫苔蘚看得見的涼意，在經過棕櫚樹時，憑著直覺我們依稀感覺到另一片土地……想到這裡，淚水湧上我們的眼睛，因為在這裡，我們即使快樂時也不快樂……

生長了幾百年的多節老橡樹，將我們絆倒在它枯死的粗根上……梧桐樹死寂地矗立在那裡……穿過附近的樹木，我們可以看見遠處的葡萄架上，靜靜地掛著一串串深黑的葡萄……生活的夢想在我們的面前展翅飛翔，我們帶著同樣超然的微笑，彼此會心一笑。我們互不相望，只憑著兩臂相交去感受彼此的存在，心中保持著默契。

我們的生命沒有內在維度。我們是外在的、相異的。我們不再認識自己，彷彿經歷了一場夢的旅途後，又回到自己的靈魂裡……

我們忘了時間，無邊的空間在我們的眼裡變得渺小。除了附近的樹、遠處的葡萄藤和地平線上最後的丘陵，還存在什麼真實、值得我們嚮往的事物呢？……

在不完美的漏壺裡，夢的水滴不斷滴下，計量不真實的時辰……沒有什麼是值得的，我遙遠的愛啊，除了知道什麼都不值時那種美好的感覺……

樹木靜態的活動；噴泉不安的寧靜；樹液深沉脈動的微弱呼吸；緩緩垂下的夜幕似乎不是降落在萬物上，而是從萬物內部而生，將它在精神上同根同源的手伸向遙遠的悲傷（如此接近我們的靈魂），這種悲傷來自天堂那高傲的沉默；樹葉不斷徒勞地飄落，點滴的間隙中，風景只存在於我們的聽覺，它使我們心生悲涼，就像令人難忘的故土——所有這一切含糊地捆住我們，就像一根鬆開的腰帶。

在那裡，我們生活在或許無法流動的時光裡，生活在一個甚至作夢也不能度量的空間裡。在時光之外的流動，一個並未遵守空間現實規範的廣闊區域……徒然為我的煩悶作伴的靈魂伴侶啊，我們在那裡度過多少時光！所有那些假裝屬於我們、不安的快樂時光啊！……所有那些化作精神灰燼的時光，那些空間性鄉愁的日子，那些外在風景的內心世界……而我們不問這一切都是為了什麼，因為我們滿心歡喜地知道，它什麼也不為。

憑著絕不屬於我們的直覺，在那裡我們知道，我們身處這個令人悲傷的世界——假如它確實存在——最遙遠的朦朧山線之外，而且我們知道，山線之外什麼也沒有。正是這個矛盾，使我們度過的時光像迷信村子裡的洞穴一樣黑暗，我們對這個矛盾有一種怪誕的認識，像薄暮中摩爾人的城鎮被秋的天空勾勒出剪影……

在聽覺的地平線上，無人知曉的海水拍打著我們永遠也看不見的海岸，聽到——並且在內心看見——可能有帆船航行的大海，是一種快樂，除了在地球上航行的有用目的，它們為了一些其他的目的而揚帆航行。

如同某個人意識到自己還活著，我們突然發現婉轉鳥語響徹天空，我們被樹葉響亮的沙沙聲打動——就像錦緞灑上古老的香水——我們的聽覺要多於意識。

就這樣，啁啾鳥鳴、颯颯樹聲和單調、遺忘、永恆的海水深處，用一種不再瞭解生活的光暈將我們恣意揮霍的生活環繞。在那裡，我們用睡眠度過清醒的日子，欣悅於什麼也不是，無欲無求，忘了愛的顏色和恨的味道。我們認為自己獲得了永生……

對於在那裡消磨的時光，我們以一種全新的方式感覺到，那些不完整的時光因為虛無而變得完整，變成生活的矩形確定性的完美對角線……帝王被廢黜的時光，身穿破舊紫袍的時光，從彼世墜入此世的時光，以拆解焦慮為傲的時光……

享受這一切是一種痛苦，一種真正的痛苦……放逐，儘管平靜，讓我們看到的風景卻使我們忘了自己屬於這個世界，處處是透著朦朧而煩悶的浮華，一如某些不為人知的帝國衰敗時的陰鬱淒慘，蒼茫而墮落……

清晨，光影投射在我這凹室的窗簾上。我知道我的雙唇變得蒼白，它們互碰時就好像不想繼續活著。

在我們這中性色調的房間裡，空氣沉重得像一道門簾。面對這一切的神祕性，倦意使我們柔軟無力，像拖著長袍的下襬在薄暮中穿過慶典的地面。

我們的渴望沒有存在的理由。我們專注的目光，是插上羽翼的惰性所能容忍的一種荒謬。

我不知道我們來自身體的思想塗了什麼半明半暗的膏油。我們感覺到的疲倦是一種疲倦的影子，它來自遙遠的地方，就像我們活著的這種想法……

我們都沒有似乎可信的存在或名字。如果我們能笑出聲，直到以為自己在發笑的程度，我們無疑會嘲笑，我們居然會相信自己活著。捂熱了的冰涼床單摩挲著（無疑是你和我）我們互相觸碰到的裸足。

讓我們不再被生活和生活方式欺騙。我的愛啊，讓我們逃離自己……讓我們永遠不要摘掉魔法戒指，轉動它可以召喚靜默仙子、黑暗和遺忘精靈……

我們正要提起的那座森林再度出現在我們面前，它茂密如初，但此時，它因我們的痛苦而變得更痛苦，因我們的悲傷而變得更悲傷。它一出現，我們對於真實世界的想法就煙消雲散了，我在夢裡漫步於那片神祕的森林裡，再度找回了我自己……

啊，那些花，在那裡與我相伴的那些花！我們認得出、叫得出名字的花……我們用靈魂採集到花香——我們不是從花裡，而是從它們名字的旋律中採集到花香……那些花，它們被逐一念出的名字是充滿芬芳的鏗鏘樂隊……那些樹，它們的青翠欲滴給樹的名字帶來陰涼……那些果子，它們的名字是牙齒咬進果肉的靈魂……那些影子是快樂往昔的廢墟……空地，敞亮的空地是風景的燦爛笑容，笑過後是呵欠……五彩斑斕的時光啊！……花一樣的時時刻刻，樹一樣的分分秒秒，凝滯在空間的時間裡，在空間死去的時間裡，覆蓋它們的是鮮花、花香和花名字的芬芳！……

夢中的瘋狂，在隔離的靜默中！……

我們的生命是生命的全部……我們的愛情是愛情的芬芳……我們活在不存在的時光裡，完全被自己填滿……這都因為我們身上的每一寸肌膚都明白，我們並不真實……

我們沒有個性，沒有自我，完全屬於異類……我們是在自我意識中煙消雲散的風景……正如在現實和幻覺中存在兩種風景，我們也是朦朦朧朧的兩個人，彼此都不敢肯定自己是不是真的對方，或者飄忽不定的對方是否真的有生命……

當我們突然從池塘的淤滯走出來，覺得有種想哭的感覺……在那裡，風景有波光粼粼的一雙眼睛，那雙眼完全靜止不動，充滿對存在的無盡煩悶，對不得不成為現實或虛幻中的什麼的煩悶——那些池塘是煩悶的故土，煩悶的聲音在那些池塘的無聲流亡中響起……儘管我們繼續前行，漫不經心，毫無欲求，我們似乎仍在池塘邊緣徘徊，我們如此投入地留在那裡，被象徵化，被吸進去了……

多麼新鮮及愉快的驚詫，那裡什麼人也沒有！甚至在那裡漫步的我們也不在那裡……因為我們什麼人也不是。我們根本就什麼也不是……我們沒有生命可供死神擄去。我們太過纖細及脆弱，風都能將我們吹倒。時間的流動愛撫著我們，就像微風拂過棕櫚樹頂。

我們不屬於任何時代，沒有任何目標。對我們而言，萬事萬物的終極目標仍停在「不在」的天堂門口。為了感受我們對它們的感覺，周圍的靈魂完全歸於沉寂：從樹枝的木質靈魂到四處延伸的樹葉靈魂，從鮮花的曼妙靈魂到結實纍纍的靈魂……

如此，讓我們結束自己的生活，我們各自致力於結束它，以至於從未注意到我們只是一個人，我們彼此互為對方的一個幻覺，我們——作為一個獨立的自我——內心除了自我的回聲，什麼也沒有……

一隻蒼蠅嗡嗡作響，踟躕而渺小……

我的意識中出現一些聲音，微弱而零散，但確實存在，聲音傳遍我意識中的房間，告訴我天已破曉……我的房間？如果我獨自一人待在這裡，那是我和誰的房間？我不知道。一切混合了，只剩下轉瞬即逝的現實，我的猶豫深陷其中，我的自我意識被鴉片催眠……

晨曦來臨，彷彿從時光蒼白無力的巔峰垂落……

我的愛，夢的餘燼在生活的火爐裡燃盡消散……

讓我們放棄辜負我們的虛幻希望，放棄令人厭倦的愛，放棄過於放縱卻無法得到滿足的生活；甚至放棄死亡，因為它所帶來的東西超過我們的需要，卻達不到我們的期望。

啊，蒙上面紗的人，讓我們甚至放棄煩悶，它已將自身耗盡，再也無法將一切焦慮納入其中。

讓我們不要流淚，不要憎恨，不要渴望……

啊，緘默的靈魂伴侶，讓我們用一塊亞麻細布覆蓋我們不完美、僵死的輪廓……

占有的湖（一）

我把「占有」視為一座荒謬的湖——大而淺，十分陰鬱。湖水因骯髒而顯得深沉。

死亡？但死亡是生活的一部分。我完全死了嗎？我對生活一無所知。我活下去了嗎？我繼續活著。

作夢？但作夢是生活的一部分。我們活在夢中嗎？是的，活在夢中。我們只是夢見我們的夢嗎？我們死去。但死亡是生活的一部分。

生活像我們的影子追隨我們。當只剩下影子時，影子才會消失。只有當我們對生活臣服時，生活才不再追隨我們。

在夢裡，最痛苦的事情就是我們並不存在。在現實中，我們不能作夢。

「占有」意味著什麼？我們不知道。那怎麼可能去占有？你會說，我們不知道生活是什麼，可我們活著……但我們真的活著嗎？活著卻不知道什麼是生活——這也算是活著嗎？

占有的湖（二）

無論它是原子還是靈魂，都無法被滲透，這便是為什麼「占有」成為一種不可能。從真理到一塊手帕——沒有什麼是可以被占有的。所有權不是一種盜用：它什麼也不是。

一封信（二）

數月以來，妳看見我凝視著妳，常常凝視著妳，用一種始終如一、猶豫不決、飽含牽掛的目光凝視著妳。我知道，妳對此也有所察覺。即使如此，妳一定覺得這種凝視不能稱之為真正的羞怯，也絕不蘊含什麼寓意。這種凝視殷切而朦朧，始終堅定不移，猶如對成為這一切的悲傷感到心滿意足……僅此而已……當妳想到這些——當妳想起我時，不管妳有什麼感覺——妳一定想到了我的意圖可能是什麼。即使不能確定，但妳一定會推斷，我若不是一個羞怯不前的異類，就是一個幾近癲狂的瘋子。

我可以向妳保證，夫人，就我凝視妳的習慣而言，我既算不上羞怯，也絕不癲狂。首先，我必須解釋的是，事情是另外一回事，對於妳是否相信，我並不抱多大的希望。我常常對夢中的妳喃喃私語：「盡妳的本分，作一個無用的雙耳瓶；妳只須當一個容器就夠了。」

當我有一天得知妳已婚時，我是多麼懷念曾經想擁有妳的感覺！這對我的人生是多麼大的悲劇！我並不嫉妒妳的丈夫。我從未想過妳是否有丈夫。我只是單純地懷念對妳的臆測。如果我得知油畫中的女子——是的，油畫中的女子——已婚的荒唐事實，我會感到遺憾。

擁有妳？我不知道如何能夠做到。縱然我也有人性的汙點，知道怎麼去做，那對我來說是何等的恥辱，倘若我甚至想要將自己等同於妳的丈夫，那對於我自身的尊貴又是多麼大膽的侮辱！

擁有妳？某一天，當妳碰巧一個人走在黑暗的街上時，某個強姦犯便可以侵犯妳、占有妳。他甚至可以使妳懷孕，在妳的子宮裡留下點什麼。如果擁有妳意味著占有妳的身體，那又有什麼意義呢？

那個強姦犯可以擁有妳的靈魂嗎？那麼，如何才能擁有一個人的靈魂呢？有能夠擁有妳的「靈魂」的戀人嗎？……我將這個任務交給了妳的丈夫。或者說妳希望我墮落到和他一樣的地步嗎？

我悄悄地與臆測中的妳相處了多少時光！在我夢裡，我們彼此是多麼地相愛！但我發誓，我從未夢想過擁有妳。即使在夢裡，我仍然是一個彬彬有禮的紳士。我尊重臆測中的美麗女子。

✧ ✧ ✧

我不知道如何讓我的靈魂對我的身體擁有妳感興趣。想像如果我真的想要占有妳會發生什麼事。這種想法讓我自己被看不見的障礙絆倒，而我被內心的網纏成一團

我再說一次，我無法這樣嘗試，甚至在夢裡都不能。

夫人，我寫下這些話語回應妳有意無意帶著質問的眼神。在這本書裡，妳會第一次讀到這封寫給妳的信。如果妳沒有發現這封信是寫給妳的，那也沒關係。我寫信更多是為了獲得愉悅，而非想對妳說些什麼。只有商業書信是寫給他人的。而個人書信，至少對於一個優秀的靈魂而言，應當只是自己寫給自己的。

我對妳沒有其他想說的了。我保證，我會盡我所能地尊重妳。倘若妳偶爾想起我，我會感到榮幸。

一封信（二）

啊，如果妳明白，妳的職責僅僅是成為一個作夢者的夢，該有多好。只成為幻想中大教堂裡的香爐就已足夠。像追夢一樣追隨妳的身姿，僅僅像一扇窗戶，開啟妳靈魂的新風景。美夢過後，以妳的身體作為完美無瑕的典範，沒人會在看見妳後不浮想翩翩。除了自己，妳忘記這個世界的一切，妳將看到自己聆聽音樂，並在一潭滿是浩瀚風景的死水中夢遊，在朦朧而靜謐的森林裡迷失在流逝的歲月深處，那些看不見的情侶體驗著我們體驗不到的感受。

我對妳唯一的渴望就是不擁有妳。如果在我作夢時妳出現了，我情願想像我仍然在作夢，可能甚至沒看見妳，儘管或許我注意到，月光已填滿死水，歌聲的回音突然在朦朧的森林裡飄蕩開來，迷失在不存在的時光裡。

視野中的妳是我的靈魂休憩和入眠之床，我像一個生病的孩子，再一次夢見另一片天空。如果妳能說點什麼？是的，但是，並非要聽到妳的聲音，只要能看到那座連接月光照耀下昏暗的河兩岸的美好橋梁就已足夠，那座橋梁正通往遠古的海洋，那裡有永遠屬於我們的小帆船。

妳笑了嗎？我並未看到，但是星辰劃過我內心的天空。妳喚醒我的睡眠。我並未察覺，但是遙遠的小船夢幻般的白帆正劃破朦朧月色，我看見了遙遠的海岸線。

清醒的日記

我的生活：一齣由諸神安排舞臺的悲劇，且從未超過第一幕。

朋友：一個也沒有。只有幾個熟人想像他們可以感覺到我的一些事，如果火車輾過我而我的告別式下雨了，這幾個熟人也許會覺得遺憾。

我從生命的分離得到的必然回報是我有能力重建其他人對我的感覺。漠不關心的光暈、一道冰冷的光環，圍繞著我而拒絕了其他人。我仍然沒有順利做到在我的孤獨裡不受苦。很難實現精神的分離，依靠隔離變成一種無痛苦的回應。

我對向我展現的友誼沒有信心，我也不曾對會向我示愛的人（一點點這樣的可能性都沒有）表現出愛。雖然，我從來沒有幻想有誰會宣稱是我的朋友，我不可避免地設法對他們不會幻滅——這就是我複雜及微妙的痛苦命運。

我從不懷疑任何人難免都會讓人失望，但當他們真的這麼做時我還是驚嚇不已。當自己期待的事情發生時，它總像是出乎意料的事那樣打擊了我。

我從未發現自己有吸引誰的氣質，我也不相信我會被誰吸引。我對自己的看法愚蠢地謙虛，如果面對事實——我預期中的意外事實——也無法確認它。

我甚至不敢想像收到憐憫的感情，儘管我如此笨拙且無吸引力，我的身體不夠畸形到足於讓人用同情的眼光來看我，我也不具有讓人憐憫的特質，即使它不該是被擁有的；而什麼才是我不該被同情的，那裡有著自憐自艾的殘廢靈魂。所以，我陷入輕蔑世界的引力中央，我成為一個感覺不到任何人的傢伙。

我的整個人生一直在奮鬥適應這種情況，而不被它的殘酷和侮辱壓倒。

一個人需要具有相當的智性勇氣，坦白地承認他只是一點人類碎屑，小產倖存下的胎兒，因為不夠瘋狂所以無法被診斷的瘋子；而他意識到這點，需要更多的道德勇氣去想出適應他自己命運的方式，沒有任何姿態或姿態的暗示，不反抗也不順從地接受大自然對他施加的詛咒。想要不從中受苦就是想要的太多了，因為把明顯的壞事當成好事來接受遠超過人類的能力；而如果我們接受它是壞事，那麼我們就不得不受苦。

設想自己在外在世界之外就是我的毀滅——也摧毀了我的幸福。因為我用別人怎麼看我的方式看自己，而我看不起自己——不是因為我的性格特點讓我受到鄙視，而是因為我在別人的眼中看到了自己，以及感覺到他們對我的輕視。我經驗到認識自己的羞辱。因為這裡沒有崇高的十字架，沒有三天後的復活，我不得不在恥辱中受苦。

我領悟到沒有人會愛我，除非他完全缺乏審美的感知能力，在這種情況下我也會鄙視他；甚至一個溫柔待我的感覺，都比不上某個人基本冷淡的幻想。

清楚地看見自己以及看見別人如何看我！盯著真相的臉瞧！當基督注視著他真相的臉，最後呼喊了：「我的上帝，我的上帝，你為什麼離棄我？」

少校

除了我最珍愛的白日夢，沒有什麼更能真切地顯現和完美地表述我的本質，這種本質是一種與生俱來的不幸，我常常視其為香膏，用以舒緩我對現狀的焦慮。我所渴望的本質很簡單：糊塗生活。我過於熱愛生活，以致不想讓生活結束；我過於不想去生活，以致對生活沒有積極向上的渴望。

這便是為什麼在眾多夢想中，我只想寫下我的最愛。有些夜裡，當房東熄了燈或安靜下來，住處便歸於寧靜。我關上窗戶，放下沉重的百葉窗；穿一套舊衣裳，窩進安樂椅，便不知不覺沉入夢中。夢裡的我是一個退休的少校，待在一間鎮上的小旅館裡，酒後與旅館裡其他幾位比我清醒的客人在一起打發時間——一個無所事事的少校，漫無目的地待在那裡。

我想像自己是那樣的身世。我的興趣既不在退休少校的少年時代，也不在他爬到我渴望得到的軍銜。拋開時間與生活，我想像自己成為的少校既沒有什麼過去，也沒有或不曾有過什麼親戚。他表面上生活在鎮上的小旅館裡，已厭倦於和那些同樣無所事事的客人在一起打趣聊天。

格言幾則

・持有明確而清晰的觀點、本能、激情，以及保持可靠、可辨識的性格——所有這些都會導致我們的靈魂轉變為現實、物質和外在事物的可怕結果。生活在一種對事對己都無知的舒暢、流動狀態，是適合智者的唯一生活方式，也為他帶來溫暖。

・嫻熟地在自己和外在事物之間來回轉換立場，是智慧和審慎的最高境界。

・我們的個性即使對我們自己也是深不可測的。這就是為什麼我們應當不停作夢的原因，務必確保我們不被包含在夢裡，以便我們不能對自己持有什麼看法。

我們尤其應當保護自己的個性不受外人侵犯。任何外人一旦對我們感興趣，都是一種公然的不敬。我們將「你好嗎」這種招呼語視為一種不可饒恕的粗話，因為通常來說，這句話毫無內涵，而且缺乏誠意。

・愛僅僅是厭倦孤獨的表現。因此，愛是一種怯懦，一種對自我的背叛（我們不愛才是至關重要的）。

・給別人一個好的建議，是對上帝賦予人犯錯能力的輕蔑。不僅如此，我們應該對於別人不像我們一樣行動而感到高興。只有向別人索取建議才有意義，因為只有那樣，我們才可以做出相反的行動——這樣的我們才是真正的自己，與他人完全格格不入。

・鑽研的唯一好處就是從一切別人沒有提到的事物中獲取快樂。

・藝術是一種疏離。一切藝術家應當設法使自己與他人疏離，用一種對孤獨的渴望填滿他們的靈魂。藝術家的最大成功在於，當讀者讀起他們的作品時，只是想擁有那些作品而非閱讀它們。這必然不是對作者的讚美，但它是給作者的最大禮物……

・保持清醒頭腦是一種自我的不舒服。向內觀省自身的正確思想狀態，是一種神經過敏和優柔寡斷。

・唯一配得上一個高等生物的理智態度，就是對不屬於他的一切保持平靜和冷淡的同情心。不是說這種態度有什麼正當或真理的道理，而是說它如此令人豔羨，他必須接受它。

銀河

……帶著扭曲的詞句，文字擁有劇毒無比的靈性……

……儀式披著破爛的紫袍，神祕的儀式來自無人的時間……

……孤獨的感情在身體裡感受著，這身體不是我們有形的身體，然而這身體卻以它自己的方式有形地存在著，其中的微妙之處介於複雜和簡單之間……

……幾座湖泊在那裡，一點點清澈柔和的金色徘徊著，在朦朧中擺脫了曾經獲得的有形之物，而且無疑會穿透那扭曲的高雅，一雙純白手中的百合花……

……麻木和痛苦之間的契約是黯淡的墨綠色，並且安置在他們煩悶的哨兵之間，看上去非常疲憊……

……珠母貝毫無作用，無足輕重，許多被浸軟的雪花石膏——帶有條紋的金紫色落日大受歡迎，卻分散人的注意力，但沒有船隻渡往更好的彼岸，也沒有橋梁通向更好的黎明……

……甚至沒有池塘邊緣可以想像，所有池塘都在遙遠的地方，在一片楊樹之中，抑或是一片柏樹，依靠沉思時刻使用的音節說出它們的名字……

……因此，敞開的窗戶對著碼頭，波濤不停地拍打碼頭，一個瘋狂且狂喜的隨從，如同一片混亂的寶石，在那裡，不凋的花和橡樹用清醒的失眠在能聽見聲音的黑暗石牆上寫著……

……純銀線繩，把袍子拆散，得來的線做成繩索，菩提樹下那份徒勞的感覺，古老的夫妻走在兩側安有樹籬的靜謐小路上，突然出現的扇子，朦朧的姿勢，而且毫無疑問，更好的花園在等待小路與人行道出現平靜的疲倦……

……涼亭，五點梅花狀排列的樹木，人造洞穴，雕刻花壇，噴泉，所有這些藝術品逃過了那些已故藝術巨匠的魔掌，他們的不滿與這些有形物互相衝突，而且他們把構成夢境的事物沿著情感的古老村莊狹窄街道排成完整的隊伍……

……美妙的音樂在遙遠的大理石宮殿裡迴盪，往事把它們的手放在我們的手上，宿命天空裡的日落宛如不確定般偶爾的一瞥，讓位給籠罩著默默衰敗帝國的星光之夜……

~~~~~~

讓感覺弱化成為一門科學，讓心理分析成為一種顯微鏡下的精確方法——這個目標就像一種持續的焦渴一般，占住我生命意志的核心。

我的生活裡所有慘劇都是在我的感情以及我對感情的意識之間發生。正是在那裡，在那片昏暗模糊的區域裡，什麼都沒有，只有樹林和各式各樣的水聲，在那裡，就連我們混亂的戰爭都無從感覺，而我則可以真正存在——我想要看清楚我的真正存在——卻徒勞無功。

我讓生活躺下來。（在我那死氣沉沉的生命頂端，我的感覺是一段長長的墓誌銘。）我在死亡和幽暗之中過活。而我唯一能做的就是把我的墓穴雕刻得精美至極。

我隱居之處的大門開啟，正對著無限的花園，卻沒有路通向那裡，甚至連夢中都沒有
~~~~~~

——然而那些門將永遠開著，毫無用途，那些鐵門將永遠地開著，直向虛幻……在我內心輝煌的花園之中，我採摘私人榮耀的花瓣，在夢中的樹籬之間，大聲踏在通往困惑的小徑上。

我把我的帝國扔進困惑之中，使其處於寂靜的邊緣，使其陷入一場擺脫確切的茶色戰爭裡。

科學家意識到，對他來說唯一的事實就是他自己，唯一真實的世界就是他的感覺為他建構的世界。因此他使用客觀科學來嘗試完美獲得關於他世界與個性的知識，而不是讓他的感情去適應他人的感情——這種方式是錯誤的。沒有什麼比他的夢境更客觀，也沒有什麼比他的自我意識更不會犯錯。圍繞著這兩種現實，他使他的科學臻於完美。這樣得來的科學與老派科學家實踐的結果並不一樣，這些老派科學家並不會研究他們自己個性的規律和他們夢境的構造，只是會尋求「外界」的規律以及他們口中那個「自然」的構造。

✧ ✧ ✧

我的原始自我就是作夢的習慣和作夢的技巧。我從小就孤單而安靜，我生活的環境或許還有那些進一步倒退的力量，透過晦澀的遺傳行為，按照他們那些陰險的規格形塑了我，使我的心智成了一條永不枯竭的白日夢洪流。我把一切都歸結於此，即使是那些在我心中看來與作夢之人最為遙遠的東西，也明確屬於一個只會作夢之人的靈魂，他的靈魂極為高尚。

因為在自我分析時會感到快樂，我希望盡我所能使用的文字表達我的心路歷程，我內在的心路歷程堪稱將生命用來作夢的真正心路歷程，是一個只知道如何作夢的靈魂真正的心路歷程。

從外界來看我自己（我幾乎經常這麼做）就能看出，我並不適合行動，當我不得不跨出一步，或者動一動，我就會緊張不安，當我不得不和別人說話之際，我就會結結巴巴，我沒有享受這些事情所需要的清醒內心，而這麼做需要在心裡付出努力，我也沒有很好的體能讓我自己透過機械勞動獲得愉悅。

我會如此也是自然而然的事情。一個作夢的人本該如此。所有的現實都令我驚慌失措。其他人的話語將我拋進了巨大的苦惱境地。其他靈魂的現實總是令我震驚不已。那無意識行為的巨大網絡是所有行動的根源，我看到這張網絡，感覺非常驚訝，彷彿看到了一幅非常荒唐的幻象，這張網不存在任何可信的連貫性，虛無一片。

應該讓人們認為我對其他人的心理活動方式一無所知，我並沒有清晰認識到他們的動機和思想，然後，人們就會深深地誤解我是什麼樣的人。

因為我不僅僅是個作夢的人，我是一個夢想家。我唯一的習慣——即作夢——賦予我異常敏銳的內心洞察力。我不僅能夠異常清晰地看到我夢中的人物與場景，還能清清楚楚地看到我那些抽象的思想，我那份人類的感覺（殘餘的感覺），我的祕密欲望，和對我自己的心理態度。我甚至可以看到在我的內心中，我自己的抽象思想；憑藉我真正的內在視線，我看到它們在我內心的一個空間裡。因此，它們迂迴曲折的過程我都看得一清二楚。

因此我可以徹底瞭解我自己，而且徹底瞭解我自己之後，我便徹底瞭解所有人。沒有基本的衝動或高尚的意圖，這些並不是我靈魂中的閃現，而且我知道這兩者的先兆。在邪惡思想所戴的善良或冷漠面具之下，即使這面具隱藏在我們的內心中，我都能透過他們的動作認出。我知道是什麼東西在我們內心迷惑我們。因此，我對大多數人的瞭解程度都超過他們對自己的瞭解。我經常相當詳細地探索他們，這樣我就讓自己變成他們。我征服了每一個我徹底瞭解的靈魂，因為對我而言，作夢就是占有。因此，作為夢想家的我自然而然就是我自稱的那個分析家。

這就是為什麼在我少數偶爾喜歡閱讀的東西之中，戲劇比較重要。每天我都在心裡演戲，我確切知道靈魂如何在麥卡托投影[117]中鋪陳。但這不能真正帶給我快樂，因為劇作家總是寫些老套的戲碼，而且犯下大錯。沒有一部戲劇能夠令我滿意。因為我能以閃電般的速度精確瞭解人類的心理，只須一瞥，我便能探索每一道裂縫，因此我發現劇作家粗糙的分析和架構非常粗俗，我讀了一點這類的作品，感覺就像是手抄紙上有一個墨點一樣讓我煩惱不已。

萬事萬物是我的夢境的材料；所以我才會心煩意亂又極端細心地關注外界的某些細節。

為了讓我的夢境擁有輪廓和慰藉，我不得不去理解生活的特點和現實的景物如何帶著輪廓和慰藉出現在我們面前。因為作夢之人的視線並不像我們看真實之物時使用的視力。在夢境之中，我們並不會像在現實裡那樣，平均聚焦一個物體重要與不重要的方面。作夢之人只看重要的方面。一個物體的真正現實只是這個物體的一部分；其餘部分均是沉重的禮讚，物體把這讚美送給實質物體，以換取在空間存在的權利。同樣地，在夢境中明顯真實的某些現

117 麥卡托投影（Mercator projection），是一種等角的圓柱形地圖投影法。得名於傑拉杜斯．麥卡托這位地理學家。

象在空間裡並不真實。真正的日落不可稱量，瞬間即逝。夢中的日落則是固定和永恆存在的。寫作之人都知道如何極度清晰地看到他們夢境，知道如何像觀看夢境那樣觀看生活，知道如何在非物質的基礎上看生活，用幻想的照相機為生活拍照，這種相機對沉重、有用和受限制的東西的無感，除了在靈魂的底片上留下黑色汙點之外，照不出其他東西。

這種態度從如此多的夢境中灌進我的思想裡，令我看到現實旁的夢境。我的視線封鎖了那些夢境在某些方面用不著的物體。於是我經常住在夢境中，甚至是在我生活時也是如此。看著我內心的日落，或者看著外界的日落，對我而言全都一樣，因為我用同樣的方式看它們，在這兩種情況下，我的視線定格的都是同樣的事物。

因此，對很多人來說，我有一種扭曲的自我觀。在某種意義上來說，我的自我觀的確扭曲。我夢到我自己，並且選擇了我身上符合夢境的部分，以各種可能的方式建構和重構自我，直到最後，我現在的樣子以及我摒棄的樣子都很符合我的理想。有時候，看一個物體最好的方式就是將之刪除，因為它存在的方式我不能解釋得十分清楚，而這個物體包含著拒絕和刪除的物質；這就是我應對真實生活中存在巨大區域的方式，在把它們從我自己的畫面中刪除之後，美化了我的真正存在，這個存在對我來說才是真實的。

在這些幻想的過程施加於我個人之際，我怎樣才能讓我的自我免於欺騙？如果一個幻想過程可以強迫這個世界的某一方面或夢境裡的某個人物進入更真實的現實，那麼就可以強迫感情和思想進入更真實的環境，剝掉它們所有虛假的高尚和純粹的裝飾（只有在絕少的情況下才不是虛假的）。應該要注意的是，我的客觀不能更加絕對了，因為我創造了每一個絕對的物體，這些物體全都帶著絕對的品質，具有具體的形式。我不曾真正從生活中逃離，為我的靈魂尋找一張更加柔軟的床；我只是改變我的生活，在我的夢境中找尋我在生活裡發現的相同客觀現實。我的夢境——在另一片文章中我已經討論過了——獨立體現我的意願，而且它們經常令我震驚，令我感覺不快。我在內心中發現的事物經常讓我感到沮喪、慚愧（或許是因為我內心中殘餘的人性——慚愧是什麼？），以及驚恐。

在我的內心中，不間斷的白日夢擁有被替代的注意力。在我看到的一切事物之上，也包括我在夢境中看到的事物，我已經把我擁有的其他夢境添加到我的內心之中。我已經太漫不經心了，以至於非常擅長我口中所謂事物的「夢中視野」。即使如此，隨著夢境的演變過程，因為這種漫不經心受到永恆白日夢和全神貫注（同樣地，並非過於專心）的驅使，我把我的夢添加到我在周圍真實世界裡看到的夢之中，把已經擺脫了物質實體的現實和絕對的無形之物結合在一起。

這解釋了我有同時專注於不同思想的能力，可以在觀察某些事情的同時，還能夢到另外一些不同的事情，我可以同時夢到真實太加斯河[118]上的真實日落，以及我心中太平洋上的清晨；而且這兩個夢中的事物交織在一起，不必混合，所有的一切都不必混合，除了會互相引發的不同情感狀態。這就彷彿我看到幾個人在街上行走，感覺到他們的靈魂都到了我的身體裡（只有在感覺統一時才能做到），與此同時我又可能看到他們各自的身體（我只能逐個看到他們的身體）邁著腿穿過各條小路。

118 太加斯河（Tagus River）是伊比利亞半島最大的河流，發源於西班牙阿爾瓦拉辛附近的山脈，向西流淌，最終在葡萄牙里斯本注入大西洋。

毫米

（輕微之物的感情）

當下即遠古，因為過往的一切都在當下存在，因而古董商人非常愛好這些東西，因為它們屬於當下，我也擁有他們那樣的愛好，我還能惹惱每一個對手收藏家，假如他們任何人試圖用貌似真實、甚至可證明、基於科學的理由來取代我那些對事物的錯誤概念。

一隻蝴蝶在空間中接連占據的一點，對此的各種觀點就是各種事情，在我驚愕的雙眼看來，這隻蝴蝶在空間裡依舊清晰可見。我的回憶是如此強烈⋯⋯

可這僅僅是在我緊張生活之際對最微小事物的最微妙感覺，或許這是因為我喜歡毫無意義的事情。或許是因為我注重細節。不過我傾向於相信——我不能說我瞭解，因為我從沒費神去分析它們——這是因為微小事物絕對不會擁有社會重要性和現實意義，因為這個原因，絕對不會與現實擁有骯髒的關聯。對我而言，微小事物擁有非現實的意味。沒有用代表美好，因為無用之物比有用之物欠缺真實感，有用之物持續存在、不斷延伸，然而不可思議的瑣碎之事和光榮的微小事物在它們該在的地方存在，自由而獨立地存在。在我們的真實生活裡，無用之物和瑣碎之事謙卑地開創了美的插曲。在我的靈魂之中，夢境和愛好帶來的樂趣被絲帶裡的小東西這微不足道的存在而激起！那些意識不到微小事物重要性的人是多麼可憐啊！

在眾多於內心之中折磨我們到令人愉快地步的感情中，被這個神祕世界激起的焦慮是最普通也是最複雜的感覺之一。當我們就這些微小事物沉思之際，這份神祕最為明顯，這些微小事物一動也不動，因此呈現出半透明狀態，允許它們的神祕浮現。相較於思考路邊的一塊小石頭，思考一場戰爭（然而我們可以思考一個荒唐之處，人、社會和戰爭之間可以在我們內心裡展開一面戰勝神祕的旗幟）更難感受到神祕，因為我們不會想到小石頭這個存在，也就自然而然地引導我們——如果我們能不停地思考這一點的話——去考慮其存在的神祕之處。

讚美瞬間、毫米和微小事物的陰影，這些事物比萬事萬物本身還要卑微！瞬間……毫米——對於它們大膽地在捲尺之上如此近距離並列存在，我感覺震驚極了。有時候這些事物令我痛苦，抑或高興，隨後我感受到一種發自內心深處的驕傲。

我是一張極端靈敏的底片。刻在我身上的所有細節都比例失調，不成整體。這張底片什麼都填不滿，只能塞滿我。我看到的外界是一種純粹的感覺。我永遠不會忘記我的所感所覺。

我們的靜默夫人

有時，我會感到灰心喪氣，委靡不振，就連作夢的能力也像秋天的樹葉一樣枯萎了，唯一可以作的夢就是回味以前的夢。我像翻閱一本書一樣一遍遍地瀏覽它們，除了無可避免的文字，找不到別的東西。於是我問自己，妳是誰，妳這個穿越過我無精打采視野中所有未知的風景、古代的內陸，和盛裝遊行的形象到底是誰呢？妳出現在我所有的夢中，以夢的形態，或作為一個虛假的現實和我一起。跟妳在一起，我可能進入了妳夢境的領域，見到了妳沒有的非人身體，妳融化成寧靜的平原和某地祕密的荒山實實在在的軀體。也許，除了妳，我沒有夢。也許，正是我靠近妳的臉時，從妳眼中看到，我看到的這些不可能的風景，這些不真實的沉悶，這些藏於疲勞的陰影下和不安的洞穴之中的感覺。也許，我夢中的風景是我不夢見妳的方式。我不知道妳是誰，但我確實知道自己是誰？我真的知道作夢意味著什麼？我能因此得知把妳稱作我的夢意味著什麼嗎？我怎麼知道妳不是我的一部分，也許妳還是我最真實、最基本的一部分呢？我怎麼能知道其實我只是個夢，而妳才是真實，妳不是我的夢，而我才是妳的呢？

妳的生活是怎樣的？我該從何種角度看妳？妳的側面？從不相同，但也永不改變。我之所以這樣說是因為我知道，卻不知道自己知道。妳的身軀？無論穿衣與否都沒有差別，或坐或站或臥也都是同樣的狀態。這毫無意義的意義又在哪裡？

✧ ✧ ✧

我的人生如此悲哀，我甚至都不想為其哭泣；我的日子如此不真實，我甚至都不想試圖改變。

我怎麼能不夢見妳？逝去青春時光的女士，死水和腐爛海草的聖母，無垠的沙漠和荒山峭壁的守護女神——請救贖我，脫離我的青春。

憂鬱者的慰藉，從不哭泣者的眼淚，從不敲響的整點——請救贖我，脫離快樂和幸福。

所有靜默的鴉片，未曾撥過的七弦琴，遠方和放逐的彩色窗戶——讓我被男人憎恨，受女人鄙視。

臨終者塗油禮上的鈸，觸及不到的撫摸，陰影下死去的鴿子，作夢時刻燃燒的燈油，請救贖我脫離宗教，因為它太甜蜜——請救贖我脫離無信仰，因為它太強大。

午後無力的百合，紀念品盒裡枯萎的玫瑰，祈禱者之間的靜默——請讓我厭惡自己的活著，憎恨自己的健康，鄙視自己的年輕。

啊，所有朦朧夢境的避難所呀，讓我變得無能無用吧；啊，悲傷經驗的流水呀，讓我變得沒有緣由的純潔、冷淡的虛偽吧；啊，不安的連禱啊，厭倦的大彌撒啊，花冠啊，聖水啊，升天啊，讓我的嘴變成一幅凝結的風景，讓我的雙眼變成兩塘死水，讓我的姿態變成慢慢枯萎的樹木吧！

太可惜了，我只能把妳當作女性一樣祈禱，不能像熱愛男人一樣愛妳，也不能像那些從未進過天堂、沒有真實性別的黎明天使一樣盡情地看妳。

✧　✧　✧

我向妳祈禱就是在愛妳，因為我的愛本身就是祈禱，但我不把妳看作我的摯愛，也不把妳當作聖人。

希望妳的行為成為捨棄的雕塑，妳的姿態成為冷漠的基座，妳的言語成為否認的彩色玻璃窗。

✧　✧　✧

一無所有的光輝，起自萬丈深淵的名字，來自遙遠天界的寧靜……

永恆的處女，存在於諸神之前，存在於諸神之父之前，存在於諸神之祖父之前，所有世界的不孕處女，所有靈魂的不孕處女……

我們向妳舉起所有時光和萬事萬物，星辰是妳神廟的供品，疲憊的諸神像鳥兒回到無意間築的巢一樣回歸妳的胸脯。

站在至高的痛苦上，我們看到白日映入眼簾！若我們看不到白日，那就讓那天成為出現的一天吧！

閃耀吧，缺席的太陽！發光吧，褪色的太陽……

只有妳，黯淡的太陽，才能照亮洞穴，因為洞穴是妳的女兒。只有妳，虛幻的月亮，才能賦予山洞，因為山洞……

✧ ✧ ✧

妳的性是夢的形式，是各種形象的不孕的性。只要一個模糊的側面，一個單純的站姿，甚至有時只需要一個慵懶的手勢，妳是屬於我精神化的時刻和姿態。

啊，內心靜默的聖母呀，我夢見妳，並非被妳的性、妳永恆長袍下的肉體所吸引。妳的乳房不會讓人想要親吻。妳的身體是靈魂一樣的肉體，不過，它仍是肉體，不是靈魂。妳肉體的物質不是精神的，它本身就是精神。妳是墮落之前的那個女人，仍舊是那個天上泥土捏成的雕塑。

對真實女人有性欲的恐懼引領我來到妳這裡。塵世的女人必須承受男人的體重才能……人們怎麼能愛上她？預見了性﹝……﹞帶來的歡愉，人們的愛怎麼能不枯萎？誰能尊重一個妻子而不去想她是個淫蕩的女人？誰能忍得住鄙視自己從母親的陰道裡出生的這個討厭事實？想到我們靈魂的肉體起源，想到帶我們的軀體來到這世界的不安行為，我們又怎能不鄙視我們自己呀？無論這軀體有多麼美麗，它起源的本質是醜陋的，它也因為被分娩出來而可憎。

現實生活中有些虛偽的理想主義者為妻子寫詩，向母親的概念下跪……他們的理想主義是偽裝的披風，而非創造的夢境。

只有妳是純潔的，夢境的夫人，我可以不參雜任何汙點而把妳當作情人，因為妳是虛幻的。我可以把妳當作母親，愛慕妳，因為妳從未被可怕的受精和分娩玷汙。

只有妳自己是如此可愛的時候，我怎麼能不愛慕妳？只有妳自己是如此值得被愛的時候，我怎麼能不愛妳？

也許是我在夢境中創造了妳，但妳在另一種現實中真實地存在；也許就是在那裡，一個與眾不同的純潔世界裡，妳是我的，我們不需要有形的軀體就可以深愛彼此，我們用另一種擁抱，不一樣的理想的占有。也許我沒有創造妳，也許妳早已存在，我只是以一種不同的視線看到了妳——純潔而內在的——在另一個完美的世界。也許我夢見妳只是意味著我找到了妳，我愛妳卻僅表明我想念妳。也許我蔑視肉體，憎恨愛戀，只是因為我有模糊的欲望，想要執著地等待妳，儘管不清楚妳的存在；也許這就是我不確定的希望，在我還不認識妳的時候，就已經愛上妳。

也有可能是我在某個模糊的地方早已愛上了妳，我對那份愛戀的懷念，讓我現在生活的一切只剩煩悶。也許妳只是我對某物的懷舊之情，是某種不在的化身，是某個遠方的存在，也許妳只是因為一些與女性無關的原因而具備了女性的氣質。

我可以把妳當作處女，也可以將妳視作母親，因為妳不屬於這個世界。妳臂彎裡的孩子從不會小到被妳孕育在子宮裡而玷汙的程度。妳從來都只是妳，不是別人，所以妳怎麼可能不是一個處女？我既可以愛妳，又可以仰慕妳，因為我的愛不會占有妳，也不會讓妳遠離。

請成為永恆的白晝，用妳太陽的光線作我的日落，與妳永不分離。

請成為看不見的黃昏，讓我的不安和渴望成為妳遲疑不決的暮色，成為妳不確定的色彩。

請成為絕對的黑暗，唯一的夜晚，讓我在那裡面迷失、遺忘自己，讓我的夢像星星一樣在妳遠方和否定的身體上發光……

讓我成為妳長袍上的褶皺，妳花冠上的珠寶，妳指上戒指那抹奇異的金色。

讓我成為妳壁爐裡的灰燼，因為若我是塵土有何不妥？或是讓我成為妳房間的一扇窗戶，因為若我只是空間有何不妥？或者讓我成為妳漏斗裡的一個時辰，因為若我逝去，但仍是妳的有何不妥？若我死去，但仍是妳的，若我失去妳，但透過失去妳又找到妳？

荒謬的主人，廢言的信徒，希望妳的靜默成為我的搖籃，催我入眠。希望妳純真的存在撫摸我，安慰我，啊，天界的先驅夫人啊，「不在」的女王啊，靜默的處女母親啊，冰冷靈魂的爐底石啊，荒涼的守護天使啊，啊，悲傷永恆但完美得不真實的人間風景啊！

✧ ✧ ✧

妳不是一個女人。妳在我心中激不起任何一點女性的感覺。只有當我講話時，稱呼妳為女性的措詞能勾畫出一個女性的輪廓。因為，我忍不住溫柔愛慕地講起妳，只有將妳稱作女人，這個詞語才能算名副其實。

但是妳，那模糊的實體，其實是虛空。妳沒有現實，甚至沒有一個只屬於妳的現實。嚴格說來，我看不見妳，甚至感覺不到妳。妳像一種客體擁有自身的感覺，被完全包含在自己存在的內心裡。妳一直都是我想要看的那片風景，是我沒看到的長袍上的褶邊，迷失在路邊彎道外永恆的現在裡。妳的輪廓就是妳的虛空，妳不真實的軀體破裂成散落的珍珠，成為那個輪廓的項鍊。妳早已經過，妳早已離開，我早已愛過妳，這就是我感到妳的存在時的感覺。

妳占據了我思想的空白和感官的缺口，因此我從未想過妳，或感覺到妳。但我的思想充滿著對妳的感覺，在妳崇高的召喚下，我的感覺很野蠻。

照在黑暗之上，迷失的記憶之月，我不完美的自我意識生動的曠野。我的存在隱約感覺到妳，好似是妳的一條腰帶在感覺妳，我靠近妳蒼白的臉龐，在我不安的夜水中緊張而又不安的臉龐，我知道妳是我天空中的月亮，產生了這個倒影，或是水面上一輪陌生的月亮，不知怎麼就捏造了一個。

要是有人能創造一雙「新眼」，從而用它來看妳；一些「新思」，從而用其想妳；一些「新感」，從而用其感覺妳。

我觸摸妳的長袍時，我的表情變得疲憊，言語也僵硬、勞累、痛苦不堪，因為我要努力伸直它們的手。一隻飛鳥盤旋在我對妳的評論之上，看似要在靠近，卻從未到達，因為我話語的主旨根本不能模仿妳輕輕落下的腳步、慢慢的一瞥，抑或是妳從未擺出的姿態，那蒼白悲傷的色彩的本質。

✧
✧
✧

若我能與遠方的人談話，若妳今天是一片可能的雲彩，明天化作現實的雨滴灑落大地，千萬不要忘記妳神聖的起源——我的夢。無論妳在現實生活中為何，作一個孤獨者的夢吧，不要成為一個情人的避難所。履行妳只是一個容器的職責。實現妳作為一個無用細頸瓶的願望。不要讓任何人用河流的靈魂談及河岸的話語來談論妳——河岸的存在是為了限制河流。最好不要在生活中隨波逐流，最好讓夢想乾枯。

希望妳的本質充盈豐富，希望妳的生活是注視自己生活的藝術，是被注視的藝術，永不雷同。不要再為其他。

今天，妳只是這本書創造的一個輪廓，一個與其他時間分開的具象化時刻。如果我能確定這就是妳，我會在愛妳的夢上創造一個宗教。

妳是萬物的不在，妳是每件事物上遺失的那部分，這讓我們永遠愛它。妳是聖廟遺失的鑰匙，妳是通往聖殿的密道，妳是遙遠的島，永遠隱藏在迷霧的後面……

佩德羅的田園曲

我不知道我在何時何地見過你。我不知是在圖畫裡，還是在真正的鄉村看到被鮮活草木環繞的你；也許就是在圖畫裡，你在我記憶中充滿詩情畫意、栩栩如生，儘管我不知道與你的邂逅是在何時，也不知道我們是否真的見過（因為有可能我連畫中的你也沒見過），但我真心實意地感到那是我生命中最平和的時刻。

你是一位優雅的牧民，牽著一頭溫順的公牛順著寬闊的道路緩步走來。我依稀記得從遠處就能看見你，你向我走來，從我身邊經過。你似乎沒有注意到我。你慢慢地走著，絲毫不在意那頭大公牛。你端詳的眼神忘記了所有的記憶，看來你的內心生活有大片的空白：你的自我意識拋棄了你。那一刻，你只是……

看著你，我記起城市一直在變，田野卻永恆不變。若我們說山石是《聖經》的，那是因為它們確實一如《聖經》時代那個樣子。

我把田園風光在我心中喚起的感覺，跟你一閃而過的無名身影相連；當我想到你時，從未體驗過的寧靜充滿了我的靈魂。你走路時步履輕盈，身姿輕搖，舉手投足間有鳥兒的歡快；無形的藤蔓繞著你胸前的……你的沉默——天色漸晚，戴著鈴鐺的羊群在逐漸變暗的山坡上疲憊地叫著——你的沉默是最後一首牧羊人的歌，它並未被寫入維吉爾從沒寫過的田園詩，所以它一直沒有被傳唱，而是成為一個永遠遊蕩在田野的輪廓。可能你在微笑——對你自己，對你的靈魂，在心裡看你自己微笑——但你的嘴脣像群山的輪廓一樣靜止不動，你用粗糙的手打了手勢（我不記得），雙手圍繞著田野的花朵。

是的，我曾在一幅圖畫見過你。但是，既然我當時能看見你，現在仍能看見你，以後也一直能看見你，又怎麼以為看到你過來、經過我，我只是繼續前行，未曾轉身呢？時間突然停止，讓你經過，而我試圖將你放入現實或類似現實的環境裡真是大錯特錯了。

圓柱列

我的愛啊，在我不安的靜寂中，在風景形成生活的光暈，而夢就只是夢的這個時刻，我舉起這本書，像是一間廢棄房舍敞開的大門。

我蒐集每朵花的靈魂，用每隻鳥鳴唱的每首歌，寫下稍縱即逝的瞬間，編織永恆和靜止。我是一個可靠的織布工，坐在生命的窗前，忘記了自己在那裡生活，也忘記自己曾經存在過，我用為靜寂的聖壇編織的貞潔亞麻布，包裹了自己的煩悶……

我給你這本書，因為我知道這書賞心悅目卻毫無用處。它不能傳道授業，不能鼓勵信仰，也不能激發感情。這書僅僅是一條小溪，流向灰燼的深淵，風將灰燼吹得四下飛揚，於土壤無利亦無害……我窮盡畢生之力寫了這本書，書寫之時卻從未考慮過它，因為我只考慮悲傷的自己和獨一無二的你。

因為這本書內容荒謬，所以我喜愛它；因為它無用；所以我想將它送出；因為把它送給你不帶任何目的性，我想把它送給你……

閱讀這本書，將是為我祈禱；喜愛它，則是為我祝福；然後忘記它，像今天的太陽忘記昨天的太陽一樣，像我忘記不太擅長作的夢境中出現的女子一樣……

靜寂的渴望之塔啊，願這本書像古代奧祕的夜月，轉變你的容顏！

痛苦的不完美之河啊，願這本書像一艘小船，順著你的河水漂流，一直流向夢魘的海。

疏遠和放逐的風景啊，願這本書像你的時間一樣屬於你，不被你或假冒的皇族時間所限制。

✧ ✧ ✧

永恆的河流在我的靜寂之窗下流過。我一直注視著遠方的河岸，不知為何從未夢到過自己身在何處，當一個不同的人，過快樂的生活。可能因為只有你能完全地慰藉我，也只有你能塗抹油膏和主持儀式。

你中止了什麼樣的彌撒，向我展示你的存在並且祝福我呢？你旋轉的舞步，與時間一起在哪一刻突然停下，又是哪一刻踏上了我的靈魂之橋，對著我華麗的皇族紫衣微笑呢？

有節奏的不安天鵝，不朽時間的七弦琴，神祕哀傷的微弱豎琴聲——你既是那個等待的人，又是那個離開的人；你既是受到傷害的那個人，又是撫慰傷害的那個人，你用憂傷粉飾快樂，用玫瑰妝點悲慟。

哪位上帝創造了你？哪位上帝會被創造世界的上帝所憎恨？

你不知道，你不知道、你不知道，你不想知道，也不想不知道。你把所有的目的從生活中剝離，你用非現實的光暈渲染你的存在，你用完美和無形包裝自己，這樣時間就無法觸碰到你，白天也不會對你微笑，黑夜也不會來臨，更不會把把百合花一樣的月亮放入你的手中。

我的愛啊，請以更美好的玫瑰花瓣、更可愛的百合花朵，還有飄著動聽名字的芳香菊花為我沐浴吧。

啊，純潔的處女呀，沒有張開的雙臂擁抱妳，沒有甜蜜的親吻渴望妳，也沒人想占有妳，我會在妳之中結束自己的生命。

所有希望的大廳，所有渴望的門檻，所有夢境的窗戶……

觀景臺，面對無邊的景色：夜晚的森林，遠處在月光下閃閃發亮的河流……
從未打算寫詩歌和散文，只是夢見過……

✧ ✧ ✧

我很清楚你不存在，但是我確定自己存在嗎？我讓你存在於我之中，但是我會比你、比生活在你之中那死氣沉沉的生命活得更真實嗎？

火焰變成了光暈，不在的存在，抑揚頓挫的旋律，女性的靜寂，宴會留下的高腳杯，畫家夢裡另一個塵世的中世紀彩繪玻璃。

純正優雅的杯子和主人，為尚在人世的聖徒而設的廢棄聖壇，夢中從未有人涉足的花園中有百合花冠……

你是唯一一個從不讓人煩悶的形態，因為你總是根據我們的感覺而改變，親吻我們的歡欣，也撫慰我們的痛苦和疲勞。你是讓人鎮靜的鴉片，你是讓人重新煥發活力的睡眠，是讓我們雙手畫十字的死亡。

天使，你的翅膀是什麼物質做成的？你從不高高飛翔，只是靜止上升，這是極樂和休息的姿態，是什麼生命讓你情繫這片土地？

✧ ✧ ✧

能夢到你是我的過人之處，當我的句子講述你的美麗時，旋律婉轉，詩節起伏，有時會突然迸發不朽的詩文光彩。

啊，讓我們懷著對你的存在和我目睹你存在的好奇，一起創造專屬於我的、獨一無二的藝術吧！

希望我能從你死氣沉沉的無用軀體裡提煉出新詩的靈魂！在你如波浪一樣徐徐、靜靜的旋律中，希望我顫抖的手指能夠找到人類從未聽過的新散文！

願你逐漸黯淡的美妙笑容成為我的標誌——這是整個世界的徽章，當它意識到抽噎既不完美、又不正確的時候。

願我為創造你奉獻了生命而死亡的時候，你能用豎琴師的雙手闔上我的雙眼。啊，至高無上又獨一無二的你，縱然籍籍無名，卻會成為從不存在的諸神珍愛的藝術品，成為永遠不會產生的諸神不孕的處女母親。

雜亂無章的日記

每一天，我都受到天地萬物的虐待。我的情感如同在風中搖曳的火焰。

走在街上，在那些從我身邊經過的人身上，我看到的不是他們真正擁有的臉部表情，而是他們在知道我是什麼人以及我要過怎樣的生活之後即將擁有的表情，以及在我的臉和姿態洩露我害羞的靈魂那份荒謬的畸形之後，他們會有的表情。在那些看也不看我的眼睛裡，我懷疑那裡蘊藏著一抹假笑（我懷疑這是自然而然的），他們是在笑我，在這個人人都知道如何行動、如何享受生活的世界裡，我是個令人尷尬的例外；穿流而過的一張張臉孔都露出一個認知，即我本人已經開始干預和疊加，這些臉孔似乎是為了我生活中的膽怯姿態而大聲竊笑。我為此陷入了沉思，試圖說服我自己，我感受到的傻笑和輕微的責怪都來自於我，只源自於我，可一旦我那看上去有些荒謬的形象具體化成為另一個人，我便不能再說那些傻笑和責怪都屬於我。我突然感覺我自己置身於一間充滿嘲笑和敵意的溫室裡，我窒息不已，搖擺不定。他們從他們的靈魂最深處用手指向我指指點點。所有經過的人都用他們那愉快和輕蔑的嘲諷打擊著我。我走在殘忍的幻影之中，我那病態的想像力創造出這些幻影，並將之置於真正的人之間。萬事萬物都在摑我的臉，嘲笑我。有時候，在街道中央——在那裡，其實沒有人注意到我——我突然停下腳步，看著周圍，彷彿是在搜索全新的維度空間，搜索一扇通往空間之內的門，通往空間另一面的門，在那裡，我可以擺脫我對其他人的意識，遠離我那把屬於其他活生生靈魂的現實過度具體化的直覺。

我習慣把自己置身於他人的靈魂之中，這真的會讓我按照他人注意我時，看待我或即將看待我的方式來看待我自己嗎？會的。當我意識到如果他們認識我之後會怎樣看我，這就彷彿他們真的會那樣看待我，彷彿就在那一刻，他們的確對我產生了那樣的看法，並且表達了他們的看法。與他人有關，對我而言就是不折不扣的折磨。其他人都存在於我體內。我被迫和他們有關，即使他們不在附近。周圍全是人，我則孤身一人。根本沒有逃跑的可能，除非我要逃離我自己。

噢，那暮色中壯麗的群山，噢，月光下那狹窄的街道，如果我能像你們那樣沒有意識該有多好，如果我能擁有你們的靈性該有多好，你們的靈性什麼都不是，只是天地萬物，沒有任何內在的維度空間，沒有一絲感情，沒有位置留給感受，留給思考，抑或留給不安的靈魂！樹木是如此純粹，樹木只是樹木，你的綠色看上去令人如此愉悅，與我的麻煩和擔憂無關，可以如此準確地撫慰我的焦慮，因為你沒有眼睛可以看見我的麻煩、擔憂與焦慮，然而一個靈魂，一個靈魂透過那些眼睛，可能會誤解與取笑我的麻煩、擔憂與焦慮！路上有很多石塊，木頭隨處可見，到處都是大地之上無名的塵埃，你們是我的同類，因為你們沒有意識到我的靈魂正處於安逸且平靜的長眠之中……陽光與月光籠罩著塵世萬物，塵世是我的母親，我溫和體貼的母親，甚至不會像我的生身之母那樣責怪於我，因為你沒有靈魂，所以不能出於本能地分析我，你也沒有飄移的眼神，所以不會洩露你對我的想法，而你甚至從不曾向自己承認你有這樣的想法……浩瀚的海洋，咆哮的你是我童年的夥伴，你撫慰我，讓我平靜下來，因為你的聲音不是人類的聲音，所以從不曾在人們的耳邊低聲言說我的弱點和短處……寬闊蔚藍的天空，如此貼近於神祕的天使……你不會用虛偽的綠眼看著我，如果你會把太陽抱在胸前，你就不會用這種方式引誘我，當你用星辰（蓋住你自己），你也不會試圖向我炫耀你的出眾……大自然浩瀚的平靜如慈母一般，因為你並不認識我；冷漠且平靜的原子與體制和兄弟一樣，因為你們完全忽略了我……我希望向你的浩瀚和平靜祈禱，以此作為記號，表示我很感激能擁有你，能沒有任何懷疑和不安地愛著你；我希望傾聽你的不能傾聽，儘管你始終在聆聽我們，希望注視你那令人崇敬的盲眼，你一直用這雙盲眼注視著我們，希望成為你透過這些想像的耳朵和眼睛所關注的物件，希望能感覺到在你那虛無關注下的那份舒適，彷彿那是終極的死亡，距離很遠很遠，帶著天地萬物靈魂的色彩，超越了重生的希望，超越了上帝與成為其他存在的可能，超越了逸樂懶散的虛無……

占有的河

根據我們真實自然性的原則，我們所有人都是不同的。只有從遠處看我們才彼此相像——因此，我們都不是我們自己，而是別人。所以生活才是不確定的；與別人合得來的人都是那些從來不曾限制他們自身的人，以及那些與任何人都不一樣的人。

我們每個人都有兩面，當這兩個人相遇、打交道或互相認識，這兩個人的四面很少能和平相處。如果一個行動者的另一面愛作夢，那麼這兩面就互相矛盾，他只能與另外一個既愛作夢又善於行動的人格格不入？

每個人的生活都是截然不同的力量，我們每個人自然而然地會傾向他自己，沿途才為了其他人而停下來。如果我們有足夠的自尊來發現自我的興趣……每一次相遇都是一次衝突。對於那些尋找之人，他人都是障礙。只有那些不再尋找的人才是快樂的，因為只有那些不在尋找的人才能有所發現；因為他們不會尋找，於是已經擁有，而且他已經擁有的東西——無論那是什麼——都能帶給他快樂，就像不思考才是最好的財富。

我在我內心看著妳，這位想像出來的新娘，於是，在妳還不存在的時候，我們之間就開始出現衝突了。我愛作夢的習慣向我生動地描繪了對現實的準確概念。過度作夢的人必須讓現實融入他的夢中。讓現實和夢境融合的人必須保持現實和夢境的均衡。保持現實和夢境均衡的人會因為夢境中的現實而承受痛苦，就像因為生活裡的現實受苦一樣，還會因為夢境的虛幻而承受痛苦，就像因為他感覺生活即虛幻而受苦一樣。

我在幻想之中等著妳，我在我的臥室裡，這裡有兩扇門；我夢見我聽到妳來了，在我的夢中，妳從右邊的門進來。而當妳真的走進來時，妳卻站在左邊的門旁，妳和我的夢境已經有差別了。人類的整體悲劇都在這個小小的例子中總結了——我們想像的人從來不是他們真正的樣子。

愛需要認同某些不同的事物，而這些事物甚至可能不符合邏輯，在現實生活中不那麼真實。愛是占有。愛要形成，必須置於愛本身之外；否則愛本身與愛形成的模樣之間的差別就消失了。愛是屈服。屈服的程度越高，愛就越偉大。但是屈服的整體程度也會使其喪失對他人的感覺。因此，偉大的愛就是死亡，遺忘，或是放棄——所有形式的愛都使愛變成了一件荒唐的事。

在古老的海邊宮殿露臺上，我們將在沉默中沉思我們之間的差別。在海邊的露臺上，我是王子，妳是王妃。在我們相遇之際，我們的愛誕生，與月亮和波濤相遇之際美的誕生一樣。

愛是占有，可它並不知道什麼是占有。如果我不是我自己，那麼我怎麼能成為妳的，而妳又怎麼能成為我的呢？如果我不占有我自己，那麼我怎麼能占有一個外在的存在呢？如果我甚至與我同一的自我不同，那麼我怎麼能和一個徹底不同的自我相同呢？

愛是神祕，想要被物質化，我們的夢境始終堅持這個不可能是可能的。

我說的是形而上學？不過所有的生活就是黑暗中的形而上學，黑暗中有神祇竊竊私語，聲音十分模糊，而且只有一條路可以走，那就是我們不要去瞭解真相。

我的墜落最陰險一面就是我對健康和清澈的愛。我始終有種感覺，相較於我內心的夢境中，一個好看的身體和年輕人的步伐傳出無憂無慮的節奏在這個世界裡更加有用。帶著老人精神上的快樂，我有時候會既不羨慕也不渴望地觀察在那個下午團結起來的悠閒夫婦，他們手挽著手走向年輕人無意識的意識。我喜歡他們，就像我喜歡真理，不會考慮其是否適合我。如果我拿他們和我自己比較，我依舊會喜歡他們，可作為一個享受會造成傷害事實的人，傷害所帶來的痛苦會被對神祇的瞭解所產生的驕傲感抵償。

我反對柏拉圖式的象徵主義者，對他們而言，每一個存在、每一件事情，都是影子或僅僅是現實的影子。對我而言，萬事萬物並不是到來，而是離開。對於神祕主義者而言，萬事萬物在萬事萬物中終結；對我而言，萬事萬物從萬事萬物中開始。

我透過對比和建議繼續進行，可那座小花園對他們而言代表了靈魂的秩序和美好，對我而言僅僅代表了更大的花園，那裡遠離人類，這不快樂的生活或許可以快樂起來。對我而言，每件事並非現實，只是陰影，而這個現實就是一條路。

午後的埃什特雷拉公園對我而言就是一座古時的花園，幾個世紀以前，靈魂變得不再抱有幻想。

自我檢驗

人在夢中不真實地生活，也還是在過生活。捨棄是一種行為，作夢是人想要生存的告白，夢中，虛幻的生活取代了真實的生活，以此來滿足想要過活不可壓抑的欲望。

這一切不就是為了追求幸福嗎？還有人在找尋其他嗎？

連續不斷的白日夢和無休無止的分析帶給我的，與生活所能帶給我的東西有任何本質的不同嗎？

遁世沒有幫我找到自己，也不能……

這本書從各個方面調查，從各個角度分析，是一種靈魂的特別狀態。

這本書至少能帶給我一些新的東西吧？但就連這種慰藉我都沒得到。這些話，赫拉克利特[119]和《傳道書》在很久以前就曾說過：「生活就是兒童在沙上玩耍……精神的空虛和憂慮……」而且可憐的約伯也曾說過：「我厭煩我的生命。」[120]

我傾聽自己的夢，在夢境聲音的安慰下入睡。我心中譜出了奇怪的旋律。

一個與夢中形象產生共鳴的短語抵得上許多手勢！一個隱喻能表現許多事情！

我傾聽自己……我的心中有好多典禮、遊行隊伍……我的煩悶裝飾著亮片……化裝舞會……我無比訝異地審視著自己的靈魂。

排列組合的萬花筒……

極大豐富的感覺帶來的輝煌……廢棄城堡裡的皇族床鋪，死去公主的珠寶，從城堡小窗可以看到的小海灣……毫無疑問，榮譽和權力總會降臨，無比歡樂的靈魂在放逐中有人隨行……沉睡的樂隊，刺繡的絲綢……

以帕斯卡[121]：

以維尼：在你身上……

以亞米哀，在亞米哀是如此的徹底………（這樣的短語）

以魏倫和象徵主義者：

119 赫拉克利特（Heraclitus，前五四〇～前四八〇年），古希臘哲學家、愛非斯派的創始人。相傳生性猶豫，被稱為「哭的哲學人」。

120 出自《聖經・約伯記》一〇：一。

121 帕斯卡（Blaise Pascal，一六二三～一六六二年），法國神學家、哲學家、數學家、物理學家等。

我內心很難受，就連難受也毫無新意……我做的事情無數人之前已經做過……我遭受的也是極其古老和陳舊……既然這麼多的人早已思考過，並遭受過這些事情，我究竟為什麼還要再考慮呢？

不過我畢竟還是帶來了一點新的東西，儘管不是由我創造的。它從黑夜而來，在我心中像星星一樣閃閃發光……我窮盡所有力量也不能創造它，更不能將其消滅……我是兩種玄祕之間的橋梁，卻毫不知曉自己是如何建造的。

感覺論者

在精神戒律的衰退時期，信仰逐漸衰亡，各種教派也日漸式微，我們留下的唯一真實就是感覺。此時，我們唯一的顧慮，也是唯一能滿足我們的科學，便是我們的感覺。

我愈發確信，拙劣的修飾是我們所能賦予自己靈魂的最高、最開悟的命運。倘若我的人生在精神的掛毯裡度過，我便沒有極大的絕望去哀嘆。

我屬於這樣一代人——或者說，我屬於這樣一部分人——對過去的尊重和對未來的信仰或希望散失殆盡。因此，我們和那些無家可歸的人一樣，飢腸轆轆、滿腹渴望地活在當下。由於在我們的感覺裡，尤其是在夢想徒勞無益的感覺裡，當前的我們既沒有昔日的回憶，也沒有未來的懷想，當我們對可量化的現實事物嗤之以鼻時，我們在內心世界卻寬容地付之一笑。

或許我們並非完全不同於那些在現實生活中只想找樂子的人。然而，利己主義的風氣已漸漸過去，蒙上衰微和矛盾的色彩，享樂主義熱潮也開始慢慢冷卻。

我們處在恢復時期。大多數人從未學過一門藝術或一種手藝，甚至絲毫不懂享受生活的藝術。由於我們打心底憎惡冗長的社交活動，甚至是與最好的朋友花半個小時相處，我們都會感到厭煩。我們渴望只想在想見時才見人，而且最好是在夢裡與他們共度最好的時光。我不知道這樣說是否是在暗示友誼的虛假。或許並非如此。我只知道，受我們鍾情的事物或思想只在夢裡才算是真正有意義和價值。

我們不喜歡表演。我們蔑視演員和舞者。每一場表演不過是一次拙劣的模仿，而模仿對象本應當只出現在夢裡。

我們對別人的觀點漠不關心——這種冷漠並非與生俱來，而是因為一些情感教育常常透過各種痛苦的體驗強加在我們頭上。但我們待人彬彬有禮，甚至帶著一種類似冷漠的興趣去喜歡他們，因為每個人都很有趣，都可以化入夢境或轉變成其他人……

由於沒有愛的能力，為了被愛而不得不說一些話，僅僅是這樣的想法就令我們厭倦。此外，我們之中又有誰渴望被愛呢？「戀愛使人疲憊」這句話對我們而言是一句不大恰當的箴言。一想起被愛，我們就感到厭煩，甚至達到恐慌的程度。

我的生活是一場無情的熾熱，一種無法熄滅的渴望。現實生活像酷暑天氣一樣，用一些卑劣的方式折磨著我。

對於那些在生活中作夢的人，以及像培養溫室植物一樣透過培養感覺，獲得一種宗教信仰和政治思想的人，他們成功邁出第一步的徵兆就是，用一種誇張而又異乎尋常的方式去感受最微不足道的事情。這是邁出第一步的關鍵。如何從一杯淡茶的小酌中獲得極大的快感，而正常人只有在他的勃勃雄心突然實現，或惱人的鄉愁突然痊癒，或將魚水之歡行至極致時，才會有這樣的感覺；在觀看夕陽或注視著一個裝飾細節時，我們的強烈感情通常不是透過視覺或聽覺產生，而是透過肉體感官——觸覺、味覺和嗅覺——透過它們將感覺之物刻進我們的意識中；將我們的內在視線、夢中聽覺、一切想像的感覺和感覺的想像力，轉移到諸如五感這樣的有形受體上，來接受外在世界：受過訓練的自我感覺培養者，可以從這些感覺（類似的例子不難想像出來）體驗到一種強烈的激情。我提及這些，以便將我想要表達的東西用一種粗糙而具體的觀念表達出來。

然而，感覺達到這種程度，使得戀愛中的人帶著同樣的強烈意識去感受悲傷——一種內外皆有的悲傷。當他認識到，又因為他認識到極其強烈的感受不僅意味著極度快樂，還意味著強烈的痛楚，在這種感受的指引下，作夢者走向自我提升的第二步。

姑且不去論及他是否會去走這一步，如果他能去做，且做到了，那麼這一步將決定他的某種態度，並且影響他的下一步行動——我所指的這一步是他完全將自己與現實世界隔離，當然，除非是很富有的人才能做到。因為我認為，作夢者顯然透過領悟言外之意，根據相對可能的自我隔絕和自我犧牲，集中更多或更少的注意力去做那些工作，它們在病理上刺激他對事物和夢想的敏感度。積極生活和與人交往的人——即使在這種情況下，將性行為減少到最低限度也是可能的（性行為不僅僅是一種接觸，它還是有害的）——將不得不凍結社會自我的整個表層。因此，他將忽略掉別人每一個友善而親暱的手勢，這些手勢不會給他留下長久的印象。這看似很難，實則並非如此。擺脫別人很容易：我們只須遠離他們。不管怎樣，我將忽略這一點，回到前面闡釋的問題。

在無意識狀態下，從最為樸素常見的感覺中提煉出的意識，不僅使我們從感覺中獲得更多的愉悅，正如我前面所說的，還使我們體驗了極大的痛苦。因此，一個作夢者第二步要做的就是避開痛苦。他不必像斯多噶學派[122]或早期伊比鳩魯學派那樣，透過拋棄安樂窩來避開痛苦。因為那樣會使他對快樂和對痛苦一樣麻木。與此相反，他應當苦中求樂，然後學會假裝痛苦——換而言之，每當他感到痛苦時，就從中找到一些樂子。這樣的目標可以透過很多途徑去實現。第一種就是強化分析我們的痛苦（但我們首先要訓練自己透過獨一無二的感受對快樂有所反應，但不去分析）。至少對於高等靈魂來說，這種方法要比看起來更容易做到。分析痛苦，然後養成分析所有痛苦的習慣，直到我們不假思索地做，這種習慣變成我們的本能，帶著快樂去分析每一個可以想像出來的痛苦。一旦我們的分析能力和本能增長到一定程度，我們將接受一切，那麼痛苦除了變成有待分析的模糊物質，什麼也不會留下來。

另一種方法更微妙，也更難做到。這種方法就是，形成一種將痛苦化身到一個理想人物身上的習慣。首先，我們需要塑造另一個我，賦予這個我苦難——在這個我之中和對這個我來說——遭受我們所遭受的一切。然後，我們需要在內心塑造一個受虐狂，形成一種徹底的

122 斯多噶學派是古希臘的四大哲學學派之一，也是古希臘流行最久的哲學學派之一。斯多噶學派主張通過宿命和禁欲，實現理性。斯多噶學派對弱者和受欺壓者毫無憐憫之心。

受虐心理，享受這種苦難，就好像是別人在受苦。乍看之下，這種方法似乎不可能也不容易做到，但實際上是可行的，對那些善於接近自己的人來說，沒有什麼特別的困難。一旦做到這一點，苦難便獲得了撩人至極的血和病的味道，一股不可思議、和著頹廢滿足感的異樣辛辣味！痛苦的感覺類似於極度苦惱、不安至極的抽搐，苦難——一種漫長的慢性痛苦——是一種親切的黃色，給深度恢復期的感覺塗上一層模糊的幸福色彩。極度疲憊感喚起極度苦惱的複雜感，而這種疲憊感被不安和愁思沖淡，快樂感油然而生。這些感覺將要消失，正如當我們去想像它們將帶來的倦怠感，我們便預先感受到感官樂趣帶來的悲傷倦怠。

第三種方法就是將痛苦稀釋並變成快樂，將懷疑和憂慮轉變成一張柔軟的床。這種方法主要在於，將所有注意力集中在我們的焦慮和痛苦上，強烈感受到它們，過度的悲傷會帶來極大的快樂，透過這種強力激發的快樂，使我們心情舒暢，心滿意足，帶點受傷流血的味道。當然，只有出於習慣和訓練過致力於快樂的人，才會做到這一點。就像在我體內，一個精煉自我的荒唐精煉者；一個致力於用稀釋過的智力形成感覺建造自我的建築師；透過隱退生活，透過分析以及透過痛苦本身，以上三種方法同時使用，不經思索地對每一種痛感（這種感覺來得很快，讓人猝不及防）進行徹底分析，然後無情地強加於外在的我，將極大的痛苦埋在內心，進而感到自己像一個勝利者和英雄。生活因我而停止，藝術在我腳下卑躬屈膝。

我所描述的這一切僅僅是作夢者要實現夢想所要做的第二步。

除了我，還有誰能做到通往神殿華麗門檻的第三步呢？誠然，這一步很難做到，它需要我們付出一種內在努力，這種努力比我們在生活中所做的任何努力還要艱巨得多。但它帶給我們的回報直達靈魂的高度和深度，這是生活永遠無法給予我們的。這一步就是——當完成並同時進行一切時，三種微妙的方法被應用到極致——直接將感覺傳送到純粹智力，透過更高分析去過濾，使之獲得文學形式，具有自己的實質內容和人物角色。然後徹底固化感覺。接著，我獲得了虛幻的現實，賦予不可企及的東西以永恆的基座。然後，在我內心，我成為加冕之王。

不要以為我寫作是為了發表，或僅僅是為了寫作，或為了創作藝術。我寫作，因為寫作是我培養靈魂狀態的終極目標、至高提煉，以及有組織地非邏輯提煉。如果我取出其中一種感覺，將它拆散開來，用以編織被我命名為〈在隔離的森林裡〉或〈從未實現的旅行〉的內在現實，你要相信，我並非是為了寫一篇思路清晰的出色散文才這麼做，甚至也並非為了從散文中獲得愉悅才這麼做——儘管我很高興能將它當作一種額外的最後觸動，就像我夢中的舞臺布景被拉上精美華麗的布幕——然而，將絕對的外在事物內在化，從而使我認識到事物是無法實現的，將對立物連結起來，使夢具體化，將它當作純粹的夢，賦予它最生動的表現方式。是的，這就是我扮演的角色，我是一個生活滯留者，不斷犯錯的騙子，是我靈魂中的虛弱侍童和女王，當某個地方，夜晚以某種方式變得柔和，我在薄暮時分不是朗讀放在我膝前的生命之書詩篇，而是我創作和假裝要讀、以及她假裝要聽的詩篇——在我心裡的這個隱喻將我帶至終極真實——神祕的精神生活最後一抹朦朧之光。

不安之夜交響曲

古城的黎明，大型建築物的黑石上刻著流失的傳統；顫動的晨光沐浴著被水淹沒的田野，鬆軟潮濕，像日出前的空氣；狹窄的小巷，什麼事都可能發生；古老起居室的笨重儲物櫃；月夜農舍後的水井；從未見過的祖母初戀情書；埋藏著往昔時光的房間霉味；再也沒人會用的來福槍；窗外炙熱的午後；空無一人的街道；時斷時續的睡眠；荒蕪的葡萄園；教堂的鐘聲；孤獨生活的悲傷……祈福時刻：你柔軟虛弱的手……得不到愛撫，你戒指上的寶石在越來越暗的夜色中滲出血來……靈魂中沒有信仰的宗教慶典：物質的醜陋之美，粗野的聖徒，棲居心靈的浪漫情懷，冷空氣使城市碼頭變得潮濕，夜幕垂落時透著海水的氣息……

你的纖纖細手，像一雙羽翼，在遁世者的頭上拂過。長廊，關閉的窗戶仍然露出的裂縫，墓石般冰冷的地板，對愛的懷念，像尚未啟程的旅行，前往不完整的國度……古代女王的芳名；描畫著英勇伯爵的彩繪玻璃……迷濛散亂的晨曦，像彌漫在教堂裡的冷卻熏香，凝集在地面密不透風的黑暗中……乾枯的手緊握彼此。

在古書的古怪密碼中，僧侶發現神祕教派大師的訓詁和入教儀式的插圖時心生疑惑。

陽光下的海灘——心中的狂熱……在焦慮中閃著微光的大海使我窒息……遠處的帆船如何在我的狂熱中航行……階梯在我的狂熱裡通向海灘……涼風中夾雜一絲暖意拂過海面，貪婪的海，嚇人的海，黑暗的海……阿爾戈英雄遙遠的黑夜，我的前額因遠古的帆船灼灼發熱……

一切屬於別人，只有不能擁有一切的悲哀屬於我。

把針給我……今天，屋子裡沒有了她的輕盈腳步聲，我不知道她會在哪裡，不知道用她縫製褶皺、彩帶和針腳時是什麼樣子……今天，她一直被鎖在衣櫃的抽屜裡，已成為一種多餘，母親的脖子已沒有想像的溫暖臂膀環繞。

視覺性情人（一）

安特洛斯[123]

對於至深的愛和它的用處，我有一個矯飾而膚淺的概念。我更喜歡視覺性的情感，更虛幻的命運使我的心保持完好無損。

除了人的「畫像」，我想不起自己曾經愛過什麼人。那種「畫像」和畫布上的畫像不同，它是一種純粹的外表，而靈魂的作用僅僅在於賦予它生命和活力。

這就是我愛的方式：我將注意力集中在一幅畫像上，這幅不管是男是女的畫像（這裡不存在欲望和性傾向）要麼美麗，要麼有魅力，要麼可愛，它吸引我，誘惑我，使我著迷。但我只想看著它，沒有什麼事情比與那幅畫像的真人見面或交談的場景更令我感到厭惡。

我用自己的目光去愛，而不是以幻想去愛。因為對於那個吸引我的畫像，我沒有什麼好幻想的。我不會想像自己用別的方式與它連結，因為我矯飾的愛沒有心理深度。對於我看見的那個畫像是誰、做了什麼或想了什麼，我毫不感興趣。

這個人事層出不窮的世界對我來說就是一條沒有盡頭的畫廊，我對它的內涵並不感興趣。之所以如此，是因為每個人都有著同樣單調的靈魂；人們只在外表上各有不同，而靈魂

123 依據一些神話記載，當年輕的愛神厄洛斯（羅馬稱為邱比特）向母親抱怨祂很孤獨，阿芙羅黛蒂給了祂一個弟弟安特洛斯（Anteros）作為玩伴。作為相互回報感情的象徵，安特洛斯被視為暗戀之神，對那些沒有回報感情的人施以懲罰。但佩索亞在未發表的文本中，依循另一種古老的看法，認為安特洛斯是反邱比特的。愛神邱比特象徵本能的愛，受感性的吸引力激發，而安特洛斯則象徵建立在理性和智性上的愛。

的最好部分滲入夢中。他們的舉止和身姿則進入畫像，迷住了我，我在那裡看見對我的感情忠貞不渝的臉孔。

在我看來，人類沒有靈魂。靈魂是他自己的事。

我用這種純粹的視覺去體驗事物或生命的生動外表——就像來自另一個世界的上帝——我對他們的精神內涵漠不關心。我藉由發現表層來探究它們的本質；當我想更深入時，我從自己的內心和我對事物的概念中去尋找。

我不過是將所愛的人當作裝飾物，那麼對個人的瞭解會帶給我什麼呢？由於我對他們沒有幻想，只愛他們的外表，他們的愚蠢或平庸不會影響到我，所以我不會感到幻滅；除了外表，我對他們別無所求，而外表已經存在，並將長期存在。然而，對個人的瞭解因為無用，所以有害。在本質上無用的事情總是有害的。知道一個人的名字有意義嗎？儘管我們介紹時，免不了先要介紹自己的名字。

對個人的瞭解還意味著可以隨便凝視別人，這也正是我愛的方式。但我們不能隨便觀察或凝視我們已瞭解的人。

對藝術家來說，多餘的筆墨毫無用處，因為這只會干擾他，進而削弱他想要達到的效果。

我天生的命運，就是成為一個體現本性的形狀和形式的視覺性情人，一個把夢具體化的人，一個對人物外表和事物表現形式充滿無限熱情的沉思者……

這不是被精神病醫師叫做精神手淫的個案，甚至也不是被他們稱作色情狂的患者。我並沒有像精神手淫者一樣幻想；我沒有將自己想像成我凝視和想起的那個肉欲的情人，或者甚至是那人的一個普通朋友。我也沒有像色情狂那樣，將那個人理想化後，再將其從具體的審美領域移除。除了我的所見及其帶給我純粹、直接的記憶，我對那個人沒有任何想法或欲求。

視覺性情人（二）

在我出於自娛凝視的那些畫像周圍，我避免自己編織幻想之網。我看著它們，而它們對我而言唯一的價值就在於被看見。任何可能被我附加在他們身上的東西都將貶低他們，因為這貶低了他們的「可見性」。

無論我要怎樣幻想他們，我都會瞬間感到這顯然不真實。夢裡的東西令我快樂，然而虛假的東西使我厭惡。我喜歡純粹的夢，它們與現實無關，甚至與現實沒有任何接觸。但不完美的夢有它們的生活基礎，令我滿心憎惡，或者說我滿心憎惡自己沉湎於這樣的夢。

我將人性看作極為矯飾的主題，既存在於我們的眼睛和耳朵中，也存在於我們的心理情感中。生活中我最想要的就是觀察人性。自我中我最想要的就是觀察生活。

我就像是一個路過的其他存在者，透過這個存在者，我有諸多興趣。我在各方面與他不一樣。在我和他之間隔著一塊玻璃。我希望那塊玻璃足夠透明，以便一點也不會擋住我觀察玻璃後面是什麼，但我總是不能沒有那塊玻璃。

對於每一個有著科學心智的靈魂，看到的比實際存在的多就意味看得更少。物質的增加意味精神的減少。

毫無疑問地，這種觀點是我厭惡博物館的原因。對我來說，唯一的博物館就是生活的全部，那裡的形象總是絕對精確，任何不精確的存在者都歸因於旁觀者的自身缺陷。我努力克服自己的缺陷，如果我什麼也做不了，那麼我對這種存在方式感到滿意，因為，正如其他一切事物，除此之外別無其他選擇。

從未實現的旅行（一）

在秋意朦朧的黃昏時分，我開始了從未實現的旅行。

我無法回憶起的天空蒙上一層暗金銷蝕後的淡紫，群山的線條清晰而淒慘，死氣沉沉的餘暉將它們裹住，穿透群山鮮明的輪廓，使那些線條變得柔和。船的另一側（甲板的遮篷，夜色更冷，向更遠的地方蔓延），茫茫大海顫巍巍地伸向越來越暗的東方地平線，越來越暗的天空，將入夜的陰影投向大海遙遙可見的邊緣昏暗水線，像暑天的薄霧徘徊不去。

我記得，海的夢幻色調夾雜著幽幽波紋——一切是那麼神祕，像快樂時刻的一個憂傷念頭，預示著某種我不知道的事情。

我從不知道的港口啟程。即使今天，我仍然不知道那個港口叫什麼，因為我從未到過那裡。此外，我旅行的既定目標是探尋不存在的港口——那些港口不過是入港口；那是被遺忘的河口，流過無懈可擊的虛幻城市海峽。毋庸置疑，讀著我的文字，你會認為我的話很荒謬，那是因為你從未像我這樣旅行。

我啟程了嗎？我不會向你保證我已啟程。我發現自己在別的地方，別的港口，我經過的城市不是我出發的城市，那裡和其他地方一樣，根本就沒有城市。我不能向你保證，啟程的那個人就是我，而不是沿途的風景，是我遊歷那些地方，而不是它們遊歷我。我不知道生活是什麼，也不知道是我在過生活，還是生活在過我（不管「生活」這個空洞的詞有什麼意義），我也沒打算要保證任何事。

我做了一趟旅行。我覺得，沒有必要解釋為什麼我的旅行沒有持續數月或數天，或持續一段可衡量的時間。誠然，我有一段及時的旅行，但不是在這個按小時、日子、月分計算的時間裡。我的旅行發生在另一種時間，它的時間無法計算，但時間也會流逝，而且與我們生活的時間相比，時間似乎流逝得更快。在你心裡，你無疑地問我這些話是什麼意思。不要犯這樣的錯誤。對孩子似的錯誤（他們喜歡追根究柢）說再見。一切無意義。

我搭什麼船去旅行？「任何號」輪船。你笑了。我也是，或許我在笑你。你（或者甚至我）怎麼知道我不是在寫只有上帝才能讀懂的符號？

沒關係。我在黃昏時分啟程。我的耳邊仍然響起拔錨時的鐵器聲響。在我記憶的餘光，我仍能瞥見起重機的懸臂——起航的數小時以前，數不清的板條箱和桶子折磨著我的視覺——它們緩緩移動，直到最後裝上船。這些板條箱和桶子被鏈條拴住，先砰地一聲撞到船緣，接著發出刮擦聲；然後，它們搖晃著推進艙口，在那裡猛地降下去……直到一聲沉悶的木頭聲，才被裝進貨艙某些看不見的地方。下方傳來卸載它們的聲音，然後鏈條獨自升了上去，一切又從頭開始，看起來徒勞無功。

為什麼我要告訴你這些呢？因為前面我說過要談談我的旅行，而現在卻對你說起這些東西，這顯得很荒謬。

我遊歷了新歐洲，當航入假的博斯普　斯海峽港口時，映入眼簾的是君士坦丁堡各種宜人風光。我的航入使你困惑不解嗎？你讀對了。我乘坐的輪船像帆船一樣航入港口……你說這不可能。正因為如此，它發生在我身上。

其他輪船帶來的消息，是發生在不存在的印第安地區想像中的戰爭。當我們聽到關於那些土地的事情時，我們對自己的故土產生出一種惱人的鄉愁，當然，這僅僅因為那裡根本沒有什麼土地。

從未實現的旅行（二）

我躲在門後面，因此現實進來時看不見我。我躲在桌子底下，我可以從那跳出來，突然嚇可能性一跳。然後，我從緊緊鉗住我的兩個巨大的煩悶中掙脫兩隻胳膊——那兩個煩悶是，只能生活在現實中的煩悶和只能想出可能性的煩悶。

我用這種方式戰勝了一切現實。你說我的勝利是沙子建造的城堡？……那些不是沙子建造的城堡又是由什麼樣的神聖物質建造的呢？

你怎麼知道我這種旅行不能用某種鮮為人知的方式讓我恢復活力呢？

我再次體驗了我的童年，孩子般的荒謬，和這些觀念中的東西玩耍，就像在玩小錫兵，在我幼稚的雙手裡，這些東西與一個士兵的概念完全不一樣。

被錯誤灌醉，我迷失了一會，不再有活著的感覺。

從未實現的旅行（三）

海難？不，我沒有經歷過。但在所有的航行中我都有海難的印象，而每次我都是在無意識的間歇中獲救。

朦朧的夢，模糊的光線，混亂的風景——所有旅行在我的靈魂中只留下這些東西。我有這樣的印象，我有過色彩斑斕的時刻，各種氣味的愛和大大小小的渴望。我將整個生活過到了極致，我從不滿足自己，甚至在夢裡也是如此。

我必須向你解釋，我確實旅行過。但一切似乎暗示我沒有在生活中旅行。從一端到另一端，從北到南，從東到西，我厭倦了擁有過去的疲憊，活在當下的不安，以及不得不擁有將來的煩悶。但我竭力使自己完全停留在現在，在心裡抹去了過去和未來。

我沿著河岸漫步，突然發現我不知道那條河的名字。我坐在外國城市的咖啡廳桌旁，漸漸發現一切被夢幻般的朦朧氣氛籠罩。有時候我甚至想自己是否仍然坐在舊宅的桌旁，凝視著天空，沉浸在夢裡！我不確定是不是真的這樣，我是否還在那裡，這一切——包括和你的這段對話——是不是純粹的騙局。你到底是誰？同樣荒謬的事實是，你也無法解釋……

從未實現的旅行（四）

從不靠岸的航行沒有靠岸處。永遠不抵達意味著從未抵達過。

附錄一

文森特·格德斯的引用

如〈佩索亞、異名者，與惶然錄〉所述，文森特·格德斯多年來被當作《惶然錄》的虛構作者，直到被貝爾南多·索亞雷斯取代（和合併）。或許是為了避免出現混淆，佩索亞並未將以下三篇文章放進裝有《惶然錄》書稿的大信封裡。

一

我認識文森特・格德斯完全出於一個偶然的機會。我們經常在同一家僻靜而廉價的餐館吃飯。見得多了，自然就開始點頭打招呼。有一天，我們碰巧用同一張桌子，便交談了幾句，隨後就攀談起來。後來，我們每天午餐和晚餐都在那裡碰面。有時候，我們吃過晚餐後會一起離開，一邊散步一邊聊天。

文森特・格德斯在一個造物主漠不關心的狀態下度過了完全灰暗的人生。奴役弱者的斯多噶學派構成了他的整個世界觀的基礎。

天性使他注定不能有任何可能的渴望；命運驅使他放棄所有的一切。我想不出還有另一個靈魂能更令我驚訝。他沒有受到任何禁欲主義的影響，但他與生俱來的天性使他放棄了所有目標。雖然生來雄心勃勃，但他胸無大志，苟且偷安。

二

……這本措詞溫和的書。

這是世界上迄今為人所知最巧妙消極的靈魂和最純粹、最恣意放蕩的作夢者所留下的和將要留下的一切。我懷疑，任何人類表面上都以一種更複雜的方式活在自我意識中。作為一個精神上的花花公子，他在散漫隨意的存在中漫步在作夢的藝術裡。

這是一本自傳，自傳的主人公從不曾存在。

沒有人知道文森特・格德斯是誰，或者是做什麼的，或者……

這本書不是他的作品：這本書是他自己。但是，讓我們記住，無論這些紙頁講述了什麼，它們的陰影中總是浮動著神祕。

對於文森特・格德斯而言，自我意識是一門藝術，一種美德；作夢是一種宗教。他是精神貴族的定義者——靈魂的姿態與真正貴族的身體姿態最接近。

三

在豪華別墅的露臺上忍受乏味生活的痛苦是一種痛苦；另一種就是像我這類人的痛苦，我不得不在里斯本鬧區這間四樓的租屋裡，看著外面的風景陷入沉思，不能忘記我是一個助理會計。

「每個公證人都嚮往自己的葡萄乾。」[124]

每次，我的職業狀態使我不得不公事公辦時，當我自稱為「辦公室職員」時，人們不覺得這有什麼奇怪之處，我不免對著這不應有的諷刺自嘲一番。我不知道我是怎麼來到這裡的，而我的名字又是如何出現在專業登記簿的。

124 出自福樓拜《包法利夫人》。

日記的題詞：
文森特・格德斯，辦公室職員，雷朵拉斯大街一七號四樓
葡萄牙專業登記簿

附錄二

兩封信

佩索亞計畫將以下幾封信中的說法和觀點收入《惶然錄》。這種意圖在第二封信已經明確指出，而第一封信，更確切地說是第一封信的抄錄本在頂端標注了「惶然錄」的字樣。

給母親[125]的信

一九一四年六月五日

我的身體狀況一直不錯，而且奇怪的是，我的心態大為改善。儘管如此，我一直被一種無法言明的焦慮所困擾，我不知該如何稱呼，只能稱其為理智之癢，像是我的靈魂出了疹子。我只能用這種荒謬的語言描述自己的感覺。不過，我現在的感覺並不像我有時向你訴說的憂思愁緒完全一致，那些愁緒是無由的。但我今日的心境，的確是有因有據。我周圍的事物或是離去，或是崩塌。我不是以憂鬱的含義使用這兩個詞。我只是想說，與我交往的人或是正在經歷改變，為他們生命的特定階段畫上句號，或是將要這麼做。這一切讓我有所感想——就像一個老人，他目睹身邊的兒時夥伴一個個死去，也會感到自己大限將至——我以神祕的方式感覺自己的生活也應該、並且也會變化。我不認為這個變化一定是壞的。正好相反。但是，這畢竟是一次改變，對我而言，改變——從一個階段過渡到另一個階段——是一次些許的死亡，我們內心的某種東西死去了，死亡和過渡產生的悲傷不能自已，深深地觸及我們的靈魂。

明天，我最要好及最親密的朋友[126]要啟程去巴黎——不是旅行，而是移居。阿妮卡阿姨（從她信中可得知）可能不久就會跟她要出嫁的女兒去瑞典。我的另一個好友要去加利西亞省待很長一段時間；還有第二要好的好友要移居波多。因此我所有的人際圈即將一起（或各自）迫使我要麼陷入孤立境地，要麼踏上一條不確定的新道路。即使出版我的第一本書也會改變我的生活。我會失去某種東西：我在未出版時的狀態。因為變化總是壞的，所以本來好的變化最終也是朝壞的方向演變。失去一些負面的東西——無論是個人缺點或不足，還是被拒絕的事實——也依舊是損失。想像一下，母親，一個有如此感覺的人，整天被這些痛苦的感覺所淹沒，要怎麼生活！

距今十年後，或是五年之後，我會是什麼樣子？我的朋友們說我會是當代最偉大的詩人之一——他們之所以這麼說是基於我已經寫出的東西，而非我將要寫的（否則我也不會提及他們所說⋯⋯）。即使他們所言不假，我也不知這意味著什麼。我不知這會是什麼滋味。也許榮譽的味道近於死亡和徒勞，而勝利聞起來就像腐敗。

125 這篇打字稿有一個標題：給佩托麗亞（Pretora）的信件副本。一八九六年，佩索亞的母親新寡並再嫁，和年輕的費爾南多搬去南非的德班，她的新丈夫是葡萄牙駐南非領事館。一九〇五年，佩索亞回到里斯本，而他的母親（和第二度婚姻的子女）一直到一九二〇年才回國，又再成為寡婦。

126 指馬里奧・德・薩－卡內羅，參見下一條注釋。

給馬里奧・德・薩－卡內羅[127]的信

一九一六年三月十四日

今天寫信給你，是出於情感的需要——與你談話的渴望讓我痛苦不堪。換句話說，我沒什麼特別想說的，只有以下一點：我跌進了無盡憂傷的谷底。這個荒謬的句子說出我的心境。

今天我又感到未來黯淡，無路可走，我經常會有這種感覺。當下如一潭死水，被焦慮的圍牆所環繞。河流的彼岸，只要它是彼岸，就不是此岸，這是造成我所有痛苦的根源；許多小船注定要駛向各自的港口，但是沒有一艘生命之船會停止受苦，也沒有哪座碼頭能讓我們忘記所有。這一切發生在很久以前，我的悲傷更是久遠。

在那些靈魂如今日感覺的日子裡，我熟知身上的每一個毛孔，感覺自己像是個被生活痛打一頓的悲傷小孩。我被扔到一個角落，在那裡我能聽到其他正在玩耍的人們。我手裡拿著一個破爛不堪的劣質玩具，這是對我卑鄙的諷刺。今天，三月十四日，晚上九……點十分，這好像是我生命全部的價值。

我被關的這個地方孤寂無人，從窗戶可以看到公園裡本來吊在樹下的鞦韆，被高高地甩到了樹上，以至於儘管我時常神遊，這個時刻像鞦韆一樣在我想像中擺動，讓我無法忘記。不須用文學風格加以渲染，這就是我此刻的心情。就像《水手》[128]裡的守望女，每每念及哭泣，我的眼睛就劇痛不已。生活將我困在夾縫，用痛苦一點一點地咬噬我。這一切，都用極小的字母印在一本開了線的書裡。

如果我不是寫信給你，我就不得不發誓這封信所說的都是真實的，信中一系列的瘋狂想法是我感覺的自然流露。但你瞭解這種無法上演的悲劇就跟一個茶杯或是衣架一樣地真實——此地此時正是如此，就像綠色在樹葉中存在過一樣存在於我的靈魂。

這就是為何王子從不統治國家的原因。這個句子荒謬至極，但現在，我感覺這荒謬的句子讓我想失聲痛哭。

如果今天我不寄這封信，可能明天我會重讀一遍，然後謄寫一份，如此可將其中一些句子和謬論放進《惶然錄》中。但這並不會減少我寫這封信時注入的真摯情感，也不會緩解隱藏在其中不可避免的痛苦。

近況大致如此，還有就是國家與德國開戰了，不過，苦痛帶給我的折磨遠早於此。從生活的另一面來看，這必定是某些政治漫畫的標題。

我的感覺並不是真正的瘋狂，但瘋狂無疑是對人受苦的最深根源產生一種類似的放棄，敏感地感受靈魂的顛簸與碰撞。

我想知道，感覺是什麼顏色？

數千次的擁抱，你的朋友

費爾南多．佩索亞

127 馬里奧・德・薩－卡內羅（Mário de Sá-Carneiro，一八九〇～一九一六年），是佩索亞親密的朋友和合作者。薩－卡內羅是葡萄牙最重要的現代主義詩人之一，也是一位著名的小說家。他最早作品的主題是苦於沒有活出生命之美——在他的肉體、他的寫作，甚至是他的想像裡——這種生命之美只能透過他的直覺，沒有定義，雖然他顯然受到後象徵主義美學頹廢派的影響。這封信寄到巴黎一個月後，薩－卡內羅就在尼斯酒店的房間裡自殺了。

128 《水手》（The Mariner）：佩索亞唯一完成的作品《音訊》，他歸類為「靜態的戲劇」。一九一五年出版，刊於《奧菲歐》第一期。參見佩索亞的《序》。

另，這封信我一氣呵成。重讀之時，我決定一定要在明天寄給你之前謄寫一份。我很少能如此充分表達自己的心理，所有情感和理智的看法，所有內在的抑鬱傾向，以及所有自我意識的特有困境和轉折點……

你不這麼覺得嗎？

附錄三

佩索亞對於《惶然錄》的沉思

雖然《惶然錄》被冠以貝爾納多．索亞雷斯（里斯本的一位助理會計）這個名字出版，但讀者還是會注意到，在〈小說的插曲〉中，我從未使用過貝爾納多．索亞雷斯這個名字。這是因為，貝爾納多．索亞雷斯一邊與我有著不同的理念、感覺和看待與理解事物的方式，一邊用著與我相同的方式表達他自己。他是一個不同的人物，透過我的自然風格表達，具有一個截然不同的特點，也就是他特殊的語氣，因為他具有特殊的情感，所以具有這一特點也是必然的結果。

兩條說明

關於實際版本的說明（以及哪些文字可以作為前言）

後來，對於我曾經誤認為應收在《惶然錄》的多首詩作，已另外編撰成書；這本詩集應該選取一個合適的書名，從而說明該詩集收錄了如同廢物一般的詩作，或應該加上旁注——一些可以使人聯想到超然的文字。

此外，這本書可以成為最後的廢物全集組成部分，不宜出版的文字可以放在已出版的書中——允許作為一個悲慘的例子而存在。這有一點像英年早逝的詩人未完成的詩集，或與偉大作家的書信有些相似。不過在我心裡，此書不僅包含低劣的題材，還要題材有所不同，而正是這種不同將會證明此書值得出版，很顯然，這本書不應該出版這個事實不能證實此書值得出版。

《惶然錄》說明

這本書的架構基於對所寫文章的嚴格篩選，使那些舊文章——缺乏貝爾納多．索亞雷斯的心理特點——適用時下真正的心理學。此外，需要對風格進行整體修改，但不要放棄其深刻表達方式所具有的夢幻狀態和邏輯上支離破碎的特點。

還必須決定是否將具有過分華麗標題的長篇文章收錄在內，如〈巴伐利亞國王路德維希二世的喪禮進行曲〉和〈不安之夜交響曲〉。〈喪禮進行曲〉不應收錄其中，或者可以將之編入另一本書，因為可以把所有長篇文章收錄在一起。

信件摘錄

致若昂・德・博利・勒・里馬[129]（一九一四年五月三日）

煩悶的主題令我想起我有個問題想要問你……你是否看過去年出版的一期《鷹》中一篇我寫的〈在隔離的森林裡〉的文章？如果你沒看過，請告訴我，我可以寄給你。我非常希望你能讀一讀這篇文章，這是我唯一一篇出版過、將煩悶——以及枯燥乏味的夢，甚至是開始作夢之前，這些夢就對自身感到厭煩了——作為主題和中心的文章。我不知道你是否喜歡我的寫作風格。這是一種非常自我的風格，很多朋友都將之戲稱為「隔離體」，因為這種風格最先出現於那篇文章。而且他們還說「隔離的文字」、「隔離的演講」等等。

這篇文章屬於我所寫的另一本書，這本書還沒有出版，可是我還需要很久才能完成那本書。這本書名為《惶然錄》，因為不安和不確定性是這本書的主要基調。這一點在那篇已經出版的文章中表現得非常明顯。很明顯，對於純粹的夢境或白日夢的敘述其實就是——而讀者一開始就會感覺到這一點，而且如果我成功做到的話，他們會在整個閱讀過程中都有這種

129 若昂・德・博利・勒・里馬（João de Lebre e Lima，一八八九～一九五九年）：一位鮮為人知的詩人。

感覺——一種夢境的自白書，關乎痛苦與枯燥乏味的憤怒以及毫無用處的夢境。

致阿爾曼多．科爾特斯－羅德里格斯[130]**（一九一四年九月二日）**

……我寫作的文章都不值得寄給你。里卡多．雷斯和未來主義者阿爾瓦羅一向沉默。卡埃羅[131]騙了人，或許能在未來的書裡得到庇護……我現在主要寫的是社會學和不安。你已經猜到了，後面一詞同時也是指那本「書」名字。事實上，關於這本病態的著作，我已經寫了很多篇文章，因此，這本書會繼續複雜而迂迴地寫下去。

致阿爾曼多．科爾特斯－羅德里格斯（一九一四年十月四日）

我沒有寄給你我近來寫的不值一提的文章。很多文字都不值得寄給你；而其他文章則尚未完成；其餘的文章則是《惶然錄》支離破碎、並不連貫的文章。

……

我現在的心理狀態是一種深切而平靜的憂愁。現在，很多天以來，我一直在寫《惶然錄》。光是今天這一天我就寫了將近一章。

致阿爾曼多．科爾特斯－羅德里格斯（一九一四年十一月一九日）

我的精神狀態迫使我在違背意願的情況下奮力寫作《惶然錄》。可全都是些片段，片段，片段。

致若昂·加斯珀·西蒙斯[132]（一九三二年七月二十八日）

我原本打算把我的作品分成三本書出版，順序如下：（一）《葡萄牙》，這是一本小詩集（四十一首詩），第二部分是〈葡萄牙的海〉（發表於《當代》第四期）；（二）《惶然錄》（作者貝爾納多·索亞雷斯，但這只是個次要問題，因為貝爾納多·索亞雷斯並不是一個筆名，而是一種文學人物）；（三）《阿爾伯特·卡埃羅之完整詩集》（里卡多·雷斯所寫前言，在書的最後，阿爾瓦羅·德·坎普斯寫〈我的主人卡埃羅的回憶之說明〉）。在這些書出版之後一年，我計畫出版（單獨出版或與其他文章合訂出版）《歌謠集》（或者其他難以言傳的書名），這本書收錄（一到三卷，或一到四卷）多首我所寫的雜詩，這些詩作各色各樣，很難分類，只能用這種難以言傳的方式編撰。

不過《惶然錄》中有很多內容需要修改和調整，老實說，我預計需要花費至少一年的時

130 阿爾曼多·科爾特斯—羅德里格斯（Armando Cortes-Rodrigues，一八九一～一九七一年），經常與佩索亞及其他一九一〇年代的葡萄牙現代主義者合作。

131 這三人皆是佩索亞的異名者。參見〈異名表〉。

132 若昂·加斯珀·西蒙斯（João Gaspar Simões，一九〇三～一九八七年），是二十世紀葡萄牙文學家，以及《存在》（Presença）雜誌的共同創辦人，這本雜誌在一九二七至一九四〇年於葡萄牙孔布拉發行，認同佩索亞的極端創意，並在佩索亞還沒成名前就積極推廣他的作品。西蒙斯在一九五〇年出版了佩索亞的第一本傳記。

間。至於卡埃羅，我還沒有決定……

致阿道夫・卡薩伊斯・蒙泰羅[133]（一九三五年一月十三日）

我要怎麼才能用這三個名字寫作？卡埃羅，因為純粹和意料不到的靈感，不知道甚至沒有懷疑我要用他的名字寫作。里卡多・雷斯，在深奧的思考於頌詩之中突然成型後出現。坎普斯，當我突然感覺到一股寫作的衝動，卻不知道該寫什麼。（我的半異名貝爾納多・索亞雷斯在很多情況下都與阿爾瓦羅・德・坎普斯很相像，總是在我睡覺或昏昏欲睡的時候出現，以至於我的壓抑和理性思維的特性都被擱置了；他的散文就是沒完沒了的幻想。）他是個半異名，是因為他的個性——雖然不是我自己的個性——與我的個性沒有區別，但卻是殘缺的個性。他就是我，但沒有我的理性和感情。他的散文和我的散文一樣，只是存在某種程度的嚴格約束，即理性思維強加於我自己的文章之上，他的葡萄牙語則完全一樣——而卡埃羅的葡萄牙語很差，坎普斯的葡語相當好，卻會出現一些錯誤，例如以「我的自己」取代「我自己」等等……而雷斯的葡語比我好，可他有語言純正癖，我覺得程度太過了……

從未完成的前言到小說的插曲

我把某些文學形象放在故事裡，或放在某些書的副標題裡，在他們所說的話後面簽上我的名字；對於其他一些形象，我計畫附上我唯一的簽名，以便確認是我創造了這些形象。這兩種角色或許可以區分如下：對那些與眾不同的角色，他們的寫作風格與我的風格不同，而且當有需要之際，他們的寫作風格甚至與我的風格相反；對於那些我把他們的作品簽上了我名字的角色，他們的寫作風格與我的風格只在那些不可避免的細節之上有所區別，透過這些細節，他們之間的差別得以區分。

藉由舉例，我會比較這些形象，以便表明他們之間存在哪些差異。助理會計貝爾納多．索亞雷斯和特伊夫男爵——兩個沒有關係的角色——基本寫作風格相似，語法相同，而且都措詞小心。換句話說，不論好壞，他們的寫作風格都與我的風格一樣。我比較他們，是因為他們屬於同樣現象的兩個例子——不能適應真正的生活——因為同樣的原因而成其如此。然而，儘管特伊夫男爵和貝爾納多．索亞雷斯的葡萄牙語水準相當，他們的風格卻不相同。貴族男爵非常理性，不會想像，有一點兒——該怎麼說呢？——倔強和侷促不安，同時他的中產階級朋友則十分靈活，喜歡音樂和繪畫，但不懂建築。那位貴族思路清晰，文筆明快，能控制情感，儘管不能控制他的感覺；記帳員既不能控制情感也不能控制感覺，他的思考依賴於他的感覺。

貝爾納多．索亞雷斯和阿爾瓦羅．德．坎普斯之間也有明顯的相似之處。可是在阿爾瓦羅．德．坎普斯的文字裡，我們會立刻因為他那漫不經心的葡語以及誇張使用想像這兩點留下深刻印象，相較於索亞雷斯的作品，他的作品更發自於直覺，但不那麼意義深遠。

在我努力使他們互有區別的過程中，總會有一些失誤令我的心理洞察力有所苦惱。比

133 阿道夫．卡薩伊斯．蒙泰羅（Adolfo Casais Monteiro，一九〇八～一九七二年）：詩人和評論家，及《存在》雜誌的編輯，非常擁護佩索亞的作品。

如，當我努力區分貝爾納多．索亞雷斯的悅耳文字和我自己的一篇類似文字……有時候我會自動地加以區分，完美程度讓我自己都感覺驚訝；我的驚訝之中沒有任何虛誇，這是因為，我不相信人類具有一點點自由，相較於別人的內心變化，我不會更因為自己內心中的變化而吃驚——我自己與別人都是徹徹底底的陌生人。

唯有令人驚嘆的直覺能夠充當蒼茫靈魂的指南針。只有心懷這樣一種情感——在這份情感下，可以自由利用智慧，又不致受到智慧影響，儘管情感和智慧往往是一回事——才有可能區分獨立的現實和這些想像的角色。

✧ ✧ ✧

這些被引伸出來的人物或這些被創造出來的不同人物可分為兩類或兩級，仔細的讀者透過他們截然不同的個性可以很容易地辨認。在第一類中，這些人物可以透過我所不具有的感覺和觀念加以區分。在這一類的較低等級中，人物僅透過理念來區分，這些理念被設置於理性的闡述或內容中，而且很顯然並不是我自己的理念，至少不是我所知道的理念。〈無政府主義銀行家〉[134]就是屬於這個較低等級裡的例子；《惶然錄》以及貝爾納多．索亞雷斯這個角色則屬於較高等級的例子。

雖然《惶然錄》被冠以貝爾納多．索亞雷斯（里斯本的一位助理會計）這個名字出版，但讀者還是會注意到，在〈小說的插曲〉中，我從未使用過貝爾納多．索亞雷斯這個名字。這是因為，貝爾納多．索亞雷斯一邊與我有著不同的理念、感覺和看待與理解事物的方式，一邊用著與我相同的方式表達他自己。他是一個不同的人物，透過我的自然風格表達，具有一個截然不同的特點，也就是他特殊的語氣，因為他具有特殊的情感，所以具有這一特點也是必然的結果。

關於〈小說的插曲〉的各位作者，不光他們的理念和感覺與我不同；就連他們的創作技巧和風格也與我不同。不僅對這些作者的構想不同，而且他們還被創造成了一個完全不同的存在。所以詩歌在此才占主導地位。在散文之中，更加難以區分。

134〈無政府主義銀行家〉（O Banqueiro Anarquista）：一篇較長的短篇故事，提到很多蘇格拉底的對話，佩索亞於一九二二出版。

附錄四

異名表

佩索亞把最重要的人物角色稱作「異名者」，他們有自己的傳記、體格、個性、政治觀點、宗教態度和文學追求。

在寫作散文和詩歌時，佩索亞使用了很多署名，他稱這些署名為「異名」，而不是「筆名」，因為這些名字不僅僅是假名，而是屬於被創造出來的人物，他們都是虛構的作者，有著自己的觀點和文學風格，與佩索亞的觀點和文學風格不盡相同。

其中三個詩歌方面的主要異名——阿爾伯特．卡埃羅、里卡多．雷斯和阿爾瓦羅．德．坎普斯——誕生於一九一四年，不過佩索亞使用的異名有七十五個之多，最初的一些異名可以追溯到他的童年時代。

有些異名如瑪麗亞．何塞都只是輝煌一時，只有一篇作品署名他們為作者；而其他異名如文森特．格德斯，這個人物不停變換觀點，時而光輝燦爛，時而黯淡無光，最後才消失在視線之中；如坎普斯的幾個極少數異名屬於佩索亞宇宙中的恆常（不過從來不是靜止不變的）。下面將介紹一些最重要的署名。根據這些異名在佩索亞作品中出現的大致順序（有時候根據推測的順序）排列。

切瓦利爾．德．帕斯騎士（Chevalier de Pas）

被佩索亞稱為「我的第一個異名，或者說我的第一個虛構朋友」，據稱，在佩索亞六歲時，這位友好的騎士就寫信給他，信可能是用法語寫成，他的父母都講一口流利的法語。

查爾斯．羅伯特．安農（Charles Robert Anon）

第一個成熟的異名，一九〇三年前後，由十幾歲的佩索亞在南非時創造出來的。他的英文詩歌和散文均與哲學問題有關，比如存在與不存在，自由意志與決定論，還描寫了剛剛成年的年輕人（是他自己？還是佩索亞？）的焦慮感。

這個人物在署名時把自己稱作C・R・安農，從根本上來說他是個反基督教主義者，有時候還很暴力，在他的詩歌〈天主教會的墓誌銘〉和散文中，他頒布「命令，革除世界上所有宗教的所有牧師和所有宗教人員的教籍」。

亞歷山大・舍奇（Alexander Search）

佩索亞甚至為這個英文異名印製了名片，這個人物生於里斯本，與他的創造者在同一天誕生：一八八八年六月十三日。這個人物寫了將近兩百首詩歌，其中大部分都是佩索亞於一九〇五年返回里斯本後的三年內完成，其中有些詩歌的日期遲至一九一〇年，而其他詩作的日期則追溯到一九〇三年四月（追溯起來，起碼有一些早期的詩作確為舍奇所作）。在文學創作方面來說，他的詩作不能和冠有卡埃羅、坎普斯和雷斯之名的葡語詩歌比較，不過他的詩涵蓋了後來這三個主要人物所作詩歌的全部主要主題。舍奇還創作了散文，其中包括一篇名為〈一頓非常原始的晚宴〉的故事，在這篇令人毛骨悚然的文章裡，一些不知情的用餐者把人肉當成美味饗宴大快朵頤。

查爾斯・詹姆斯・舍奇（Charles James Search）

一八八六年四月一八日誕生，是亞歷山大的哥哥，作為專職翻譯的他（主要）把葡萄牙文學作品譯成英文。他的大部分譯作如埃薩・德・克羅茲所作《滿洲官員》英譯本從未取得進展，可他的確把多部哲學派詩人安特洛・德・肯塔爾（Antero de Quental，一八四二～一八九一年）的十四行詩翻譯成了英文。他還翻譯了一部分何塞・德・埃斯普龍塞達（José，一八〇八～一八四二年）所著長篇西班牙語詩劇《薩拉曼卡的學生》。

尚・瑟爾・德・梅魯萊特（Jean Seul de M luret）

佩索亞的法語異名，誕生於一八八五年八月一日，這個人物似乎是在一九〇七年左右由佩索亞構思出來。除了創作詩歌外，尚・瑟爾還留下了兩篇未完成的散文：〈暴露狂〉，寫的是年輕女性半裸身體在巴黎音樂廳表演的現象，另一篇是道德諷刺文〈一九五〇年的法國〉（又名〈二〇〇〇年的法國〉），在這篇文章中，未來主義敘述者將這些怪異現象稱為「和四個女人睡在一張床上的吉羅先生」因為「拒絕亂倫罪」而被押送到監獄。

文森特・格德斯（Vicente Guedes）

第一個大量使用葡語寫作的異名，可能於一九〇七或一九〇八年被創造出來。除了創作詩歌，小說，翻譯以及日記體文章，曾經一度《惶然錄》（詳見〈前言〉）的署名就是這位格德斯。他的生平——助理會計，孤獨的單身漢，住在里斯本一間四樓租屋——和貝爾納多・索亞雷斯的生平十分相像，而索亞雷斯似乎就是他的化身。

阿爾伯特・卡埃羅・達・席爾瓦（Ablerto Caeiro da Siva）

阿爾瓦羅・德・坎普斯、里卡多・雷斯以及佩索亞本人都將他視為大師，阿爾伯特・卡埃羅・達・席爾瓦於一八八九年四月十六日生於里斯本，一生大部分時間都和他的老姑媽住在鄉下，一九一五年因罹患肺結核在里斯本去世。然而，起碼是在一九三〇年前，他都繼續透過佩索亞創作詩歌。

這位想像出來的牧羊人被稱成「自然詩人」，在他的第一首詩中承認，「我從不養羊／可好像我是在養羊」。在一九一四年構思之時，卡埃羅最初被設計成一位兼容並蓄的前衛主義者，不僅創作了淳樸的反形而上學詩歌《牧羊人》，還創作了多首長篇未來主義頌詩，這些詩歸到了坎普斯名下，此外他完成的幾首立體主義詩歌最終由佩索亞本人署名。擺脫了這些較為具有自我意識的文學特色後，卡埃羅回到了鄉下，此時的他沒有任何野心，只希望不帶任何哲學思想、真真實實地看待萬事萬物。

阿爾瓦羅·德·坎普斯（Álvaro de Campos）

佩索亞最吵鬧的一個異名，一八九〇年十月十五日生於塔維拉，在格拉斯哥學習海洋工程，因為一次東方航海之旅而中斷學業，曾在倫敦住過一段時間，最後定居里斯本。
作家坎普斯是個花花公子，戴著當時非常時髦的單片眼鏡，抽鴉片，喝苦艾酒，對年輕男子和年輕女孩都很有吸引力，一開始，他都是憑感覺寫一些激昂的長篇頌詩，令人想起華特·惠特曼，可是隨著時間的推移，他寫起了短詩，風格也更為感傷。
然而，他從未改掉頑皮的脾氣，頻繁干預他的創造者在真實世界裡的生活。讓佩索亞的朋友們非常生氣的是，這位海洋工程師有時候會代替他赴約，一九二九年，坎普斯自作主張，寫信給佩索亞的心上人奧菲利亞·凱蘿絲（Qphelia Queiroz），勸她把她對愛人的思念扔進「馬桶裡」沖走。

里卡多·雷斯（Ricardo Reis）

一八八七年九月十九日生於波多，一九一二年，這位古典派作家和訓練有素的醫生朦朦朧朧地出現在佩索亞面前，但一直到兩年之後，他才確定了他自己的地位。

作為君主制支持者（葡萄牙最後一位國王於一九一〇年退位，此後共和國建立），在想像中，他於一九一九年搬去了巴西，不過佩索亞在別處稱他是一位「美國重要高中的拉丁語教師」，檔案館裡藏有一個里卡多・塞克拉・雷斯博士在祕魯的地址。佩索亞說雷斯是「用葡語寫作，秉承希臘風格的賀拉斯」，他創作了多首短篇頌詩，在詩中提倡以禁欲主義精神面對生活裡微小且稍縱即逝的快樂、不可避免的痛苦，而且生活裡沒有任何意義可供發現。

弗雷德里科・雷斯（Frederico Reis）

里卡多的兄弟，我們只知道他生活在國外，寫過一本關於所謂的里斯本學派詩歌（主要人物包括阿爾伯特・卡埃羅，阿爾瓦羅・德・坎普斯和里卡多・雷斯）的小冊子，並稱之為葡萄牙唯一真正的國際化文學運動。

他還會評論他兄弟「極其傷感」的詩歌，與他的兄弟很有共鳴，他評論他兄弟的詩歌為「清醒且有條理地嘗試獲得平靜」。

湯瑪斯・克羅斯（Thomas Crosse）

他把葡萄牙文化推向了說英語的國家，這位散文家和譯者特別致力於推廣阿爾伯特・卡埃羅的作品。「十分新奇，古怪，可怕，令人毛骨悚然」，在為這位假冒牧羊人的《詩歌全集》撰寫的前言中，他這樣評價卡埃羅，而且他還打算將這本詩集翻譯成英文。然而，就像佩索亞和他的虛構朋友提出的很多計畫一樣，這項非常有意義的工作永遠都只是一個好想法而已。

I·I·克羅斯（I. I. Crosse）

很可能是湯瑪斯·克羅斯的兄弟，寫了很多讚揚卡埃羅（稱讚他的「客觀神祕主義」）和坎普斯（「有史以來最偉大的通曉韻律者」）的評論文章。

A·A·克羅斯（A. A. Crosse）

這位第三位克羅斯先生角逐英文報紙上的字謎遊戲獎金。

安東尼奧·莫拉（António Mora）

作為新異教主義（代替境況不佳且頹廢的基督教運動）的首席理論家，莫拉熱情洋溢地闡述了卡埃羅和雷斯的才華，認為他們「用詩歌直接表達異教信仰」。他還留下了很多雄心勃勃的未完成文章，有打字版本，也有手寫版本，標題有《諸神的回歸》（與里卡多·雷斯聯合創作），《異教改革導論》和《異教基礎》（被視為對康德《純粹理性批判》的反駁，以及重建異教客觀主義的一次嘗試）。

拉斐爾·巴爾達伊（Raphael Baldaya）

佩索亞在一封信中稱其為長鬍子的占星家，於一九一五年末被構思出來。除了占星術和關於星宿的文章，他還創作了幾篇哲學文章，包括〈駁斥論〉，在這篇文章裡，他肯定生命「從本質上來看都是幻覺與虛假。上帝是至高謊言」。

貝爾納多・索亞雷斯（Bernardo Soares）

《惶然錄》最終的虛構作者，他似乎是在一九二八年成了該書的作者，在虛構之中，他在同年搬去了道拉多雷斯大街，但一開始他的設定角色是一位短篇小說作家。佩索亞和索亞雷斯之間關係非常緊密——他稱他為半異名，因為他並非一個不同的人物，而是一個殘缺不全的費爾南多，這體現在他倆名字的相似之處上，「貝爾納多」（Bernardo）與「索亞雷斯（Soares）」名字裡的字母幾乎與「費爾南多」（Fernando）和「佩索亞」（Pessoa）名字中的字母一模一樣。

瑪麗亞・若澤（Maria José）

佩索亞唯一一個已知的女性人物角色，是一篇寫給安東尼奧先生感傷長篇情書的作者，一個英俊的金屬加工工人每天上下班時都會經過她的窗前。瑪麗亞・若澤有點駝背，微微有些跛腳，最後患肺結核去世，她從不打算把她這封充滿絕望的信送出去。「我的日子所剩無幾，」她在信的最後寫道，「我寫這封信就是為了能把它捧在胸前，彷彿這是你寫給我的信，而不是我寫給你的信。」

特伊夫男爵（Baron of Teive）

一九二八年構思而成，這位男爵或許是佩索亞最後一位虛構作者。他與貝爾納多・索亞雷斯（佩索亞在〈附錄三〉的〈小說的插曲〉前言）裡比較了這兩個人物有很多相似之處，特伊夫或許也可以被視為半異名，被當成殘缺或扭曲的佩索亞。他具有佩索亞那種唯理主義傾向，還體現了他的創造者那份貴族式的自命不凡（佩索亞因父系具有非常遠的貴族血統而十分驕傲）。和佩索亞一樣，男爵因為無法完成任何作品而苦惱，並且選擇了理性且符合邏輯的一步，以自殺結果了自己的性命。而他的創作者則可能咯咯笑著繼續寫作。

野人文化
讀者回函卡

書 名

姓 名　　　　　　　　　　　　　　　□女 □男　年齡

地 址

電 話　　　　　　　　　　　　　　手機

Email

□同意 □不同意　　收到野人文化新書電子報

學 歷 □國中（含以下）□高中職 □大專 □研究所以上
職 業 □生產/製造 □金融/商業 □傳播/廣告 □軍警/公務員
□教育/文化 □旅遊/運輸 □醫療/保健 □仲介/服務
□學生 □自由/家管 □其他

◆你從何處知道此書？
□書店：名稱 ______________ □網路：名稱 ____________
□量販店：名稱 ____________ □其他 ___________________

◆你以何種方式購買本書？
□誠品書店 □誠品網路書店 □金石堂書店 □金石堂網路書店
□博客來網路書店 □其他 _________________

◆你的閱讀習慣：
□親子教養 □文學 □翻譯小說 □日文小說 □華文小說 □藝術設計
□人文社科 □自然科學 □商業理財 □宗教哲學 □心理勵志
□休閒生活（旅遊、瘦身、美容、園藝等） □手工藝／DIY □飲食／食譜
□健康養生 □兩性 □圖文書／漫畫 □其他 _______

◆你對本書的評價：（請填代號，1. 非常滿意 2. 滿意 3. 尚可 4. 待改進）
書名 _____ 封面設計 _____ 版面編排 _____ 印刷 _____ 內容 _____
整體評價 _____

◆你對本書的建議：

野人文化部落格 http://yeren.pixnet.net/blog
野人文化粉絲專頁 http://www.facebook.com/yerenpublish

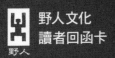

廣　告　回　函
板橋郵政管理局登記證
板 橋 廣 字 第 143 號

郵資已付　免貼郵票

野人

23141
新北市新店區民權路108-2號9樓
野人文化股份有限公司 收

請沿線撕下對折寄回

野人

書號：0NGA1023